國家圖書館藏敦煌遺書

中國國家圖書館編

第十八册 北敦〇一二〇一號——北敦〇一二五四號

北京圖書館出版社

圖書在版編目(CIP)數據

國家圖書館藏敦煌遺書·第十八册/中國國家圖書館編;任繼愈主編.—北京:北京圖書館出版社,2006.2

ISBN 7-5013-2960-5

Ⅰ.國… Ⅱ.①中…②任… Ⅲ.敦煌學-文獻 Ⅳ.K870.6

中國版本圖書館 CIP 數據核字(2005)第 153405 號

書　　名　國家圖書館藏敦煌遺書·第十八册
著　　者　中國國家圖書館編　任繼愈主編
責任編輯　徐　蜀　孫　彦
封面設計　李　璀

出　　版　北京圖書館出版社　(100034　北京西城區文津街 7 號)
發　　行　010-66139745　66151313　66175620　66126153
66174391(傳真)　66126156(門市部)
E-mail　cbs@nlc.gov.cn(投稿)　btsfxb@nlc.gov.cn(郵購)
Website　www.nlcpress.com
經　　銷　新華書店
印　　刷　北京文津閣印務有限責任公司

開　　本　八開
印　　張　54
版　　次　2006 年 2 月第 1 版第 1 次印刷
印　　數　1-150 册(套)

書　　號　ISBN 7-5013-2960-5/K·1243
定　　價　990.00 圓

編輯委員會

主　編　任繼愈
常務副主編　方廣錩
副主編　李際寧　張志清
編委（按姓氏筆畫排列）王克芬　王姿怡　吳玉梅　胡新英　陳　穎　黄　霞（常務）　劉玉芬

出版委員會

主　任　詹福瑞
副主任　陳　力
委　員（按姓氏筆畫排列）李　健　姜　紅　郭又陵　徐　蜀　孫　彦

攝製人員（按姓氏筆畫排列）

于向洋　王富生　王遂新　谷韶軍　張　軍　張紅兵　張　陽　曹　宏　郭春紅　楊　勇　嚴　平

目錄

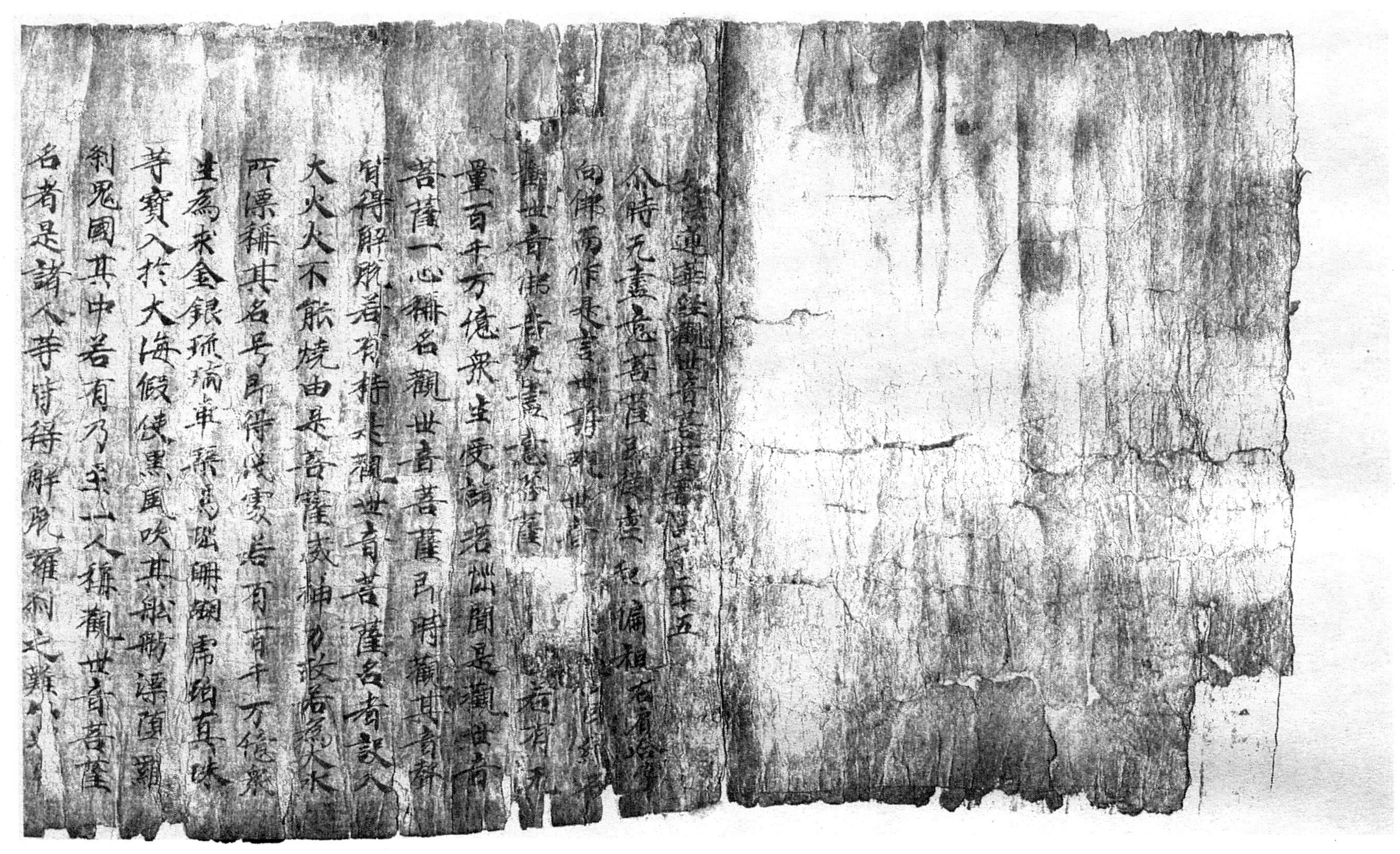

妙法蓮華經觀世音菩薩普門品第廿五
尒時无盡意菩薩即從座起偏袒右肩合掌
向佛而作是言世尊觀世音菩薩以何因緣名觀世音
觀世音佛告无盡意菩薩善男子若有无
量百千万億衆生受諸苦惱聞是觀世音
菩薩一心稱名觀世音菩薩即時觀其音聲
皆得解脫若有持是觀世音菩薩名者設入
大火火不能燒由是菩薩威神力故若爲大水
所漂稱其名号即得淺處若有百千万億衆
生爲求金銀琉璃車磲馬瑙珊瑚虎珀真珠
等寶入於大海假使黑風吹其船舫漂墮羅
剎鬼國其中若有乃至一人稱觀世音菩薩
名者是諸人等皆得解脫羅剎之難以是因

BD01201 號　觀世音經　（7–1）

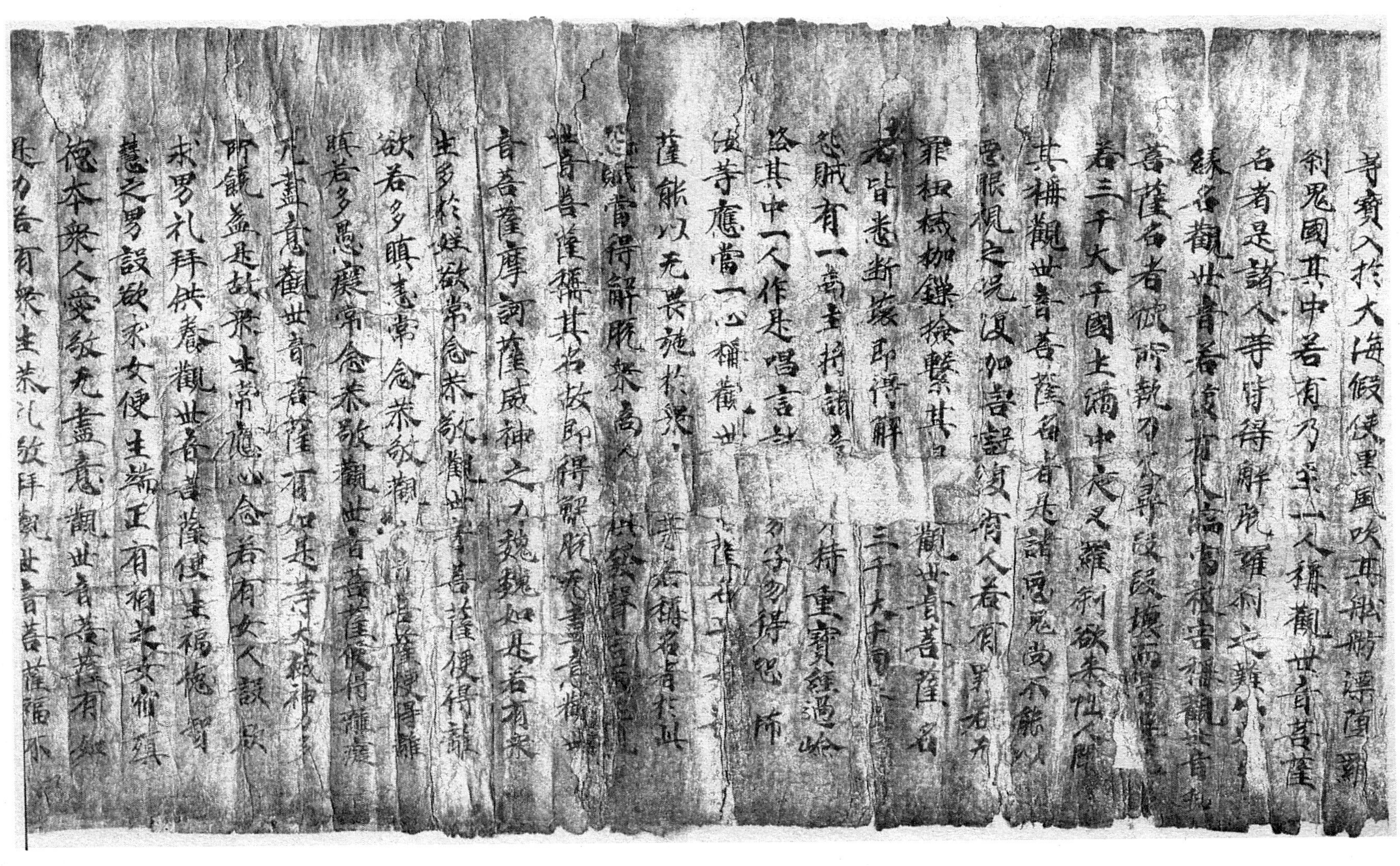

等寶入於大海假使黑風吹其船舫漂墮羅
剎鬼國其中若有乃至一人稱觀世音菩薩
名者是諸人等皆得解脫羅剎之難以是因
緣名觀世音若復有人臨當被害稱觀世音
菩薩名者彼所執刀杖尋段段壞而得解脫
若三千大千國土滿中夜叉羅剎欲來惱人聞
其稱觀世音菩薩名者是諸惡鬼尚不能以
惡眼視之況復加害設復有人若有罪若无
罪杻械枷鎖檢繫其身稱觀世音菩薩名
者皆悉斷壞即得解脫若三千大千國
土滿中怨賊有一商主將諸商人齎持重寶經過嶮
路其中一人作是唱言諸善男子勿得恐怖
汝等應當一心稱觀世音菩薩名号是菩
薩能以无畏施於衆生汝等若稱名者於此
怨賊當得解脫衆商人聞俱發聲言南无觀
世音菩薩稱其名故即得解脫无盡意觀世
音菩薩摩訶薩威神之力巍巍如是若有衆
生多於婬欲常念恭敬觀世音菩薩便得離
欲若多瞋恚常念恭敬觀世音菩薩便得離
瞋若多愚癡常念恭敬觀世音菩薩便得離癡
无盡意觀世音菩薩有如是等大威神力多
所饒益是故衆生常應心念若有女人設欲
求男礼拜供養觀世音菩薩便生福德智
慧之男設欲求女便生端正有相之女宿殖
德本衆人愛敬无盡意觀世音菩薩有如
是力若有衆生恭敬礼拜觀世音菩薩福不

BD01201 號　觀世音經　（7–2）

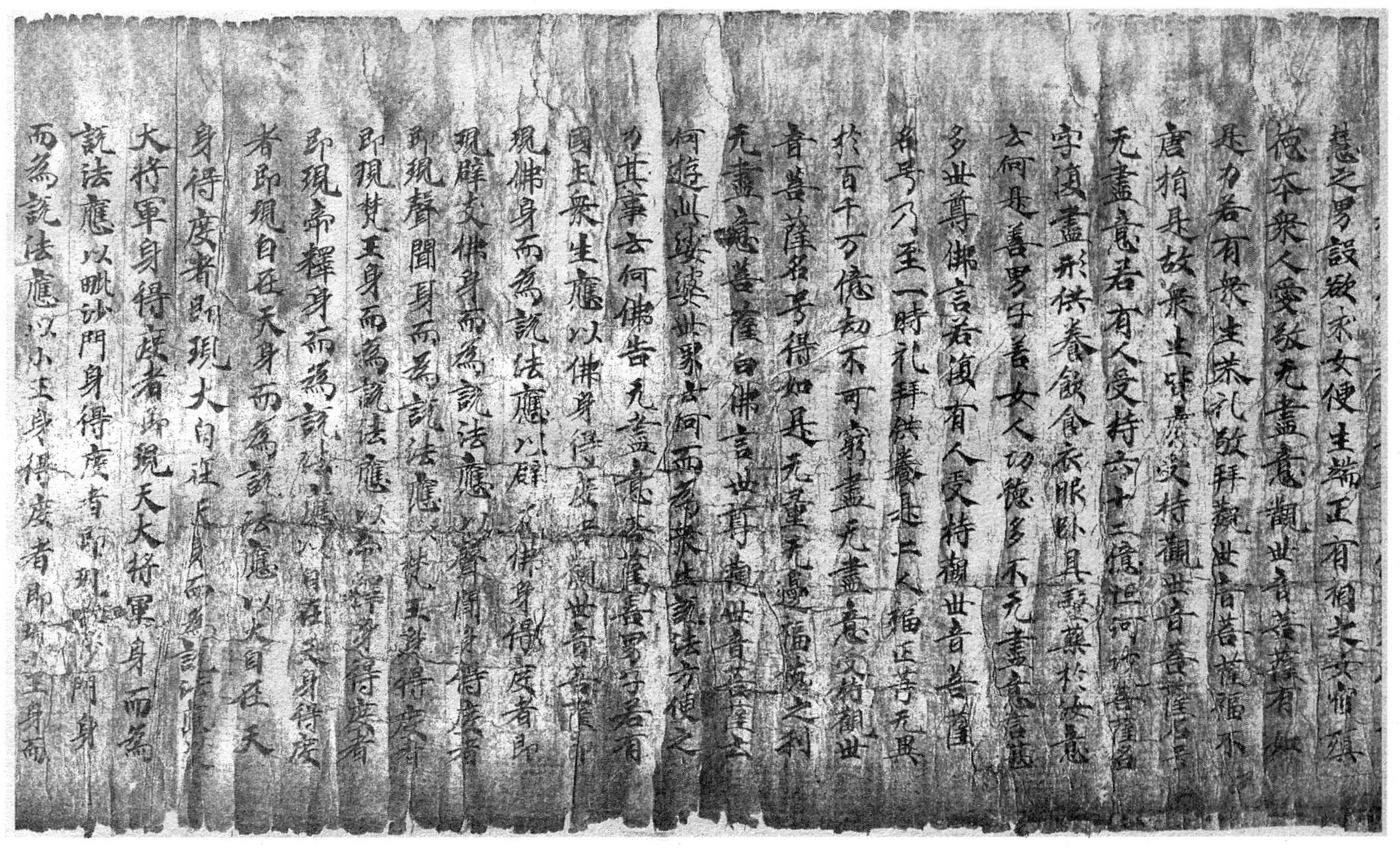

BD01201 號　觀世音經　（7–3）

BD01201 號　觀世音經　（7–4）

BD01201號　觀世音經　（7–5）

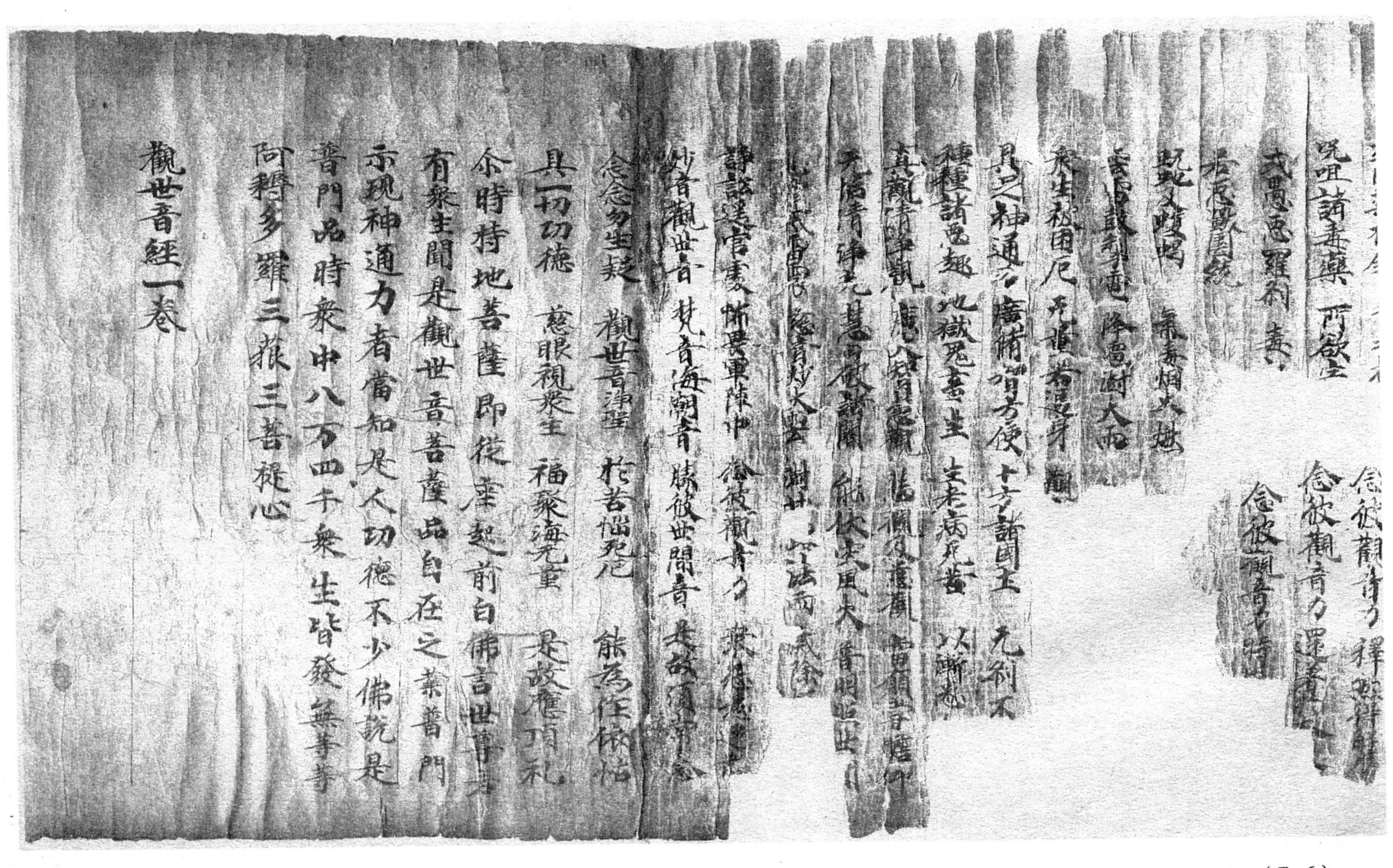

BD01201號　觀世音經　（7–6）

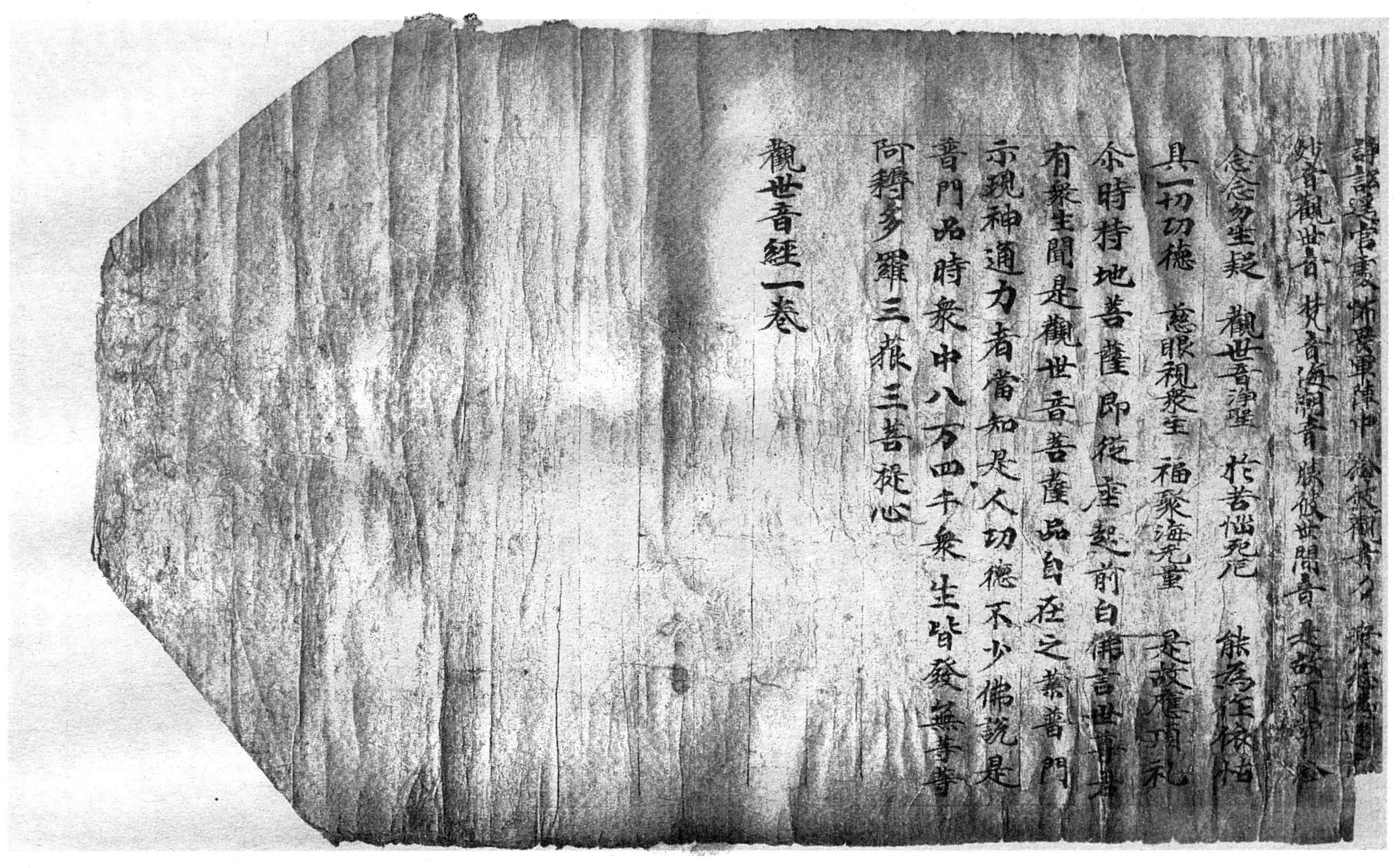
諍訟經官處　怖畏軍陣中　念彼觀音力
妙音觀世音　梵音海潮音　勝彼世間音　是故須常念
念念勿生疑　觀世音淨聖　於苦惱死厄　能爲作依怙
具一切功德　慈眼視衆生　福聚海無量　是故應頂禮
尒時持地菩薩即從座起前白佛言世尊若
有衆生聞是觀世音菩薩品自在之業普門
示現神通力者當知是人功德不少佛說是
普門品時衆中八万四千衆生皆發無等等
阿耨多羅三藐三菩提心

觀世音經一卷

BD01201 號　觀世音經　（7–7）

BD01201 號背　雜寫　（3–1）

BD01201 號背　雜寫　（3–2）

BD01201 號背　雜寫　（3–3）

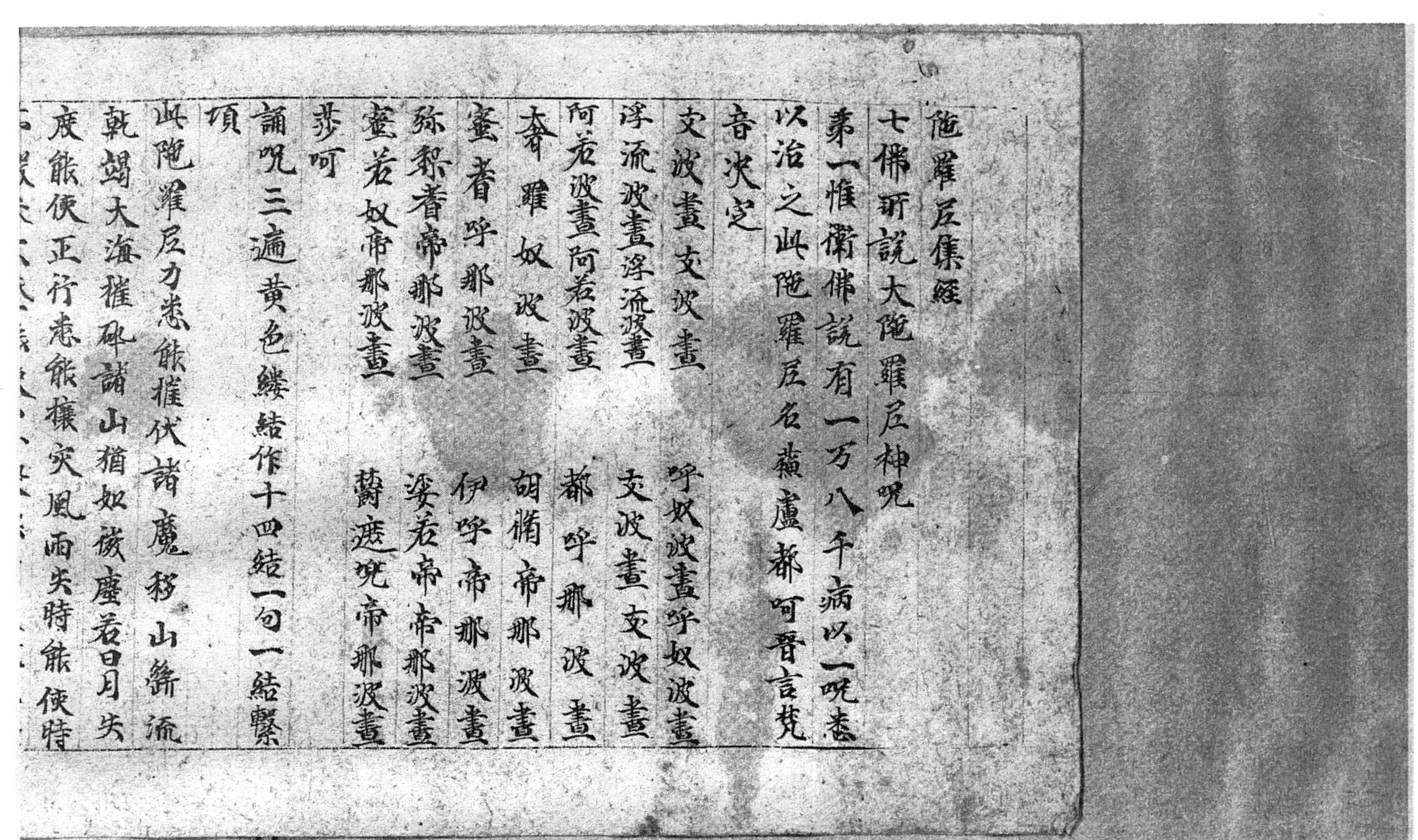
陁羅尼集經
七佛所說大陁羅尼神呪
第一惟衛佛說有一万八千病以一呪悉
以治之此陁羅尼名蘊盧都呵晉言梵
音決定
支波晝支波晝　　呼奴波晝呼奴波晝
浮流波晝浮流波晝　　支波晝支波晝
阿若波晝阿若波晝　　都呼那波晝
夲羅奴波晝　　胡脩帝那波晝
蜜耆呼那波晝　　伊呼帝那波晝
殊䵒耆帝那波晝　　婆若帝帝那波晝
蜜若奴帝那波晝　　蔚遮兜帝那波晝
莎呵
誦呪三遍黃色縷結作十四結一句一結繫
項
此陁羅尼力悉能摧伏諸魔移山絕流
乾竭大海摧砕諸山猶如微塵若日月失
度能使正行悉能禳災風雨失時能使時

BD01202號　陀羅尼集經（異名）　（11-1）

誦呪三遍黃色縷結作十四結一句一結繫
項
此陁羅尼力悉能摧伏諸魔移山絕流
乾竭大海摧砕諸山猶如微塵若日月失
度能使正行悉能禳災風雨失時能使時
節穀米不登能使豐熟隣國假境悉能
禳却大臣謀叛惡心即滅疾病劫起悉能
禳之疫鬼入國能驅遣之力丘劫起能摧
滅之此陁羅尼力禳災消伏无量无邊若廣
說書寫誦持功德者窮劫不盡
第二式佛所說陁羅尼名胡蘇多晉言除
一切熱蒸熱惱此陁羅尼句七十二億諸佛
所說神呪
陁摩帝那　　遮波兜帝那　　夲副夲副帝那
焉蘇多焉蘇多帝那　　浮浮夲浮浮夲帝那
阿輸帝阿輸帝帝那　　尼梨遮尼梨遮帝那
支波晝支晝帝那　　蘇呵兜蘇呵兜帝那
耶无夲耶无夲帝那　　夲破不帝那
溫者不帝那　　蘇夲不帝那莎呵
誦呪三遍黃色縷結作三結繫項
此陁羅尼神力能使三千大千世界六種
震動山河石壁崩峨涌沒其中衆生悉發
无上菩提之心能除七十七億生死重罪一
切衆生病苦悉皆消滅无有遺餘其中衆
生書寫讀誦此陁羅尼一句名者百千万
億恒河沙世重眾罪業摧滅无餘

BD01202號　陀羅尼集經（異名）　（11-2）

无上菩提之心能除七十七億生死重罪一
切衆生病苦悉皆消滅无有遺餘其中衆
生書寫讀誦此陀羅尼一句名者百千万
億恒河沙世重罪業摧滅无餘
第三隨業佛所說神呪名蜜耆𠐊晋言金
皷衆生所有業障報障垢重煩惱悉能摧
滅永盡无餘
浮律帝 那 若无𠐊醯那 安耆𠐊醯那
若无𠐊醯那 遮浮浮醯那 若无𠐊醯那
烏奢呼呼醯那 若无𠐊醯那 睒婆咻咻醯那
究梨吒咻醯那 遮波都醯那 若晝那醯那
偈耆咻醯那 遮𠐊梨那醯那 莎呵
誦呪七遍黄色縷結作四結繫項
此陀羅尼句恒河沙等諸佛所說其有書
寫讀誦此陀羅尼者此人恒河沙等劫所有
重惡愆重報鄣業鄣及以五逆一闡提罪悉
滅无餘及餘衆生所有重病鄣道罪垢聞
其所說悉无餘其有書寫讀誦之者
所至到處國邑聚落山林丘墓其中衆生
得聞說此陀羅尼呪名一逕耳者命終已後
悉得往生阿閦佛國乃至成佛不墮三塗
行此呪法於四月十六日在東向塔內一日
遶塔八十迊於塔西壁下東向立誦呪廿
四遍乃至七日七夜不得睡眠須胡麻油燈
七枚安置塔四角頭淨潔洗浴著新淨衣
不食酒肉五辛違中一食我於尒時當現其

四遍乃至七日七夜不得睡眠須胡麻油燈
七枚安置塔四角頭淨潔洗浴著新淨衣
不食酒肉五辛違中一食我於尒時當現其
人前放大光明以金色手摩其頂上與
授決此人所有業鄣罪垢悉滅無餘
第四拘留秦佛欲說大陀羅尼名金剛幢
并能療治三界五濁衆生諸惡煩惱瘡尤
重病一切業鄣及以報鄣諸垢煩惱悉能消
除名禪那𠐊醯吒晋言拔衆生苦令出欲
淤泥闇者脫三垢貪欲瞋恚愚
阿若那晝 波耆醯晝 伊那波梨帝那醯晝
耆菩阿若帝那醯晝 奢留摩醯晝 若无不
醯晝 烏奢斂摩醯晝 耆浮摩醯晝 遮𠐊
梨那醯晝 浮梨帝那醯晝 阿呼呼 若醯晝
浮梨帝那醯晝 莎呵
禪那牟梨帝 晋言大豊飽滿 耆浮牟牟咻
枸吒牟牟咻 牟梨覓浮浮咻 婆牟覓浮浮咻
支不破浮浮咻 鴦耆奴浮浮咻 不梨帝浮浮
咻 莎呵
誦呪一遍黄色縷結作十二結繫項
上來所說陀羅尼句及我所說悉是過去
九十九億諸佛所說其有讀誦書寫之者
現身當得金剛幢三昧所有結使摧滅无餘
状衆生皆如上所說神力自在不可限量
第五拘那含牟尼佛欲說大陀羅尼名畢
多耆呵覓晋言聲震十方莫不歸伏覺悟

現身當得金剛憧三昧所有結使摧滅无餘
状衆生皆如上所說神力自在不可限量
苐五枸那含牟尼佛欲說大陁羅尼名畢
多耆呵竟昏言聲震十方莫不歸伏覺悟
衆生猶如雷震无明衆生令得慧眼此陁
羅尼句乃是過去七十二億諸佛諸所說
我今說之
禪那波羅帝囊 阿那囊耆呵囊 烏奢耆呵
囊阿陁无耆呵囊 不梨帝耆呵囊 又耶囊
耆呵囊 欽波羅帝囊耆呵囊 蜜耆帝囊
耆呵囊 阿蘭耆帝囊毗呵囊 蜜耆兜帝囊
若無呵帝囊 烏烏烏烏呵帝囊 交不破帝囊
莎呵
誦呪三遍黄色縷結作三結痛處繫
此陁羅尼力故令三千大千世界六種震動
其中所有一切衆生得聞說此陁羅尼句
一逕耳者百千万億姟劫所有重罪誹謗
五逆悉滅无餘其有衆生循行讀誦七日
七夜滅省睡眠其人現身得師子王定三昧
百千諸佛現前授記又其國土隣國強敵
欲來侵陵國王尒時與諸群臣淨潔洗浴著
新淨衣於高樓上隨其方面先礼十方佛然
後礼我枸那含牟尼佛三稱我名燒香
散華尒時即說陁羅尼句以此陁羅尼威神
力故大梵天王帝釋四天大王於虛空中悉
雨刀劍四面大黑風起令其兵衆皆悉不得

BD01202號　陀羅尼集經（異名）　（11–5）

新淨衣於高樓上隨其方面先礼十方佛然
後礼我枸那含牟尼佛三稱我名燒香
散華尒時即說陁羅尼句以此陁羅尼威神
力故大梵天王帝釋四天大王於虛空中悉
雨刀劍四面大黑風起令其兵衆皆悉不得
見日月光諸夜叉衆吸其精氣應死者死自
然退散大陁羅尼威神之力乃至如是
苐六迦葉佛欲說大陁羅尼名初摩梨帝
晉言拯濟群生出生死苦
阿若提波梨帝 遮留摩提波梨帝
烏奢那提波梨帝 婆豆波羅帝提婆梨帝
呼婆都波羅帝提婆梨帝 那呼波羅帝提婆梨帝
那交留波羅帝提婆梨帝 那呼多羅帝提婆梨帝
婆若不羅帝提婆梨帝 那婆都羅帝提婆梨帝
奢若蜜都羅帝提婆梨帝 娑呵
誦呪七遍黄色綖結作六結痛處繫
此陁羅尼句乃是過去七十七億諸佛所說
此陁羅尼力能令百佛世界六種震動所有山
河石壁皆悉摧碎猶如微塵通爲一佛世界
其中所有一切万物皆作金色浩汗晃瀁
悉不復現唯見金色更无餘色此陁羅尼力
故能令百佛世界衆生宿業重罪及三塗
苦悉皆除滅无有遺餘其中衆生循行讀
誦此陁羅尼者未發无上菩提心者皆
使發心至不退轉先已發心者循行此陁羅
尼超過七住乃至十住此陁羅尼金剛三昧
大空解脫門菩薩從初發心循行此三昧

BD01202號　陀羅尼集經（異名）　（11–6）

誦此陁羅尼者未發无上菩提心者皆
使發心至不退轉先已發心者脩行此陁羅
尼超過七住乃至十住此陁羅尼金剛三昧
大空觧脫門菩薩從初發心脩行此三昧
直至道場菩提樹下入金剛定莫不由是
第七釋迦牟尼佛欲說大陁羅尼名烏蘇
者晝臟多晉言金光照曜除三界衆生幽
冥隱滯拔其厄難此陁羅尼句乃是過去
九十九億諸佛所說我今說之
耆路不帝耶置　畢耆帝耶置　烏蘇多帝耶置
耆牟多帝耶置　苦不都帝耶置　阿若婆若𡍫帝耶置
若婆都帝耶置　耆牟婆若帝耶置　烏耆剛帝耶置
蜜耆蘇帝耶置　耶蜜耆帝耶置　破如弥帝耶置
畢梨帝帝吒帝耶置　莎呵
誦呪四遍黄色綖結作十四結痛處繫
此陁羅尼力能令三千大千世界六種震
動其中衆生宿業罪垢纏裹縛束處在
幽隱聞此陁羅尼一音逕耳悉得往生忉利
天上有諸行人受持讀誦書寫此陁羅尼者
未發心者咸使發心到堅固地先發心者入法
流水中八住齊階疾至佛地以此陁羅尼力
故一踊超過菩提樹下乃至佛地坐於道
場此三昧名金光明王定覺悟群生踊出三
界拔衆厄難超衆群聖疾成佛道若有
衆生欲脩行此陁羅尼者欲得現身沙門
果欲除過去億百千劫鄣道五逆犯四重禁

場此三昧名金光明王定覺悟群生踊出三
界拔衆厄難超衆群聖疾成佛道若有
衆生欲脩行此陁羅尼者欲得現身沙門
果欲除過去億百千劫鄣道五逆犯四重禁
現世除𤸃令无遺餘應當脩行此陁羅尼三
七廿一日讓持禁戒猶如明珠一日一夜六時
行道懺悔十方淨潔洗浴著新淨衣用七色
華三種名香供養奉敬釋迦牟尼佛於舍利
塔前五體投地悔過自責尒時當誦此陁
羅尼句八十一遍日日常尒乃至七日三七日
億百姟劫所有重罪悉滅无餘十方諸佛放
大光明來臨其身是人尒時心意熙怡猶
如比丘得第三禪尒時當有大梵天王釋
提桓因四天大王即時授與四沙門果
佛說婦人產難陁羅尼
目多脩利衣　赦尸伽羅　悉侈　囉候失
旃陁羅　波羅目至乜𡍫　目多薩婆娑婆
佛菌耶𥿻　伽羅　波羅目遮乜𡍫　多姪他
阿吒眦　莎呵　波吒眦　莎呵　阿吒婆　婆吒
眦莎呵　慕遮因地利衣伽多你　眦金羼衣
婆婆𡍫　伽鞞尼　莎呵　移遮陁　露摩衣
舍利衣　移遮舍　阿餘摩衣　伊咩遮摩怒
妙　舍盧衣　薩鞞舍盧　婆羅目遮𡍫莎呵
行此呪法者呪油七遍塗產處便生
觀世音說治五舌塞喉陁羅尼
南无勒囊怛利蚍蚍　南无阿梨蚍　婆路吉

妙舍盧衣 薩鞞舍盧 婆羅目遮兜莎呵
行此呪法者呪油七遍塗產處便生
觀世音說治五舌塞喉陁羅尼
南无勃囊怛利蚍蚍 南无阿利蚍 婆路吉
坻舍扶羅蚍 薩提薩墻蚍 摩訶薩墻蚍
多姪他 梨蜜梨 梨蜜梨 伽羅梨蜜梨
乾陁梨弥 毗垩梨 莎呵
此陁羅尼若人五舌咽喉閉塞 舌瘖呪淨
土三遍塗痛上即差
尼乾天所說產生難陁羅尼呪
南无乾陁天使我呪句 如意成吉 即說此呪
耆梨耆梨 耆羅鉢陁 耆羅鉢陁 惹婆呵
呪日書樺皮若紙上書呪文燒作灰使婦
人和水中服之即便生
佛說呪穀子種之令無災蝗陁羅尼
多姪他 婆羅䟦題 那蚍婆提
此陁羅尼若欲種時取種子一斗呪廿一遍
以授著多種子中免有蟲食亦無災蝗敵
近
若種苗不好者呪土呪
南無佛陁蚍 南無達摩蚍 南無僧伽蚍
南無弥留竭腳耆提薩墻怛提他 軌婆
佛耆比利咤佛耆 具伽梨 兀利吒 佛耆
弥樓闍婆 竭囉波佛耆 兮夢阿泥婆佛耆
摩羅阿扶多佛 尼夢浮佛耆 莎呵
此陁羅尼呪土一斛廿一遍以散穀苗除一

佛耆比利咤佛耆 具伽梨 兀利吒 佛耆
弥樓闍婆 竭囉波佛耆 兮夢阿泥婆佛耆
摩羅阿扶多佛 尼夢浮佛耆 莎呵
此陁羅尼呪土一斛廿一遍以散穀苗除一
切惡災蝗惡鬼吸害者頭破七分如阿梨
樹枝 其穀必如所意
惡瘡鬼呪
破波羅一 睺睺奴破波羅二 鳥咗浮律多破
波羅三 阿奢兜破波羅四 阿奢嘑兜破波羅
五 莎呵六
呪五升水三遍著半雞子黃許鹽渫上塵
釜衣黑塵各一掌煑七迴呪三遍煑竟亦
三遍呪於日初出時七遍洗瘡仍呪七遍其
瘡即差
呪疥蠱
休由一 波帝那休油二 耆摩帝那休由二 手
律帝那休由四 莎呵五
用一石水著五升鹽呪二七遍煑七迴用
洗浴即除
呪鼠鬼
不利兜一 呪呪呪呪不利兜二 妃妃妃妃不
利兜三 守守守守不利兜四 牛牛牛牛
不利兜五 餓餓餓餓 不利兜六 莎呵
呪灰七遍遺孔前呪水七遍寫孔中乃至
三日驗
呪鼠

不利嚊一 况况况况不利嚊二 妃妃妃妃不
利嚊三 守守守守不利嚊四 牛牛牛牛
不利嚊五 餓餓餓餓 不利嚊六 莎呵
呪灰七遍遺孔前呪水七遍寫孔中乃至
三日驗
呪鼠
拂歪嚊一 跂羅帝囊 拂歪嚊二 烏晝 拂歪
嚊三 莎呵四
能令諸鼠散走諸方悉滅無餘三過嚌
力禁灰作緋紫字於穴前

BD01202 號　陀羅尼集經（異名）　（11–11）

不可
趣越何以故尋香城中趣非趣不可得故善
現一切法皆以无量无邊為趣彼於是趣不
可超越何以故无量无邊中趣非趣不可得
故善現一切法皆以不與不取為趣彼於是
趣不可超越何以故不與不取中趣非趣不
可得故善現一切法皆以不舉不下為趣彼
於是趣不可超越何以故不舉不下中趣非
趣不可得故善現一切法皆以无去无來為
趣彼於是趣不可超越何以故无去无來中
趣非趣不可得故善現一切法皆以无增无
減為趣彼於是趣不可超越何以故无增无
減中趣非趣不可得故善現一切法皆以不
入不出為趣彼於是趣不可超越何以故不
入不出中趣非趣不可得故善現一切法皆
以不集不散為趣彼於是趣不可超越何以
故不集不散中趣非趣不可得故善現一切
法皆以不合不離為趣彼於是趣不可超越
何以故不合不離中趣非趣不可得故
善現一切法皆以我為趣彼於是趣不可超
越何以故我尚畢竟无所有況有趣非趣可
兊

BD01203 號　大般若波羅蜜多經（兊廢稿）卷三一六　（1–1）

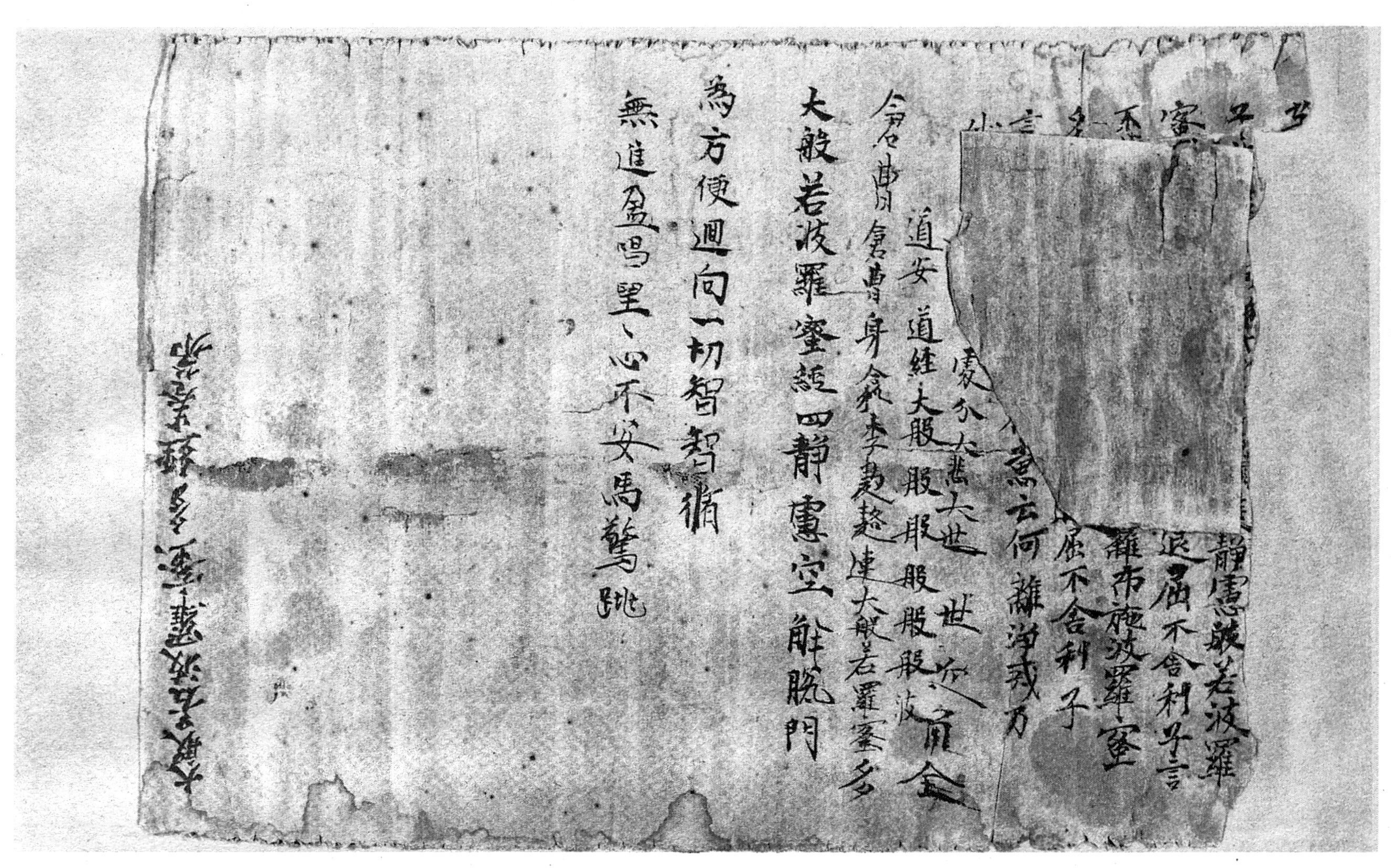

BD01203 號背　雜寫　　（1–1）

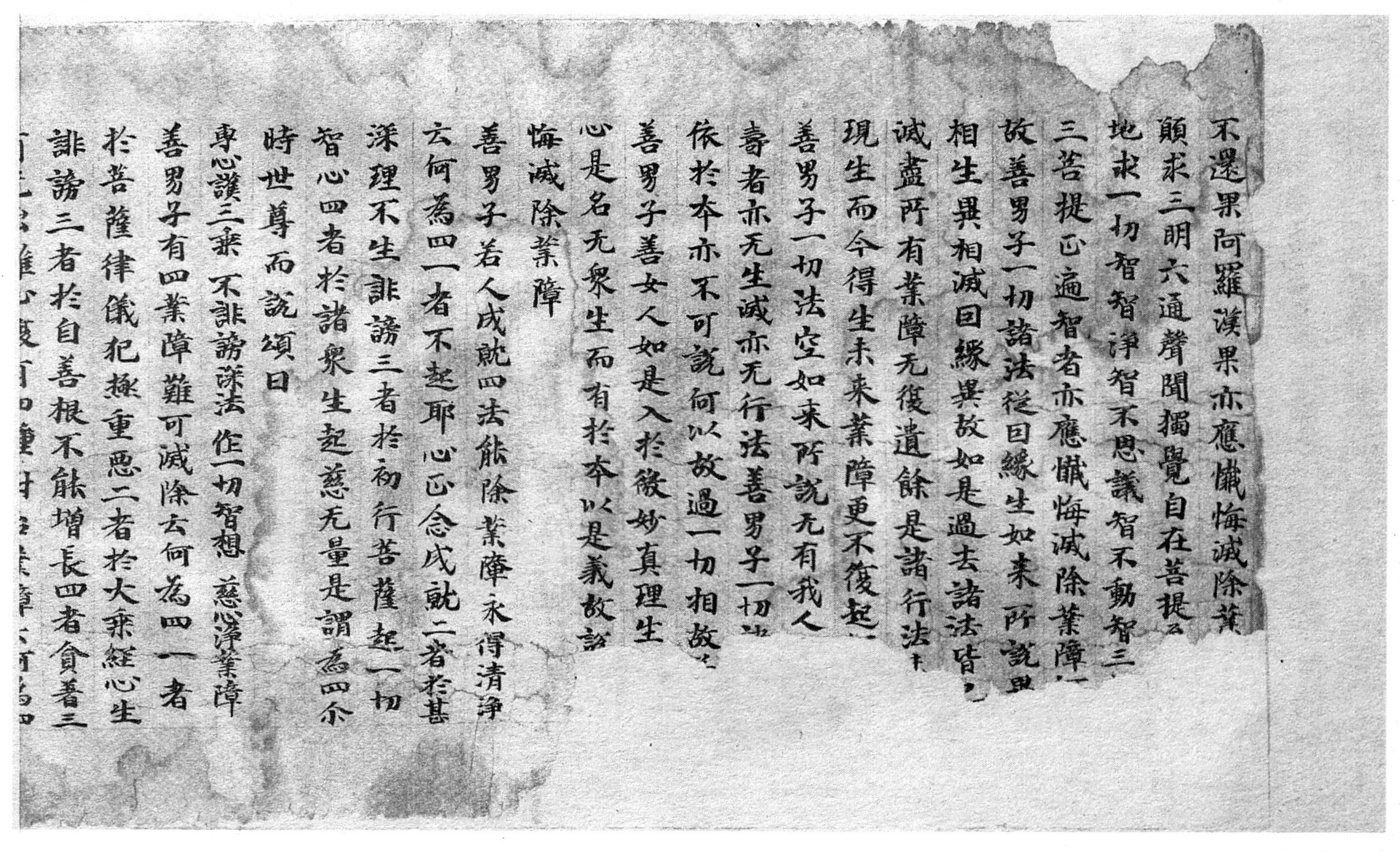

不還果阿羅漢果亦應懺悔滅除業
願求三明六通聲聞獨覺自在菩提
地求一切智智淨智不思議智不動智三
三菩提正遍智者亦應懺悔滅除業障
故善男子一切諸法從因緣生如來所說
相生異相滅因緣異故如是過去諸法皆
滅盡所有業障无復遺餘是諸行法
現生而今得生未來業障更不復起
善男子一切法空如來所說无有我人
壽者亦无生滅亦无行法善男子一切
依於本亦不可說何以故過一切相故
善男子善女人如是入於微妙真理生
心是名无衆生而有於本以是義故說
悔滅除業障
善男子若人成就四法能除業障永得清淨
云何為四一者不起邪心正念成就二者於甚
深理不生誹謗三者於初行菩薩起一切
智心四者於諸衆生起慈无量是謂為四尒
時世尊而說頌曰
專心護三業　不誹謗深法　作一切智想　慈心淨業障
善男子有四業障難可滅除云何為四一者
於菩薩律儀犯極重惡二者於大乘經心生
誹謗三者於自善根不能增長四者貪著三

BD01204 號　金光明最勝王經卷三　　（5–1）

時世尊而說頌曰
專心讚三乘 不誹謗深法 作一切智想 慈心淨業障
善男子有四業障難可滅除云何為四一者
於菩薩律儀犯極重惡二者於大乘經心生
誹謗三者於自善根不能增長四者貪著三
有无出離心復有四種對治業障云何為四
一者於十方世界一切如來至心親近說一
切罪二者為一切衆生勸請諸佛說深妙法
三者隨喜一切衆生所有功德四者所有一
切功德善根悉皆迴向阿耨多羅三藐三菩
提尒時天帝釋白佛言世尊世間所有男子
女人於大乘行有能行者有不行者云何能
得隨喜一切衆生功德善根佛言善男子若
有衆生雖於大乘未能脩習然於晝夜六時
偏袒右肩右膝著地合掌恭敬一心專念作
隨喜時得福无量應作是言十方世界一切
衆生現在脩行施戒心慧我今皆悉深生隨
喜由作如是隨喜福故必當獲得尊重殊勝
無上無等最妙之果如是過去未來一切衆
生所有善根皆悉隨喜又於現在初行菩薩
發菩提心所有功德過百大劫行菩薩行有
大功德獲无生忍至不退轉一生補處如是一
切功德之蘊皆悉至心隨喜讚歎過去未來一
切菩薩所有功德隨喜讚歎亦復如是復
於現在十方世界一切諸佛應正遍知證妙
菩提為度无邊諸衆生故轉無上法輪行无

BD01204號　金光明最勝王經卷三　（5–2）

大功德獲无生忍至不退轉一生補處如是一
切功德之蘊皆悉至心隨喜讚歎過去未來一
切菩薩所有功德隨喜讚歎亦復如是復
於現在十方世界一切諸佛應正遍知證妙
菩提為度无邊諸衆生故轉無上法輪行无
礙法施擊法鼓吹法螺建法幢雨法雨哀愍
勸化一切衆生咸令信受皆蒙法施悉得充
足无盡安樂又復所有菩薩聲聞獨覺功
德積集善根若有衆生未具如是諸功德者
悉令具足我皆隨喜如是過去未來諸佛菩
薩聲聞獨覺所有功德亦皆至心隨喜讚歎
善男子如是隨喜當得无量功德之聚如恒
河沙三千大千世界所有衆生皆斷煩惱成
阿羅漢若有善男子善女人盡其形壽常以
上妙衣服飲食卧具醫藥而為供養如是功
德不及如前隨喜功德千分之一何以故供養
功德 有數 有量不攝一切諸功德故隨
喜功德无量无數能攝三世一切功德是故若
人欲求增長勝善根者應脩如是隨喜功德
若有女人願轉女身為男子者亦應脩習隨
喜功德必得隨心現成男子尒時天帝釋白
佛言世尊已知隨喜功德勸請功德唯願為說
欲令未來一切菩薩當轉法輪現在菩薩正
脩行故佛告帝釋若有善男子善女人願
求阿耨多羅三藐三菩提者應當脩行聲聞
獨覺大乘之道是人當於晝夜六時如前威儀

BD01204號　金光明最勝王經卷三　（5–3）

欲令未来一切菩薩當轉法輪現在菩薩正
脩行故佛告帝釋若有善男子善女人願
求阿耨多羅三藐三菩提者應當脩行聲聞
獨覺大乘之道是人當於晝夜六時如前威儀
一心專念作如是言我今歸依十方一切諸
佛世尊已得阿耨多羅三藐三菩提未轉无
上法輪欲捨報身入涅槃者我皆至誠頂礼
勸請轉大法輪雨大法雨然大法燈照明理
趣施无礙法莫般涅槃久住於世度脫安樂
一切衆生如前所說乃至无盡安樂我今
以此勸請功德迴向阿耨多羅三藐三菩提
如過去未來現在諸大菩薩勸請功德迴向
菩提我亦如是勸請功德迴向无上正等菩提
善男子假使有人以三千大千世界滿中七
寶供養如來若復有人勸請如來轉大法
輪所得功德其福勝彼何以故彼是財施此
是法施善男子且置三千大千世界七寶布
施若人以滿恒河沙數大千世界七寶供養
一切諸佛勸請功德亦勝於彼由其法施有
五勝利云何為五一者法施兼利自他財施不
尒二者法施能令衆生出於三界財施之福
不出欲界三者法施能淨法身財施但唯
增長於色四者法施无窮財施有盡五者法
施能斷无明財施唯伏貪愛是故善男子勸
請功德无量無邊難可譬喻如我昔行菩提
道時勸請諸佛轉大法輪由彼善根是故

BD01204號　金光明最勝王經卷三　（5–4）

不出欲界三者法施能淨法身財施但唯
增長於色四者法施无窮財施有盡五者法
施能斷无明財施唯伏貪愛是故善男子勸
請功德无量無邊難可譬喻如我昔行菩提
道時勸請諸佛轉大法輪由彼善根是故
今日一切帝釋諸梵王等勸請於我轉大法輪
善男子請轉法輪為欲度脫安樂諸衆生故
我於往昔為菩提行勸請如来久住於世莫
般涅槃依此善根我得十力四无所畏四无礙
辯大慈大悲證得无數不共之法我當入於
无餘涅槃我之正法久住於世我法身者
清淨无比種種妙相无量智慧无量自在无
量功德難可思議一切衆生皆蒙利益百千
万劫說不能盡法身攝藏一切諸法一切諸
法不攝法身法身常住不墮常見雖復斷
滅亦非斷見能破衆生種種異見能生衆
生種種真見能解一切衆生之縛无縛可解能
植衆生諸善根本未成熟者令成熟已成熟
者令解脫無作無動遠離闇閙寂靜无
自在安樂過於三世能現三世出於聲聞
覺之境諸大菩薩之所脩行一切如來體一
異此等皆由勸請功德善根力故如是
又若有欲得阿耨多羅三藐

BD01204號　金光明最勝王經卷三　（5–5）

人前為作開導淨[illegible]……方行來无所鄣
……是恒[illegible]不失大乘
……龍鬼神王等如是如是
……經典不可得聞何況得見若欲
受持讀誦是經當淨洗浴著淨衣服淨持
坊舍以繒幡蓋莊嚴室內燒種種妙香蒔種
香末香種種塗香礼拜如是六時從初一日乃
至七日日日中間讀誦是經正心正憶正念
正觀正思惟正思議正受持正用行正教化
日夜六時礼是經中諸佛菩薩十二部經者
能如是礼拜讀誦信敬之者如是經中所
說重罪卷皆除滅无有疑也何以故是大方
廣經典與十方諸佛之所脩行之所護持諸
佛之母諸經之王妙義之藏菩薩之道今是
方廣深妙經藏亦如世間所有六大不可思
議何等為六一者大地二者大水三者大火四
者大風五者大日六者大空是經亦如大地
普載一切淨穢好惡是經亦如大水洗除一
切穢惡不淨是經亦如大火普燒一切煩惱
穢惡不淨惡物是經亦如大風普吹一切不

BD01205號　大通方廣懺悔滅罪莊嚴成佛經卷上　（23–1）

者大風五者大日六者大空是經[illegible]
普載一切淨穢好惡是經亦如大水洗除一
切穢惡不淨是經亦如大火普燒一切煩惱
穢惡不淨惡物是經亦如大風普吹一切不
淨穢惡是經亦如大日普照一切所有黑闇
是經亦如大空悉能容受所有好惡今是
大乘方廣經典廣大无對上至菩提中至贊
聞下至有形悉能容受是故汝等受持是經
流布是經信敬是經常使汝等諸大菩薩入
佛智慧明見佛性當令汝等諸天神王及受
持經者常得見我及見未來一切諸佛轉大
法輪坐於道場
尒時大衆中有一菩薩名曰信相於大衆中
即從坐起正理威儀頂礼佛足而白佛言世
尊我等今者欲有所問唯願世尊當為說之
世尊所說能大利益无量衆生尒時佛告信
相菩薩善哉善哉善男子若有所問隨意問
之吾當為汝分別解說汝所問者亦大利益
无量衆生信相菩薩白佛言世尊我念往昔
久遠過去无量世時有佛世尊名曰寶勝一
聞名者皆得生天於後不久大自在光王國內
曠野澤中有一大池其水枯涸於彼池中有
十千大魚為日所曝欲入死門有一大士名曰
流水見是大魚心生慈悲施水飲食少日
得活知命不久即為三稱寶勝佛名是魚聞
已即便受終生忉利天以是因緣令願世尊
為是大衆及未來[illegible]

BD01205號　大通方廣懺悔滅罪莊嚴成佛經卷上　（23–2）

曠野澤中有一大池其水枯涸於彼池中有
十千大魚為日所曝欲入死門有一大士名曰
流水見是大魚心生慈悲施水飲食少日
得活知命不久即為三稱寶勝佛名是魚聞
已即便受終生忉利天以是因緣今願世尊
為是大衆及未來衆生說諸佛名及聞世尊
釋迦名号亦得无量无邊利益无邊功德
常處富樂見了佛性以是因緣故求此願唯
願說之度脫重禁逆惡衆生
尒時佛告信相菩薩摩訶薩善男子我若廣
說十方諸佛所有名号百千万劫說不能盡
一切諸水可知渧數无有能知諸佛名字諸
多弥山可知斤兩无有能知諸佛名字一切
大地可知塵數无有能知諸佛名字虛空分
界可知盡邊无有能知諸佛名字吾今為汝
略說三世諸佛名号若人聞者一逕於耳其
人命終亦得生天聞已信敬復能書寫稱名
礼拜得滅无量生死重罪得福无量其人命
終十方世界隨意往生亦得見我及見未來
賢劫諸佛
尒時世尊告諸大衆汝等應當正理衣服正
身正心正意正念正觀欲聞法者
一心當敬礼須弥燈王佛　當敬礼寶王佛
當敬礼寶勝佛　當敬礼阿弥陁佛
當敬礼毗婆尸佛　當敬礼多寶佛
當敬礼釋迦牟尼佛　當礼攝持一切法
敬礼過稱量　敬礼无辟類

BD01205號　大通方廣懺悔滅罪莊嚴成佛經卷上　（23-3）

當敬礼毗婆尸佛　當敬礼多寶佛
當敬礼釋迦牟尼佛　當礼攝持一切法
敬礼過稱量　敬礼无辟類
敬礼无邊法　敬礼難思議
敬礼住力中力　敬礼十力无所畏
敬礼三界尊　敬礼一切大導師
敬礼能斷衆結縛　敬礼以到於彼岸
敬礼已度諸世間　敬礼永離生死道
敬礼三昧得解脫　敬礼如空无所依
敬礼衆中大法王　敬礼破壞四魔衆
敬礼一子大慈父
唯願世世值諸佛明見佛性到大涅槃何以
故一切有形皆有佛性
是諸大衆合十指抓掌一心諦聽一心供養
聽我說三世　十方諸佛名　乃至五无間　當生解脫相
若人无善根　我亦為說之　彼自不能解　燋種自然去
唯有真實在　除去小乘者　唯有大乘在　除去二乘者
唯有一乘在　若人无善根　不得聞是經　曾供无量佛
今得聞佛名　當知受持者　少分解脫人　安住清淨地
今於我法中　經行住佛事　受持及讀誦　礼拜是佛名
去離衆魔事　滅除四重禁　无間一闡提　是人未來世
必得成佛道
若人不生信　定墮三惡道　生信懃礼拜　常見无量佛
應當一心礼　願除无量罪　是故應敬信
是諸大衆合掌諦聽攝持身心勿得動轉五體
投地一心諦觀
尒時世尊稱名唱曰

BD01205號　大通方廣懺悔滅罪莊嚴成佛經卷上　（23-4）

若人不生信　受墮三惡道　生信懃礼拜　常見无量佛
應當一心礼　願除无量罪　是故應教信
是諸大衆合掌諦聽攝持身心勿得動轉五體
投地一心諦觀
尒時世尊稱名唱曰
南无過去无量諸佛　南无二万日月燈明佛
南无二万燃燈佛　南无大通智勝佛
南无十六王子佛　南无空王佛
南无多寶佛　南无威音王佛
南无雲雷自在登王佛　南无思善佛
南无无数光佛　南无久身諸佛
南无日月淨明德佛　南无淨華宿王智佛
南无淨莊嚴王佛　南无龍尊王佛
南无雲雷音王佛　南无雲雷宿王花智佛
南无多寶王佛　南无娑羅樹王佛
南无上威德寶王佛　南无光明王佛
南无百億定光佛　南无光遠佛
南无月光佛　南无旃檀香佛
南无善山王佛　南无須弥天冠佛
南无須弥等曜佛　南无月色佛
南无正念佛　南无无著佛
南无龍天佛　南无不動地佛
南无瑠璃妙華佛　南无瑠璃金色佛
南无金藏佛　南无炎光佛
南无炎根佛　南无地種佛
南无月像佛　南无日音佛
南无解脱華佛　南无莊嚴光明佛
南无海覺神通佛　南无水光佛

BD01205 號　大通方廣懺悔滅罪莊嚴成佛經卷上　（23–5）

南无金藏佛
南无炎根佛　南无地種佛
南无月像佛　南无日音佛
南无解脱華佛　南无莊嚴光明佛
南无海覺神通佛　南无水光佛
南无大香佛　南无離虛垢佛
南无捨歡意佛　南无寶炎佛
南无妙頂佛　南无勇立佛
南无功德持惠佛　南无韓日月光佛
南无日月瑠璃光佛　南无无上瑠璃光佛
南无最上首佛　南无菩提華佛
南无月明佛　南无日光佛
南无華色王佛　南无水月光佛
南无除疑冥佛　南无度蓋行佛
南无淨信佛　南无善宿佛
南无威神佛　南无法慧佛
南无鸞音佛　南无師子音佛
南无龍音佛　南无處世佛
南无自在佛　南无无量尊佛
南无无量光佛　南无无邊光佛
南无无导光佛　南无无對光佛
南无光炎王佛　南无清淨光佛
南无歡喜光佛　南无智慧光佛
南无不斷光佛　南无難思光佛
南无无稱光佛　南无超日月光佛
南无相好紫金佛　南无遠照佛
南无寶藏佛　南无无量音佛
南无甘露味佛　南无龍勝佛

BD01205 號　大通方廣懺悔滅罪莊嚴成佛經卷上　（23–6）

南无无稱光佛　南无超日月光佛
南无相好紫金佛　南无遠照佛
南无寶藏佛　南无无量音佛
南无甘露味佛　南无龍勝佛
南无勝力佛　南无師子音佛
南无離垢光佛　南无德首佛
南无妙德山佛　南无人王佛
南无无上華佛　南无无畏力王佛
南无龍自在王佛　南无師子依王佛
南无自在王佛　南无普光佛
南无普明佛　南无善淨佛
南无多摩羅跋旃檀香佛　南无旃檀香光佛
南无摩尼幢佛　南无歡喜藏寶積佛
南无无上大精進佛　南无摩尼幢燈光佛
南无慧炬照佛　南无海德光明佛
南无金剛牢强佛　南无散金光佛
南无大强精進佛　南无勇猛佛
南无悲光佛　南无慈力王佛
南无慈藏王佛　南无旃檀窟莊嚴勝佛
南无賢首佛　南无善覺佛
南无莊嚴王佛　南无金山寶蓋佛
南无金華炎光相佛　南无大炬光明佛
南无寶蓋照空自在力王佛　南无金華光佛
南无虛空寶華光佛　南无瑠璃莊嚴王佛
南无普現色身光佛　南无不動智光佛
南无降伏諸魔王佛　南无千光明佛

BD01205 號　大通方廣懺悔滅罪莊嚴成佛經卷上　（23–7）

南无金華炎光相佛　南无大炬光明佛
南无寶蓋照空自在力王佛　南无金華光佛
南无虛空寶華光佛　南无瑠璃莊嚴王佛
南无普現色身光佛　南无不動智光佛
南无降伏諸魔王佛　南无千光明佛
南无慈慧勝佛　南无弥勒仙光佛
南无世淨光佛　南无善寂月音佛
南无妙尊智王佛　南无寶蓋燈王佛
南无龍種上智尊王佛　南无日月光佛
南无日月珠光佛　南无慧幢勝莊嚴王佛
南无无垢藏佛　南无光明相佛
南无金炎光明佛　南无金伯光明藏佛
南无師子吼自在力王佛　南无妙音勝王佛
南无常光幢佛　南无觀世燈王佛
南无恵衣燈王佛　南无法勝王佛
南无須弥光佛　南无須摩那華光佛
南无優鉢羅華光佛　南无强勝力王佛
南无恵力王佛　南无阿閦毗歡喜光佛
南无无量音聲王佛　南无才光佛
南无金海光佛　南无海慧自在通王佛
南无大通光佛　南无一切常滿王佛
南无現无愚佛　南无過去无量不身諸佛
南无過去一佛十佛百佛千佛万佛能除无
量劫以来生死重罪
南无一億十億百億千億万億那由他恒河

BD01205 號　大通方廣懺悔滅罪莊嚴成佛經卷上　（23–8）

南无現无愚佛　南无過去无量……

南无過去一佛十佛百佛千佛万佛能除无
量劫以来生死重罪
南无一億十億百億千億万億那由他恒河
沙无量阿僧祇佛若人聞是過去无量阿僧
祇佛名是人八万劫不墮地獄者是故今敬
礼
若人因礼拜　過去諸佛名　滅罪得本心　更不造十悪
及以五逆等　常得聞正法　具足大乘戒　是故今敬礼
唯除二種人　一者謗方等　二者一闡提　若人心淨信
不名闡提　常見无量佛
若有犯罪重　及以五无間　復能清淨信　念使如法住
皆由敬礼故　滅除十悪業　悉得大乘戒　是故今敬礼
說是過去諸佛名時十千菩薩得无生忍八
百聲聞發少分心五千比丘得阿羅漢道一
億天人得法眼淨

南无現在无量諸佛　南无十億王明諸佛
南无離垢紫金沙佛　南无无量明佛
南无日轉光明王佛　南无香積佛
南无師子億像佛　南无師子遊戲佛
南无普光功德山王佛　南无善住功德寶王佛
南无寶華莊嚴王佛　南无難勝佛
南无須弥相佛　南无須弥登王佛
南无寶德佛　南无寶月佛
南无寶炎佛　南无寶嚴佛
南无離勝師子嚮佛　南无大光王佛

BD01205號　大通方廣懺悔滅罪莊嚴成佛經卷上　（23–9）

南无寶華莊嚴王佛　南无難勝佛
南无須弥相佛　南无須弥登王佛
南无寶德佛　南无寶月佛
南无寶炎佛　南无寶嚴佛
南无離勝師子嚮佛　南无大光王佛
南无不動佛　南无藥王佛
南无莊嚴佛　南无樓至佛
南无月蓋佛　南无普光佛
南无寶王佛　南无維衛佛
南无式佛　南无隨葉佛
南无拘樓秦佛　南无拘那含牟尼佛
南无迦葉佛　南无雷音王佛
南无祇法藏佛　南无旃檀華佛
南无旃檀一葉佛　南无妙音佛
南无无上勝佛　南无甘露鼓佛
南无毗婆尸佛　南无日月光明佛
南无无勝光佛　南无具足莊嚴王佛
南无光明遍照功德王佛　南无破壞四魔師子吼王佛
南无金剛不壞佛　南无瑠璃光佛
南无須弥山王佛　南无淨土光明王佛
南无善德佛　南无无量光明佛
南无陁羅尼遊戲佛　南无首楞嚴定三昧力王佛
南无善見定自在王佛　南无无上功德佛
南无神通自在佛　南无无色相佛
南无无贊相佛　南无无香相佛

BD01205號　大通方廣懺悔滅罪莊嚴成佛經卷上　（23–10）

南无善見空自在王佛　南无无上功德佛
南无神通自在佛　南无无色相佛
南无无聲相佛　南无无香相佛
南无无味相佛　南无无角相佛
南无三昧空自在佛　南无惠空自在佛
南无相覺自在佛　南无普攝佛
南无報德普光佛　南无尸棄佛
南无毗舍浮佛　南无迦羅鳩村大佛
南无迦那牟尼佛　南无迦葉佛
南无阿閦佛　南无須弥相佛
南无師子音佛　南无師子相佛
南无雲自在佛　南无常滅佛
南无帝相佛　南无阿弥陁佛
南无梵相佛　南无度一切世間苦惱佛
南无多摩羅跋旃檀香佛　南无須弥相佛
南无雲自在王佛　南无壞一切世間怖畏佛
南无百億釋迦牟尼佛
南无現在一佛十佛百佛千佛万佛能除无
量劫以来生死重罪
南无一億十億百億千億万億那由他恒河
沙等无量阿僧祇佛若人聞是現在无量阿
僧祇佛名是人六千万劫不墮地獄苦是故
今敬礼
若人回礼拜　現在十方佛　度脫諸惡業　滅除五逆等
常住清淨地　安住釋迦法　永離三惡道　得見弥勒佛

僧祇佛名是人六千万劫不墮地獄苦是故
今敬礼
若人回礼拜　現在十方佛　度脫諸惡業　滅除五逆等
常住清淨地　安住釋迦法　永離三惡道　得見弥勒佛
及以見千佛　是故今敬礼
復見十方佛　常生清淨土　得聞甚義　了知如来常
說是現在諸佛名時二恒河沙菩薩得入陁
羅尼門卌二億諸天及人皆發无上菩提道
心
南无未来賢劫无量諸佛　南无弥勒佛
南无淨身佛　南无華光佛
南无華足佛　南无光明佛
南无名相佛　南无閻浮那提金光佛
南无法明佛　南无寶明佛
南无普明佛　南无普相佛
南无光相佛　南无普光佛
南无山海慧佛　南无自在通王佛
南无寶莊嚴佛　南无弗沙佛
南无百億自在登王佛　南无寶相佛
南无喜見佛　南无二万光相莊嚴王佛
南无三万同号普德佛　南无雷寶音王佛
南无四万八千空光佛　南无寶月王佛
南无離垢光佛　南无妙色佛
南无妙色光明佛　南无破一切衆難佛
南无衆香佛　南无衆聲佛

南无離垢光佛　南无妙色佛
南无妙色光明佛　南无破一切衆難佛
南无衆香佛　南无衆聲佛
南无十千莊嚴光明佛　南无八千億莊嚴光明佛
南无寶華莊嚴佛　南无上首德王佛
南无紫金光明佛　南无五百受記華光佛
南无那羅延不壞佛　南无好華莊嚴佛
南无金剛定自在佛
南无未来一佛十佛百佛千佛万佛能除无
量劫以来生死重罪
南无一億十億百億千億万億那由他恒河
沙无量阿僧祇佛若人聞是未来无量阿僧
祇佛名是人十四万劫不墮地獄苦是故今
敬礼
若人回礼拜　未来諸佛名　三鄣及五逆　唯除一闡提
悉皆得除滅　安住佛法中　得見无量佛　常得聞正法
是故今敬礼
若人回礼拜　三世十方佛　滅除過去罪　未来及見在
所造十惡業　今現得除滅　未来見佛性　是故諦信之
書寫讀誦礼　世世所生處　不生惡耶見　常心得解脫
不生在邊地　不生在惡國　不生惡國王　四億万劫中
不墮地獄苦　是故今敬礼　滅除十惡業　得大陁羅尼
說是未来諸佛名時五万菩薩住不退地七
百比丘尼得阿羅漢道六十二億諸天人民
得法眼淨

BD01205 號　大通方廣懺悔滅罪莊嚴成佛經卷上　（23–13）

不生在邊地　不生在惡國　不生惡國王　四億万劫中
不墮地獄苦　是故今敬礼　滅除十惡業　得大陁羅尼
說是未来諸佛名時五万菩薩住不退地七
百比丘尼得阿羅漢道六十二億諸天人民
得法眼淨
南无摠持　大陁羅尼　十二部經　脩多羅　祇夜受記
伽陁憂陁那　尼大那　阿波陁那　伊帝目多伽　闍陁伽
毗佛略　阿浮陁達摩　憂波提舍　所有大藏　諸波羅蜜
若人聞是十二部經諸波羅蜜讃誦礼拜信
樂受持是人廿万劫中不墮地獄得宿命
智是故今敬礼
說是十二部經名時八万五千菩薩得金剛
三昧十億聲聞發大乘心十千比丘比丘尼
得阿羅漢道无量天人得法眼淨
南无十方諸大菩薩　南无文殊師利菩薩
南无觀世音菩薩　南无得大勢菩薩
南无常精進菩薩　南无不休息菩薩
南无寶掌菩薩　南无藥王菩薩
南无勇施菩薩　南无寶月菩薩
南无月光菩薩　南无滿月菩薩
南无大力菩薩　南无无量力菩薩
南无越三界菩薩　南无跋陁婆羅菩薩
南无弥勒菩薩　南无寶積菩薩
南无導師菩薩　南无德藏菩薩
南无樂說菩薩　南无龍樹菩薩

BD01205 號　大通方廣懺悔滅罪莊嚴成佛經卷上　（23–14）

南无越三界菩薩　南无跋陁婆羅菩薩
南无弥勒菩薩　南无寶積菩薩
南无導師菩薩　南无德藏菩薩
南无樂說菩薩　南无龍樹菩薩
南无寶檀華菩薩　南无上行菩薩
南无无邊行菩薩　南无淨行菩薩
南无安立行菩薩　南无陁羅尼菩薩
南无金剛那羅延菩薩　南无常不輕菩薩
南无宿王華菩薩　南无喜見菩薩
南无妙音菩薩　南无德懃精進力菩薩
南无无盡意菩薩　南无淨藏菩薩
南无淨眼菩薩　南无普賢菩薩
南无妙德菩薩　南无慈氏菩薩
南无善思議菩薩　南无空无菩薩
南无神通華菩薩　南无光英菩薩
南无慧上菩薩　南无智幢菩薩
南无齊根菩薩　南无顛慧菩薩
南无香像菩薩　南无寶英菩薩
南无中住菩薩　南无制行菩薩
南无解脫菩薩　南无法藏菩薩
南无等觀菩薩　南无不等觀菩薩
南无等不等觀菩薩　南无定自在王菩薩
南无法自在菩薩　南无法相菩薩
南无光相菩薩　南无光嚴菩薩

BD01205號　大通方廣懺悔滅罪莊嚴成佛經卷上　（23–15）

南无等觀菩薩　南无不等觀菩薩
南无等不等觀菩薩　南无定自在王菩薩
南无法自在菩薩　南无法相菩薩
南无光相菩薩　南无光嚴菩薩
南无大嚴菩薩　南无寶積菩薩
南无辯積菩薩　南无寶手菩薩
南无寶印手菩薩　南无常舉手菩薩
南无常下手菩薩　南无常慘菩薩
南无喜根菩薩　南无喜菩薩
南无辯音菩薩　南无虛空藏菩薩
南无執寶炬菩薩　南无寶勇菩薩
南无寶見菩薩　南无帝網菩薩
南无慧積菩薩　南无寶勝菩薩
南无天王菩薩　南无壞魔菩薩
南无電得菩薩　南无自在王菩薩
南无功德相嚴菩薩　南无師子吼菩薩
南无雷音菩薩　南无山相擊音菩薩
南无香象菩薩　南无白香象菩薩
南无妙生菩薩　南无華嚴菩薩
南无梵網菩薩　南无寶杖菩薩
南无无勝菩薩　南无嚴土菩薩
南无金髻菩薩　南无珠髻菩薩
南无光嚴童子菩薩　南无持世菩薩
南无善德菩薩　南无難勝菩薩
[illegible]菩薩　南无華光菩薩

BD01205號　大通方廣懺悔滅罪莊嚴成佛經卷上　（23–16）

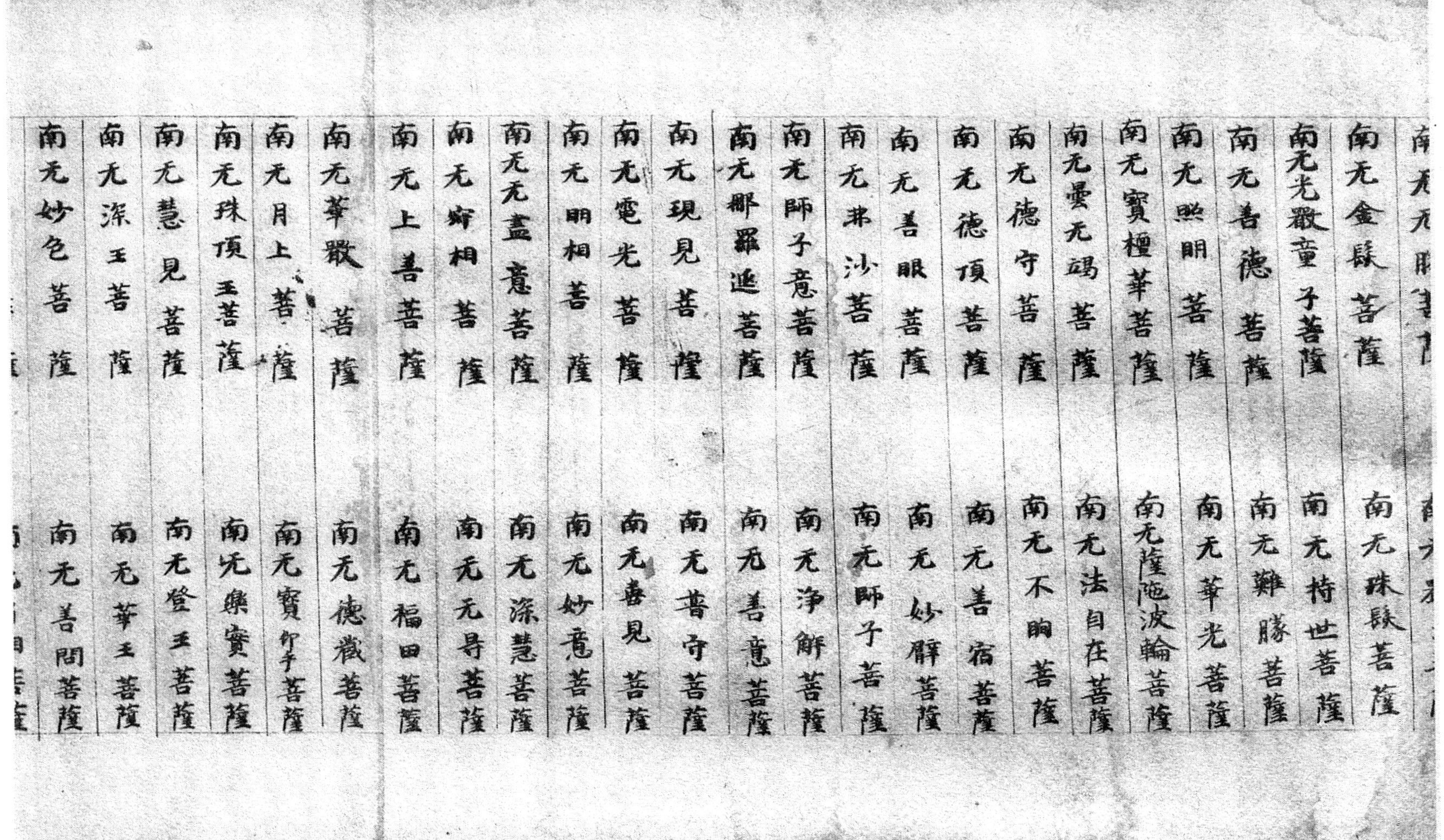
南无金髮菩薩
南无珠髮菩薩
南无光嚴童子菩薩
南无持世菩薩
南无善德菩薩
南无難勝菩薩
南无照明菩薩
南无華光菩薩
南无寶幢華菩薩
南无薩陁波輪菩薩
南无曇无竭菩薩
南无法自在菩薩
南无德守菩薩
南无不眴菩薩
南无德頂菩薩
南无善宿菩薩
南无善眼菩薩
南无妙臂菩薩
南无弗沙菩薩
南无師子菩薩
南无師子意菩薩
南无淨解菩薩
南无那羅延菩薩
南无善意菩薩
南无現見菩薩
南无普守菩薩
南无電光菩薩
南无喜見菩薩
南无明相菩薩
南无妙意菩薩
南无无盡意菩薩
南无深慧菩薩
南无寂相菩薩
南无无㝵菩薩
南无上善菩薩
南无福田菩薩
南无華嚴菩薩
南无德藏菩薩
南无月上菩薩
南无寶印手菩薩
南无珠頂王菩薩
南无樂實菩薩
南无慧見菩薩
南无登王菩薩
南无深王菩薩
南无華王菩薩
南无妙色菩薩
南无善問菩薩

BD01205號　大通方廣懺悔滅罪莊嚴成佛經卷上　（23–17）

南无慧見菩薩
南无登王菩薩
南无深王菩薩
南无華王菩薩
南无妙色菩薩
南无善問菩薩
南无善者菩薩
南无了相菩薩
南无空相菩薩
南无空積菩薩
南无發喜菩薩
南无安位菩薩
南无怖魔菩薩
南无慧施菩薩
南无救脫菩薩
南无慧登菩薩
南无勇施菩薩
南无智道菩薩
南无願慧菩薩
南无四攝菩薩
南无教音菩薩
南无海妙菩薩
南无法喜菩薩
南无道品菩薩
南无揔持菩薩
南无慈王菩薩
南无大自在菩薩
南无梵音菩薩
南无妙色菩薩
南无檀林菩薩
南无師子音菩薩
南无妙聲菩薩
南无妙色形菩薩
南无種種莊嚴菩薩
南无釋幢菩薩
南无頂生菩薩
南无明王菩薩
南无大光菩薩
南无奢提菩薩
南无密積菩薩
南无華睒菩薩
南无上首菩薩
南无普賢色身菩薩
南无神通菩薩
南无海德菩薩
南无无邊身菩薩
南无依王自在菩薩
南无迦葉菩薩
南无无諂藏王菩薩
南无持一切菩薩

BD01205號　大通方廣懺悔滅罪莊嚴成佛經卷上　（23–18）

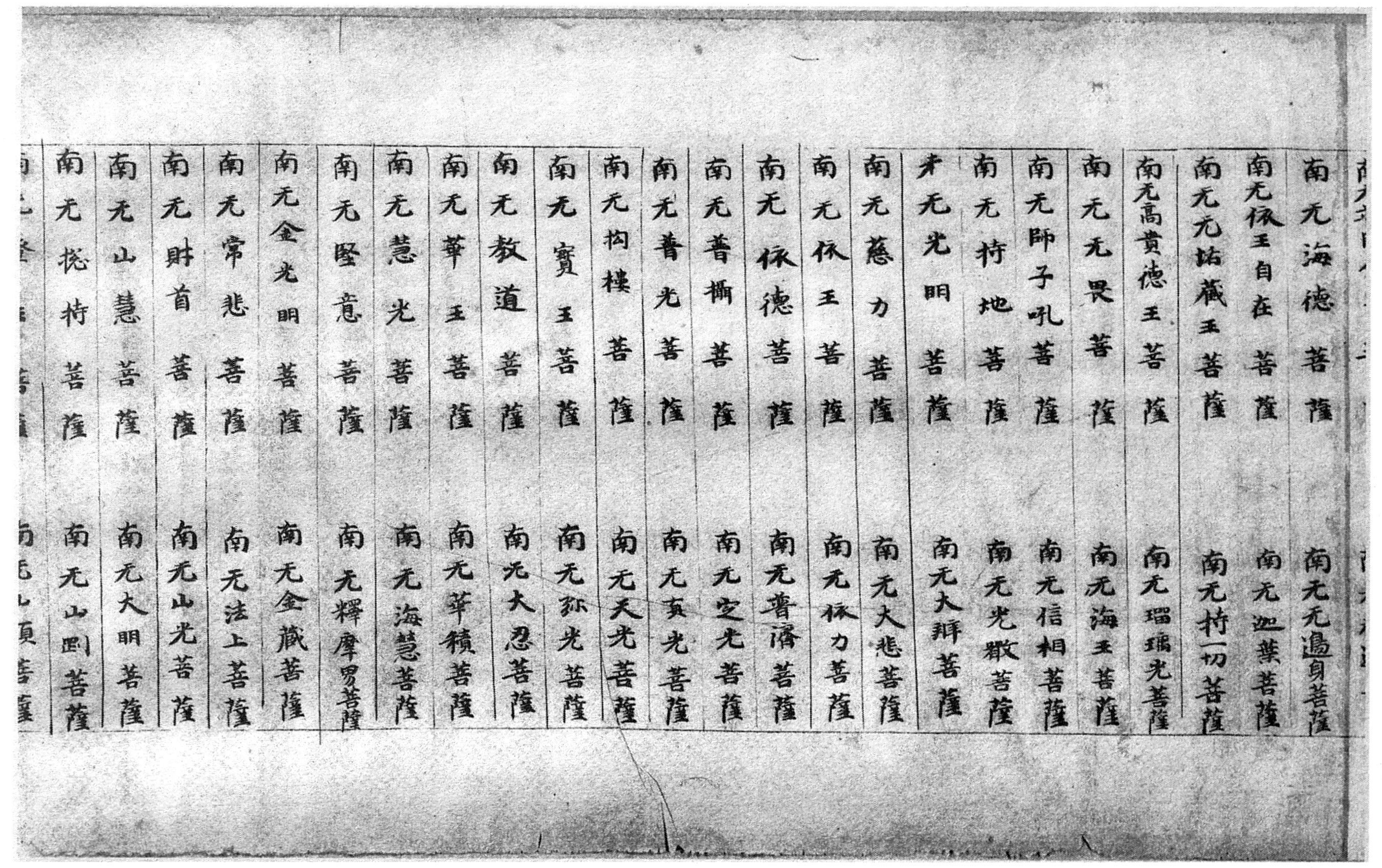

南无海德菩薩　南无无邊身菩薩
南无依王自在菩薩　南无迦葉菩薩
南无无垢藏王菩薩　南无持一切菩薩
南无高貴德王菩薩　南无瑠璃光菩薩
南无无畏菩薩　南无海王菩薩
南无師子吼菩薩　南无信相菩薩
南无持地菩薩　南无光徹菩薩
南无光明菩薩　南无大辯菩薩
南无慈力菩薩　南无大悲菩薩
南无依王菩薩　南无依力菩薩
南无依德菩薩　南无普濟菩薩
南无普攝菩薩　南无空光菩薩
南无普光菩薩　南无真光菩薩
南无拘樓菩薩　南无天光菩薩
南无寶王菩薩　南无彌光菩薩
南无教道菩薩　南无大忍菩薩
南无華王菩薩　南无華積菩薩
南无慧光菩薩　南无海慧菩薩
南无堅意菩薩　南无釋摩男菩薩
南无金光明菩薩　南无金藏菩薩
南无常悲菩薩　南无法上菩薩
南无財首菩薩　南无山光菩薩
南无山慧菩薩　南无大明菩薩
南无總持菩薩　南无山剛菩薩

BD01205號　大通方廣懺悔滅罪莊嚴成佛經卷上　（23–19）

南无財首菩薩　南无山光菩薩
南无山慧菩薩　南无大明菩薩
南无總持菩薩　南无山剛菩薩
南无登王菩薩　南无山頂菩薩
南无山幢菩薩　南无山王菩薩
南无伏魔菩薩　南无雷音菩薩
南无雨王菩薩　南无雷王菩薩
南无寶輪菩薩　南无寶英菩薩
南无寶手菩薩　南无寶藏菩薩
南无寶明菩薩　南无寶空菩薩
南无寶印菩薩　南无寶揚菩薩
南无寶徹菩薩　南无寶水菩薩
南无寶光菩薩　南无寶登光菩薩
南无寶現菩薩　南无寶造菩薩
南无樂法菩薩　南无頂相菩薩
南无淨王菩薩　南无金光菩薩
南无寶躍菩薩　南无千光菩薩
南无原嶮菩薩　南无照味菩薩
南无月辯菩薩　南无月光菩薩
南无法輪菩薩　南无光淨菩薩
南无常施菩薩　南无音德菩薩
南无普明菩薩　南无勝幢菩薩
南无濡音菩薩　南无德夫菩薩
南无相光菩薩　南无海月菩薩

BD01205號　大通方廣懺悔滅罪莊嚴成佛經卷上　（23–20）

南无普明菩薩　南无勝幢菩薩
南无濡音菩薩　南无德夫菩薩
南无相光菩薩　南无海月菩薩
南无海藏菩薩　南无勝月菩薩
南无淨慧菩薩　南无超光菩薩
南无月德菩薩　南无日光菩薩
南无金剛菩薩　南无炎幢菩薩
南无尊德菩薩　南无海明菩薩
南无海廣菩薩　南无照境菩薩
南无慧明菩薩　南无功德菩薩
南无明達菩薩　南无密教菩薩
南无須彌菩薩　南无色力菩薩
南无調伏菩薩　南无隱身菩薩
南无一菩薩南无十菩薩南无百菩薩南无
千菩薩南无万菩薩南无一百万二百万三
百万四百万五百万六百万七百万八百万
九百万千千万諸大菩薩摩訶薩能除无量
劫以來生死重罪
南无一億十億百億千億万億南无万万億
諸大菩薩摩訶薩能除无量劫以來生死重
罪
南无一那由他百那由他千那由他万那由
他南无万万那由他諸大菩薩摩訶薩能除

BD01205 號　大通方廣懺悔滅罪莊嚴成佛經卷上　（23–21）

南无一億十億百億千億万億南无万万億
諸大菩薩摩訶薩能除无量劫以來生死重
罪
南无一那由他百那由他千那由他万那由
他南无万万那由他諸大菩薩摩訶薩能除
无量劫以來生死重罪
南无一恒河沙南无二恒河沙南无三恒沙
沙南无四恒河沙南无五恒河沙南无六恒
河沙南无七恒河沙南无八恒河沙南无九
恒河沙南无十恒河沙南无百恒河沙南无
百億无量恒河沙諸大菩薩摩訶薩能除无
量劫以來生死重罪
若人聞是大士諸大菩薩摩訶薩名者是人
卌千劫中不墮地獄若不屬三界獄常屬解
脫王
不生邊地　不生惡國　不受惡身　不生耶見
不生下性　不生外道　身根具足　常聞正法
不受禁戒　常得具足　大乘威儀　常見佛性
是故今敬禮　安住佛法中　來世成佛道
說是大菩薩名時八十八億清信男女悟阿
那含果九十四億諸天得斯陀含果七十八
億夾心比丘還得本心悟阿羅漢果十億菩
薩得大陁羅尼來世成佛道

BD01205 號　大通方廣懺悔滅罪莊嚴成佛經卷上　（23–22）

卌千劫中不墮地獄昔不屬三界獄常屬解
脫王
不生邊地　不生惡國　不受惡身　不生耶見
不生下姓　不生外道　身根具足　常聞正法
不受禁戒　常得具足　大乘威儀　常見佛性
是故今敬禮　安住佛法中　來世成佛道
說是大菩薩名時八十八億清信男女悟阿
那含果九十四億諸天得斯陁含果七十八
億失心比丘還得本心悟阿羅漢果十億菩
薩得大陁羅尼來世成佛道
大通方廣經卷上

BD01205號　大通方廣懺悔滅罪莊嚴成佛經卷上　　（23–23）

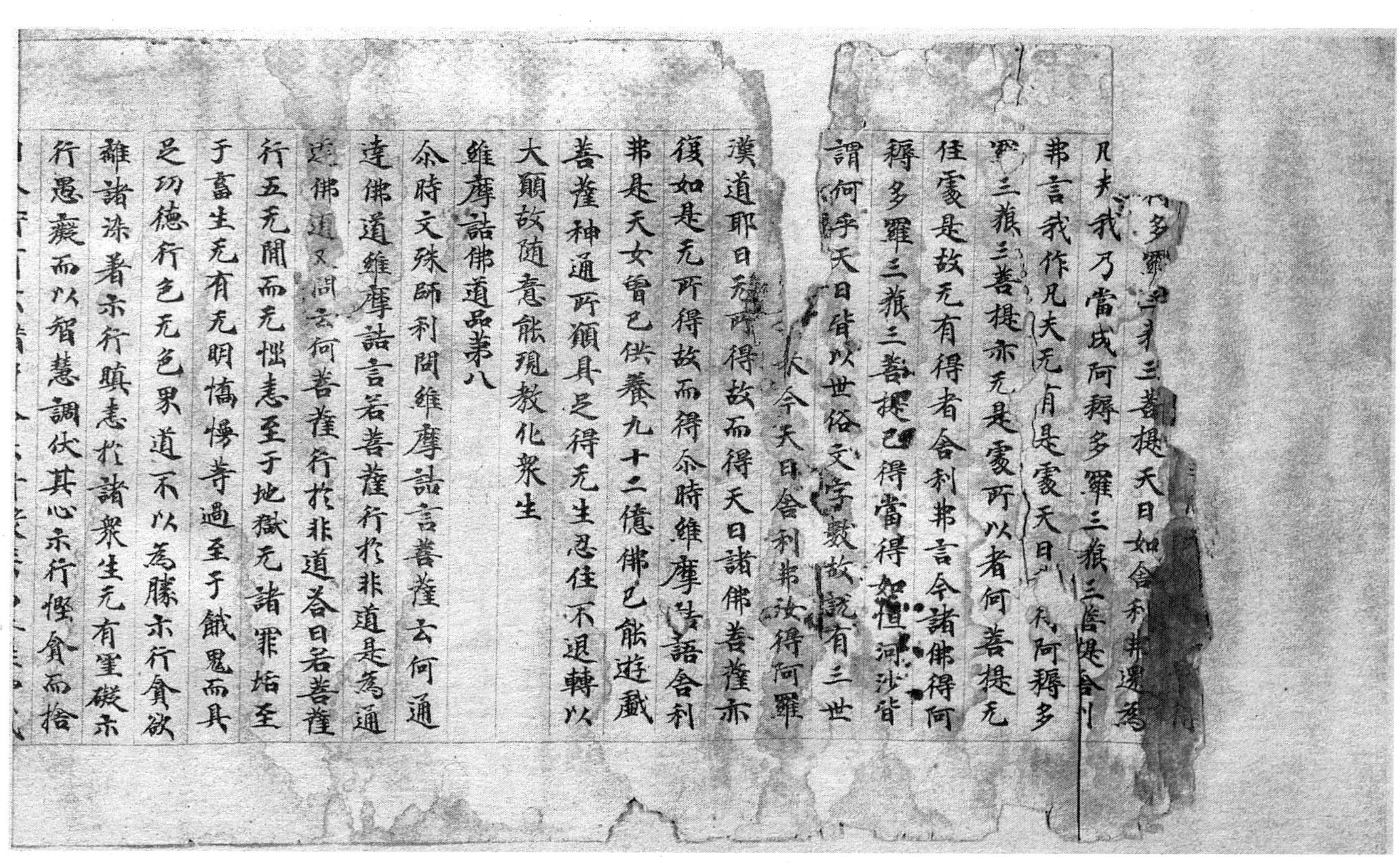

阿耨多羅三藐三菩提天曰如舍利弗還為
凡夫我乃當成阿耨多羅三藐三菩提舍利
弗言我作凡夫无有是處天曰我作阿耨多
羅三藐三菩提亦无是處所以者何菩提无
住處是故无有得者舍利弗言今諸佛得阿
耨多羅三藐三菩提已得當得如恒河沙皆
謂何乎天曰皆以世俗文字數故說有三世
非謂菩提有去來今天曰舍利弗汝得阿羅
漢道耶曰无所得故而得天曰諸佛菩薩亦
復如是无所得故而得尒時維摩詰語舍利
弗是天女曾已供養九十二億佛已能遊戲
菩薩神通所願具足得无生忍住不退轉以
大願故隨意能現教化衆生
維摩詰佛道品第八
尒時文殊師利問維摩詰言菩薩云何通
達佛道維摩詰言若菩薩行於非道是為通
達佛道又問云何菩薩行於非道荅曰若菩薩
行五无間而无惱恚至于地獄无諸罪垢至
于畜生无有无明憍慢等過至于餓鬼而具
足功德行色无色界道不以為勝示行貪欲
離諸染著示行瞋恚於諸衆生无有罣礙示
行愚癡而以智慧調伏其心示行慳貪而捨

BD01206號　維摩詰所說經卷中　　（11–1）

達佛道又問云何菩薩行於非道荅曰若菩薩
行五无間而无惱恚至于地獄无諸罪垢至
于畜生无有无明憍慢等過至于餓鬼而具
足功德行色无色界道不以為勝亦行貪欲
離諸染著亦行瞋恚於諸眾生无有恚礙亦
行愚癡而以智慧調伏其心亦行慳貪而捨
內外所有不惜身命亦行毀禁而安住淨戒
乃至小罪猶懷大懼亦行瞋恚而常慈忍亦
行懈怠而懃修功德亦行亂意而常[illegible]
行愚癡而通達世間出世間慧亦行諂[illegible]
善方便隨諸經義亦行憍慢而於眾生猶如
橋梁亦行諸煩惱而心常清淨亦入於魔而
順佛智慧不隨他教亦入聲聞而為眾生說
未聞法亦入辟支佛而成就大悲教化眾生
亦入貧窮而有寶手功德无盡亦入形殘而
具諸相好以自莊嚴亦入下賤而生佛種性
中具諸功德亦入羸劣醜陋而得那羅延身
一切眾生之所樂見亦入老病而永斷病根
超越死畏亦有資生而恒觀无常實无所貪
亦有妻妾綵女而常遠離五欲淤泥現於訥
鈍而成[illegible]才總持无失亦入邪濟而以正
濟度諸眾生現遍入諸道而斷其因緣現於
涅槃而不斷生死文殊師利菩薩能如是
行於非道是為通達佛道
於是維摩詰問文殊師利何等為如來種
文殊利言有身為種无明有愛為種貪恚癡
為種四顛倒為種五蓋為種六入為種七識

BD01206號　維摩詰所說經卷中　（11–2）

涅槃而不斷生死文殊師利菩薩能如是
行於非道是為通達佛道
於是維摩詰問文殊師利何等為如來種
文殊利言有身為種无明有愛為種貪恚癡
為種四顛倒為種五蓋為種六入為種七識
處為種八邪法為種九惱處為種十不善道
為種以要言之六十二見及一切煩惱皆是
佛種曰何謂也荅曰若見无為入正位者不
能復發阿耨多羅三藐三菩提心譬如高原
陸地不生蓮華卑濕淤泥乃生此華如是見
无為法入正位者終不復能生於佛法煩惱
泥中乃有眾生起佛法耳又如植種於空終
不得生糞壤之地乃能滋茂如是入无為正
位者不生佛法起於我見如須弥山猶能發于
阿耨多羅三藐三菩提心生佛法矣是故當
知一切煩惱為如來種譬如不下巨海不能得
无價寶珠如是不入煩惱大海則不能得一
切智寶
尒時大迦葉歎言善哉善哉文殊師利快說
此語誠如所言塵勞之疇為如來種我等今
者不復堪任發阿耨多羅三藐三菩提心乃
至五无間罪猶能發意生於佛法而今我等
永不能發譬如根敗之士其於五欲不能復
利如是聲聞諸結斷者於佛法中无所復益
永不志願是故文殊師利凡夫於佛法有反
復而聲聞无也所以者何凡夫聞佛法能起

BD01206號　維摩詰所說經卷中　（11–3）

至五无間罪猶能發意生於佛法而今我等
永不能發辟如根敗之士其於五欲不能復
利如是聲聞諸結斷者於佛法中无所復益
永不志願是故文殊師利凡夫於佛法有反
覆而聲聞无也所以者何凡夫聞佛法能起
无上道心不斷三寶正使聲聞終身聞佛法
力无畏等永不能發无上道意尒時會中有
菩薩名普現色身問維摩詰言居士父母妻子
親戚眷屬吏民知識悉為是誰奴婢僮僕為馬
車乘皆何所在於是維摩詰以偈荅曰
智度菩薩母 方便以為父 一切衆導師 无不由是生
法喜以為妻 慈悲心為女 善心誠實男 畢竟空寂舍
弟子衆塵勞 隨意之所轉 道品善知識 由是成正覺
諸度法等侶 四攝為伎女 歌詠誦法言 以此為音樂
摠持之園菀 无漏法林樹 覺意淨妙華 解脫智慧果
八解之浴池 定水湛然滿 布以七淨華 浴此无垢人
象馬五通馳 大乘以為車 調御以一心 遊於八正路
相具以嚴容 衆好飾其姿 慚愧之上服 深心為華鬘
富有七財寶 教授以滋息 如所說脩行 迴向為大利
四禪為牀坐 從於淨命生 多聞增智慧 以為自覺音
甘露法之食 解脫味為漿 淨心以澡浴 戒品為塗香
摧滅煩惱賊 勇健无能踰 降伏四種魔 勝幡建道場
雖知无起滅 示彼故有生 悉現諸國土 如日无不現
供養於十方 无量億如來 諸佛及己身 无有分別想
雖知諸佛國 及與衆生空 而常脩淨土 教化於群生
諸有衆生類 形聲及威儀 无畏力菩薩 一時能盡現

BD01206號　維摩詰所說經卷中　（11-4）

雖知无起滅 示彼故有生 悉現諸國土 如日无不現
供養於十方 无量億如來 諸佛及己身 无有分別想
雖知諸佛國 及與衆生空 而常脩淨土 教化於群生
諸有衆生類 形聲及威儀 无畏力菩薩 一時能盡現
覺知衆魔事 而示隨其行 以善方便智 隨意皆能現
或示老病死 成就諸群生 了知如幻化 通達无有閡
或現劫燒盡 天地皆洞然 衆人有常想 照令知无常
无數億衆生 俱來請菩薩 一時到其舍 化令向佛道
經書禁呪術 工巧諸伎藝 盡現行此事 饒益諸群生
世間衆道法 悉於中出家 因以解人惑 而不墮邪見
或作日月天 梵王世界主 或時作地水 或復作風火
劫中有疾疫 現作諸藥草 若有服之者 除病消衆毒
劫中有飢饉 現身作飲食 先救彼飢渴 却以法語人
劫中有刀兵 為之起慈悲 化彼諸衆生 令住无諍地
若有大戰陣 立之以等力 菩薩現威勢 降伏使和安
一切國土中 諸有地獄處 輙往到于彼 勉濟其苦惱
一切國土中 畜生相食噉 皆現生於彼 為之作利益
示受於五欲 亦復現行禪 令魔心憒亂 不能得其便
火中生蓮華 是可謂希有 在欲而行禪 希有亦如是
或現作婬女 引諸好色者 先以欲鉤牽 後令入佛智
或為邑中主 或作商人導 國師及大臣 以祐利衆生
諸有貧窮者 現作无盡藏 因以勸導之 令發菩提心
我心憍慢者 為現大力士 消伏諸貢高 令住佛上道
其有恐懼衆 居前而慰安 先施以无畏 後令發道心
或現離婬欲 為五通仙人 開導諸群生 令住戒忍慈
見須供事者 現作僮僕 既悅可其意 乃發以道心

BD01206號　維摩詰所說經卷中　（11-5）

其有恐懼衆　居前而慰安　先施以无畏　後令發道心
或現離婬欲　爲五通仙人　開導諸群生　令住戒忍慈
見須供事者　爲現作僮僕　既悅可其意　乃發以道心
隨彼之所須　得入於佛道　以善方便力　皆能給足之
如是道无量　所行无有崖　智慧无邊際　度脱无數衆
假令一切佛　於无數億劫　讚嘆其功德　猶尚不能盡
誰聞如此法　不發菩提心　除彼不肖人　癡冥无智者
維摩詰入不二法門品第九
尒時維摩詰謂衆菩薩言諸仁者云何菩薩
入不二法門各隨所樂説之會中有菩薩名
法自在説言諸仁者生滅爲二法本不生今
則无滅得此无生法忍是爲入不二法門
德首菩薩曰我我所爲二因有我故便有我所
若无有我則无我所是爲入不二法門
不眴菩薩曰受不受爲二若法不受則不可得
以不可得故无取无捨无作无行是爲入
不二法門
德頂菩薩曰垢淨爲二見垢實性則无淨
相順於滅相是爲入不二法門
善宿菩薩曰是動是念爲二不動則无念无
念即无分別通達此者是爲入不二法門
善眼菩薩曰一相无相爲二若知一切即是
无相亦不取无相入於平等是爲入不二法
門
妙臂菩薩曰菩薩心聲聞心爲二觀心相空
如幻化者无菩薩心无聲聞心是爲入不二

BD01206 號　維摩詰所說經卷中　（11–6）

善眼菩薩曰一相无相爲二若知一切即是
无相亦不取无相入於平等是爲入不二法
門
妙臂菩薩曰菩薩心聲聞心爲二觀心相空
如幻化者无菩薩心无聲聞心是爲入不二
法門
弗沙菩薩曰善不善爲二若不起善不善入
无相際而通達者是爲入不二法門
師子菩薩曰罪福爲二若達罪性則與福无
異以金剛慧決了此相无縛无解者是爲入
不二法門
師子意菩薩曰有漏无漏爲二若得諸法等
則不起漏不漏想不著於相亦不住无相是
爲入不二法門
淨解菩薩曰有爲无爲爲二若離一切數則
心如虛空以清淨慧无所閡者是爲入不二
法門
那羅延菩薩曰世間出世間爲二世間性空
即是出世間於其中不入不出不溢不散是
爲入不二法門
善意菩薩曰生死涅槃爲二若見生死性則
无生死无縛无解不然不滅如是解者是
爲入不二法門
現見菩薩曰盡不盡爲二法若究竟盡若不
盡皆是无盡相无盡相即是空空則无有盡
不盡相如是入者是爲入不二法門
普守菩薩曰我无我爲二我尚不可得非我

BD01206 號　維摩詰所說經卷中　（11–7）

現見菩薩曰盡不盡為二法若究竟盡若不
盡皆是无盡相无盡相即是空空則无有盡
不盡相如是入者是為入不二法門
普守菩薩曰我无我為二我尚不可得非我
何可得見我實性者不復起二是為入不二
法門
電天菩薩曰明无明為二无明實性即是明
明亦不可取離一切數於其中平等无二者
是為入不二法門
喜見菩薩曰色色空為二色則是空非色滅
空色性自空如是受想行識識空為二識即
是空非識滅空識性自空於其中而通達者
是為入不二法門
明相菩薩曰四種異空種異為二四種性即
是空種性如前際後際空故中際亦空若能
如是知諸種性者是為入不二法門
妙意菩薩曰眼色為二若知眼性於色不貪
不恚不癡是名寂滅如是耳聲鼻香舌味身
觸意法為二若知意於法不貪不恚不癡
是名寂滅安住其中是為入不二法門
无盡意菩薩曰布施迴向一切智為二布施
性即是迴向一切智性如是持戒忍辱精進
禪定智慧迴向一切智為二智慧性即是迴
向一切智性於其中入一相者是為入不二
法門
深慧菩薩曰是空是无相是无作為二空即

BD01206 號　維摩詰所說經卷中　（11–8）

性即是迴向一切智性如是持戒忍辱精進
禪定智慧迴向一切智為二智慧性即是迴
向一切智性於其中入一相者是為入不二
法門
深慧菩薩曰是空是无相是无作為二空即
无相无相即无作若空无相无作則无心意
識於一解脫門即是三解脫門者是為入不
二法門
寂根菩薩曰佛法眾為二佛即是法法即是
眾是三寶皆无為相與虛空等一切法亦尒
能隨此行者是為入不二法門
心无閡菩薩曰身身滅為二身即是身滅所
以者何見身實相者不起見身及以滅身身
與滅身无二无分別於其中不驚不懼者是
為入不二法門
上善菩薩曰身口意善為二是三業皆无作
相身无作相即口无作相口无作相即意无
作相是三業无作相即一切法无作相能如
是隨无作慧者是為入不二法門
福田菩薩曰福行罪行不動行為二三行實
性即是空空則无福行无罪行无不動行於
此三行而不起者是為入不二法門
華嚴菩薩曰從我起二為二見我實相者不起
二法若不住二法則无有識无所識者是為
入不二法門
德藏菩薩曰有所得相為二若无所得則无
取捨无取捨者是為入不二法門

BD01206 號　維摩詰所說經卷中　（11–9）

此三行而不起者是爲入不二法門
華嚴菩薩曰從我起二爲二見我實相者不起
二法若不住二法則无有識无所識者是爲
入不二法門
德藏菩薩曰有所得相爲二若无所得則无
取捨无取捨者是爲入不二法門
月上菩薩曰闇與明爲二无闇无明則无有
二所以者何如入滅受想定无闇无明一切法
相亦復如是於其中平等入者是爲入不
二法門
寶印手菩薩曰樂涅槃不樂世間爲二若不
樂涅槃不猒世間則无有二所以者何若有
縛則有解若本无縛其誰求解无縛无縛
則无樂猒是爲入不二法門
珠頂王菩薩曰正道邪道爲二住正道者則
不分別是邪是正離此二者是爲入不二法
門
樂實菩薩曰實不實爲二實見者尚不見實
何况非實所以者何非肉眼所見慧眼乃能見
而此慧眼无見无不見是爲入不二法門
如是諸菩薩各各說已問文殊師利何等是菩
薩入不二法門文殊師利曰如我意者於一切
法无言无說无示无識離諸問答是爲入
不二法門
於是文殊師利問維摩詰言我等各自說已仁
者當說何等是菩薩入不二法門時維摩詰

BD01206號　維摩詰所說經卷中　(11-10)

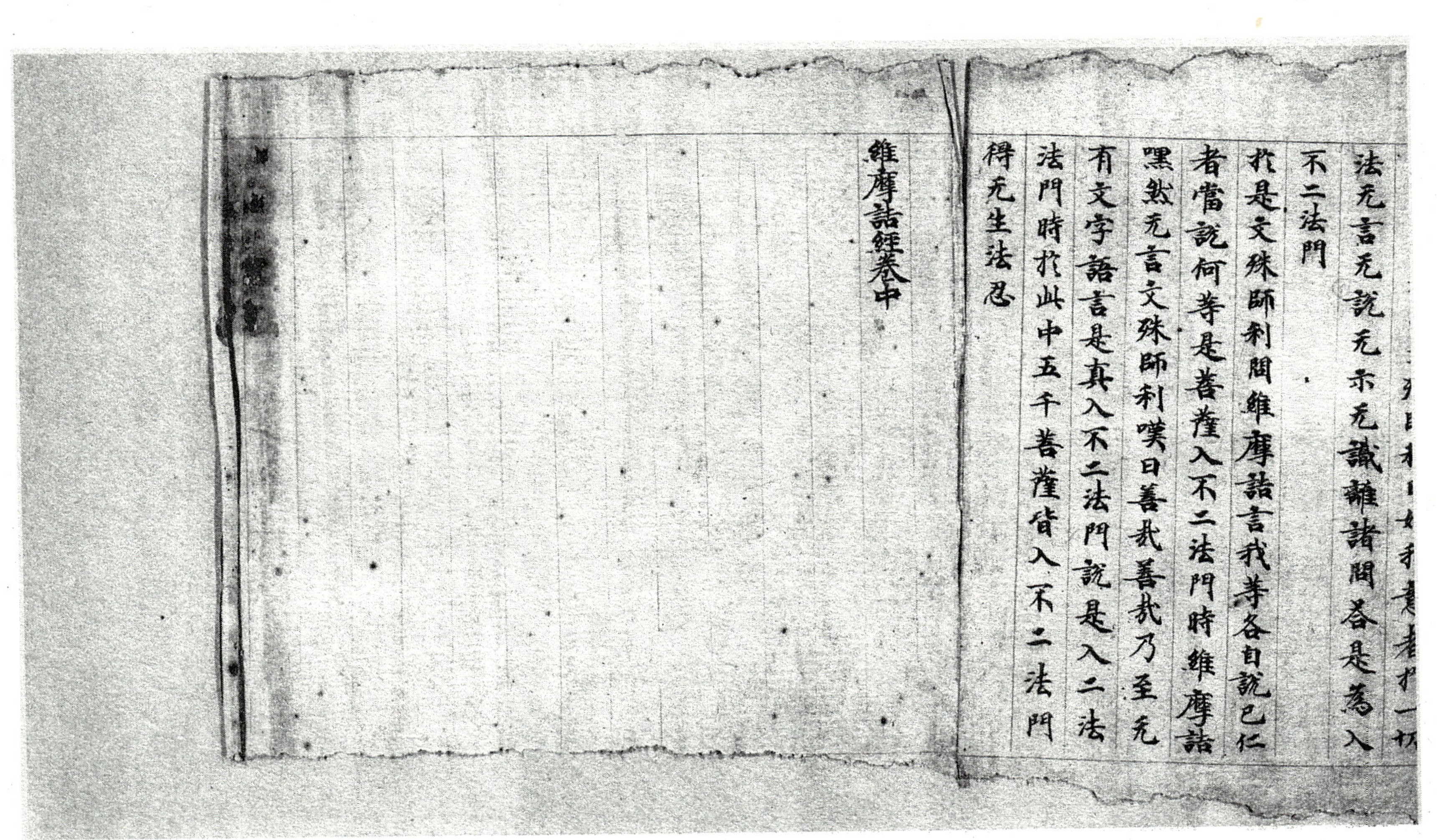
法无言无說无示无識離諸問答是爲入
不二法門
於是文殊師利問維摩詰言我等各自說已仁
者當說何等是菩薩入不二法門時維摩詰
嘿然无言文殊師利嘆曰善哉善哉乃至无
有文字語言是真入不二法門說是入二法
法門時於此中五千菩薩皆入不二法門
得无生法忍

維摩詰經卷中

BD01206號　維摩詰所說經卷中　(11-11)

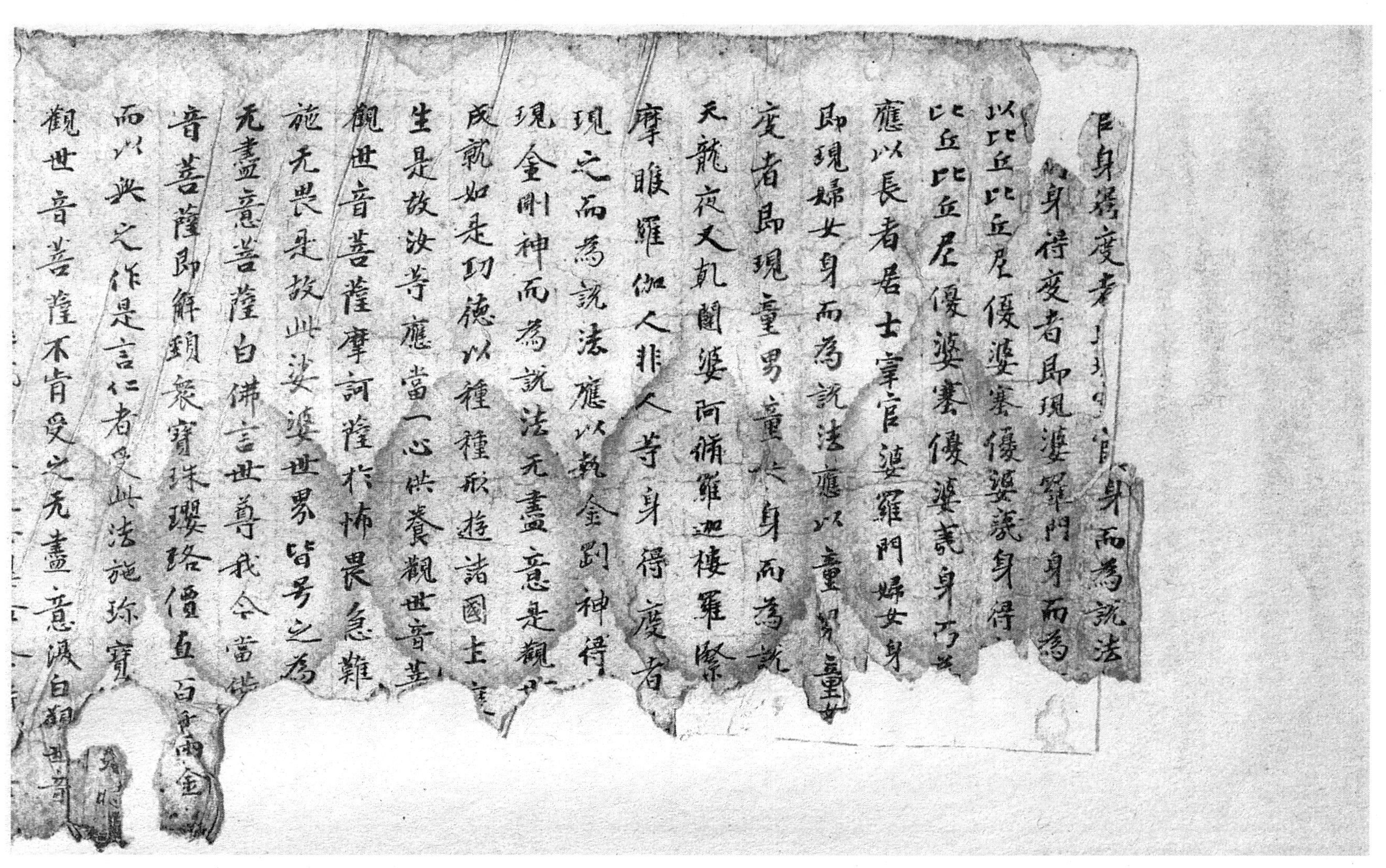
比丘身得度者……身而為說法
以身得度者即現婆羅門身而為
以比丘比丘尼優婆塞優婆夷身得
比丘比丘尼優婆塞優婆夷身而為
應以長者居士宰官婆羅門婦女身
即現婦女身而為說法應以童男童女
度者即現童男童女身而為說
天龍夜叉乾闥婆阿脩羅迦樓羅緊
摩睺羅伽人非人等身得度者
現之而為說法應以執金剛神得
現金剛神而為說法无盡意是觀世
成就如是功德以種種形遊諸國土度
生是故汝等應當一心供養觀世音菩
觀世音菩薩摩訶薩於怖畏急難
施无畏是故此娑婆世界皆號之為
无盡意菩薩白佛言世尊我今當供
音菩薩即解頸衆寶珠瓔珞價直百千兩金
而以與之作是言仁者受此法施珎寶
觀世音菩薩不肯受之无盡意復白觀世音

BD01207號　觀世音經　（4–1）

音菩薩即解頸衆寶珠瓔珞價直百千兩金
而以與之作是言仁者受此法施珎寶
觀世音菩薩不肯受之无盡意復白觀世音
菩薩言仁者愍我等故受此瓔珞尒時
觀世音菩薩當愍此无盡意菩薩及四衆
天龍夜叉乾闥婆阿脩羅迦樓羅緊那羅摩
睺羅伽人非人等故受是瓔珞即時觀世音
菩薩愍諸四衆及於天龍人非人等受其瓔
珞分作二分一分奉釋迦牟尼佛一分奉多寶
佛塔无盡意觀世音菩薩有如是自在神
力遊於娑婆世界
尒時无盡意菩薩以偈問曰
世尊妙相具　我今重問彼　佛子何因緣　名為觀世音
具足妙相尊　偈荅无盡意　汝聽觀音行　善應諸方所
弘誓深如海　歷劫不思議　侍多千億佛　發大清淨願
我為汝略說　聞名及見身　心念不空過　能滅諸有苦
假使興害意　推落大火坑　念彼觀音力　火坑變成池
或漂流巨海　龍魚諸鬼難　念彼觀音力　波浪不能没
或在須彌峯　為人所推墮　念彼觀音力　如日虛空住
或被惡人逐　墮落金剛山　念彼觀音力　不能損一毛
或值怨賊遶　各執刀加害　念彼觀音力　咸即起慈心
或遭王難苦　臨刑欲壽終　念彼觀音力　刀尋段段壞

BD01207號　觀世音經　（4–2）

或在須彌峯　為人所推墮　念彼觀音力　如日虛空住
或被惡人逐　墮落金剛山　念彼觀音力　不能損一毛
或值怨賊遶　各執刀加害　念彼觀音力　咸即起慈心
或遭王難苦　臨刑欲壽終　念彼觀音力　刀尋段段壞
或囚禁枷鎖　手足被杻械　念彼觀音力　釋然得解脫
呪詛諸毒藥　所欲害身者　念彼觀音力　還著於本人
或遇惡羅刹　毒龍諸鬼等　念彼觀音力　時悉不敢害
若惡獸圍遶　利牙爪可怖　念彼觀音力　疾走无邊方
蚖蛇及蝮蝎　氣毒煙火然　念彼觀音力　尋聲自迴去
雲雷鼓掣電　降雹澍大雨　念彼觀音力　應時得消散
衆生被困厄　无量苦逼身　觀音妙智力　能救世間苦
具足神通力　廣修智方便　十方諸國土　无刹不現身
種種諸惡趣　地獄鬼畜生　生老病死苦　以漸悉令滅
真觀清淨觀　廣大智慧觀　悲觀及慈觀　常願常瞻仰
无垢清淨光　慧日破諸闇　能伏災風火　普明照世間
悲體戒雷震　慈意妙大雲　澍甘露法雨　滅除煩惱炎
諍訟經官處　怖畏軍陣中　念彼觀音力　衆怨悉退散
妙音觀世音　梵音海潮音　勝彼世間音　是故須常念
念念勿生疑　觀世音淨聖　於苦惱死厄　能為作依怙
具一切功德　慈眼視衆生　福聚海无量　是故應頂禮
尒時持地菩薩即從座起前白佛言世尊若
有衆生聞是觀世音菩薩品自在之業普門
示現神通力者當知是人功德不少佛說是
普門品時衆中八万四千衆生皆發无等

BD01207號　觀世音經　（4–3）

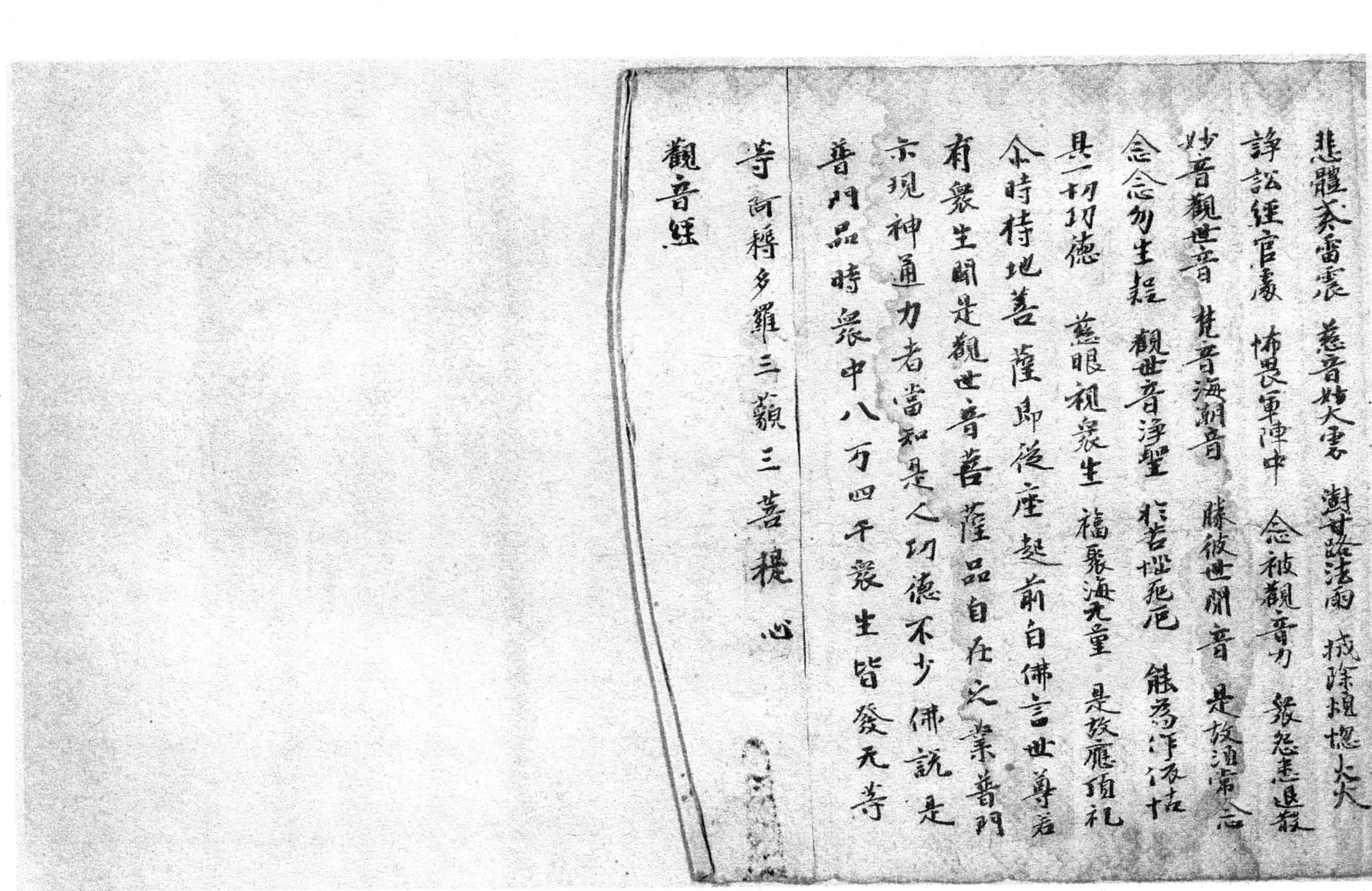

悲體戒雷震　慈意妙大雲　澍甘露法雨　滅除煩惱炎
諍訟經官處　怖畏軍陣中　念彼觀音力　衆怨悉退散
妙音觀世音　梵音海潮音　勝彼世間音　是故須常念
念念勿生疑　觀世音淨聖　於苦惱死厄　能為作依怙
具一切功德　慈眼視衆生　福聚海无量　是故應頂禮
尒時持地菩薩即從座起前白佛言世尊若
有衆生聞是觀世音菩薩品自在之業普門
示現神通力者當知是人功德不少佛說是
普門品時衆中八万四千衆生皆發无等
等阿耨多羅三藐三菩提心

觀音經

BD01207號　觀世音經　（4–4）

□牟尼佛放大人相肉髻光明及放
眉間白豪相光遍照東方百八万億那由他
恒河沙等諸佛世界過是數已有世界名淨
光莊嚴其國有佛号淨華宿王智如來應供
正遍知明行足善逝世間解无上士調御丈夫
天人師佛世尊為无量无邊菩薩大衆恭敬
圍繞而為說法釋迦牟尼佛白豪光明遍照
其國尒時一切淨光莊嚴國中有一菩薩名曰
妙音久已殖衆德本供養親近无量百千万
億諸佛而悉成就甚深智慧得妙幢相三昧
法華三昧淨德三昧宿王戲三昧无緣三昧
智印三昧解一切衆生語言三昧集一切功
德三昧清淨三昧神通遊戲三昧慧炬三
昧莊嚴王三昧淨光明三昧淨藏三昧不共
三昧日旋三昧得如是百千万億恒河沙等
諸大三昧釋迦牟尼佛光照其身即白淨華
宿王智佛言世尊我當往詣娑婆世界礼
拜親近供養釋迦牟尼佛及見文殊師利法
王子菩薩藥王菩薩勇施菩薩宿王華菩
薩上行意菩薩莊嚴王菩薩藥上菩薩尒

BD01208號1　妙法蓮華經（兌廢稿）卷七　（5–1）

宿王智佛言世尊我當往詣娑婆世界礼
拜親近供養釋迦牟尼佛及見文殊師利法
王子菩薩藥王菩薩勇施菩薩宿王華菩
薩上行意菩薩莊嚴王菩薩藥上菩薩尒
時淨華宿王智佛告妙音菩薩汝莫輕彼國
生下劣想善男子彼娑婆世界高下不平土
石諸山穢惡充滿佛身卑小諸菩薩衆其
亦小而汝身四万二千由旬我身六百八十万由
旬汝身第一端正百千万福光明殊妙是故汝

妙法蓮華經序品第一
如是我聞一時佛住王舍城耆闍崛山中與
大比丘衆万二千人俱皆是阿羅漢諸漏已
盡无復煩惱逮得已利盡諸有結心得自在
其名曰阿若憍陳如摩訶迦葉優樓頻螺迦
葉伽耶迦葉那提迦葉舍利弗大目揵連摩
訶迦旃延阿㝹樓馱劫賓那憍梵波提離波
多畢陵伽婆蹉薄拘羅摩訶拘絺羅難陁孫
陁羅難陁富樓那彌多羅尼子須菩提阿難
羅睺羅如是衆所知識大阿羅漢等復有學
无學二千人摩訶波闍波提比丘尼與眷屬
六千人俱羅睺羅母耶輸陁羅比丘尼亦與
眷屬俱菩薩摩訶薩八萬人皆於阿耨多羅
三藐三菩提不退轉皆得陁羅尼樂說辯
才轉不退轉法輪供養无量百千諸佛於諸
佛所殖衆德本常為諸佛之所稱嘆以慈脩
身善入佛慧通達大智到於彼岸名稱普聞

BD01208號1　妙法蓮華經（兌廢稿）卷七　（5–2）
BD01208號2　妙法蓮華經（兌廢稿）卷一

眷屬俱菩薩摩訶薩八萬人皆於阿耨多羅
三藐三菩提不退轉皆得陁羅尼樂說辯
才轉不退轉法輪供養无量百千諸佛於諸
佛所殖衆德本常為諸佛之所稱歎以慈脩
身善入佛慧通達大智到於彼岸名稱普聞
无量世界能度无數百千衆生其名曰文殊
師利菩薩觀世音菩薩得大勢菩薩常精進
菩薩不休息菩薩寶掌菩薩藥王菩薩勇施
菩薩寶月菩薩月光菩薩滿月菩薩大力菩
薩无量力菩薩越三界菩薩跋陁婆羅菩薩
弥勒菩薩寶積菩薩導師菩薩如是等菩薩
摩訶薩八萬人俱尒時釋提桓因與其眷屬
二萬天子俱復有名月天子普香天子寶光
天子四大天王與其眷屬萬天子俱自在天
子大自在天子與其眷屬三萬天子俱娑婆

并餘諸天衆　眷屬百千万　恭敬合掌礼　請我轉法輪
我即自思惟　若但讚佛乘　衆生没在苦　不能信是法
破法不信故　墜於三惡道　我寧不說法　疾入於涅槃
尋念過去佛　所行方便力　我今所得道　亦應說三乘
作是思惟時　十方佛皆現　梵音慰喻我　善哉釋迦文
第一之導師　得是无上法　隨諸一切佛　而用方便力
我等亦皆得　最妙第一法　為諸衆生類　分別說三乘
少智樂小法　不自信作佛　是故以方便　分別說諸果
雖復說三乘　但為教菩薩　舍利弗當知　我聞聖師子
深淨微妙音　喜稱南无佛　復作如是念　我出濁惡世
如諸佛所說　我亦隨順行　思惟是事已　即趣波羅柰

BD01208 號 2　妙法蓮華經（兌廢稿）卷一　　（5–3）

摩訶薩八萬人俱尒時釋提桓因與其眷屬
二萬天子俱復有名月天子普香天子寶光
天子四大天王與其眷屬萬天子俱自在天
子大自在天子與其眷屬三萬天子俱娑婆

并餘諸天衆　眷屬百千万　恭敬合掌礼　請我轉法輪
我即自思惟　若但讚佛乘　衆生没在苦　不能信是法
破法不信故　墜於三惡道　我寧不說法　疾入於涅槃
尋念過去佛　所行方便力　我今所得道　亦應說三乘
作是思惟時　十方佛皆現　梵音慰喻我　善哉釋迦文
第一之導師　得是无上法　隨諸一切佛　而用方便力
我等亦皆得　最妙第一法　為諸衆生類　分別說三乘
少智樂小法　不自信作佛　是故以方便　分別說諸果
雖復說三乘　但為教菩薩　舍利弗當知　我聞聖師子
深淨微妙音　喜稱南无佛　復作如是念　我出濁惡世
如諸佛所說　我亦隨順行　思惟是事已　即趣波羅柰
諸法寂滅相　不可以言宣　以方便力故　為五比丘說
是名轉法輪　便有涅槃音　及以阿羅漢　法僧差別名
從久遠劫來　讚示涅槃法　生死苦永盡　我常如是說
舍利弗當知　我見佛子等　志求佛道者　无量千万億
咸以恭敬心　皆來至佛所　曾從諸佛聞　方便所說法
我即作是念　如來所以出　為說佛慧故　今正是其時
舍利弗當知　鈍根小智人　著相憍慢者　不能信是法
今我喜无畏　於諸菩薩中　正直捨方便　但說无上道
菩薩聞是法　疑網皆已除　千二百羅漢　悉亦當作佛
如三世諸佛　說法之儀式　我今亦如是　說无分別法
諸佛興出世　懸遠值遇難　正使出于世　說是法復難
无量无數劫　聞是法亦難　能聽是法者　斯人亦復難

BD01208 號 3　妙法蓮華經（兌廢稿）卷一　　（5–4）

從久遠劫來　讚示涅槃法　生死苦永盡　我常如是說
舍利弗當知　我見佛子等　志求佛道者　无量千万億
咸以恭敬心　皆來至佛所　曾從諸佛聞　方便所說法
我即作是念　所以出於世　為說佛慧故　今正是其時
舍利弗當知　鈍根小智人　著相憍慢者　不能信是法
今我喜无畏　於諸菩薩中　正直捨方便　但說无上道
菩薩聞是法　疑網皆已除　千二百羅漢　悉亦當作佛
如三世諸佛　說法之儀式　我今亦如是　說无分別法
諸佛興出世　懸遠值遇難　正使出于世　說是法復難
无量无數劫　聞是法亦難　能聽是法者　斯人亦復難
譬如優曇華　一切皆愛樂　天人所希有　時時乃一出
聞法歡喜讚　乃至發一言　則為已供養　一切三世佛
是人甚希有　過於優曇華　汝等勿有疑　我為諸法王
普告諸大眾　但以一乘道　教化諸菩薩　无聲聞弟子
汝等舍利弗　聲聞及菩薩　當知是妙法　諸佛之祕要
以五濁惡世　但樂著諸欲　如是等眾生　終不求佛道
當來世惡人　聞佛說一乘　迷惑不信受　破法墮惡道
有慚愧清淨　志求佛道者　當為如是等　廣讚一乘道
舍利弗當知　諸佛法如是　以万億方便　隨宜而說法
其不習學者　不能曉了此　汝等既已知　諸佛世之師
隨宜方便事　无復諸疑惑　心生大歡喜　自知當作佛

妙法蓮華經卷第一

BD01208 號 3　妙法蓮華經（兌廢稿）卷一　（5–5）

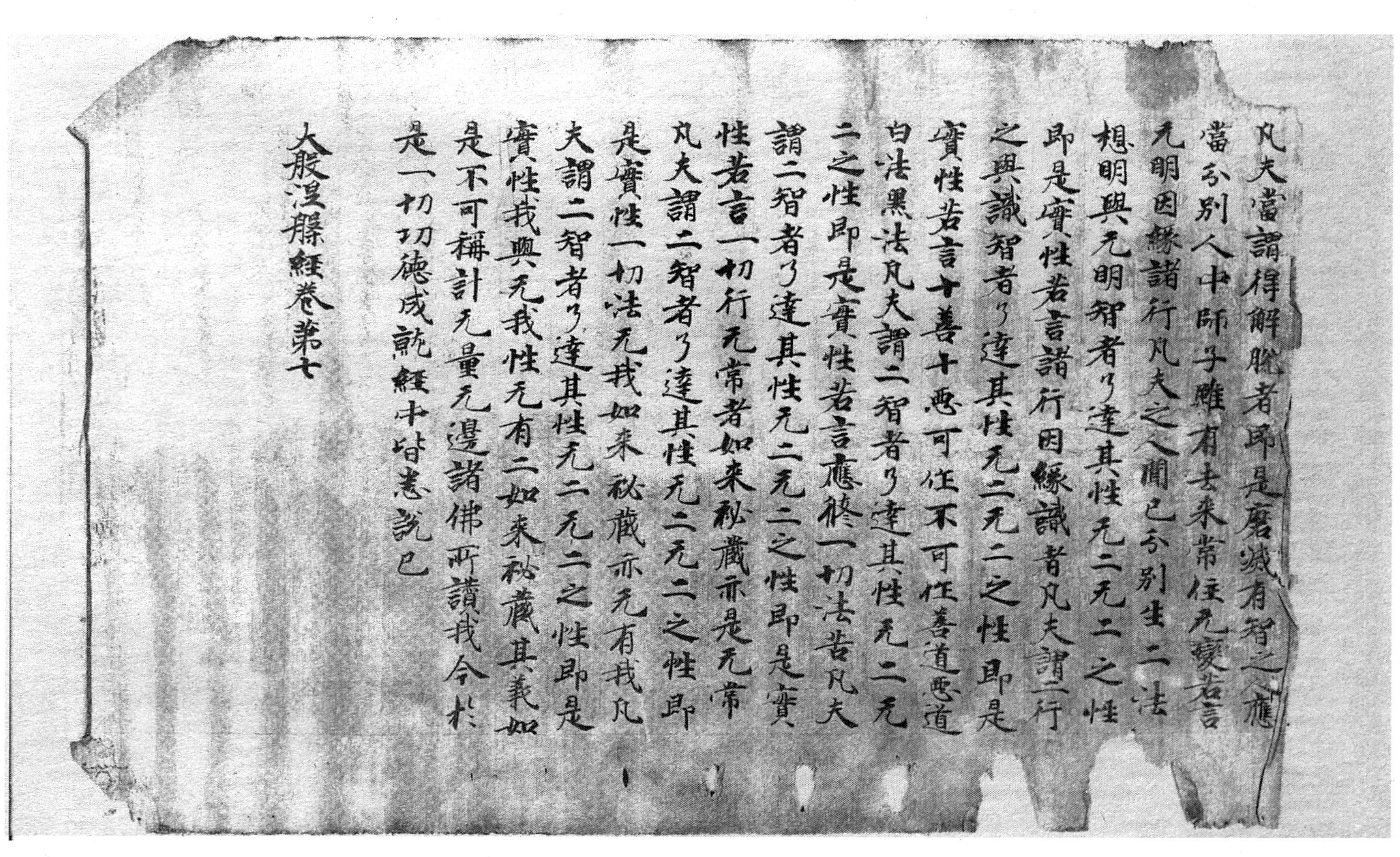

凡夫當謂得解脫者即是磨滅有智之人應
當分別人中師子雖有去來常住无變若言
无明因緣諸行凡夫之人聞已分別生二法
想明與无明智者了達其性无二无二之性
即是實性若言諸行因緣識者凡夫謂二行
之與識智者了達其性无二无二之性即是
實性若言十善十惡可作不可作善道惡道
白法黑法凡夫謂二智者了達其性无二无
二之性即是實性若言應修一切法苦凡夫
謂二智者了達其性无二无二之性即是實
性若言一切行无常者如來祕藏亦是无常
凡夫謂二智者了達其性无二无二之性即
是實性一切法无我如來祕藏亦无有我凡
夫謂二智者了達其性无二无二之性即是
實性我與无我性无有二如來祕藏其義如
是不可稱計无量无邊諸佛所讚我今於
是一切功德成就經中皆悉說已

大般涅槃經卷第七

BD01209 號　大般涅槃經（北本　異卷）卷七　（1–1）

[illegible]佛成道已臨滅度時於天
告諸比丘我滅度後欲供養我全身者應起
一大塔其佛以神通願力十方世界在在處
處若有說法華經者彼之寶塔皆踊出其前
全身在於塔中讚言善哉善哉大樂說今多
寶如來塔聞說法華經故從地踊出讚言善
哉善哉是時大樂說菩薩以如來神力故白
佛言世尊我等願欲見此佛身佛告大樂說
菩薩摩訶薩是多寶佛有深重願若我寶塔
為聽法華經故出於諸佛前時其欲以我
身示四衆者彼佛分身諸佛在於十方世界
說法盡還集一處然後我身乃出現耳大樂
說我分身諸佛在於十方世界說法者今應
當集大樂白佛言世尊我等亦願欲見
世尊分身諸佛禮拜供養
尒時佛放白毫一光即見東方五百万億那
由他恒河沙等國土諸佛彼諸國土皆以頗
梨為地寶樹寶衣以為莊嚴无數千万億菩
薩充滿其中遍張寶幔寶網羅上彼國諸佛
以大妙音而說諸法及見无量千万億菩薩
遍滿諸國為衆說法南西北方四維上下白
毫相光所照之處亦復如是尒時十方諸佛
各告衆菩薩言善男子我今應往娑婆世界
[illegible]

BD01210號　妙法蓮華經卷四　（2–1）

梨為地寶樹寶衣以為莊嚴无數千万億菩
薩充滿其中遍張寶幔寶網羅上彼國諸佛
以大妙音而說諸法及見无量千万億菩薩
遍滿諸國為衆說法南西北方四維上下白
毫相光所照之處亦復如是尒時十方諸佛
各告衆菩薩言善男子我今應往娑婆世界
釋迦牟尼佛所并供養多寶如來寶塔時娑
婆世界即變清淨瑠璃為地寶樹莊嚴黃金
為繩以界八道无諸聚落村營城邑大海江
河山川林藪燒大寶香曼陁羅華遍布其地
以寶網幔羅覆其上懸諸寶鈴唯留此會衆
移諸天人置於他土是時諸佛各將一大菩薩以為侍
者至娑婆世界各到寶樹下一一寶樹高五百由
旬枝葉華菓次第莊嚴諸寶樹下皆有師子
之座高五由旬亦以大寶而校餝之
尒時諸佛各於此座結跏趺坐如是展轉遍
滿三千大千世界而於釋迦牟尼佛一方所
[illegible]未盡時釋迦牟尼佛欲容受所
[illegible]更變二百万億那由他
[illegible]

BD01210號　妙法蓮華經卷四　（2–2）

交露寶車駕千疋馬……
事不可具說人壽千歲當今人間三千六百万歲人間百歲於忉利天
宮一日一夜三十日為一月十二月為一歲衣食自然揣食入口經
七日之中即化身長四十里行欲之法如人間无異生子之時男
從父膝女從母膝化生如今四歲小兒許眼能徹視耳能遠聽知他
心念自識宿命項背光明飛行自在行五戒十善得生其中
第三天名炎摩天壽二千歲當今人間七千二百万歲人間二百歲於
炎摩天上一日一夜三十日為一月十二月為一歲懸處虛空衣食自
然炎摩天行欲之法抱則成欲男女化生身長八十里行五戒十善得
生其中　第四天名兜率天壽四千歲當今人間一億八百万歲人
間四百歲於兜率天上一日一夜三十日為一月十二月為一歲衣食
自然兜率諸天行欲法之時執手成欲男女化生身長百六十里彼
兜率天宮一生補處菩薩常於其中為諸天師教授天人發菩
提心住不退地行五戒十善得生其中
第五天名化樂天壽八千歲當今人間二億一千六百万歲人間八百歲
於化樂天上一日一夜三十日為一月十二月為一歲衣食自然化樂諸天
行欲之法授衣成欲男女化生身長三百二十里行五戒十善得生其中
第六天名他化自在天壽万六千歲當今人間四億三千二百万歲人
間千六百歲於第六天上一日一夜三十日為一月十二月為一歲衣食自
然第六諸天行欲之法視欲成欲男女化生身長六百四十里第六天上
城郭樓觀七寶莊嚴宮殿樓閣浴池寶樹以无異妙寶嚴飾光明
赫弈超勝獨妙不可具宣婦女端正容姿美妙六天王者受福超勝
巍巍堂堂不可為喻行五戒十善得生其中從此以下六天皆有男女
受欲揣食入口故名欲界於此已上色界天
第七天名梵天去地極遠難可理論喻以大石縱廣四千里今年此日下
石明年此日至地其遠如是七天以上无有女人之名形容貌微妙如鏡
中像其為天數壽之一劫見食即飽行五戒十善加行一禪小增得
生其中……

BD01211號　妙法蓮華經馬鳴菩薩品第三〇　（6–1）

巍巍蕓蕓不可為喻行五戒十善得生其中從此以下六天皆有男女
受欲揣食入口故名欲界於此巳上色界天
第七天名梵天去地極遠難可理論喻以大石縱廣四千里今年此日下
石明年此日至地其遠如是七天以上无有女人之名形容顏微妙如鏡
中像其為天數壽之一劫見食即飽行五戒十善加行一禪小增得
生其中　第八天名梵輔天壽二劫見食即飽行五戒十善加行一禪
小增得生其中　第九天名梵身天壽四劫見食即飽行五戒十善
加行一禪小增得生其中　第十天名梵眷屬天壽八劫見食即飽行
五戒十善加行一禪得生其中　第十一天名大梵天壽十六劫見食即
飽行五戒十善加行二禪小增得生其中
第十二天名光天壽三十二劫見食即飽行五戒十善加行二禪小增
得生其中　第十三天名少光天壽六十四劫見食即飽行五戒十善
加行二禪小增得生其中　第十四天名无量光天壽一百二十八劫見
食即飽行五戒十善加行二禪小增得生其中
第十五天名光音天壽二百五十六劫見食即飽加行五戒十善加行
二禪小增得生其中　第十六天名淨壽天五百一十二劫見食即飽
行五戒十善加行三禪小增得生其中　第十七天名少淨天壽
千二十四劫見食即飽行五戒十善加行三禪小增得生其中
第十八天名无量淨天壽二千三十八劫見食即飽行五戒十善加行
三禪小增得生其中　第十九天名遍淨天壽四千九十六劫見食
即飽行五戒十善加行三禪小增得生其中
第二十天名密身天壽八千一百九十二劫見食即飽行五戒十善加行四
禪小增得生其中　第二十一天名少密身天壽万六千三百八十四
劫見食即飽行五戒十善加行四禪小增得生其中
第二十二天名无量密身天壽三万二千七百六十八劫見食即飽行五戒
十善加行四禪小增得生其中　第二十三天名密菓天壽六万五千三
三百二十六劫見食即飽行五戒十善加行四禪小增得生其中
第二十四天名不煩天壽十三万六百七十劫見食即飽行五戒十善加行
四禪小增得生其中
從此以上四天不復還隨世間所以者何其有得阿那含道者皆生

(6–2)

BD01211號　妙法蓮華經馬鳴菩薩品第三〇

第二十二天名无量密身天壽三万二千七百六十八劫見食即飽行五戒
十善加行四禪小增得生其中　第二十三天名密葉天壽六万五千三
三百二十六劫見食即飽行五戒十善加行四禪小增得生其中
第二十四天名不煩天壽十三万六百七十劫見食即飽行五戒十善加行
四禪小增得生其中
從此以上四天不復還隨世間所以者何其有得阿那含道者皆生
其中便於現身成阿羅漢道不為世業拘故不受劫所之名
第二十五天名不熱天識食即飽行五戒十善四禪具得生其中
第二十六天名善見天識食即飽行五戒十善四禪具得生其中
第二十七天名不善見天識食即飽行五戒十善四禪具得生其中
第二十八天名色究竟天識食即飽行五戒十善四禪具得生其中
色究竟者无盡色界際名為究竟亦名有頂在色有之頂名為有頂
亦名摩醯首羅者大自在也餘王三千大千世界故名為大自在又名阿迦
貳吒天阿迦貳吒天者亦是色界究竟天之別名也從此以上四天名无色
界欲界色界諸天不見其形故名无色界
第二十九天名空處天壽一億五百劫念食即飽行五戒十善四禪度
色淨得生其中　第三十天名識處天壽二億一千万劫念食即
飽行五戒十善四禪滅恚淨得生其中
第三十一天名不用處天壽四億二千万劫念食即飽行五戒十善四禪
断永淨得生其中　第三十二天名非相非非相處天壽八億四千万劫
念食即飽行五戒十善四禪愈空淨得生其中
從此已下四天人身如中陰形擬世之受名之小无為其着樂難可
教化故屬八難若能覺若断苦知盡行道解无相无願之法得出三界
名之阿羅漢佛言下至風輪際上至非相非非相无傍擬鐵圍山畔是
名小世界從一小世界數至千小世界有鐵圍山圍迴之名為小千小千
合一從一小千數至千中合為一從一中千數至千世界復以鐵圍山周
迴圍之是三千合為一從一三千數至千世界復以鐵圍周圍迴之是為
名三千世界名一佛土小千鐵圍山高至第七天摩亦尒周圍小千國土中
千鐵圍山高第十一天摩亦尒周圍中千千國土三千鐵圍山高至十五
天摩亦尒周圍三千國土大千鐵圍山高至第二十四天摩亦尒周圍大千

合一從一小千數至千中合為一從一中千數至千世界復以鐵圍山周
迴圍之是三千合為一從一三千數至千世界復以鐵圍周迴圍之是為
名三千世界名一佛土小千鐵圍山高至第七天廣亦尒周圍小千國土中
千鐵圍山高第十一天廣亦尒周圍中千國土三千鐵圍山高至十五
天廣亦尒周圍三千國土大千鐵圍山高至第二十四天廣亦尒周圍大千
國土以四天下須弥山四城七重寶山及大海水八十億小洲洲有一國
八十億國悉居海中小鐵圍內東西一千八百万里南北一千八百万里天
下万物悉在其中於鐵圍山四面外兩山中間沃焦山下各安十八地獄於大
海底復安十八阿鼻地獄一四天下并有九十地獄以為圍遶百億四天下
合九百億以為眷屬若人增上心犯十惡加作五逆罪於九十地獄中治罪
雖犯上品十惡不造五逆者但於七十二地獄中治罪不入十八阿鼻地
獄治罪也中品犯十惡於三十六地獄中治罪人尒乃得出下品十惡
者但於一方十八地獄中治罪若遍此十八阿鼻地獄中治罪㞱滿八万四千
劫尒乃得出若具犯阿鼻地獄居大海水底縱廣八千由旬七重鐵城七重
鐵網弥覆城上七重城內外有八万四千刀山八万四千劍樹充滿中間於
其四間復有四大銅狗吐毒火滿阿鼻城中有十八鬲二鬲中有十八苦事
所謂十八小熱地獄十八黑闇地獄十八寒氷地獄十八灰河地獄十八火車
地獄十八鑊湯地獄十八沸屎地獄十八刀山地獄十八劍樹地獄十八剌林
地獄十八鐵機地獄十八鐵窟地獄十八銅柱地獄十八黑繩地獄十八鐵丸
地獄十八火石地獄十八飲銅地獄有如是等十八苦事充滿其中下火徹上
上火徹下其中苦毒不可具說世間自有愚癡衆生造作五逆煞父母煞
師煞阿羅漢出佛身血破佛塔寺破和合僧盜僧祇物誹方等經毀
十方佛破戒因果作如是等无間重罪其人命終入阿鼻地獄猶如射
箭經阿僧祇偹受衆苦无有休息故名无間阿鼻地獄一日一夜當今人
間日月歲數六十劫如是受罪遶應八万四千大劫乃至得出復
入東方十八地獄中南西北方亦復如是遍九十地獄二地獄中皆往
億千万歲尒乃得出復墮畜生中爲馬牛羊驢騾駱駝犬豕麞
鳥鵄鴨之中數千万歲以宍供人償其罪畢從畜生出乃得爲人
復為奴婢又五百世常為走使不得自在又生為人貧窮下賤衣不
蓋形食不充口復五百世乃復為人由不及次以是因緣人身難得佛

（6–4）

BD01211號　妙法蓮華經馬鳴菩薩品第三〇

入東方十八地獄中南西北方亦復如是遍九十地獄二地獄中皆往
億千万歲尒乃得出復墮畜生中爲馬牛羊驢騾駱駝犬豕鷹
鳥鴟鴞之中數千万歲以𡦗供人償其罪畢從畜生出乃得爲人
復爲奴婢又五百世常爲走使不得自在又生爲人貧窮下賤衣不
蓋形食不充口復五百世乃復爲人由不及次以是因緣人身難得佛
世難值經法難聞衆僧難遇明師難遇以得人身值佛聞法宜應惻
厲行道爲先護身口意慎莫放逸放逸者一失人根万劫不服甚難
甚難復得爲人所謂劫者數天地之始終謂之一劫有三品何等三品者
大劫有一大城縱廣高下百二十里滿中盛芥子人天過百年已取一芥子
別着一大城中如是取盡名一大劫色界天人壽是八億四千万劫尒乃命盡
中劫者有一大城縱廣高下八十里滿中盛芥子人天過百年已取一芥子別
着一大城中如是取盡名爲中劫色界天人用是壽命以數一劫二劫數
至十三万六百七十二劫尒時乃命終小劫者有一大城縱廣高下四十里
滿中盛芥子人天過百年已取一芥子別着一大城中如是取盡名一小劫
是名三品劫也又无色界四空處天樂涅滅樂次有色界二十二天樂禪
定樂次有欲界六天樂五欲樂三界雖樂猶不免三灾所壞何謂三灾
一者火灾二者水灾三者風灾小劫盡時七日並出焚燒天地六天皆
盡故名火灾中劫盡時天降灾雨大如車輪逕億千万歲其水洪起高至
二十四天復經億千万歲色界欲界所有大千鐵圍中千鐵圍小千鐵圍七
重寶山及四天下須弥寶山二十四天宮殿一切爛壞是名水灾大劫盡時有
惡風起吹三千大千鐵圍山百億鐵圍山百億須弥山王百億三十三天宮殿山
山相博令如粉塵无有遺餘三千世界皆悉空曠是名風灾也
日大擭炭經一百二十卷廣明世界中事大經難見是故此中略匀其要
耳閻浮提縱廣正等三十二万里通其山陵河池故有尒也
宣數平壞之地廣長二十八万里其中凡有十六大國統八万四千城
有八大國王四大天子東方有晉國天子人民熾盛南方有天子
國天子土地多饒爲西方有大秦國天子土地多金銀璧玉北方
有月氏國天子土地多好馬此閻浮提內有十六万億兵聚有八
万四千地中有六千四百種人万億鰫魚有六千四百種鳥有四千
五百種狩有二千四百種海海中凡草有八千種雜草有七百四十

BD01211號　妙法蓮華經馬鳴菩薩品第三〇

重寶山及四天下須弥寶山二十四天宮殿一切爛壞是名 宍大劫盡時有
惡風起吹三千大千鐵圍山百億鐵圍山百億須弥山王百億三十天宮殿山
山相博令如粉塵无有遺餘三千世界皆悉空曠是名風宍也
日大擭炭經一百二十卷廣明世界中事大經難見是故此中略勾其要
耳閻浮提縱廣正等三十二万里通其山陵河池故有余也
宣數平壞之地廣長二十八万里其中凡有十六大国統八万四千城
有八大国王四大天天子東方有晉国天子人民熾盛南方有天子
國天子土地多饒爲西方有大秦国天子土地多金銀璧玉北方
有月氏國天子土地多好馬此閻浮提内有十六万億兵聚有八
万四千地中有六千四百種人万億鰐魚有六千四百種鳥有四千
五百種狩有二千四百種海海中凡草有八千種雜草有七百四十
種香有四十種寶有百廿種正寶海中有二千五百國一百八十小國
暾五穀三百國暾魚鱉黿鼉有五大國王第一大王主五百小國王
名斯利國王盡事佛少事衆邪第二國王亦主五百小國名加羅
去地出七寶第三國王亦主五百小國王名不曬土也出四十二種寶
及百瑶璃第四國王亦主五百小國第五國亦主五百小國五大
城中人多黑短小五大城相去六十五万里從此諸國巳外但有滄
水无有人民去鐵圍山一百四十万里

妙法蓮華經卷第八

（6–6）

BD01211號　妙法蓮華經馬鳴菩薩品第三〇

提言甚多世尊何以故是福德即非福德性
是故如来說福德多若復有人於此經中受
持乃至四句偈等為他人說其福勝彼何以
故須菩提一切諸佛及諸佛阿耨多羅三藐
三菩提法皆從此經出須菩提所謂佛法者
即非佛法
須菩提於意云何須陁洹能作是念我得須
陁洹果不須菩提言不也世尊何以故須陁
洹名為入流而无所入不入色聲香味觸法
是名須陁洹須菩提於意云何斯陁含能作
是念我得斯陁含果不須菩提言不也世尊
何以故斯陁含名一往来而實无往来是名
斯陁含須菩提於意云何阿那含能作是念
我得阿那含果不須菩提言不也世尊何以
故阿那含名為不来而實无来是故名阿那
含須菩提於意云何阿羅漢能作是念我得
阿羅漢道不須菩提言不也世尊何以故實
无有法名阿羅漢世尊若阿羅漢作是念我
得阿羅漢道即為著我人衆生壽者世尊佛
說我得无諍三昧人中最為第一是第一離
欲阿羅漢我不作是念我是離欲阿羅漢世
尊我若作是念我得阿羅漢道世尊則不說
須菩提是樂阿蘭那行者以須菩提實无所
行而名須菩提是樂阿蘭那行

說我得无諍三昧人中最為第一是第一離
欲阿羅漢我不作是念我是離欲阿羅漢世
尊我若作是念我得阿羅漢道世尊則不說
須菩提是樂阿蘭那行者以須菩提實无所
行而名須菩提是樂阿蘭那行
佛告須菩提於意云何如来昔在然燈佛所
於法有所得不世尊如来在然燈佛所於法
實无所得
須菩提於意云何菩薩莊嚴佛土不不也世
尊何以故莊嚴佛土者則非莊嚴是名莊嚴
是故須菩提諸菩薩摩訶薩應如是生清淨
心不應住色生心不應住聲香味觸法生心
應无所住而生其心須菩提譬如有人身如
須弥山王於意云何是身為大不須菩提言
甚大世尊何以故佛說非身是名大身
須菩提如恒河中所有沙數如是沙等恒河
於意云何是諸恒河沙寧為多不須菩提言
甚多世尊但諸恒河尚多无數何況其沙須
菩提我今實言告汝若有善男子善女人以
七寶滿介所恒河沙數三千大千世界以用
布施得福多不須菩提言甚多世尊佛告須
菩提若善男子善女人於此經中乃至受持
四句偈等為他人說而此福德勝前福德
復次須菩提隨說是經乃至四句偈等當知
此處一切世間天人阿脩羅皆應供養如佛
塔廟何況有人盡能受持讀誦須菩提當知
是人成就最上第一希有之法若是經典所在
之處則為有佛若尊重弟子

四句偈等爲他人說而此福德勝前福德
復次湏菩提隨說是經乃至四句偈等當知
此處一切世間天人阿脩羅皆應供養如佛
塔廟何況有人盡能受持讀誦湏菩提當知
是人成就最上第一希有之法若是經典所在
之處則爲有佛若尊重弟子
尒時湏菩提白佛言世尊當何名此經我等
云何奉持佛告湏菩提是經名爲金剛般若
波羅蜜以是名字汝當奉持所以者何湏菩
提佛說般若波羅蜜則非般若波羅蜜湏菩
提於意云何如來有所說法不湏菩提白佛
言世尊如來无所說湏菩提於意云何三千
大千世界所有微塵是爲多不湏菩提言甚
多世尊湏菩提諸微塵如來說非微塵是名
微塵如來說世界非世界是名世界湏菩提
於意云何可以三十二相見如來不不也世
尊不可以三十二相得見如來何以故如來
說三十二相即是非相是名三十二相
湏菩提若有善男子善女人以恒河沙等身
命布施若復有人於此經中乃至受持四句
偈等爲他人說其福甚多
尒時湏菩提聞說是經深解義趣涕淚悲泣
而白佛言希有世尊佛說如是甚深經典我
從昔來所得慧眼未曾得聞如是之經世尊
若復有人得聞是經信心清淨則生實相當
知是人成就第一希有功德世尊是實相者
則是非相是故如來說名實相世尊我今得

BD01212 號　金剛般若波羅蜜經　（8–3）

從昔來所得慧眼未曾得聞如是之經世尊
若復有人得聞是經信心清淨則生實相當
知是人成就第一希有功德世尊是實相者
則是非相是故如來說名實相世尊我今得
聞如是經典信解受持不足爲難若當來世
後五百歲其有衆生得聞是經信解受持是
人則爲第一希有何以故此人无我相人相
衆生相壽者相所以者何我相即是非相人
相衆生相壽者相即是非相何以故離一切
諸相則名諸佛
佛告湏菩提如是如是若復有人得聞是經
不敬不怖不畏當知是人甚爲希有何以故湏
菩提如來說第一波羅蜜非第一波羅蜜
是名第一波羅蜜
湏菩提忍辱波羅蜜如來說非忍辱波羅蜜
何以故湏菩提如我昔爲歌利王割截身體
我於尒時无我相无人相无衆生相无壽者
相何以故我於往昔節節支解時若有我相
人相衆生相壽者相應生瞋恨湏菩提又念
過去於五百世作忍辱仙人於尒所世无我
相无人相无衆生相无壽者相是故湏菩提
菩薩應離一切相發阿耨多羅三藐三菩提
心不應住色生心不應住聲香味觸法生心
應生无所住心若心有住則爲非住是故佛
說菩薩心不應住色布施湏菩提菩薩爲利
益一切衆生應如是布施如來說一切諸相
即是非相又說一切衆生則非衆生

BD01212 號　金剛般若波羅蜜經　（8–4）

應生无所住心若心有住則為非住是故佛
說菩薩心不應住色布施須菩提菩薩為利
益一切衆生應如是布施如來說一切諸相
即是非相又說一切衆生則非衆生
須菩提如來是真語者實語者如語者不誑
語者不異語者須菩提如來所得法此法无
實无虛
須菩提若菩薩心住於法而行布施如人入
闇則无所見若菩薩心不住法而行布施如
人有目日光明照見種種色
須菩提當來之世若有善男子善女人能於此
經受持讀誦則為如來以佛智慧悉知是人
悉見是人皆得成就无量无邊功德
須菩提若有善男子善女人初日分以恒河
沙等身布施中日分復以恒河沙等身布施
後日分亦以恒河沙等身布施如是无量百
千万億劫以身布施若復有人聞此經典信
心不逆其福勝彼何況書寫受持讀誦為人
解說
須菩提以要言之是經有不可思議不可稱
量无邊功德如來為發大乘者說為發最上
乘者說若有人能受持讀誦廣為人說如來
悉知是人悉見是人皆得成就不可量不可
稱无有邊不可思議功德如是人等則為荷
擔如來阿耨多羅三藐三菩提何以故須菩
提若樂小法者著我見人見衆生見壽者見
則於此經不能聽受讀誦為人解說須菩提
在在處處若有此經一切世間天人阿脩羅

BD01212號　金剛般若波羅蜜經　（8–5）

擔如來阿耨多羅三藐三菩提何以故須菩
提若樂小法者著我見人見衆生見壽者見
則於此經不能聽受讀誦為人解說須菩提
在在處處若有此經一切世間天人阿脩羅
所應供養當知此處則為是塔皆應恭敬作
礼圍遶以諸華香而散其處
復次須菩提善男子善女人受持讀誦此經
若為人輕賤是人先世罪業應墮惡道以今
世人輕賤故先世罪業則為消滅當得阿耨
多羅三藐三菩提須菩提我念過去无量阿
僧祇劫於然燈佛前得值八百四千万億那
由他諸佛悉皆供養承事无空過者若復有
人於後末世能受持讀誦此經所得功德於
我所供養諸佛功德百分不及一千万億分乃
至算數譬喻所不能及須菩提若善男子
善女人於後末世有受持讀誦此經所得功
德我若具說者或有人聞心則狂亂狐疑不
信須菩提當知是經義不可思議果報亦不
可思議
尒時須菩提白佛言世尊善男子善女人發
阿耨多羅三藐三菩提心云何應住云何降
伏其心佛告須菩提善男子善女人發阿耨
多羅三藐三菩提者當生如是心我應滅度
一切衆生滅度一切衆生已而无有一衆生
實滅度者何以故若菩薩有我相人相衆生
相壽者相則非菩薩所以者何須菩提實无
有法發阿耨多羅三藐三菩提者

BD01212號　金剛般若波羅蜜經　（8–6）

多羅三藐三菩提者當生如是心我應滅度
一切衆生滅度一切衆生已而无有一衆生
實滅度者何以故若菩薩有我相人相衆生
相壽者相則非菩薩所以者何湏菩提實无
有法發阿耨多羅三藐三菩提者
湏菩提於意云何如来於然燈佛所有法得
阿耨多羅三藐三菩提不不也世尊如我解
佛所説義佛於然燈佛所无有法得阿耨
多羅三藐三菩提佛言如是如是湏菩提實
无有法如来得阿耨多羅三藐三菩提湏菩提
若有法如来得阿耨多羅三藐三菩提然燈佛
則不與我受記汝於来世當得作佛号釋迦
牟尼以實无有法得阿耨多羅三藐三菩
提是故然燈佛與我受記作是言汝於来世
當得作佛号釋迦牟尼何以故如来者即諸
法如義若有人言如来得阿耨多羅三藐三
菩提湏菩提實无有法佛得阿耨多羅三藐
三菩提湏菩提如来所得阿耨多羅三藐三
菩提於是中无實无虗是故如来説一切法皆
是佛法湏菩提所言一切法者即非一切
法是故名一切法
湏菩提譬如人身長大湏菩提言世尊如来
説人身長大則爲非大身是名大身
湏菩提菩薩亦如是若作是言我當滅度无
量衆生則不名菩薩何以故湏菩提實无有
法名爲菩薩是故佛説一切法无我无人无
衆生无壽者湏菩提若菩薩作是言我當莊嚴
佛土是不名菩薩何以故如来説莊嚴佛土

BD01212號　金剛般若波羅蜜經　（8–7）

菩提於是中无實无虗是故如来説一切法皆
是佛法湏菩提所言一切法者即非一切
法是故名一切法
湏菩提譬如人身長大湏菩提言世尊如来
説人身長大則爲非大身是名大身
湏菩提菩薩亦如是若作是言我當滅度无
量衆生則不名菩薩何以故湏菩提實无有
法名爲菩薩是故佛説一切法无我无人无
衆生无壽者湏菩提若菩薩作是言我當莊嚴
佛土是不名菩薩何以故如来説莊嚴佛土
者即非莊嚴是名莊嚴湏菩提若菩薩通
達无我法者如来説名真是菩薩
湏菩提於意云何如来有肉眼不如是世尊
如来有肉眼湏菩提於意云何如来有天眼
不如是世尊如来有天眼湏菩提於意云何
如来有慧眼不如是世尊如来有慧眼湏菩
提於意云何如来有法眼不如是世尊如来
有佛眼不如
河

BD01212號　金剛般若波羅蜜經　（8–8）

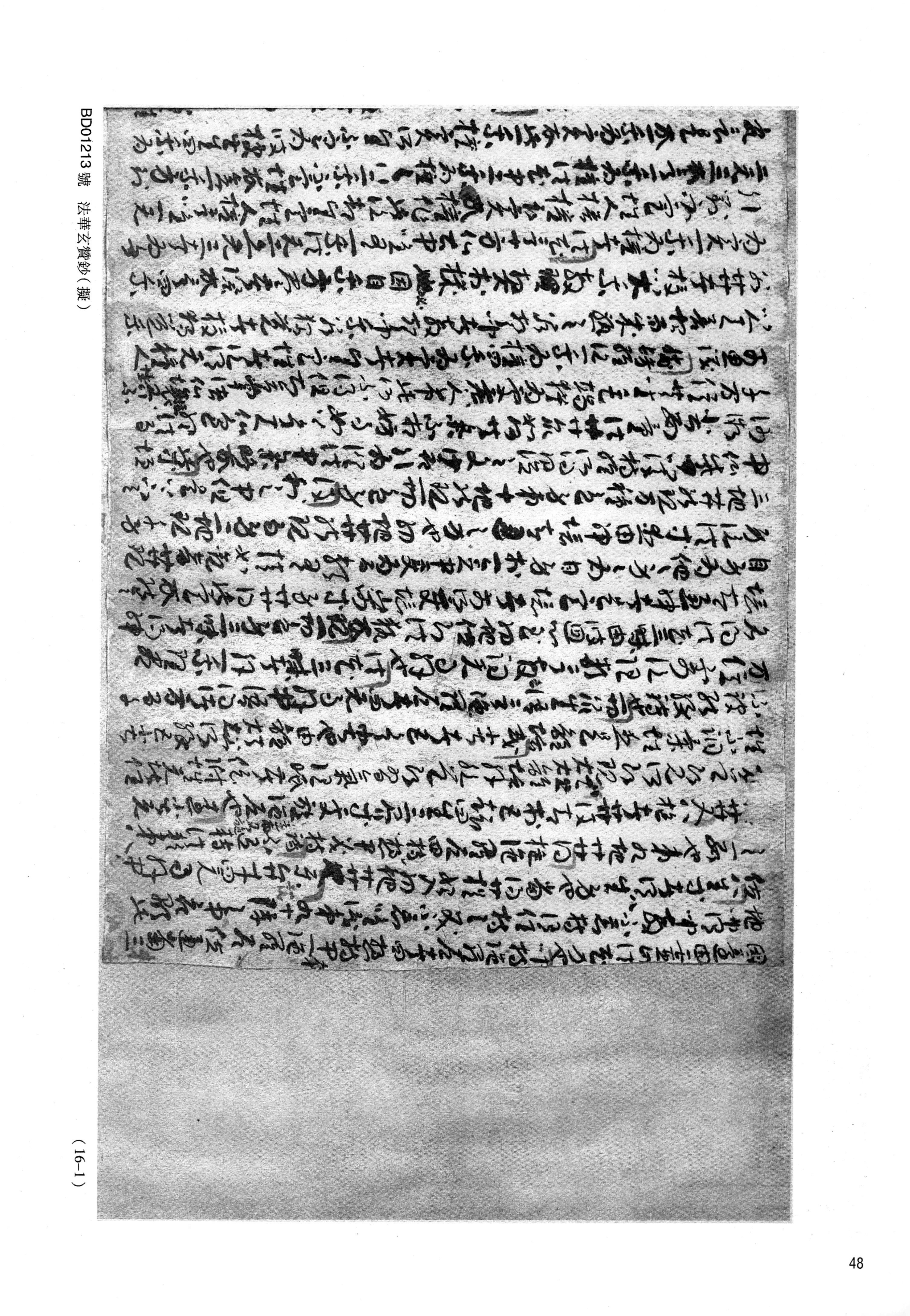

BD01213號　法華玄贊鈔（擬）

（16-1）

BD01213號　法華玄贊鈔（擬）

（16–2）

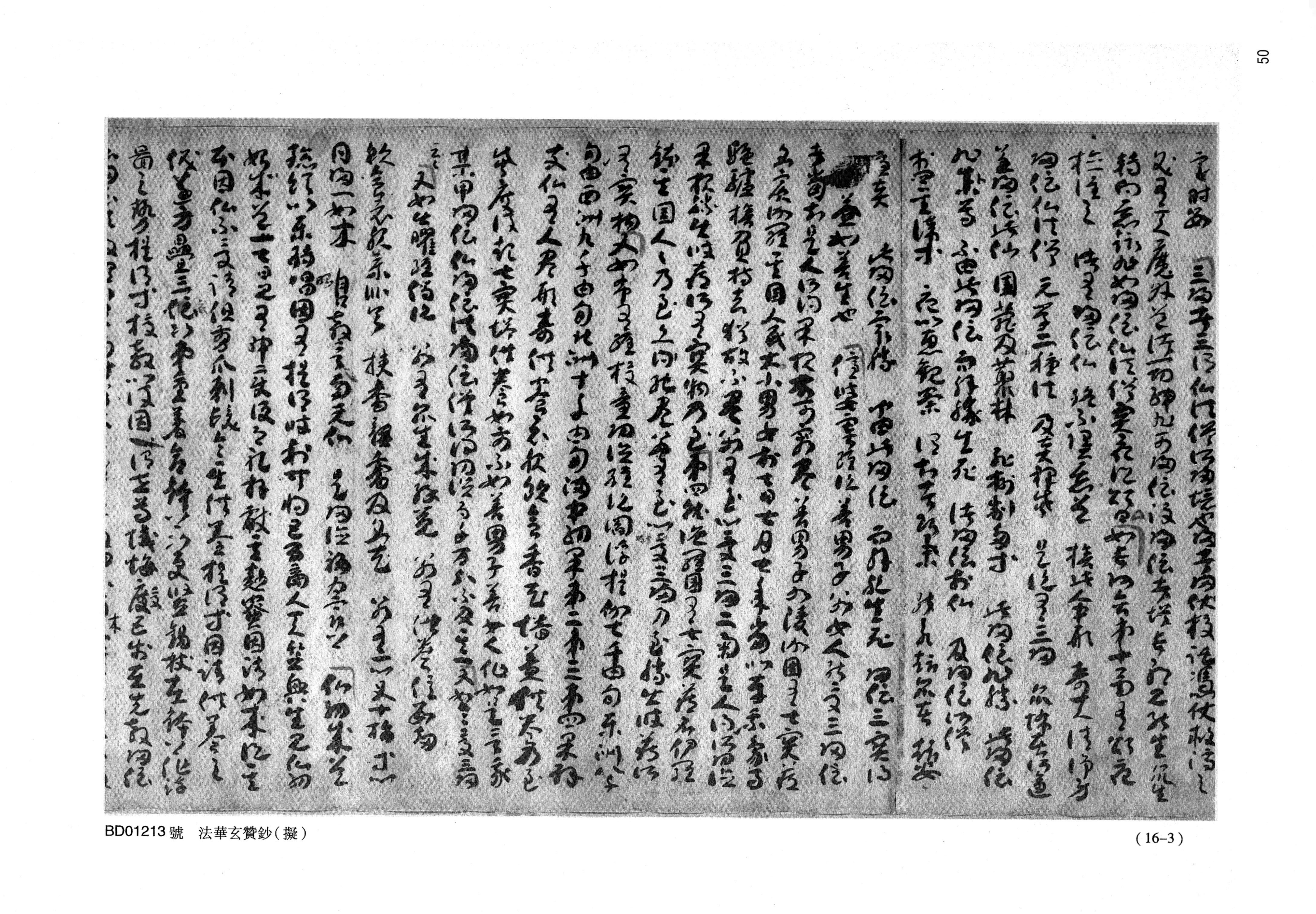

BD01213號　法華玄贊鈔(擬)

(16–3)

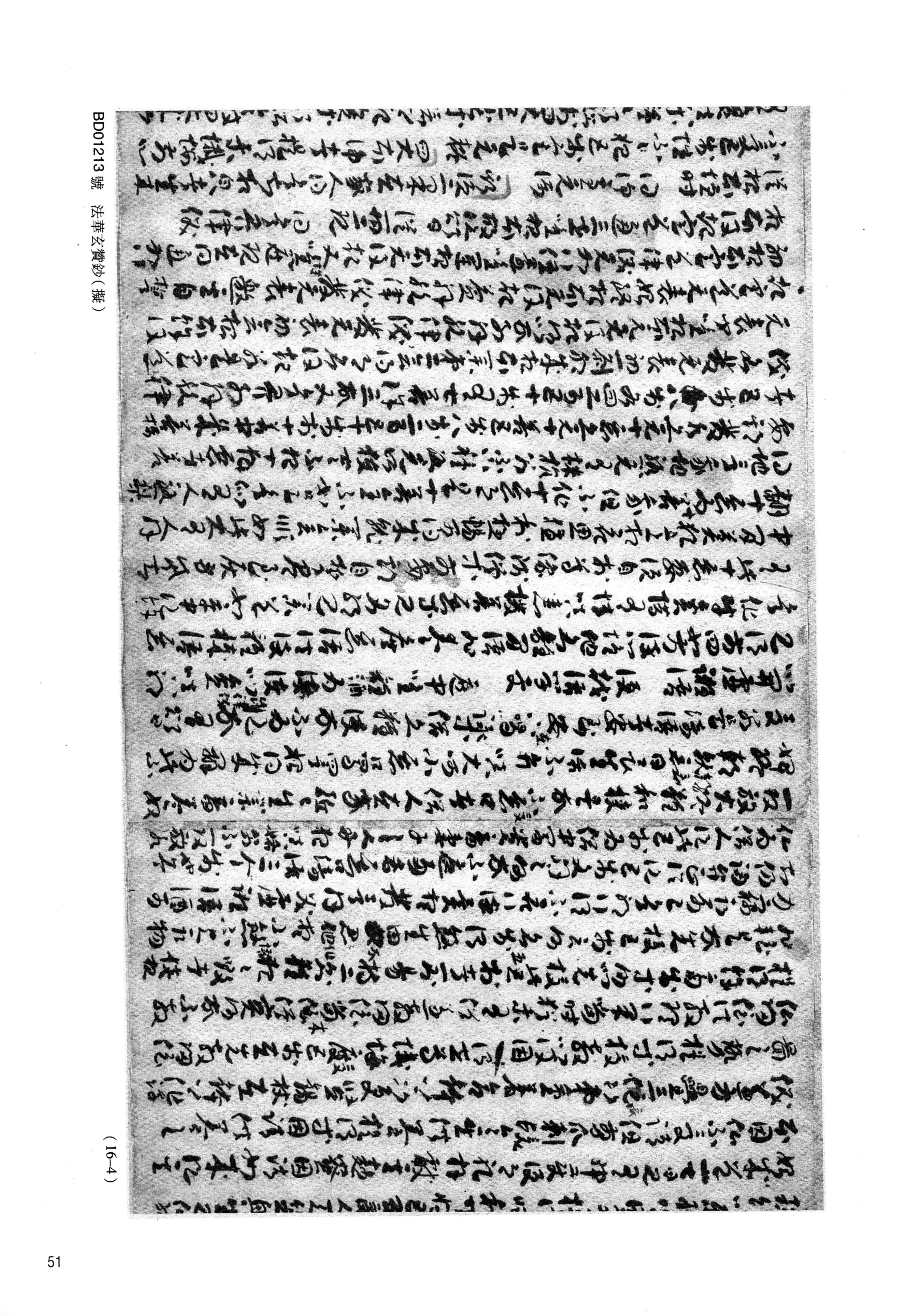

BD01213號　法華玄贊鈔（擬）

（16–4）

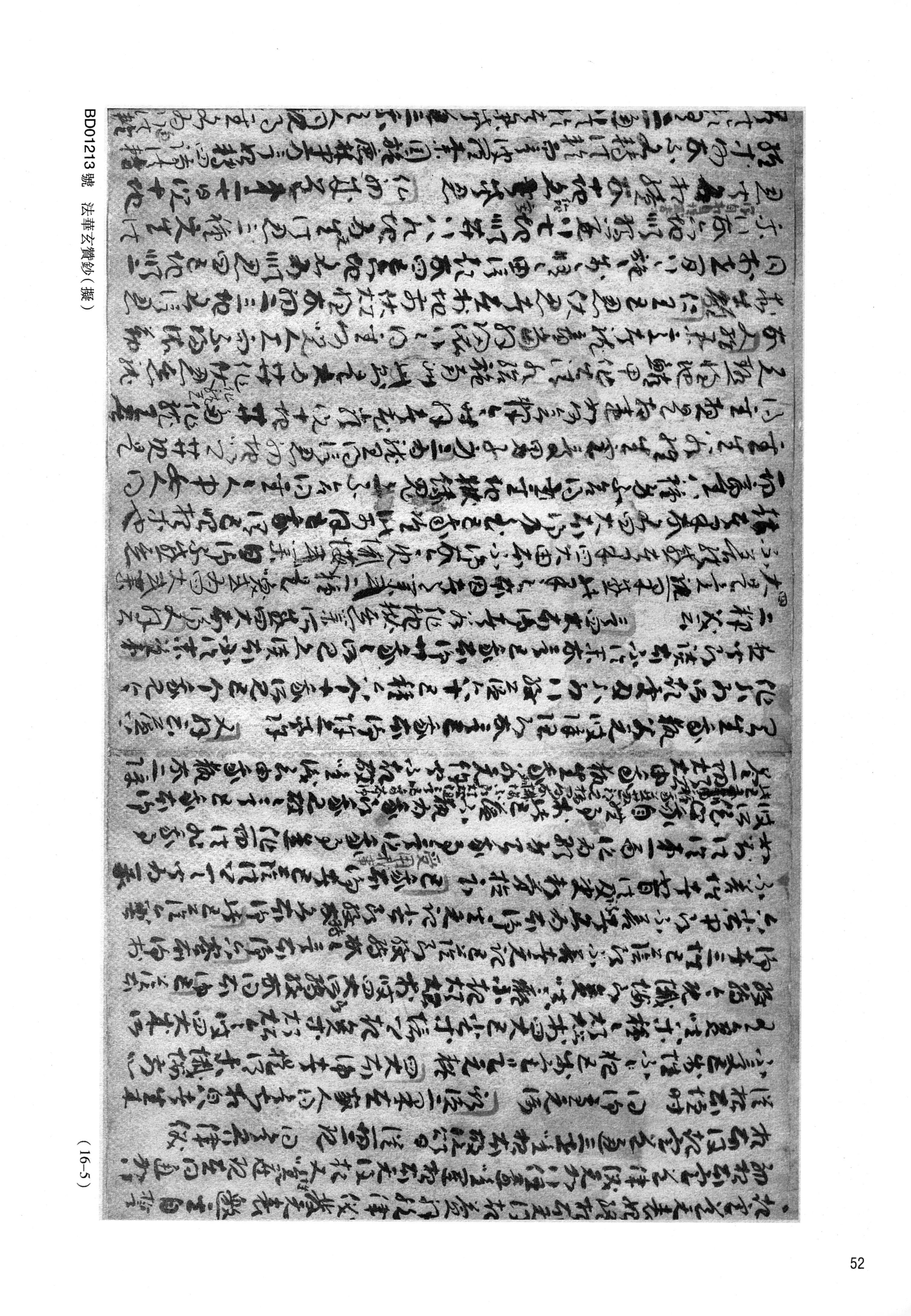

BD01213號　法華玄贊鈔（擬）

（16–5）

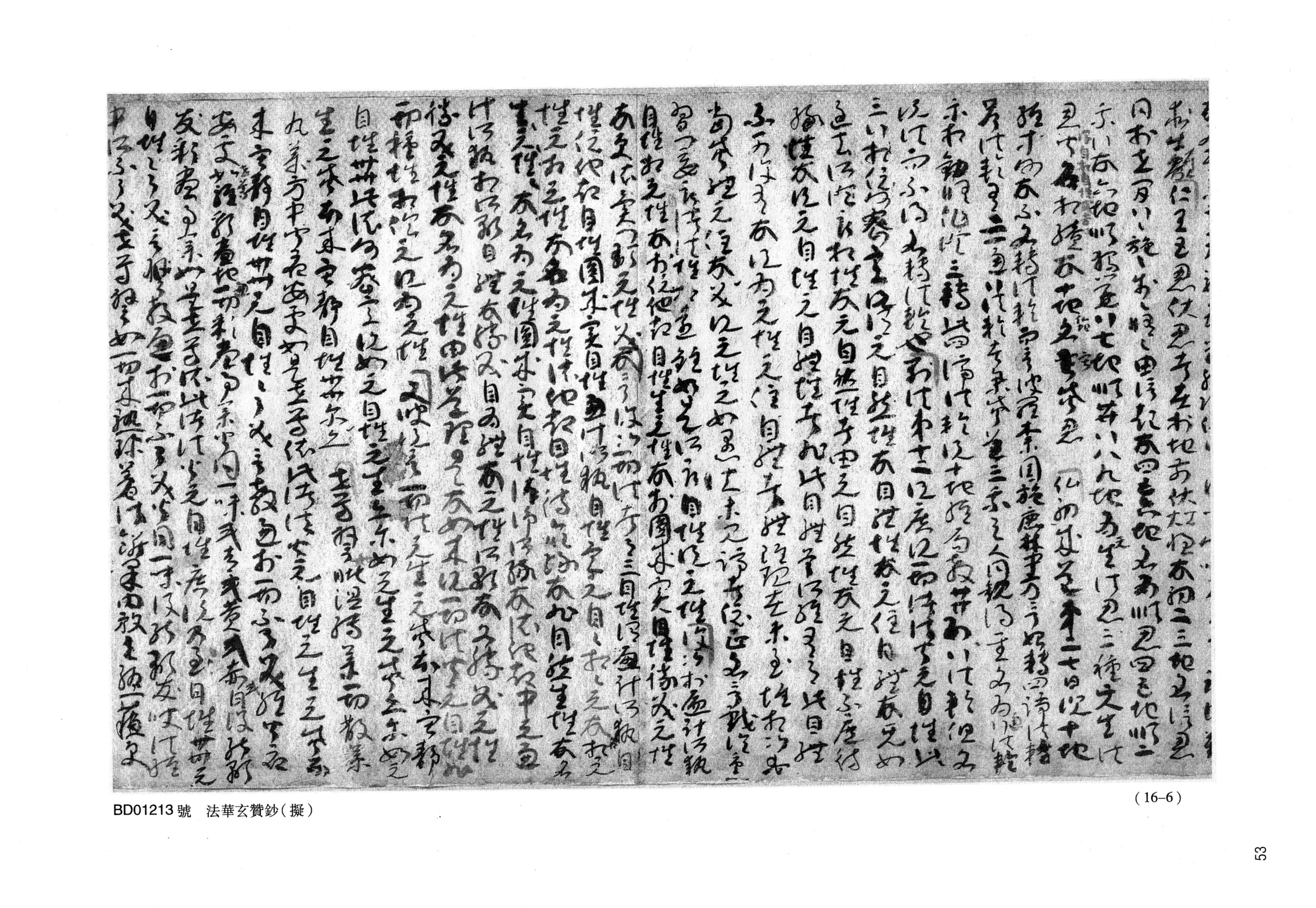

（16–6）

BD01213號　法華玄贊鈔（擬）

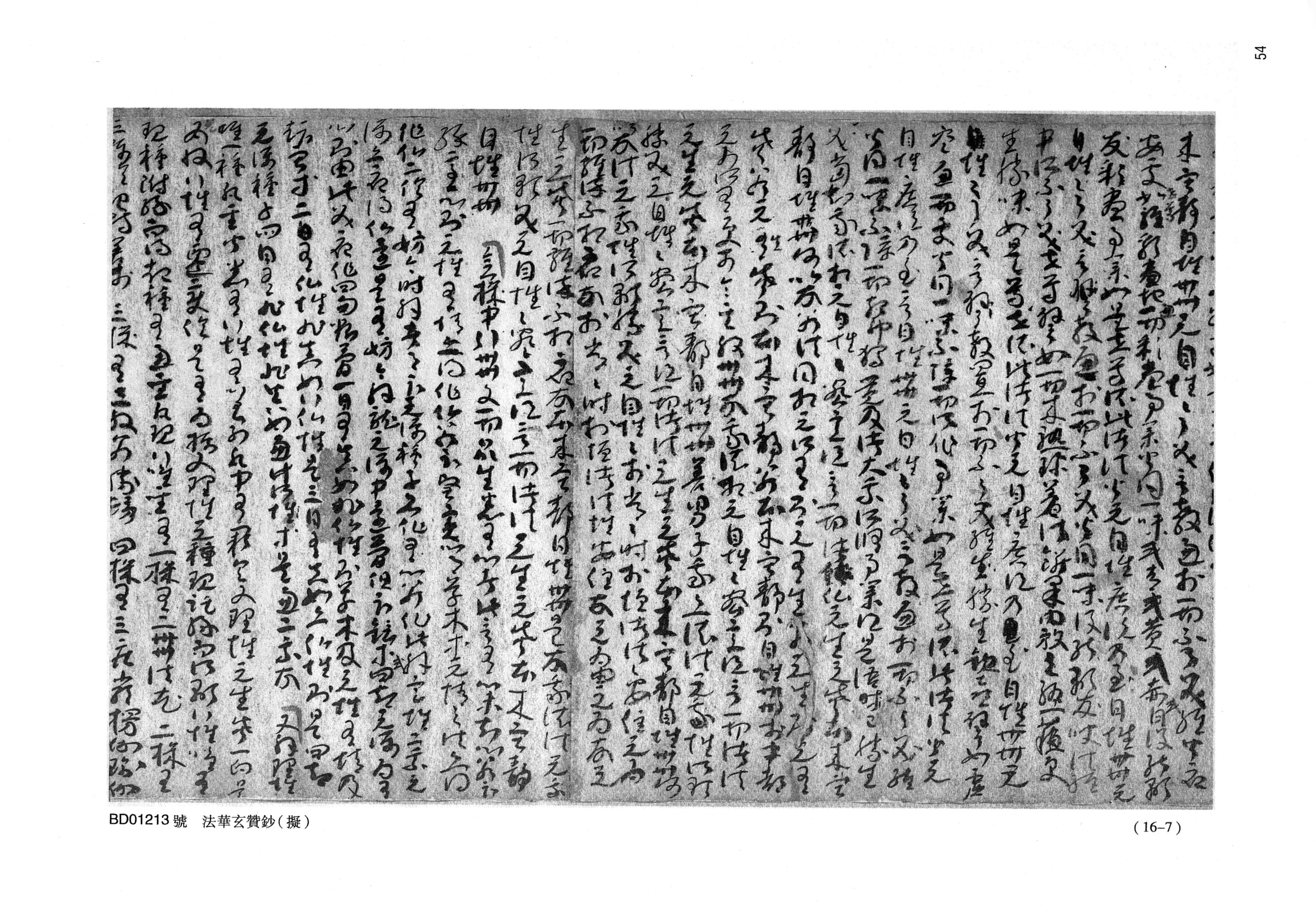

BD01213號　法華玄贊鈔（擬）　　（16–7）

BD01213號　法華玄贊鈔（擬）

（16–8）

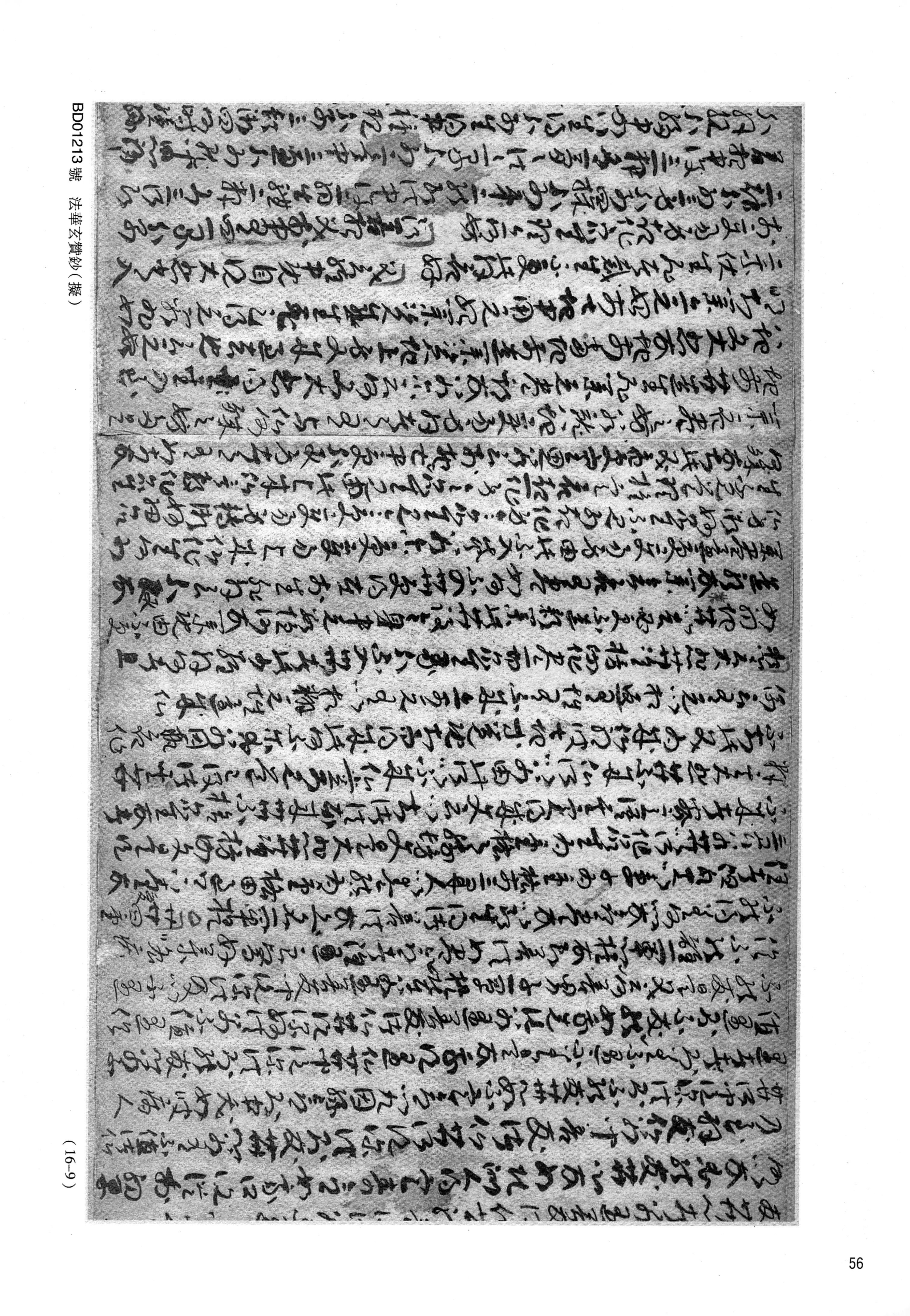

BD01213號　法華玄贊鈔（擬）

（16–9）

（16–10）

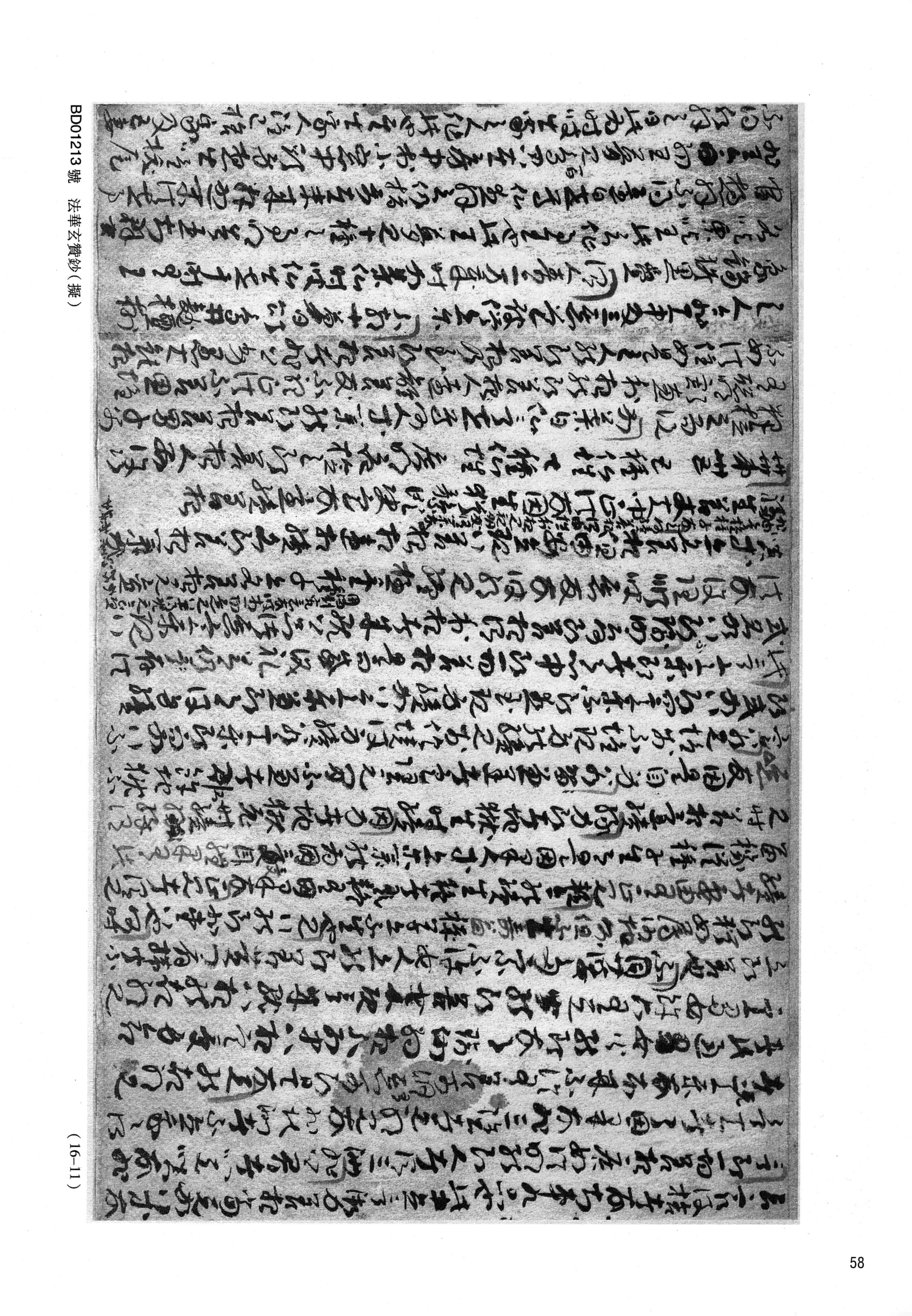

BD01213號　法華玄贊鈔（擬）

（16–11）

BD01213號　法華玄贊鈔（擬）

（16–12）

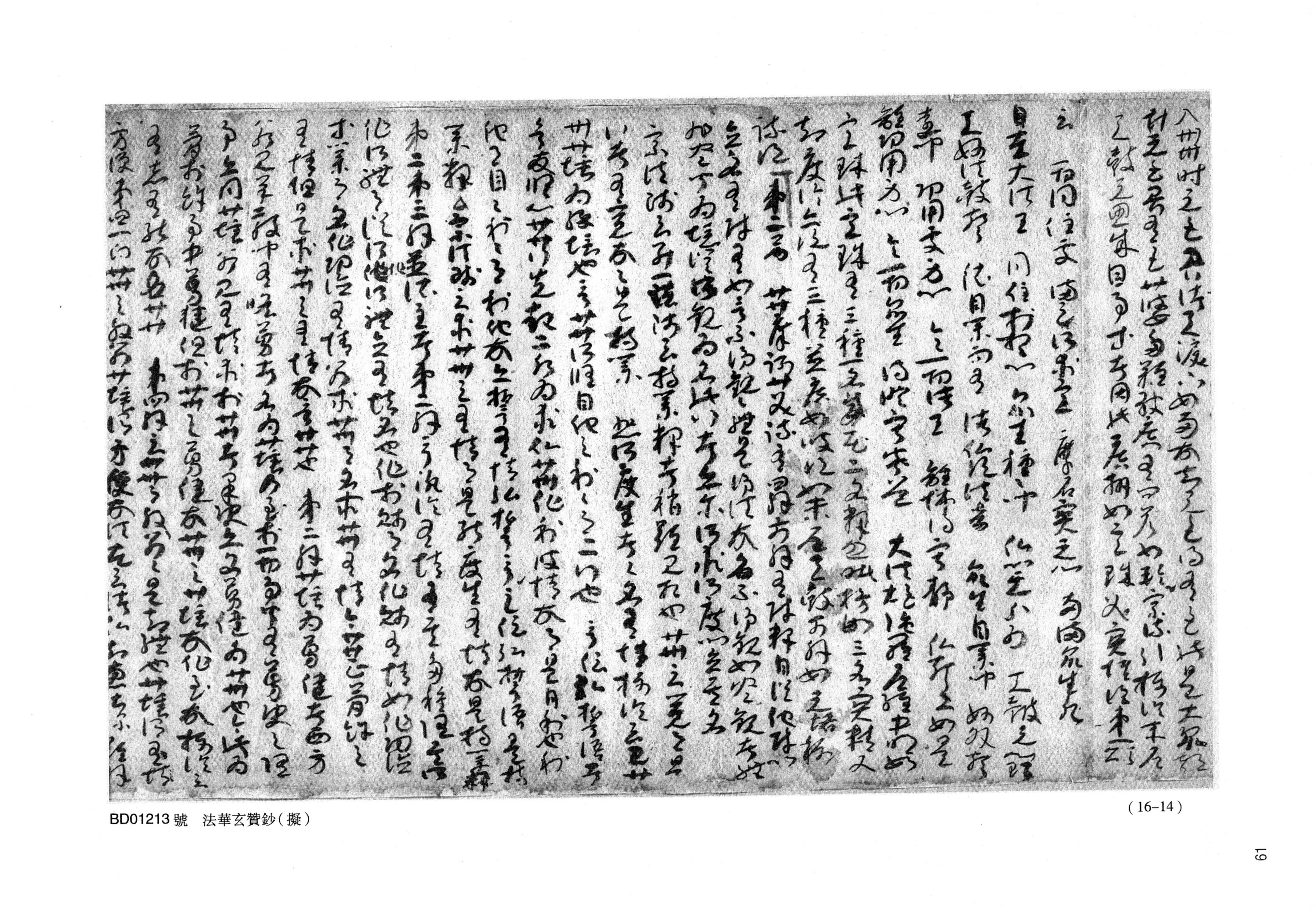

BD01213號　法華玄贊鈔（擬）

（16–14）

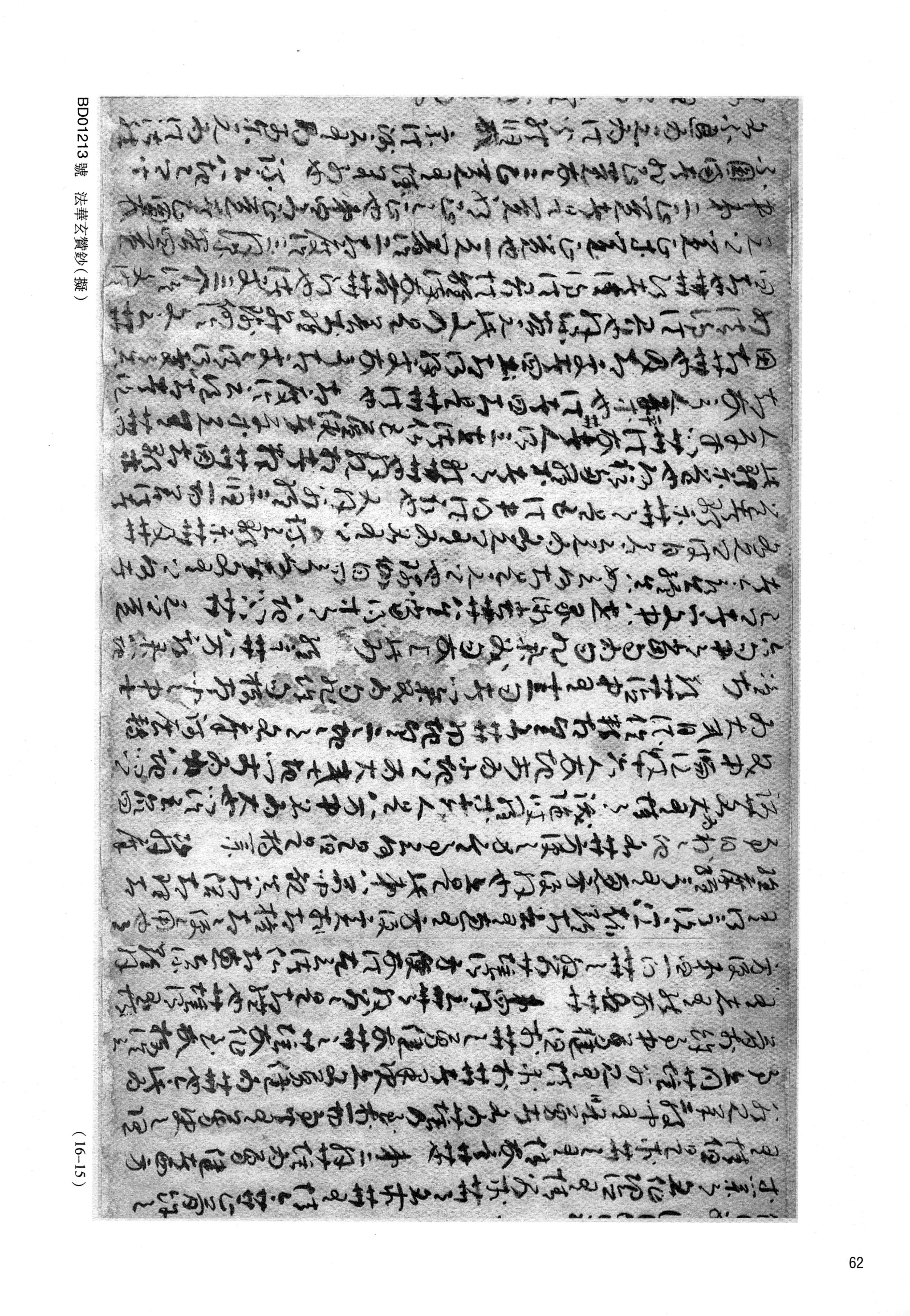

BD01213號　法華玄贊鈔（擬）

（16–15）

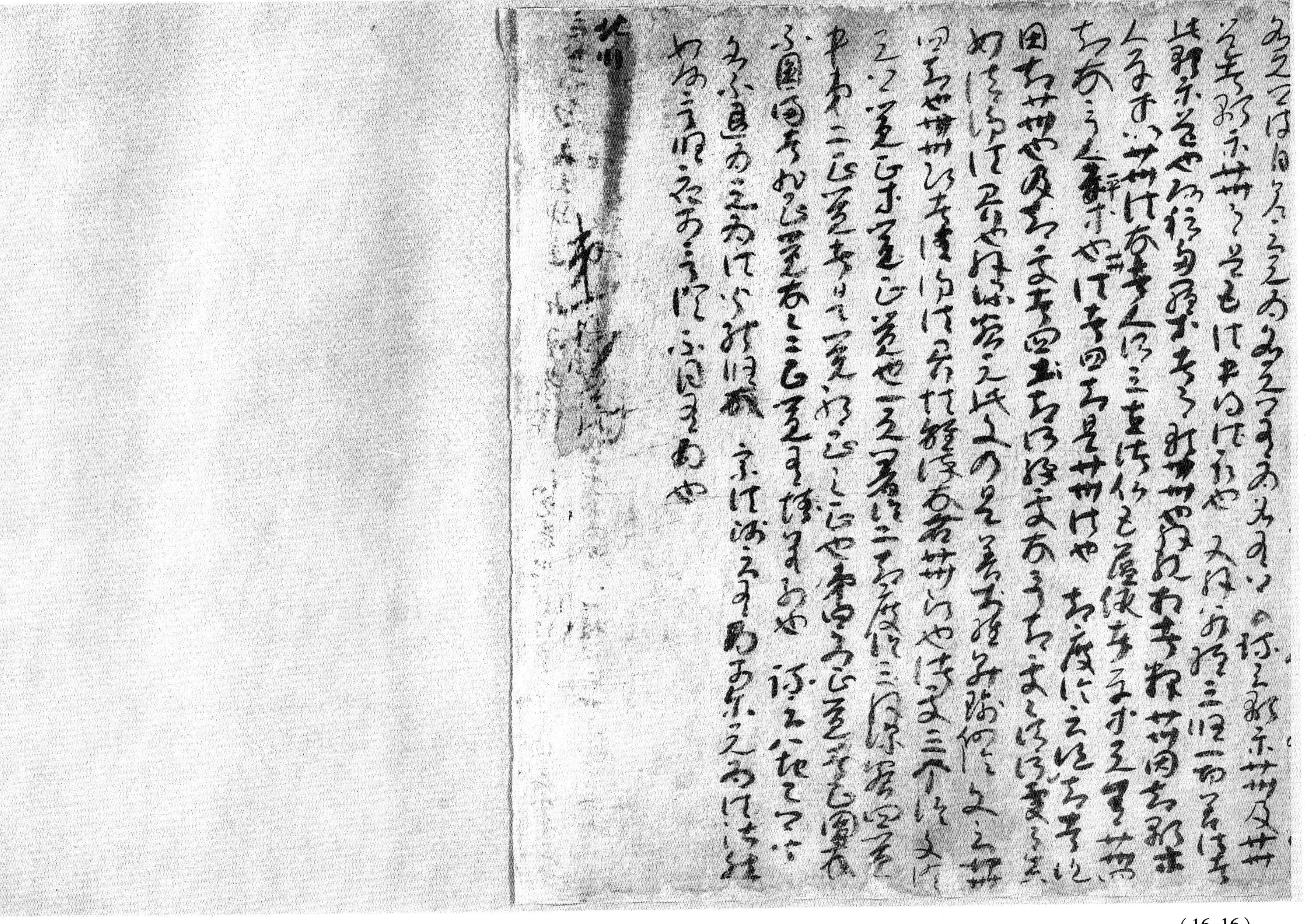

BD01213號　法華玄贊鈔（擬）

（16–16）

BD01213號背　法華玄贊鈔（擬）校補文

（1–1）

事疾不荅言甚
成佛復速於此當時
之間變成男子具菩薩
往南[illegible]世界坐寶蓮華成等正覺
三十二相八十種好普為十方一切衆生演
說妙法尒時娑婆世界菩薩聲聞天龍八部
人與非人皆遥見彼龍女成佛普為時會人
天說法心大歡喜悉遥礼敬无量衆生聞法
解悟得不退轉无量衆生得受道記无垢世
界六反震動娑婆世界三千衆生住不退地
三千衆生發菩提心而得受記智積菩薩及
舍利弗一切衆會嘿然信受
妙法蓮華經持品第十三
尒時藥王菩薩摩訶薩及大樂說菩薩摩訶
薩與二万菩薩眷屬俱皆於佛前作是誓言
唯願世尊不以為慮我等於佛滅後當奉持
讀誦說此經典後惡世衆生善根轉少多增
上慢貪利供養增不善根遠離解脫雖難可
教化我等當起大忍力讀誦此經持說書寫
種種供養不惜身命尒時衆中五百阿羅漢
得受記者白佛言世尊我等亦自誓願於異
國土廣說此經復有學无學八千人得受記
者從座而起合掌向佛作是誓言世尊我等
亦當於他國土廣說此經所以者何是娑婆
國中人多弊惡懷增上慢功德淺薄瞋濁
[illegible]

BD01214 號　妙法蓮華經卷四　（2–1）

舍利弗一切衆會嘿然信受
妙法蓮華經持品第十三
尒時藥王菩薩摩訶薩及大樂說菩薩摩訶
薩與二万菩薩眷屬俱皆於佛前作是誓言
唯願世尊不以為慮我等於佛滅後當奉持
讀誦說此經典後惡世衆生善根轉少多增
上慢貪利供養增不善根遠離解脫雖難可
教化我等當起大忍力讀誦此經持說書寫
種種供養不惜身命尒時衆中五百阿羅漢
得受記者白佛言世尊我等亦自誓願於異
國土廣說此經復有學无學八千人得受記
者從座而起合掌向佛作是誓言世尊我等
亦當於他國土廣說此經所以者何是娑婆
國中人多弊惡懷增上慢功德淺薄瞋濁
諂曲心不實故
尒時佛姨母摩訶波闍波提比丘尼與學无
學比丘尼六千人俱從座而起一心合掌瞻

BD01214 號　妙法蓮華經卷四　（2–2）

年還汝當還我是時老人即便受之而此老
人須无繼嗣其後不久病篤命終所寄之物
悉皆散失財主行還責索无所如是痴人不
知壽量可寄不可寄是故行還責索无從
是因緣喪失財寶世尊我等聲聞亦復如是
雖聞如來慇懃教戒不能受持令法久住如
彼老人受他寄付我今无智於諸戒律當何
所問佛告諸比丘汝等今者若問於我則能
利益一切衆生是故告汝聽隨所疑恣意而
問
尒時諸比丘白佛言世尊譬如有人年二十
五盛壯端正多有財寶金銀瑠璃父母妻子
眷屬宗親悉皆存在亦有人來寄其寶物
語其人言我有緣事欲至他處事訖當還汝
當還我是時壯人守護是物如自己有其人
遇病即命家屬如是金寶是他所寄彼若
來索悉皆還之智者如是善知壽量行還索
物皆悉得之无所亡失世尊亦尒若以法寶付
囑阿難及諸比丘不得久住何以故一切聲聞
及大迦葉悉當无常如彼老人受他寄物是

BD01215號　大般涅槃經（北本）卷三　（25–1）

遇病即命家屬如是金寶是他所寄彼若
來索悉皆還之智者如是善知壽量行還索
物皆悉得之无所亡失世尊亦尒若以法寶付
囑阿難及諸比丘不得久住何以故一切聲聞
及大迦葉悉當无常如彼老人受他寄物是
故應以无上佛法付諸菩薩以諸菩薩善能
問荅如是法寶則得久住无量千世增益熾
盛利安衆生如彼壯人受他寄物以是義故
諸大菩薩乃能問耳我等智慧猶如蚊虻何
能諮請如來深法時諸聲聞默然而住
尒時佛讚諸比丘言善哉善哉汝等善得无
漏之心阿羅漢心我亦曾念以此二緣應以大
乘付諸菩薩令是妙法久住於世
尒時佛告一切大衆善男子善女人我之壽
命不可稱量樂說之辯亦不可盡汝等宜可
隨意諮問若戒若歸第二第三亦復如是
尒時衆中有一菩薩摩訶薩本是多羅聚
落人也姓大迦葉婆羅門種年在幼稚以佛神
力即從座起偏袒右肩遶百千匝右膝著地
合掌向佛而白佛言世尊我於今者欲少諮
問若佛聽者乃敢發言
佛告迦葉如來應正遍知恣汝所問當為汝
說斷汝所疑令汝歡喜
尒時迦葉菩薩摩訶薩白佛言世尊如來
哀愍已垂聽許今當問之然我所有智慧微
少猶如蚊虻如來世尊道德巍巍純以栴檀

BD01215號　大般涅槃經（北本）卷三　（25–2）

說斷汝所疑令汝歡喜
尒時迦葉菩薩摩訶薩白佛言世尊如來
哀愍已垂聽許今當問之然我所有智慧微
少猶如蚊虻如來世尊道德巍巍純以栴檀
師子難伏不可壞衆而為眷屬如來之身猶
真金剛色如瑠璃真實難壞復為如是大智
慧海之所圍遶是衆會中諸大菩薩摩訶薩
等皆悉成就无量无邊深妙功德猶如香象
於如是等大衆之前豈敢發問爲當承佛神
通之力及因大衆善根威德少發問耳即於
佛前說偈問曰
云何得長壽　金剛不壞身　復以何因緣　得大堅固力
云何於此經　究竟到彼岸　願佛開微密　廣為衆生說
云何得廣大　為衆作依止　實非阿羅漢　而與羅漢等
云何知天魔　為衆作留難　佛說波旬說　云何分別知
云何諸調御　心喜說真諦　正善具成就　演說四顛倒
云何作善業　大仙今當說　云何諸菩薩　能見難見性
云何解滿字　及與半字義　云何共聖行　如娑羅娑鳥
迦隣提日月　太白與歲星　云何未發心　而名為菩薩
云何於大衆　而得无所畏　猶如閻浮金　无能說其過
云何處濁世　不汙如蓮華　云何處煩惱　煩惱不能染
如醫療衆病　不為病所汙　生死大海中　云何作船師
云何捨生死　如蛇脫故皮　云何觀三寶　猶如天意樹
三乘若無性　云何而得說　猶如樂未生　云何名受樂
云何諸菩薩　而得不壞衆　云何為生盲　而作眼目導
云何示多頭　唯願大仙說　云何說法者　增長如月初

BD01215號　大般涅槃經（北本）卷三　（25–3）

云何捨生死　如蛇脫故皮　云何觀三寶　猶如天意樹
三乘若無性　云何而得說　猶如樂未生　云何名受樂
云何諸菩薩　而得不壞衆　云何為生盲　而作眼目導
云何示多頭　唯願大仙說　云何說法者　增長如月初
云何復示現　究竟於涅槃　云何勇進者　示人天魔道
云何知法性　而受於法樂　云何諸菩薩　遠離一切病
云何為衆生　演說於秘密　云何說畢竟　及與不畢竟
如其斷疑網　云何不定說　云何而得近　最勝无上道
我今請如來　為諸菩薩故　願為說甚深　微妙諸行等
一切諸法中　悉有安樂性　唯願大仙尊　為我分別說
衆生大依止　兩足尊妙藥　今欲問諸陰　而我无智慧
精進諸菩薩　亦復不能知　如是等甚深　諸佛之境界
尒時佛讚迦葉菩薩善哉善哉善男子汝今
未得一切種智我已得之然汝所問甚深密藏
如一切智之所諮問等无有異善男子我坐
道場菩提樹下初成正覺尒時无量阿僧祇
恒河沙等諸佛世界有諸菩薩亦曾問我是
甚深義然其所問句義功德亦皆如是等无
有異如是問者則能利益无量衆生
尒時迦葉菩薩復白佛言世尊我无智力能
問如來如是深義世尊譬如蚊虻不能飛過
大海彼岸周遍虛空我亦如是不能諮問如
來如是智慧大海法性虛空甚深之義世尊
譬如國王髻中明珠付典藏臣藏臣得已頂
戴恭敬增加守護我亦如是頂戴恭敬增加
守護如來所說方等深義何以故令我廣得

BD01215號　大般涅槃經（北本）卷三　（25–4）

來如是智慧大海法性虛空甚深之義世尊
譬如國王髻中明珠付典藏臣藏臣得已頂
戴恭敬增加守護我亦如是頂戴恭敬增加
守護如來所說方等深義何以故令我廣得
深智慧故
尒時佛告迦葉菩薩善男子諦聽諦聽當為
汝說如來所得長壽之業菩薩以是業因緣
故得壽命長是故應當至心聽受若業能為
菩提因者應當誠心聽受是義既聽受已轉
為人說善男子我以修習如是業故得阿耨
多羅三藐三菩提今復為人廣說是義善男
子譬如王子犯罪繫獄王甚憐愍愛念子故
躬自迴駕至其繫所菩薩亦尒欲得長壽應
當護念一切眾生同於子想生大慈大悲大喜
大捨授不殺戒教修善法亦當安止一切眾
生於五戒十善復入地獄餓鬼畜生阿脩羅
等一切諸趣拔濟是中苦惱眾生脫未脫者
度未度者未涅槃者令得涅槃安慰一切諸
恐怖者以如是等業因緣故菩薩則得壽命
命長遠於諸智慧而得自在隨所壽終生
於天上
尒時迦葉菩薩湏白佛言世尊菩薩摩訶薩
等視眾生同於子想是義深隱我未能解
世尊如來不應說言菩薩於諸眾生修平等
心同於子想所以者何於佛法中有破戒者

尒時迦葉菩薩湏白佛言世尊菩薩摩訶薩
等視眾生同於子想是義深隱我未能解
世尊如來不應說言菩薩於諸眾生修平等
心同於子想所以者何於佛法中有破戒者
作逆罪者毀正法者云何當於如是等人同
子想耶
佛告迦葉如是如是我於眾生實作子想
如羅睺羅迦葉菩薩湏白佛言世尊昔十五
日僧布薩時當於受具清淨眾中有一童子
不善修習身口意業在屏處藏盜聽說戒
密迹力士承佛神力以金剛杵碎之如塵世尊
是金剛神極為暴惡乃能斷是童子命根云
何如來視諸眾生同於子想如羅睺羅
佛告迦葉汝今不應作如是言是童子者即
是化人非真實也為欲驅遣破戒毀法令出
眾故金剛密迹示是化耳迦葉毀謗正法及
一闡提或有殺生乃至邪見及故犯禁我於
是等悉生悲心同於子想如羅睺羅
善男子譬如國王諸群臣等有犯王法隨罪
誅戮而不捨置如來世尊不如是也於毀法
者與驅遣羯磨呵責羯磨置羯磨舉罪羯
磨不可見羯磨滅羯磨未捨惡見羯磨善男子
如來所以與謗法者作如是等降伏羯磨為
欲示諸行惡之人有果報故善男子汝今當
知如來即是施惡眾生無恐畏者若放一光
若二若五或有遇者悉令遠離一切諸惡如

如來所以與謗法者作如是等降伏羯磨爲
欲示諸行惡之人有果報故善男子汝今當
知如來即是施惡衆生无畏者若放一光
若二若五或有遇者悉令遠離一切諸惡如
來今者具有如是无量勢力善男子未可見
法汝欲見者今當爲汝說其相貌我涅槃已
隨其方面有持戒比丘威儀具足護持正法
見壞法者即能驅遣呵責徵治當知是人
得福无量不可稱計善男子譬如有王專
行暴惡會遇重病有隣國王聞其名聲興兵
狽欲殄滅是時病王无力勢故方乃恐怖改心
脩善而是隣王得无量福持法比丘亦復如
是驅遣呵責壞法之人令行善法得福无
量善男子譬如長者所居之處田宅屋舍
生諸毒樹長者知已即便斫伐永令滅盡又
如壯人首生白髮愧而剪拔不令生長持法
比丘亦復如是見有破戒壞正法者即應驅
遣呵責舉處若善比丘見壞法者置不呵
責驅遣舉處當知是人佛法中怨若能驅遣
呵責舉處是我弟子真聲聞也
迦葉菩薩復白佛言世尊如佛所言則不等
視一切衆生同於子想如羅睺羅世尊若有
一人以刀害佛復有一人持栴檀塗佛佛於此
二若生等心云何復言當治毀禁若治毀
禁是言則失

BD01215號　大般涅槃經（北本）卷三　（25-7）

視一切衆生同於子想如羅睺羅世尊若有
一人以刀害佛復有一人持栴檀塗佛佛於此
二若生等心云何復言當治毀禁若治毀
禁是言則失
佛告迦葉菩薩善男子譬如國王大臣宰相
產育諸子顏貌端正聰明黠慧若二三四將付
嚴師而作是言君可爲我教詔諸子威儀
禮節伎藝書疏校計筭數悉令成就我今
四子就君受學假使三子病杖而死餘有一子
必當苦治要令成就雖喪三子我終不恨迦
葉是父及師得煞罪不不也世尊何以故以
愛念故爲欲成就无有惡心如是教誨得福
无量善男子如來亦尒視壞法者等如一子
如來今以无上正法付囑諸王大臣宰相比
丘比丘尼優婆塞優婆夷是諸國王及四部
衆應當勸勵諸學人等令得增上戒定智慧
若有不學是三品法懈怠破戒毀正法者王
者大臣四部之衆應當苦治善男子是諸國
王及四部衆當有罪不不也世尊善男子是
諸國王及四部衆尚无有罪何況如來善男
子如來善脩如是平等於諸衆生同一子想如
是脩者是名菩薩脩平等心於諸衆生同一
子想善男子菩薩如是脩習此業得壽命長
亦能善知宿世之事
迦葉菩薩復白佛言世尊如佛所說菩薩若

BD01215號　大般涅槃經（北本）卷三　（25-8）

是脩者是菩薩脩平等心於諸衆生同一
子想善男子菩薩如是脩習此業得壽命長
亦能善知宿世之事
迦葉菩薩復白佛言世尊如佛所說菩薩若
有脩平等心視諸衆生同於子想得壽命長
如來不應作如是說何以故如知法人能說種
種孝順之法還至家中以諸瓦石打擲父母
而是父母是良福田多所利益難遭難遇應
好供養反生惱害是知法人言行相違如來
所言亦復如是菩薩脩習等心衆生同子想
者應得長壽善知宿命常住於世无有變
易今者世尊以何因緣壽命極短同人間耶
如來將无於諸衆生生怨憎想世尊昔日作
何惡業斷幾命根得是短壽不滿百年
佛告迦葉善男子汝今何緣於如來前發是
麁言如來長壽於諸壽中最上最勝所得常
法於諸常中最為第一
迦葉菩薩復白佛言世尊云何如來得壽命
長
佛告迦葉善男子如八大河一名恒河二名
閻摩羅三名薩羅四名阿利䟦提五名摩
訶六名辛頭七名博叉八名悉陀是八大河及
諸小河悉入大海迦葉如是一切人中天上地及
虛空壽命大河悉入如來壽命海中是故
如來壽命无量復次迦葉譬如阿耨達池出
四大河如來亦尒出一切命迦葉譬如一切諸

諸小河悉入大海迦葉如是一切人中天上地及
虛空壽命大河悉入如來壽命海中是故
如來壽命无量復次迦葉譬如阿耨達池出
四大河如來亦尒出一切命迦葉譬如一切諸
常法中虛空第一如來亦尒於諸常中最
為第一迦葉譬如諸藥醍醐第一如來亦尒
於衆生中壽命第一
迦葉菩薩復白佛言世尊如來壽命若如是
者應住一劫若減一劫常宣妙法如注大雨
迦葉汝今不應於如來所生滅盡想迦葉若
有比丘比丘尼優婆塞優婆夷乃至外道五通
神仙得自在者若住一劫若減一劫經行虛
中坐臥自在左脇出火右脇出水身出烟炎
猶如大聚若欲住壽能得如意於壽命中脩
短自任如是五通尚得如是隨意神力豈復
如來於一切法得自在力而當不能住壽半
劫若一劫若百劫若百千劫若无量劫以是
義故當知如來是常住法不變易法如來此
身是變化身非雜食身為度衆生示同毒
樹是故現捨入於涅槃迦葉當知佛是常法
不變易法汝等於是第一義中應懃精進一
心脩習既脩習已廣為人說
尒時迦葉菩薩白佛言世尊出世之法與世
間法有何差別如佛言曰佛是常法不變易
法世間亦說梵天是常自在天常无有變易
我常性常微塵亦常若言如來是常法者

心脩習所脩習已廣為人說
尒時迦葉菩薩白佛言世尊出世之法與世
間法有何差別如佛言曰佛是常法不變易
法世間亦說梵天是常自在天常无有變易
我常性常微塵亦常若言如來是常法者
如來何故不常現耶若不常現有何差別何以
故梵天乃至微塵世性亦不現故
佛告迦葉譬如長者多有諸牛色雖種種同
共一群付放牧人令逐水草但為醍醐不求乳
酪彼牧牛者搆已自食長者命終所有諸牛
悉為群賊之所抄掠賊得牛已无有婦女即
自搆持得已而食尒時群賊各相謂言彼大
長者畜養此牛不期乳酪但為醍醐我等今
者當設何方而得之耶夫醍醐者名為世間
第一上味我等无器設使得乳无安置處復
共相謂唯有皮囊可以盛之雖有盛處不知
攢搖漿猶難得況復生蘇尒時諸賊以醍醐
故加之以水以水多故乳酪醍醐一切俱失凡
夫亦尒雖有善法皆是如來正法之餘何以
故如來世尊入涅槃後盜竊如來遺餘善法
若戒定慧如彼諸賊劫掠群牛諸凡夫人雖
復得是戒定智慧无有方便不能解說以
是義故不能獲得常戒常定常慧解脫如
彼群賊不知方便喪失醍醐亦如群賊為
醍醐故加之以水凡夫亦尒為解脫故說我
眾生壽命士夫梵天自在天微塵世性戒定

BD01215號　大般涅槃經（北本）卷三　（25–11）

是義故不能獲得常戒常定常慧解脫如
彼群賊不知方便喪失醍醐亦如群賊為
醍醐故加之以水凡夫亦尒為解脫故說我
眾生壽命士夫梵天自在天微塵世性戒定
智慧及與解脫非想非非想天即是涅槃實亦
不得解脫涅槃如彼群賊不得醍醐是諸凡
夫有少梵行供養父母以是因緣得生天上
受少安樂如彼群賊加水之乳而是凡夫實
不知因脩少梵行供養父母得生天上又不
能知戒定智慧歸依三寶以不知故說常樂
我淨雖復說之而實不知是故如來出世之
後乃為演說常樂我淨如轉輪王出現於世
福德力故群賊退散牛无損命時轉輪王即
以諸牛付一牧人多巧便者是人方便即得醍
醐以醍醐故一切眾生无有病苦法輪聖王
出現世時諸凡夫人不能演說戒定慧者即
便退散如賊退散尒時如來善說世法及出
世法為眾生故令諸菩薩隨而演說菩薩
摩訶薩既得醍醐復令无量无邊眾生獲得
无上甘露法味所謂如來常樂我淨以是義
故善男子如來是常不變易法非如世間凡
夫愚人謂梵天等是常法也此常法稱要是
如來非是餘法迦葉應當如是知如來身迦
葉諸善男子善女人常當繫心脩此二字佛
是常住迦葉若有善男子善女人脩此二字
當知是人隨我所行至我至處善男子若有

BD01215號　大般涅槃經（北本）卷三　（25–12）

如來非是餘法迦葉應當如是知如來身迦
葉諸善男子善女人常當繫心脩此二字佛
是常住迦葉若有善男子善女人脩此二字
當知是人隨我所行至我至處善男子若有
脩習如是二字為滅相者當知如來則於其
人為般涅槃善男子涅槃義者即是諸佛之
法性也
迦葉菩薩白佛言世尊佛法性者其義云何
世尊我今欲知法性之義唯願如來哀愍廣
說夫法性者即是捨身捨身者名无所有
若无所有身云何存身若存者云何而言身
有法性身有法性云何得存我今云何當知
是義佛告迦葉菩薩善男子汝今不應作如
是說滅是法性夫法性者无有滅也善男子
譬如无想天成就色陰而无色想不應問言
是諸天等云何而住歡娛受樂云何行想云
何見聞善男子如來境界非諸聲聞緣覺所
知善男子不應說言如來身者是滅法也善男
子如來滅法是佛境界非諸聲聞緣覺所及
善男子汝今不應思量如來何處住何處行
何處見何處樂善男子如是之義亦非汝等
之所知及諸佛法身種種方便不可思議
復次善男子應當脩習佛法及僧而作常想
是三法者无有異想无无常想无變異想若
於三法脩異想者當知是輩清淨三歸則无
依處所有禁戒皆不具足終不能證聲聞緣

BD01215號　大般涅槃經（北本）卷三　（25–13）

復次善男子應當脩習佛法及僧而作常想
是三法者无有異想无无常想无變異想若
於三法脩異想者當知是輩清淨三歸則无
依處所有禁戒皆不具足終不能證聲聞緣
覺菩提之果若能於是不可思議脩常想者
則有歸處善男子譬如因樹則有樹影如來
亦尒有常法故則有歸依非是无常若言如
來是无常者如來則非諸天世人所歸依處
迦葉菩薩白佛言世尊譬如闇中有樹无影
迦葉汝不應言有樹无影但非肉眼之所見
耳善男子如來亦尒其性常住是不變異无
智慧眼不能得見如彼闇中不見樹影凡夫
之人於佛滅後說言如來是无常法亦復如
是若言如來異法僧者則不能成三歸依處
如汝父母各各異故故使无常
迦葉菩薩復白佛言世尊我從今始當以佛
法衆僧三事常住醒悟父母乃至七世皆令
奉持甚奇世尊我今當學如來法僧不可思
議既自學已亦當為人廣說是義若有諸人
不能信受當知是輩久脩无常如是之人我
當為其而作霜雹
尒時佛讚迦葉菩薩善哉善哉汝今善能護
持正法如是護法不欺於人以不欺人善業
緣故而得長壽善知宿命
大般涅槃經金剛身品第二

BD01215號　大般涅槃經（北本）卷三　（25–14）

尒時佛讚迦葉善[illegible]
持正法如是護法不欺於人以不欺人善業
緣故而得長壽善知宿命

大般涅槃經金剛身品第二

尒時世尊復告迦葉善男子如來身者是常
住身不可壞身金剛之身非雜食身即是法
身
迦葉菩薩白佛言世尊如佛所說如是等身
我悉不見唯見无常破壞微塵雜食等身
何以故如來當入於涅槃故
佛言迦葉汝今莫謂如來之身不堅可壞如
凡人身善男子汝今當知如來之身无量億
劫堅牢難壞非人天身非恐怖身非雜食
身如來之身非身是身不生不滅不習不脩
无量无邊无有足跡无知无形畢竟清淨无
有動搖无受无行不住不作无味无雜非是
有為非業非果非行非滅非心非數不可思議
常不可議无識離心亦不離心其心平等无
有亦有无有去來而亦去來不破不壞不斷
不絕不出不滅非主亦主非有非无非覺非
觀非字非不字非定不定不可見了了見
无處亦處无宅亦宅无闇无明无有寂靜
而亦寂靜是无所有不受不施清淨无垢
无諍斷諍住无住處不取不墮非法非非法
非福田非不福田无盡不盡離一切盡是空離

而亦寂靜是无所有不受不施清淨无垢
无諍斷諍住无住處不取不墮非法非非法
非福田非不福田无盡不盡離一切盡是空離
空雖不常住非念念滅无有垢濁无字離字
非聲非說亦非脩習非稱非量非一非異非像
非相諸相莊嚴非勇非畏无寂不寂无熱
不熱不可覩見无有相貌如來度脫一切衆
生无度脫故能解衆生无有解故覺了衆生
无覺了故如實說法无有二故不可量无等
等平如虛空无有形貌同无生性不斷不常
常行一乘衆生見三不退不轉斷一切結不
戰不觸非性住性非合非散非長非短非圓
非方非陰入界亦陰入界非增非損非勝非負
如來之身成就如是无量功德无有知者无
不知者无有見者无不見者非有為非无為
非世非不世非作非不作非依非不依非四
大非不四大非因非不因非衆生非不衆生
非沙門非婆羅門是師子大師子非身非不
身不可宣說除一法相不可筭數般涅槃時
不般涅槃如來法身皆悉成就如是无量微
妙功德迦葉唯有如來乃知是相非諸聲聞
緣覺所知迦葉如是功德成如來身非是雜
食所長養身迦葉如來真身功德如是云何
復得諸疾患苦危脆不堅如坏器乎迦葉如
來所以示病苦者為欲調伏諸衆生故善男

緣覺所知迦葉如是功德成如來身非是雜
食所長養身迦葉如來真身功德如是云何
復得諸疾患苦危脆不堅如坏器乎迦葉如
來所以示病苦者為欲調伏諸衆生故善男
子汝今當知如來之身即金剛身汝從今日
常當專心思惟此義莫念食身亦當為人說
如來身即是法身
迦葉菩薩白佛言世尊如來成就如是功德
其身云何當有病苦无常破壞我從今日常
當思惟如來之身是常法身安樂之身亦當
為他如是廣說
唯然世尊如來法身金剛不壞而未能知所
因云何
佛言迦葉以能護持正法因緣故得成就是
金剛身迦葉我於往昔護法因緣今得成就
是金剛身常住不壞善男子護持正法者不
受五戒不脩威儀應持刀劍弓箭鉾矟守
護持戒清淨比丘
迦葉菩薩白佛言世尊若有比丘離於守護
獨處空閑冢間樹下當說是人為真比丘若
有隨逐守護者行當知是輩是禿居士
佛告迦葉莫作是語言禿居士若有比丘
隨所至處供身趣足讀誦經典思惟坐禪有
來問法即為宣說所謂布施持戒福德少欲
知足雖能如是種種說法然故不能作師子吼

BD01215號　大般涅槃經（北本）卷三　（25-17）

佛告迦葉莫作是語言禿居士若有比丘
隨所至處供身趣足讀誦經典思惟坐禪有
來問法即為宣說所謂布施持戒福德少欲
知足雖能如是種種說法然故不能作師子吼
不為師子之所圍遶不能降伏非法惡人如
是比丘不能自利及利衆生當知是輩懈怠
懶惰雖能持戒守護淨行當知是人无所能
為若有比丘供身之具亦常豐足復能護持
所受禁戒能師子吼廣說妙法謂脩多羅祇
夜受記伽陀優陀那伊帝目多伽闍陀伽毗
佛略阿浮陀達磨以如是等九部經典為他
廣說利益安樂諸衆生故唱如是言涅槃
經中制諸比丘不應畜養奴婢牛羊非法之物
若有比丘畜如是等不淨之物應當治之如
來先於異部經中說有比丘畜如是等非法
之物某甲國王如法治之驅令還俗若有比
丘能作如是師子吼時有破戒者聞是語已
咸共瞋恚害是法師是說法者設復命終故
名持戒自利利他以是緣故我聽國主群臣
宰相諸優婆塞護說法人若有欲得護正法
者當如是學迦葉如是破戒不護法者名禿
居士非持戒者得如是名善男子過去之世
无量无邊阿僧祇劫於此拘尸那城有佛出
世号歡喜增益如來應正遍知明行足善逝

BD01215號　大般涅槃經（北本）卷三　（25-18）

居士非持戒者得如是名善男子過去之世
无量无邊阿僧祇劫於此拘尸那城有佛出
世号歡喜增益如来應正遍知明行足善逝
世間解无上士調御丈夫天人師佛世尊尒
時世界廣博嚴淨豐樂安隱人民熾盛无有
飢渴如安樂國諸菩薩等彼佛世尊住世无
量化衆生已然後乃於娑羅雙樹入般涅槃
佛涅槃後正法住世无量億歲餘四十年尒
時有一持戒比丘名曰覺德多有徒衆眷屬
圍遶能師子吼班宣廣說九部經典制諸比
丘不得畜養奴婢牛羊非法之物尒時多
有破戒比丘聞作是說皆生惡心執持刀仗
逼是法師是時國王名曰有德聞是事已
為護法故即便往至說法者所與是破戒諸惡
比丘極共戰鬪令說法者得免危害王於尒時
身被刀劍箭矟之瘡體无完處如芥子許尒
時覺德尋讚王言善哉善哉王今真是護正
法者當来之世此身當為无量法器王於是
時得聞法已心大歡喜尋即命終生阿閦佛
國而為彼佛作第一弟子其王將從人民眷
屬有戰鬪者有隨喜者一切不退菩提之心
命終悉生阿閦佛國覺德比丘却後命終亦
得往生阿閦佛國而為彼佛作聲聞衆中第
二弟子若有正法欲滅盡時應當如是受持

命終悉生阿閦佛國覺德比丘却後命終亦
得往生阿閦佛國而為彼佛作聲聞衆中第
二弟子若有正法欲滅盡時應當如是受持
擁護迦葉尒時王者則我身是說法比丘迦
葉佛是迦葉護正法者得如是等无量果報
以是因緣我於今日得種種相以自莊嚴成
就法身不可壞身
迦葉菩薩復白佛言世尊如来常身猶如畫
石
佛告迦葉菩薩善男子以是因緣故比丘比
丘尼優婆塞優婆夷應當懃加護持正法
護法果報廣大无量善男子是故護法優婆
塞等應執刀仗擁護如是持法比丘若有受
持五戒之者不得名為大乘人也不受五戒為
護正法乃名大乘護正法者應當執持刀劍
器仗侍說法者
迦葉白佛言世尊若諸比丘與如是等諸優
婆塞持刀仗者共為伴侶為有師耶為无師
乎為是持戒為是破戒
佛告迦葉莫謂是等為破戒人善男子我涅
槃後濁惡之世國土荒亂互相抄掠人民飢
餓尒時多有為飢餓故發心出家如是之人
名為秃人是秃人輩見有持戒威儀具足清
淨比丘護持正法驅逐令出若殺若害

餓尒時多有為飢餓故發心出家如是之人
名為禿人是禿人輩見有持戒威儀具足清
淨比丘護持正法驅逐令出若煞若害
迦葉菩薩復白佛言世尊是持戒人護正法
者云何當得遊行村落城邑教化善男子是
故我今聽持戒人依諸白衣持刀仗者以為
伴侶若諸國王大臣長者優婆塞等為護
法故雖持刀仗我說是等名為持戒雖持刀
仗不應斷命若能如是即得名為第一持戒
迦葉言護法者謂具正見能廣宣說大乘經
典終不捉持王者寶蓋油瓶穀米種種菓
蓏不為利養親近國王大臣長者於諸檀
越心无諂曲具足威儀摧伏破戒諸惡人等是
名持戒護法之師能為眾生真善知識其心弘
廣譬如大海迦葉若有比丘以利養故為他
說法是人所有徒眾眷屬亦効是師貪求利
養是人如是便自壞眾迦葉眾有三種一者
犯戒雜僧二者愚癡僧三者清淨僧破戒雜
僧則易可壞持戒淨僧利養因緣所不能壞
云何破戒雜僧若有比丘雖持禁戒為利養
故與破戒者坐起行來共相親附同其事業
是名破戒亦名雜僧云何愚癡僧若有比丘
在阿蘭若處諸根不利闇鈍謇訥少欲乞
食於說戒日及自恣時教諸弟子清淨懺悔見
非弟子多犯禁戒不能教令清淨懺悔而使

BD01215號　大般涅槃經（北本）卷三　（25–21）

是名破戒亦名雜僧云何愚癡僧若有比丘
在阿蘭若處諸根不利闇鈍謇訥少欲乞
食於說戒日及自恣時教諸弟子清淨懺悔見
非弟子多犯禁戒不能教令清淨懺悔而使
與共說戒自恣是名愚癡僧云何名清淨僧
有比丘僧不為百千億數諸魔之所沮壞是
菩薩眾本性清淨能調如上二部之眾悉令
安住清淨眾中是名護法无上大師善持律
者為欲調伏利眾生故知諸戒相若輕若重
非是律者則不證知若是律者則便證知云
何調眾生故若諸菩薩為化眾生常入聚落
不擇時節或至寡婦婬女舍宅與同住止經
歷多年若是聲聞所不應為是名調伏利
益眾生云何知重若見如來因事制戒汝從今
日慎莫犯如四重禁出家之人所不應作
而便故作非是沙門非釋種子是名為重云
何為輕若犯輕事如是三諫若能捨者是名
為輕非律不證者若有讚說不清淨物應受
用者不共同止是律應證者善學戒律不近
破戒見有所行隨順戒律心生歡喜如是能
知佛法所作善能解說是名律師善解一字
善持契經亦復如是如是善男子佛法无量
不可思議如來亦尒不可思議
迦葉菩薩白佛言世尊如是如是誠如聖教
佛法无量不可思議如來亦尒不可思議故

BD01215號　大般涅槃經（北本）卷三　（25–22）

善持升經亦須如是如是善男子佛法无量
不可思議如來亦尒不可思議
迦葉菩薩白佛言世尊如是如是誠如聖教
佛法无量不可思議如來亦尒不可思議故
知如來常住不壞无有變異我今善學亦當
爲人廣宣是義
尒時佛讚迦葉菩薩善哉善哉如來身者
即是金剛不可壞身菩薩應當如是善學正
見正知若能如是了了知見即是見佛金剛
之身不可壞身如於鏡中見諸色像
大般涅槃經名字功德品第三
尒時如來復告迦葉善男子汝今應當善持
是經文字章句所有功德若有善男子善女
人聞是經名生四趣者无有是處何以故如
是經典乃是无量无邊諸佛之所脩習所得
功德我今當說
迦葉菩薩白佛言世尊當何名此經菩薩
摩訶薩云何奉持
佛告迦葉是經名爲大般涅槃上語亦善中
語亦善下語亦善義味深邃其文亦善純備
具足清淨梵行金剛寶藏滿足无缺汝今善
聽我今當說善男子所言大者名之爲常如
八大河悉歸大海此經如是降伏一切諸結
煩惱及諸魔性然後要於大般涅槃放捨身
命是故名曰大般涅槃善男子又如醫師有

BD01215號　大般涅槃經（北本）卷三　（25–23）

具足清淨梵行金剛寶藏滿足无缺汝今善
聽我今當說善男子所言大者名之爲常如
八大河悉歸大海此經如是降伏一切諸結
煩惱及諸魔性然後要於大般涅槃放捨身
命是故名曰大般涅槃善男子又如醫師有
一秘方悉攝一切所有醫方善男子如來亦
尒所說種種妙法秘密深奧藏門悉皆入於
大般涅槃是故名爲大般涅槃善男子譬如
農夫春月下種常有悕望既收菓實衆望
都息善男子一切衆生亦復如是脩學餘經
常悕滋味若得聞是大般涅槃悕望諸經所
有滋味悉皆永斷是大涅槃能令衆生度諸
有流善男子如諸跡中象跡爲最此經如是
於諸經三昧最爲第一善男子譬如耕田秋
耕爲勝此經如是諸經中勝善男子如諸藥中
醍醐第一善治衆生熱惱亂心是大涅槃爲
最第一善男子譬如甜酥八味具足大般涅
槃亦復如是八味具足云何爲八一者常二
者恒三者安四者清涼五者不老六者不
死七者无垢八者快樂是爲八味具足具是
八味是故名爲大般涅槃若諸菩薩摩訶薩等
安住是中復能處處示現涅槃是故名爲
大般涅槃迦葉善男子善女人若欲於此大般
涅槃而涅槃者當如是學如來常住法僧
亦然

BD01215號　大般涅槃經（北本）卷三　（25–24）

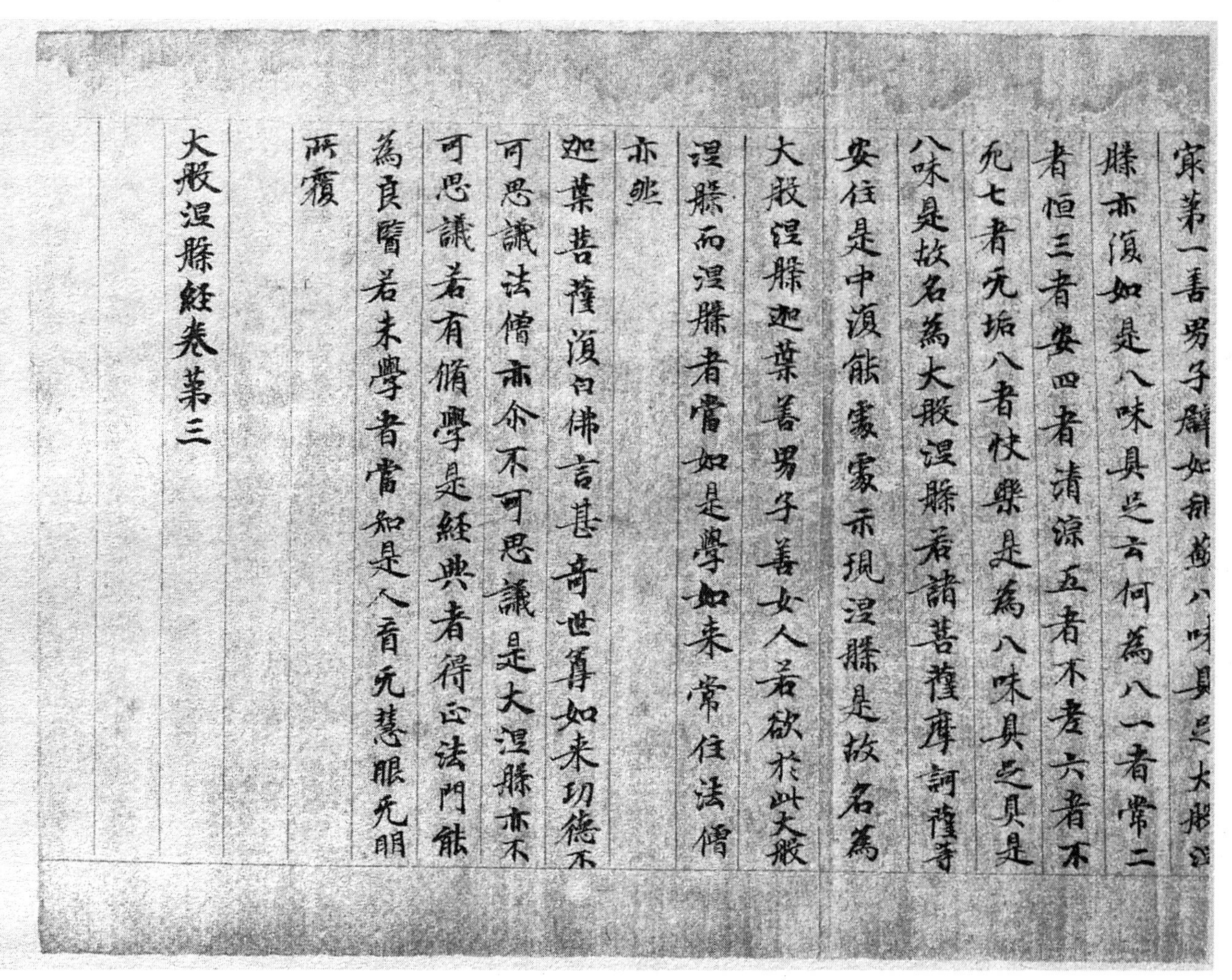

寂第一善男子譬如甜酥八味具足大般涅
槃亦須如是八味具足云何爲八一者常二
者恒三者安四者清涼五者不老六者不
死七者无垢八者快樂是爲八味具足是
八味是故名爲大般涅槃若諸菩薩摩訶薩等
安住是中須能處處示現涅槃是故名爲
大般涅槃迦葉善男子善女人若欲於此大般
涅槃而涅槃者當如是學如来常住法僧
亦然
迦葉菩薩須白佛言甚奇世尊如来功德不
可思議法僧亦尒不可思議是大涅槃亦不
可思議若有脩學是經典者得正法門能
爲良醫若未學者當知是人无慧眼无明
所覆

大般涅槃經卷第三

BD01215號　大般涅槃經（北本）卷三　（25–25）

BD01215號背　勘記　（1–1）

提如是悉知悉見是
福德何以故是諸衆生无復我相
相壽者相无法相亦无非法相
衆生若心取相則爲著我人衆
法相即著我人衆生壽者何以
相即著我人衆生壽者是故不應
取非法以是義故如來常說汝等
法如筏喻者法尚應捨何況非法
須菩提於意云何如來得阿耨多羅
菩提耶如來有所說法耶須菩提言如
佛所說義无有定法名阿耨多羅三藐三
提亦无有定法如來可說何以故如來
法皆不可取不可說非法非非法
一切賢聖皆以无爲法而有差別
意云何若人滿三千大千世界七
施是人所得福德寧爲多不須菩
世尊何以故是福德即非福德性是故如來
說福德多若復有人於此經中受持乃至四
句偈等爲他人說其福勝彼何以故須菩提
一切諸佛及諸佛阿耨多羅三藐三菩提法
皆從此經出須菩提所謂佛法者即非佛法
須菩提於意云何須陁洹能作是念我得須
陁洹果不須菩提言不也世尊何以故須陁

BD01216號1　金剛般若波羅蜜經　（16–1）

說福德多若復有人於此經中受持乃至四
句偈等爲他人說其福勝彼何以故須菩提
一切諸佛及諸佛阿耨多羅三藐三菩提法
皆從此經出須菩提所謂佛法者即非佛法
須菩提於意云何須陁洹能作是念我得須
陁洹果不須菩提言不也世尊何以故須陁
洹名爲入流而无所入不入色聲香味觸法
是名須陁洹須菩提於意云何斯陁含能作
是念我得斯陁含果不須菩提言不也世尊
何以故斯陁含名一往來而實无往來是
斯陁含須菩提於意云何阿那含能作
是念我得阿那含果不須菩提言不也世尊何
以故阿那含名爲不來而實无來是故名阿
那含須菩提於意云何阿羅漢能作是念我
得阿羅漢道不須菩提言不也世尊何以故
實无有法名阿羅漢世尊若阿羅漢作是念我
得阿羅漢道即爲著我人衆生壽者世尊佛
說我得无諍三昧人中最爲第一是第一離
欲阿羅漢我不作是念我是離欲阿羅漢世
尊我若作是念我得阿羅漢道世尊則不說
須菩提是樂阿蘭那行者以須菩提實无所
行而名須菩提是樂阿蘭那行
佛告須菩提於意云何如來昔在燃燈佛
所於法有所得不世尊如來在燃燈佛所於
法實无所得須菩提於意云何菩薩莊嚴佛
土不不也世尊何以故莊嚴佛土者則非莊嚴
是名莊嚴是故須菩提諸菩薩摩訶薩應如
是生清淨心不應住色生心不應住聲香味
觸法生心應无所住而生其心須菩提譬如
有人身如須彌山王於意云何是身爲大不
須菩提言甚大世尊何以故佛說非身是名
大身
須菩提如恒河中所有沙數如是沙等恒河
於意云何是諸恒河沙寧爲多不須菩提言
甚多世尊但諸恒河尚多无數何況其沙

BD01216號1　金剛般若波羅蜜經　（16–2）

須菩提言甚大世尊何以故佛說非身是名
大身
須菩提如恒河中所有沙數如是沙等恒河
於意云何是諸恒河沙寧為多不須菩提言
甚多世尊但諸恒河尚多无數何況其沙須
菩提我今實言告汝若有善男子善女人以
七寶滿尒所恒河沙數三千大千世界以用
布施得福多不須菩提言甚多世尊佛告須
菩提若善男子善女人於此經中乃至受持四
句偈等為他人說而此福德勝前福德復
次須菩提隨說是經乃至四句偈等當知此
處一切世間天人阿脩羅皆應供養如佛塔
廟何況有人盡能受持讀誦須菩提當知是
人成就最上第一希有之法若是經典所在
之處則為有佛若尊重弟子
尒時須菩提白佛言世尊當何名此經我等
云何奉持佛告須菩提是經名為金剛般若
波羅蜜以是名字汝當奉持所以者何須菩
提佛說般若波羅蜜則非般若波羅蜜須菩
提於意云何如來有所說法不須菩提白佛
言世尊如來无所說須菩提於意云何三千
大千世界所有微塵是為多不須菩提言甚
多世尊須菩提諸微塵如來說非微塵是名
微塵如來說世界非世界是名世界須菩提
於意云何可以三十二相見如來不不也世尊
不可以三十二相得見如來何以故如來說三十
二相即是非相是名三十二相須菩提若有善男
子善女人以恒河沙等身命布施若復有人於
此經中乃至受持四句偈等為他人說其福甚多
尒時須菩提聞說是經深解義趣涕淚悲泣
而白佛言希有世尊佛說如是甚深經典我從
昔來所得慧眼未曾得聞如是之經世尊若
復有人得聞是經信心清淨則生實相當
知是人成就第一希有功德世尊是實相者則

BD01216 號 1　金剛般若波羅蜜經　（16–3）

此經中乃至受持四句偈等為他人說其福甚多
尒時須菩提聞說是經深解義趣涕淚悲泣
而白佛言希有世尊佛說如是甚深經典我從
昔來所得慧眼未曾得聞如是之經世尊若
復有人得聞是經信心清淨則生實相當
知是人成就第一希有功德世尊是實相者則
是非相是故如來說名實相世尊我今得聞
如是經典信解受持不足為難若當來世
後五百歲其有眾生得聞是經信解受持是
人則為第一希有何以故此人无我相人相眾
生相壽者相所以者何我相即是非相人相
眾生相壽者相即是非相何以故離一切諸
相則名諸佛
佛告須菩提如是如是若復有人得聞是經
不驚不怖不畏當知是人甚為希有何以故
須菩提如來說第一波羅蜜非第一波羅蜜
是名第一波羅蜜須菩提忍辱波羅蜜如來
說非忍辱波羅蜜何以故須菩提如我昔為
歌利王割截身體我於尒時无我相无人相
无眾生相无壽者相何以故我於往昔節節
支解時若有我相人相眾生相壽者相應生
瞋恨須菩提又念過去於五百世作忍辱仙
人於尒所世无我相无人相无眾生相无壽
者相是故須菩提菩薩應離一切相發阿耨
多羅三藐三菩提心不應住色生心不應住
聲香味觸法生心應生无所住心若心有住則
為非住是故佛說菩薩心不住色布施須
菩提菩薩為利益一切眾生應如是布施如
來說一切諸相即是非相又說一切眾生則
非眾生須菩提如來是真語者實語者如語
者不誑語者不異語者須菩提如來所得法
此法无實无虛須菩提若菩薩心住於法而
行布施如人入闇則无所見若菩薩心不住法
而行布施如人有目日光明照見種種色
須菩提當來之世若有善男子善女人能於

BD01216 號 1　金剛般若波羅蜜經　（16–4）

者不誑語者不異語者須菩提如來所得法
此法无實无虛須菩提若菩薩心住於法而
行布施如人入闇則无所見若菩薩心不住法
而行布施如人有目日光明照見種種色
須菩提當來之世若有善男子善女人能於
此經受持讀誦則為如來以佛智慧悉知是
人悉見是人皆得成就无量无邊功德
須菩提若有善男子善女人初日分以恒何
沙等身布施中日分復以恒何沙等身布施
後日分亦以恒何沙等身布施如是无量百
千万億劫以身布施若復有人聞此經典信
心不違其福勝彼何況書寫受持讀誦為人
解說須菩提以要言之是經有不可思議不
可稱量无邊功德如來為發大乘者說為發
最上乘者說若有人能受持讀誦廣為人說
如來悉知是人悉見是人皆成就不可量不
可稱无有邊不可思議功德如是人等則為
荷擔如來阿耨多羅三藐三菩提何以故須
菩提若樂小法者著我見人見眾生見壽者
見則於此經不能聽受讀誦為人解說須菩
提在在處處若有此經一切世間天人阿脩
羅所應供養當知此處則為是塔皆應供敬
作礼圍繞以諸華香而散其處
復次須菩提善男子善女人受持讀誦此經
若為輕賤是人先世罪業應墮惡道以今
世人輕賤故先世罪業則為消滅當得阿耨
多羅三藐三菩提須菩提我念過去无量阿
僧祇劫於燃燈佛前得值八百四千万億那
由他諸佛悉皆供養承事无空過者若復有
人於後末世能受持讀誦此經所得功德於
我所供養諸佛功德百分不及一千万億分
乃至筭數譬喻所不能及須菩提若善男子
善女人於後末世有受持讀誦此經所得功德
我若具說者或有人聞心則狂亂狐疑不信

BD01216 號 1　金剛般若波羅蜜經　（16–5）

人於後末世能受持讀誦此經所得功德於
我所供養諸佛功德百分不及一千万億分
乃至筭數譬喻所不能及須菩提若善男子
善女人於後末世有受持讀誦此經所得功德
我若具說者或有人聞心則狂亂狐疑不信
須菩提當知是經義不可思議果報亦不可
思議
尒時須菩提白佛言世尊善男子善女人發
阿耨多羅三藐三菩提心云何應住云何降
伏其心佛告須菩提善男子善女人發阿耨
多羅三藐三菩提者當生如是心我應滅度
一切眾生滅度一切眾生已而无有一眾生
實滅度者何以故若菩薩有我相人相眾生
相壽者相則非菩薩所以者何須菩提實无
有法發阿耨多羅三藐三菩提者須菩提於
意云何如來於燃燈佛所有法得阿耨多羅
三藐三菩提不不也世尊如我解佛所說義佛
於燃燈佛所无有法得阿耨多羅三藐三菩
提佛言如是如是須菩提實无有法如來得
阿耨多羅三藐三菩提須菩提若有法如來
得阿耨多羅三藐三菩提者燃燈佛則不與
我授記汝於來世當得作佛号釋迦牟尼以
實无有法得阿耨多羅三藐三菩提是故燃
燈佛與我受記作是言汝於來世當得作佛
号釋迦牟尼何以故如來者即諸法如義若
有人言如來得阿耨多羅三藐三菩提須菩提
實无有法佛得阿耨多羅三藐三菩提須菩
提如來所得阿耨多羅三藐三菩提於是中
无實无虛是故如來說一切法皆是佛法須
菩提所言一切法者即非一切法是名一切法
須菩提譬如人身長大須菩提言世尊
如來說人身長大則為非大身是名大身
須菩提菩薩亦如是若作是言我當滅度无
量眾生則不名菩薩何以故須菩提无有法

BD01216 號 1　金剛般若波羅蜜經　（16–6）

菩提所言一切法者即非一切法是名一切法
須菩提譬如人身長大須菩提言世尊
如來說人身長大則為非大身是名大身
須菩提菩薩亦如是若作是言我當滅度无
量衆生則不名菩薩何以故須菩提无有法
名為菩薩是故佛說一切法无我无人无衆
生无壽者須菩提若菩薩作是言我當莊嚴
佛土是不名菩薩何以故如來說莊嚴佛土
者即非莊嚴是名莊嚴須菩提若菩薩通達
无我法者如來說名真是菩薩
須菩提於意云何如來有肉眼不如是世尊
如來有肉眼須菩提於意云何如來有天眼
不如是世尊如來有天眼須菩提於意云何
如來有慧眼不如是世尊如來有慧眼須菩
提於意云何如來有法眼不如是世尊如來有
法眼須菩提於意云何如來有佛眼不如是
世尊如來有佛眼須菩提於意云何恒何中
所有沙佛說是沙不如是世尊如來說是沙
須菩提於意云何如一恒何中所有沙有如
是等恒何是諸恒何所有沙數佛世界如
是寧為多不甚多世尊佛告須菩提尒所國
土中所有衆生若干種心如來悉知何以故
如來說諸心皆為非心是名為心所以者何須
菩提過去心不可得現在心不可得未來心
不可得須菩提於意云何若有人滿三千大
千世界七寶以用布施是人以是因緣得福
多不如是世尊此人以是因緣得福甚多
須菩提若福德有實如來不說得福德多以
福德无故如來說得福德多
須菩提於意云何佛可以具足色身見不不
也世尊如來不應以色身見何以故如來說具
足色身即非具足色身是名具足色身須菩
提於意云何如來可以具足諸相見不不也
世尊如來不應以具足諸相見何以故如來
說諸相具足即非具足是名諸相具足

BD01216 號 1　金剛般若波羅蜜經　（16–7）

須菩提於意云何佛可以具足色身見不不
也世尊如來不應以色身見何以故如來說具
足色身即非具足色身是名具足色身須菩
提於意云何如來可以具足諸相見不不也
世尊如來不應以具足諸相見何以故如來
說諸相具足即非具足是名諸相具足
須菩提汝勿謂如來作是念我當有所說法
莫作是念何以故若人言如來有所說法即
為謗佛不能解我所說故須菩提說法者无法
可說是名說法
須菩提白佛言世尊佛得阿耨多羅三藐三
菩提為无所得耶如是如是須菩提我於阿
耨多羅三藐三菩提乃至无有少法可得是
名阿耨多羅三藐三菩提復次須菩提是法平等
无有高下是名阿耨多羅三藐三菩提以无
我无人无衆生无壽者脩一切善法則得阿
耨多羅三藐三菩提須菩提所言善法者如
來說即非善法是名善法須菩提若三千大
千世界中所有諸須弥山王如是等七寶聚
有人持用布施若人以此般若波羅蜜經乃
至四句偈等受持為他人說於前福德百分不
及一百千万億分乃至筭數譬喻所不能及
須菩提於意云何汝等勿謂如來作是念我
當度衆生須菩提莫作是念何以故實无有
衆生如來度者若有衆生如來度者如來則
有我人衆生壽者須菩提如來說有我者則
非有我而凡夫之人以為有我須菩提凡夫
者如來說則非凡夫須菩提於意云何可以
卅二相觀如來不須菩提言如是如是以卅二
相觀如來佛言須菩提若以卅二相觀如來
者轉輪聖王則是如來須菩提白佛言世尊
如我解佛所說義不應以卅二相觀如來尒
時世尊而說偈言
若以色見我　以音聲求我　是人行邪道　不能見如來
須菩提汝若作是念如來不以具足相故得阿

BD01216 號 1　金剛般若波羅蜜經　（16–8）

相觀如來佛言須菩提若以卅二相觀如來
者轉輪聖王則是如來須菩提白佛言世尊
如我解佛所說義不應以卅二相觀如來尒
時世尊而說偈言
若以色見我 以音聲求我 是人行邪道 不能見如來
須菩提汝若作是念如來不以具足相故得阿
耨多羅三藐三菩提須菩提莫作是念如
來不以具足相故得阿耨多羅三藐三菩提
須菩提汝若作是念發阿耨多羅三藐三菩
提者說諸法斷滅莫作是念何以故發阿耨
多羅三藐三菩提者於法不說斷滅相須菩
提若菩薩以滿恒河沙等世界七寶布施若
復有人知一切法无我得成於忍此菩薩勝
前菩薩所得功德須菩提以諸菩薩不受福
德故須菩提白佛言世尊云何菩薩不受福
德須菩提菩薩所作福德不應貪著是故
說不受福德須菩提若有人言如來若來
若去若坐若卧是人不解我所說義何以故 如
來者无所從來亦无所去故名如來
須菩提若善男子善女人以三千大千世界
碎為微塵於意云何是微塵衆寧為多不甚
多世尊何以故若是微塵衆實有者佛則不
說是微塵衆所以者何佛說微塵衆則非微
塵衆是名微塵衆世尊如來所說三千大千世
界則非世界是名世界何以故若世界實有
者則是一合相如來說一合相則非一合相是
名一合相須菩提一合相者則是不可說但
凡夫之人貪著其事須菩提若人言佛說我
見人見衆生見壽者見須菩提於意云何是
人解我所說義不世尊是人不解如來所說義
何以故世尊說我見人見衆生見壽者見即
非我見人見衆生見壽者見是名我見人
見衆生見壽者見須菩提發阿耨多羅三
藐三菩提心者於一切法應如是知如是見
如是信解不生法相須菩提所言法相者如來

BD01216號1　金剛般若波羅蜜經　（16–9）

見人見衆生見壽者見須菩提於意云何是
人解我所說義不世尊是人不解如來所說義
何以故世尊說我見人見衆生見壽者見即
非我見人見衆生見壽者見是名我見人
見衆生見壽者見須菩提發阿耨多羅三
藐三菩提心者於一切法應如是知如是見
如是信解不生法相須菩提所言法相者如來
說即非法相是名法相須菩提若有人以滿
无量阿僧祇世界七寶持用布施若有善男
子善女人發菩薩心者持於此經乃至四句
偈等受持讀誦為人演說其福勝彼云何為
人演說不取於相如如不動何以故
一切有為法 如夢幻泡影 如露亦如電 應作如是觀
佛說是經已長老須菩提及諸比丘比丘尼優婆
塞優婆夷一切世間天人阿脩羅聞佛所說
皆大歡喜信受奉行
金剛波若經一卷
佛說長者女菴提遮師子吼了義經
如是我聞一時佛住舍衛國祇樹給孤獨園與
无量比丘比丘尼優婆塞優婆夷菩薩摩訶
薩衆俱尒時舍衛城西二十餘里有一村名
長提有一婆羅門名婆名私膩迦在其中
住其人學問廣博深信內典敬承佛教時
婆羅門欲設大會至祇洹所請佛及僧佛則
受其請婆羅門還家又尅其時佛與大衆往
詣彼村至婆羅門舍尒時長者見佛歡喜
踊躍不能自勝即率諸眷屬來至佛所各
礼佛恭敬而住其婆羅門有一長女名菴提
遮先嫁與人暫來還家侍省父母其女容貌
端正其廣高遠用心柔下其懷豐然能和夫妻
侍養親族事夫如禁其儀无比出於群類父
母眷屬皆出見佛唯有此女獨在室內其女自

BD01216號1　金剛般若波羅蜜經　（16–10）
BD01216號2　長者女菴提遮師子吼了義經

礼佛恭敬而住其婆羅門有一長女名菴提
遮先媽與人暫來還家侍省父母其女容貌
端正其廣高遠用心柔下其懷豐然能和夫妻
侍養親族事夫如禁其儀无比出於群類父
母眷屬皆出見佛唯有此女獨在室內其女自
以生來父母莫測其所由故名之菴提遮尒時
如來即知長者有一女在室內未出亦之其不
出所由其若出者利益无量大衆及諸天
人佛即告長者言汝之眷屬出來盡耶其婆
羅門束手長跪佛前以此女不出之狀將之
為恥嘿然未荅佛則知其意仍告之言中
時向至可設供邪時婆羅門即承佛教起設
供養大衆及其長者眷屬中食已訖唯有
此女未及得食時如來鉢中故留殘食遣一化
女將此餘食與於室內女菴提遮時化女人
以偈告曰
此是如來餘　无上勝尊賜　我當承佛教　願仁清淨受
其女菴提遮即以偈歎曰
嗚呼大慈悲　知我在室邑　今賜一味食　尊仰都聖旨
復以偈荅彼化女曰
我常念所思　大聖之所行　未曾與汝異　何事不清淨
其化女聞菴提遮說偈已即沒不現其女菴提
遮以心念誦偈言
我夫今何在　願出見世尊　願知我淨心　速來得同聞
尒時菴提遮淨心力故其夫隨念即至其所是
女菴提遮見其夫已心生歡喜以偈歎曰
嗚呼大勝尊　今隨濟我願　不辞破小戒　恐當不同聞
其夫見菴提遮偈言已即還以偈責曰
嗚呼汝大癡　不知善自宜　勞聖賜餘食　守戒竟何為
時女菴提遮即隨其夫往詣佛所各白佛及諸
大衆恭敬而立時女菴提遮以偈歎曰
我念大慈悲　救護十方尊　欲設秘密藏　賜我淨餘食
大聖甚難會　世心有所疑　誰可問法者　發衆菩提基
尒時舍利弗即白佛言世尊此是何女人忽今
來至此復說如是偈言得餘食佛告舍利

BD01216 號 2　長者女菴提遮師子吼了義經　（16–11）

時女菴提遮即隨其夫往詣佛所各白佛及諸
大衆恭敬而立時女菴提遮以偈歎曰
我念大慈悲　救護十方尊　欲設秘密藏　賜我淨餘食
大聖甚難會　世心有所疑　誰可問法者　發衆菩提基
尒時舍利弗即白佛言世尊此是何女人忽今
來至此復說如是法偈言得餘食佛告舍利
弗言此是長者女復問曰從何而來何日至
此佛告舍利弗此女不從遠來只在此室雖
有父母眷屬其夫不在以自誠敬順夫因緣
故不從父母輕尒出遊現於大衆尒時舍利
弗白佛言是女以何善因故生此長者家其
容若此復以何因緣故得如是土夫禁約若此
不能自由見佛及僧佛即告舍利弗汝自問
之時舍利弗問其女曰汝以何因緣生此
長者家復以何因緣得如是人為夫禁戒
若此不能自由見佛及僧其女菴提遮以
偈荅曰
我以不惡生　生此長者家　又不執女相　得是清淨夫
我在內室中　以為自在竟　是今未曾越　聖知賜我餘
嗚呼今大德　不知真實由　緣高不自越　故名大自在
我雖內室中　尊如目前現　仁稱阿羅漢　常隨不能見
大聖非是色　亦不離色身　聲聞見彼句　謂是大力人
嗚呼今大德　隨聖少方便　不知本无由　於我生倒見
尒時舍利弗嘿然而心私自念言此是何女人
其辯若此我所不及佛即知其意而告之曰
勿退於問荅生於異心是女人已經值无量
諸佛所說是法藥勿疑之也
尒時文殊師利問菴提遮曰汝今知生死義
耶荅曰以佛力故知又問曰若知者生以何
為義荅曰生以不生生為生義又問曰云何
不生生為義耶荅曰若能明知地水火風四
緣畢竟未曾自得有所和合而能隨其所宜
有所說者以為生義又問曰若知地水火風
畢竟不自得有所知合為生義者即應无有
生相何時何為生義荅曰雖在生處而无生者

BD01216 號 2　長者女菴提遮師子吼了義經　（16–12）

耶答曰以佛力故知又問曰若知者生以何
為義答曰生以不生生為生義又問曰云何
不生生為義耶答曰若能明知地水火風四
緣畢竟未曾自得有所和合而能隨其所宜
有所說者以為生義又問曰若知地水火風
畢竟不自得有所知合為生義者即應无有
生相將何為生義答曰雖在生處而无生者
是為正空故說有義文殊又問曰死以何為
義耶答曰死以不死死為死義又問曰云何以
不死死為死義耶答曰若能問知地水火
風畢竟不自得有所散而能隨其所宜有所
說者是為死義又問曰若知地水火風畢竟
不自得有所散者即无死相將何為死義答
曰雖在死處其心不亡者是為正死故說有
義文殊師利又問曰常以何為義答曰若
能明知諸法畢竟生滅變易无定如幻相而
能隨其所宜有所說者是為常義又問曰
若知諸法畢竟生滅无定如幻相者即是无
常義云何將為常義耶答曰諸法生而不自
得生滅而不自得滅乃至變易亦復如是以不
自得故說為常義也又問曰无常以何為義
答曰若知諸法畢竟不生不滅隨如是相而
能隨其所宜有所說者是為无常義又問
曰若知諸法畢竟不生不滅者即是常義云
何說為无常義耶答曰但以諸法自在變易
无定明不自得隨如是知者故說有无常義
耶又問曰空以何為義答曰若能知諸法相亦
曾自空不壞令有而能不空空不有有故說
有空義又問曰若不空空不有者即无有事
將何為空義耶其女菴提遮則以偈答曰
嗚呼直大德　不知實空義　色无有自相　豈非如空也
空若自有空　則不能容色　空不自空故　衆色從是生
介時文殊師利又問曰頗有明知生而不生相
為生所留者不答曰有雖自明見其力未充

BD01216 號 2　長者女菴提遮師子吼了義經　（16–13）

嗚呼直大德　不知實空義　色无有自相　豈非如空也
空若自有空　則不能容色　空不自空故　衆色從是生
介時文殊師利又問曰頗有明知生而不生相
為生所留者不答曰有雖自明見其力未充
而為生所留者是也又問曰頗有无知不識
生性而畢竟不為生所留者不答曰无所以
者何若不見生性雖因調伏少得安處其不
安定相常為對治若能見生性者雖在不生
之處而吉相常為現前若不如是知者雖有
種種勝辯談說甚深典籍而即是生滅心說
彼實相密要之言如盲辯色曰他語故說得
青黃赤白黑而不能自見色之正相令不能
見諸法者亦復如是但令為生所生　為死
所死而有所說者乃於其人即无生死之義
耶若為常无常所繫者亦復如是當知大
大德空者亦不自得空故說有空義耶
介時佛告文殊師利如是如是菴提遮所說
直實无異曰可令令月可令熱是菴提遮所
說不可移易時舍利弗復問其女曰汝之智
慧辯才若此佛所稱歎我等聲聞之所
不及云何不能離是女身色相也其女
答曰我欲問大德即隨意答我大德今現是
男不舍利言我雖色是男而心非男也其女
言大德我亦如是如大德所言雖在女相其
心即非女也舍利弗言汝今現為夫所拘執何
能如此其女答曰大德能自信己之所言不舍
利弗言我之自言云何不自信其女答曰若
自信者大德前言說我色是男而心非男者
即心與色有所二用也若大德自信此言者即
於我所不生有大之惡見大德自男故生我
女相以我女色故壞大德心也而以自見彼女
者則不能於法生實信也舍利弗言我於
汝所不敢生於惡見其女答曰但以對世尊

BD01216 號 2　長者女菴提遮師子吼了義經　（16–14）

自信者大德前言說我色是男而心非男者
即心與色有所二用也若大德自信此言者即
於我所不生有夫之惡見大德自男故生我
女相以我女色故壞大德心也而以自見彼女
者則不能於法生實信也舍利弗言我於
汝所不敢生於惡見其女荅曰但以對世尊
故不敢非是實言也若實不生惡見者云
何說我言汝今現為夫所拘執耶是言從何
而來舍利弗言我以久離習故有此之言非
實心也其女問曰大德我今問者隨意荅我
大德既言久離男女相者大德色久離耶心
久離耶時舍利弗嘿然不荅尒時菴提遮
以偈頌曰
若心得久離　畢竟不生見　誰為作女之　於色起不淨
若論色久離　法本不自有　畢竟不曾淨　將何為作惡
嗚呼今大德　徒學不能知　自男生我女　豈非想惑悲
悔過於大衆　於法勿生疑　我上所言說　是佛神力持
時菴提遮說是偈已其比丘比丘尼優婆塞
優婆夷天及人一千餘人得阿耨多羅三藐三
菩提心有五千衆於中得无生法忍者得法
眼淨者又得心解脫者其无量聲聞衆而
於佛法自生慙恥者无量
尒時佛告舍利弗是女人非是凡也已值无量
諸佛常能說如是師子吼了義經利益无量
衆生我亦自與是女人同事无量諸佛已
是女人不久當成正覺是諸衆中於是女人所
說法要即能生實信者皆已久聞是女人
所說法故尒則能生正信是故應諦受是師子
吼了義經勿疑之也佛告阿難言汝當受持
此長者女菴提遮以師子吼說了義問荅
經章句次第付囑於汝汝當諦受阿難白
佛言唯然世尊今悉受已尒時大衆聞女菴
提遮說法已心大歡喜踴悅无量各自如說
修行

BD01216號2　長者女菴提遮師子吼了義經　（16–15）

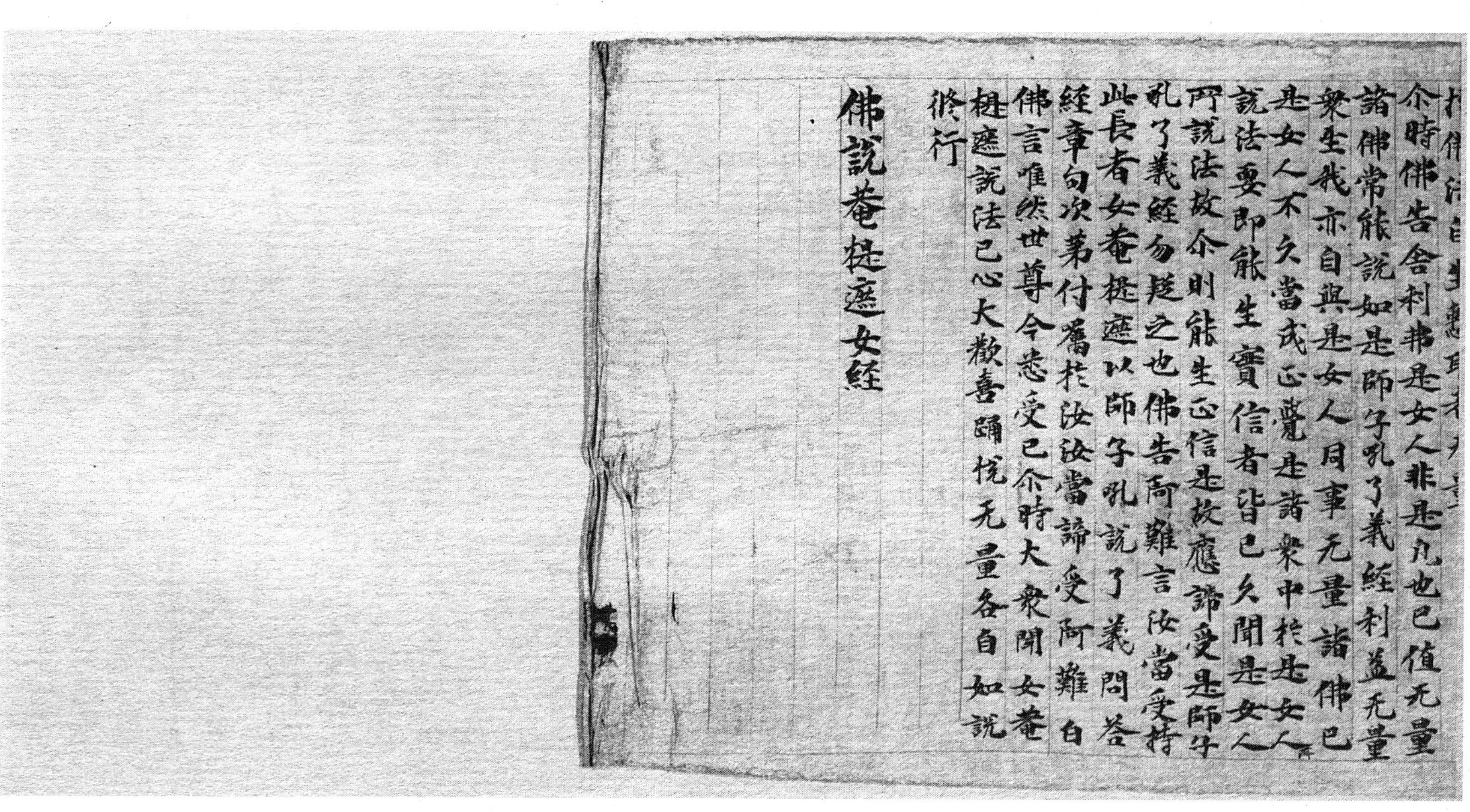
於佛法自生慙恥者无量
尒時佛告舍利弗是女人非是凡也已值无量
諸佛常能說如是師子吼了義經利益无量
衆生我亦自與是女人同事无量諸佛已
是女人不久當成正覺是諸衆中於是女人所
說法要即能生實信者皆已久聞是女人
所說法故尒則能生正信是故應諦受是師子
吼了義經勿疑之也佛告阿難言汝當受持
此長者女菴提遮以師子吼說了義問荅
經章句次第付囑於汝汝當諦受阿難白
佛言唯然世尊今悉受已尒時大衆聞女菴
提遮說法已心大歡喜踴悅无量各自如說
修行

佛說菴提遮女經

BD01216號2　長者女菴提遮師子吼了義經　（16–16）

……但以因緣有從……
訶薩第二親近處尒時世尊欲重宣此義
菩薩 於後惡世 无怖畏心 欲說是經
王 及國王子 大臣官長 兇險戲者 及旃陀羅
貪著小乘 三藏學者 破戒比丘 名字羅漢 及比丘尼
諸優婆夷 皆勿親近 若是人等 以好心來 到菩薩所
而為說法 寡女處女 及諸不男 皆勿親近
為利殺害 販肉自活 衒賣女色 如是之人
皆勿親近 兇險相撲 種種嬉戲 諸…… 盡勿親近 莫獨屏處 為女說法 若說法時
无得戲笑 入里…… 將一比丘 若无比丘 一心念佛 是則名為 行處近處 以此二處
能安樂說 又復不行 上中下法 有為无為 實不實法 亦不分別 是男是女 不得諸法
不知不見 是則名為 菩薩行處 一切諸法 空无所有 无有常住 亦无起滅 是名智者
所親近處 顛倒分別 諸法有无 是實非實 是生非生 在於閑處 修攝其心 安住不動
如須彌山 觀一切法 皆无所有 猶如虛空 无有堅固 不生不出 不動不退 常住一相
是名近處 若有比丘 於我滅後 入是行處 及親近處 說斯經時 无有怯弱 菩薩有時
入於靜室 以正憶念 隨義觀法 從禪定起 為諸國王 王子臣民 婆羅門等 開化演暢
說斯經典 其心安隱 无有怯弱 文殊師利 是名菩薩 安住初法 能於後世 說法華經
又文殊師利如來滅後於末法中欲說是經應住安樂行若口宣說若讀經時不
樂說人及經典過亦不輕慢諸餘法師不說他人好惡長短於聲聞人亦不稱
名說其過惡亦不稱名讚歎其美又亦不生怨嫌之心善修如是安樂心故
諸有聽者不逆其意有所難問不以小乘法荅但以大乘而為解說令得一切種
智尒時世尊欲重宣此義而說偈言
菩薩常樂 安隱說法 於清淨地 而施床座 以油塗身 澡浴塵穢 著新淨衣 內外俱淨
安處法座 隨問為說 若有比丘 及比丘尼 諸優婆塞 及優婆夷 國王王子 群臣士民
以微妙義 和顏為說 若有難問 隨義而荅 因緣譬喻 敷演分別 以是方便 皆使發心
漸漸增益 入於佛道 除嬾惰意 及懈怠想 離諸憂惱 慈心說法 晝夜常說 无上道教

BD01217號　妙法蓮華經卷五　（14–1）

諸有聽者不逆其意有所難問不以小乘法荅但以大乘而為解說令得一切種
智尒時世尊欲重宣此義而說偈言
菩薩常樂 安隱說法 於清淨地 而施床座 以油塗身 澡浴塵穢 著新淨衣 內外俱淨
安處法座 隨問為說 若有比丘 及比丘尼 諸優婆塞 及優婆夷 國王王子 群臣士民
以微妙義 和顏為說 若有難問 隨義而荅 因緣譬喻 敷演分別 以是方便 皆使發心
漸漸增益 入於佛道 除嬾惰意 及懈怠想 離諸憂惱 慈心說法 晝夜常說 无上道教
以諸因緣 无量譬喻 開示眾生 咸令歡喜 衣服臥具 飲食醫藥 而於其中 无所悕望
但一心念 說法因緣 願成佛道 令眾亦尒 是則大利 安樂供養 我滅度後 若有比丘
能演說斯 妙法華經 心无嫉恚 諸惱障礙 亦无憂愁 及罵詈者 又无怖畏 加刀杖等
亦无擯出 安住忍故 智者如是 善修其心 能住安樂 如我上說 其人功德 千万億劫
筭數譬喻 說不能盡
又文殊師利菩薩摩訶薩於後末世法欲滅時受持讀誦斯經典者无懷嫉妬諂
誑之心亦勿輕罵學佛道者求其長短若比丘比丘尼優婆塞優婆夷求聲聞
者求辟支佛者求菩薩道者无得惱之令其疑悔語其人言汝等去道
甚遠終不能得一切種智所以者何汝是放逸之人於道懈怠故又亦不應戲論
諸法有所諍競當於一切眾生起大悲想於諸如來起慈父想於諸菩薩起大
師想於十方諸大菩薩常應深心恭敬礼拜於一切眾生平等說法以順法故不多
不少乃至深愛法者亦不為多說文殊師利是菩薩摩訶薩於後末世法欲
滅時有成就是第三安樂行者說是法時无能惱亂得好同學共讀誦是經
亦得大眾而來聽受聽已能持持已能誦誦已能說說已能書若使人
書供養經卷恭敬尊重讚歎尒時世尊欲重宣此義而說偈言
若欲說 經 當捨嫉恚慢 諂誑邪偽心 常修質直行 不輕蔑於人 亦不戲論法
不令他疑悔 云汝不得佛 是佛子說法 常柔和能忍 慈悲於一切 不生懈怠心
十方大菩薩 愍眾故行道 應生恭敬心 是則我大師 於諸佛世尊 生无上父想
破於憍慢心 說法无障礙 第三法如是 智者應守護 一心安樂行 无量眾所敬
又文殊師利菩薩摩訶薩於後末世法欲滅時有持是法華經者於在家出
家人中生大慈心於非菩薩人中生大悲心應作是念如是之人則為大失
如來方便隨宜說法不聞不知不覺不問不信不解其人雖不問不信不解是
經我得阿耨多羅三藐三菩提時隨在何地以神通力智慧力引之令得住
是法中文殊師利是菩薩摩訶薩於如來滅後有成就此第四法者說是法
時无有過失常為比丘比丘尼優婆塞優婆夷國王王子大臣人民婆
羅門居士等供養恭敬尊重讚歎虛空諸天為聽法故亦常隨侍

BD01217號　妙法蓮華經卷五　（14–2）

破於憍慢心 說法无障礙 第三法如是 智者應守護 一心安樂行 无量眾所敬
又文殊師利菩薩摩訶薩於後末世法欲滅時有持是法華經者於在家出
家人中生大慈心於非菩薩人中生大悲心應作是念如是之人則為大失
如來方便隨宜說法不聞不知不覺不問不信不解其人雖不問不信不解是
經我得阿耨多羅三藐三菩提時隨在何地以神通力智慧力引之令得住
是法中文殊師利是菩薩摩訶薩於如來滅後有成就此第四法者說是法
時无有過失常為比丘比丘尼優婆塞優婆夷國王王子大臣人民婆
羅門居士等供養恭敬尊重讚歎虛空諸天為聽法故亦常隨侍若
在聚落城邑空閑林中有人來欲難問者諸天晝夜常為法故而衛
護之能令聽者皆得歡喜所以者何此經是一切過去未來現在諸佛神
力所護故文殊師利是法華經於无量國中乃至名字不可得聞何況
得見受持讀誦文殊師利譬如強力轉輪聖王欲以威勢降伏諸國
而諸小王不順其命時轉輪王起種種兵而往討伐王見兵眾戰有功者
即大歡喜隨功賞賜或與田宅聚落城邑或與衣服嚴身之具或與
種種珍寶金銀琉璃車渠馬瑙珊瑚虎珀象馬車乘奴婢人
民唯髻中明珠不以與之所以者何獨王頂上有此一珠若以與之王
諸眷屬必大驚怪文殊師利如來亦復如是以禪定智慧力得法國土
王於三界而諸魔王不肯順伏如來賢聖諸將與之共戰其有功者
心亦歡喜於四眾中為說諸經令其心悅賜以禪定解脫无漏根力諸法
之財又復賜與涅槃之城言得滅度引導其心令皆歡喜而不為說是
法華經文殊師利如轉輪王見諸兵眾有大功者心甚歡喜以此難信
之珠久在髻中不妄與人而今與之如來亦復如是於三界中為大法王以
法教化一切眾生見賢聖軍與五陰魔煩惱魔死魔共戰有大功勳滅三
毒出三界破魔尒時如來亦大歡喜此法華經能令眾生至一切智
一切世間多怨難信先所未說而今說之文殊師利此法華經是諸如
來第一之說於諸說中最為甚深末後賜與如彼強力之王久護
明珠今乃與之文殊師利此法華經諸佛如來祕密之藏於諸經中
最在其上長夜守護不妄宣說始於今日乃與汝等而敷演之尒時
世尊欲重宣此義而說偈言
常行忍辱 哀愍一切 乃能演說 佛所讚經 後末世時 持此經者 於家出家 及非菩薩
應生慈悲 斯等不聞 不信是經 則為大失 我得佛道 以諸方便 為說此法 令住其中
譬如強力 轉輪之王 兵戰有功 賞賜諸物 象馬車乘 嚴身之具 及諸田宅 聚落城邑

BD01217號　妙法蓮華經卷五　（14–3）

最在其上長夜守護不妄宣說
世尊欲重宣此義而說偈言
常行忍辱 哀愍一切 乃能演說 佛所讚經 後末世時 持此經者 於家出家 及非菩薩
應生慈悲 斯等不聞 不信是經 則為大失 我得佛道 以諸方便 為說此法 令住其中
譬如強力 轉輪之王 兵戰有功 賞賜諸物 象馬車乘 嚴身之具 及諸田宅 聚落城邑
或與衣服 種種珍寶 奴婢財物 歡喜賜與 如有勇健 能為難事 王解髻中 明珠賜之
如來亦尒 為諸法王 忍辱大力 智慧寶藏 以大慈悲 如法化世 見一切人 受諸苦惱
欲求解脫 與諸魔戰 為是眾生 說種種法 以大方便 說此諸經 既知眾生 得其力已
末後乃為 說是法華 如王解髻 明珠與之 此經為尊 眾經中上 我常守護 不妄開示
今正是時 為汝等說 我滅度後 求佛道者 欲得安隱 演說斯經 應當親近 如是四法
讀是經者 常无憂惱 又无病痛 顏色鮮白 不生貧窮 卑賤醜陋 眾生樂見 如慕賢聖
天諸童子 以為給使 刀杖不加 毒不能害 若人惡罵 口則閉塞 遊行无畏 如師子王
智慧光明 如日之照 若於夢中 但見妙事 見諸如來 坐師子座 諸比丘眾 圍繞說法
又見龍神 阿修羅等 數如恒沙 恭敬合掌 自見其身 而為說法 又見諸佛 身相金色
放无量光 照於一切 以梵音聲 演說諸法 佛為四眾 說无上法 見身處中 合掌讚佛
聞法歡喜 而為供養 得陀羅尼 證不退智 佛知其心 深入佛道 即為授記 成最正覺
汝善男子 當於來世 得无量智 佛之大道 國土嚴淨 廣大无比 亦有四眾 合掌聽法
又見自身 在山林中 脩習善法 證諸實相 深入禪定 見十方佛
諸佛身金色 百福相莊嚴 聞法為人說 常有是好夢 又夢作國王 捨宮殿眷屬 及上妙五欲
行詣於道場 在菩提樹下 而處師子座 求道過七日 得諸佛之智 成无上道已 起而轉法輪
為四眾說法 經千万億劫 說无漏妙法 度无量眾生 後當入涅槃 如煙盡燈滅 若後惡世中
說是第一法 是人得大利 如上諸功德
妙法蓮華經從地踊出品第十五
尒時他方國土諸來菩薩摩訶薩過八恒河沙數於大眾中起合掌作礼而白佛
言世尊若聽我等於佛滅後在此娑婆世界勤加精進護持讀誦書寫供養是經典者
當於此土而廣說之尒時佛告諸菩薩摩訶薩眾止善男子不須汝等護持此經所
以者何我娑婆世界自有六万恒河沙等菩薩摩訶薩一一菩薩各有六万恒河沙眷
屬是諸人等能於我滅後護持讀誦廣說此經佛說是時娑婆世界三千大千國土地
皆震裂而於其中有无量千万億菩薩摩訶薩同時踊出是諸菩薩身皆金
色三十二相无量光明先盡在此娑婆世界之下此界虛空中住是諸菩薩聞釋迦牟
尼佛所說音聲從下發來一一菩薩皆是大眾唱導之首各將六万恒河沙眷屬況將
五万四万三万二万一万恒河沙等眷屬者況復乃至一恒河沙半恒河沙四分之一乃
至一恒河沙半恒河沙四分之一乃至千万億那由他分之一況復千万億那由他
眷屬況復億万眷屬況復千万百万乃至一万況復一千一百

BD01217號　妙法蓮華經卷五　（14–4）

菩薩摩訶薩同時踊出是時諸菩薩身皆金
色三十二相无量光明盡在此娑婆世界之下此界虛空中住是諸菩薩聞釋迦牟
尼佛所說音聲從下發來一一菩薩皆是大衆唱導之首各將六万恒河沙眷屬況將
五万四万三万二万一万恒河沙等眷屬者況復乃至一恒河沙半恒河沙四分之一乃
至一恒河沙半恒河沙四分之一乃至千万億那由他分之一況復千万億那由他
眷屬況復億万眷屬況復千万百万乃至一万況復一千一百乃至一十況復將
五四三二一弟子者況復單己樂遠離行如是等比无量无邊筭數譬喻所
不能知是諸菩薩從地踊出已各詣虛空七寶妙塔多寶如來釋迦牟尼佛所
到已向二世尊頭面礼足及至諸寶樹下師子座上佛所亦皆作礼右繞三帀合
掌恭敬以諸菩薩種種讚法而以讚歎住在一面欣樂瞻仰於二世尊是諸菩
薩摩訶薩從初踊出以諸菩薩種種讚法而讚於佛如是時間經五十小劫是時
釋迦牟尼佛嘿然而坐及諸四衆亦皆嘿然五十小劫佛神力故令諸大衆謂如半
日尒時四衆亦以佛神力故見諸菩薩遍滿无量百千万億國土虛空是
菩薩衆中有四道師一名上行二名无邊三名淨行四名安立行是四菩薩其衆
中最為上首唱導之師在大衆前各共合掌觀釋迦牟尼佛而問訊言
世尊少病少惱安樂行不所應度者受教易不不令世尊生疲勞耶尒
時四大菩薩而說偈言
世尊安樂　少病少惱　教化衆生　得无疲倦　又諸衆生　受化易不　不令世尊　生疲勞耶
尒時世尊於菩薩大衆中而作是言如是如是諸善男子如來安樂少病少惱諸
衆生等易可化度无有疲勞所以者何是諸衆生世世已來常受我化亦於過去
諸佛供養尊重種諸善根此諸衆生始見我身聞我所說即皆信受入如來慧除
先修習學小乘者如是之人我今亦令得聞是經入於佛慧尒時諸大菩薩
而說偈言
善哉善哉　大雄世尊　諸衆生等　易可化度　能問諸佛　甚深智慧　聞已信行　我等隨喜
於時世尊讚歎上首諸大菩薩善哉善哉善男子汝等能於如來發隨喜心尒時弥勒
菩薩及八千恒河沙諸菩薩衆皆作是念我等從昔已來不見不聞如是大菩薩
摩訶薩衆從地踊出住世尊前合掌供養問訊如來時弥勒菩薩摩訶薩知八
千恒河沙諸菩薩等心之所念并欲自決所疑合掌向佛以偈問曰
无量千万億　大衆諸菩薩　昔所未曾見　願兩足尊說　是從何所來　以何因緣集　巨身大神通
智慧叵思議　其志念堅固　有大忍辱力　衆生所樂見　為從何所來　一一諸菩薩　所將諸眷屬
其數无有量　如恒河沙等　或有大菩薩　將六万恒沙　如是諸大衆　一心求佛道　是諸大師等
一千一百等　乃至一恒沙　半及三四分　億万分之一　千万那由他　万億諸弟子　乃至於半億
其數復過上　百万至一万　一千及一百　五十與一十　乃至三二一　單己无眷屬　樂於獨處者
俱來至佛所　其數轉過上　如是諸大衆　若人行籌數　過於恒沙劫　猶不能盡知　是諸大威德
精進菩薩衆　誰為其說法　教化而成就　從誰初發心　稱揚何佛法　受持行誰經　修習何佛道

BD01217號　妙法蓮華經卷五　（14–5）

智慧叵思議　其志念堅固　有大忍辱力　衆生所樂見　為從何所來　一一諸菩薩　所將諸眷屬
其數无有量　如恒河沙等　或有大菩薩　將六万恒沙　如是諸大衆　一心求佛道　是諸大師等
一千一百等　乃至一恒沙　半及三四分　億万分之一　千万那由他　万億諸弟子　乃至於半億
其數復過上　百万至一万　一千及一百　五十與一十　乃至三二一　單己无眷屬　樂於獨處者
俱來至佛所　其數轉過上　如是諸大衆　若人行籌數　過於恒沙劫　猶不能盡知　是諸大威德
精進菩薩衆　誰為其說法　教化而成就　從誰初發心　稱揚何佛法　受持行誰經　修習何佛道
如是諸菩薩　神通大智力　四方地震裂　皆從中踊出　世尊我昔來　未曾見是事　願說其所從
國土之名号　我常遊諸國　未曾見是衆　我於此衆中　乃不識一人　忽然從地出　願說其因緣
今此之大會　无量百千億　是諸菩薩等　皆欲知此事　是諸菩薩衆　本末之因緣　无量德世尊
唯願決衆疑
尒時釋迦牟尼佛分身諸佛從无量千万億他方國土來者在於八方諸寶樹下師子座
上結跏趺坐其佛侍者各各見是菩薩大衆於三千大千世界四方從地踊出住於虛空
各白其佛言世尊此諸无量无邊阿僧祇菩薩大衆從何所來尒時諸佛各告侍者諸
善男子且待須臾有菩薩摩訶薩名曰弥勒釋迦牟尼佛之所授記次後作佛已問斯事
佛今答之汝等自當因是得聞尒時釋迦牟尼佛告弥勒菩薩善哉善哉阿逸多
乃能問佛如是大事汝等當共一心被精進鎧發堅固意如來今欲顯發宣示諸佛
智慧諸佛自在神通之力諸佛師子奮迅之力諸佛威猛大勢之力尒時世尊欲重
宣此義而說偈言
當精進一心　我欲說此事　勿得有疑悔　佛智叵思議　汝今出信力　住於忍善中　昔所未聞法
今皆當得聞　我今安慰汝　勿得懷疑懼　佛无不實語　智慧不可量　所得第一法　甚深叵分別
如是今當說　汝等一心聽
尒時世尊說此偈已告弥勒菩薩我今於此大衆宣告汝等阿逸多是諸大菩薩摩
訶薩无量无數阿僧祇從地踊出汝等昔所未見者我於是娑婆世界得阿耨多
羅三藐三菩提已教化示導是諸菩薩調伏其心令發道意此諸菩薩皆於是
娑婆世界之下此界虛空中住於諸經典讀誦通利思惟分別正憶念阿逸多是
諸善男子等不樂在衆多有所說常樂靜處勤行精進未曾休息亦不依止人
天而住常樂深智无有障礙亦常樂於諸佛之法一心精進求无上慧尒時世尊欲重
宣此義而說偈言
阿逸汝當知　是諸大菩薩　從无數劫來　修習佛智慧　悉是我所化　令發大道心　此等是我子
依止是世界　常行頭陀事　志樂於靜處　捨大衆憒鬧　不樂多所說　如是諸子等　學習我道法
晝夜常精進　為求佛道故　在娑婆世界　下方空中住　志念力堅固　常勤求智慧　說種種妙法
其心无所畏　我於伽耶城　菩提樹下坐　得成最正覺　轉无上法輪　尒乃教化之　令初發道心

BD01217號　妙法蓮華經卷五　（14–6）

常樂深智 无有障礙 亦常樂於諸佛之法 一心精進 求无上慧
宣此義而說偈言
阿逸汝當知 是諸大菩薩 從无數劫來 脩習佛智慧 悉是我所化 令發大道心 此等是我子
依止是世界 常行頭陀事 志樂於靜處 捨大衆憒閙 不樂多所說 如是諸子等 學習我道法
晝夜常精進 為求佛道故 在娑婆世界 下方空中住 志念力堅固 常勤求智慧 說種種妙法
其心无所畏 我於伽耶城 菩提樹下坐 得成最正覺 轉无上法輪 尒乃教化之 令初發道心
今皆住不退 悉當得成佛 我今說實語 汝等一心信 我從久遠來 教化是等衆
尒時弥勒菩薩摩訶薩及无數諸菩薩等心生疑惑怪未曾有而作是念世尊於少
時間教化如是无量无邊阿僧祇諸大菩薩令住阿耨多羅三藐三菩提
即白佛言世尊如來為太子時出於釋宮去伽耶城不遠坐於道場得成阿
耨多羅三藐三菩提從是已來始過四十餘年世尊云何於此少時大作佛
事以佛勢力以佛功德教化如是无量大菩薩衆當成阿耨多羅三藐三
菩提世尊此大菩薩衆假使有人於千万億劫數不能盡不得其邊斯等
久遠已來於无量无邊諸佛所殖諸善根成就菩薩道常脩梵行世尊
如此之事世所難信譬如有人色美髮黑年二十五指百歲人言是我子其
百歲人亦指年少言是我父生育我等是事難信佛亦如是得道已來其
實未久而此大衆諸菩薩等已於无量千万億劫為佛道故勤行精進善
入出住无量千万億三昧得大神通久脩梵行善能次第習諸善法巧於問
荅人中之寶一切世間甚為希有今日世尊方云得佛道時初令發心教化示導令
向阿耨多羅三藐三菩提世尊得佛未久乃能作此大功德事我等雖復信佛
隨宜所說佛所出言未曾虛妄佛所知者皆悉通達然諸新發意菩薩於佛滅
後若聞是語或不信受而起破法罪業因緣唯然世尊願為解說除我等疑
及未來世諸善男子聞此事已亦不生疑尒時弥勒菩薩欲重宣此義而說偈言
佛昔從釋種 出家近伽耶 坐於菩提樹 尒來尚未久 此諸佛子等 其數不可量 久已行佛道
住於神通力 善學菩薩道 不染世間法 如蓮華在水 從地而踊出 皆起恭敬心 住於世尊前
是事難思議 云何而可信 佛得道甚近 所成就甚多 願為除衆疑 如實分別說 譬如少壯人
年始二十五 示人百歲子 髮白而面皺 是等我所生 子亦說是父 父少而子老 舉世所不信
世尊亦如是 得道來甚近 是諸菩薩等 志固无怯弱 從无量劫來 而行菩薩道 巧於難問荅
其心无所畏 忍辱心決定 端正有威德 十方佛所讚 善能分別說 不樂在人衆 常好在禪定
為求佛道故 於下空中住 我等從佛聞 於此事无疑 願佛為未來 演說令開解 若有於此經
生疑不信者 即當墮惡道 願今為解說 是无量菩薩 云何於少時 教化令發心 而住不退地
妙法蓮華經如來壽量品第十六
尒時佛告諸菩薩及一切大衆諸善男子汝等當信解如來誠諦之語復告大衆

BD01217 號　妙法蓮華經卷五　　（14–7）

為求佛道故 於下空中住 我等從佛聞 於此事无疑 願佛為未來 演說令開解 若有於此經
生疑不信者 即當墮惡道 願今為解說 是无量菩薩 云何於少時 教化令發心 而住不退地
妙法蓮華經如來壽量品第十六
尒時佛告諸菩薩及一切大衆諸善男子汝等當信解如來誠諦之語復告大衆
汝等當信解如來誠諦之語又復告諸大衆汝等當信解如來誠諦之語是時菩薩大衆弥勒
為首合掌白佛言世尊唯願說之我等當信受佛語如是三白已復言唯願說之我等當信
受佛語尒時世尊知諸菩薩三請不止而告之言汝等諦聽如來祕密神通之力一切世間天人
及阿脩羅皆謂今釋迦牟尼佛出釋氏宮去伽耶城不遠坐於道場得阿耨多羅三藐三菩
提然善男子我實成佛已來无量无邊百千万億那由他劫譬如五百千万億那由他
阿僧祇三千大千世界假使有人末為微塵過於東方五百千万億那由他阿僧祇國乃下
一塵如是東行盡是微塵諸善男子於意云何是諸世界可得思惟校計知其數不弥
勒菩薩等俱白佛言世尊是諸世界无量无邊非筭數所知亦非心力所及一切聲聞辟
支佛以无漏智不能思惟知其限數我等住阿惟越致地於是事中亦所不達世尊如
是諸世界无量无邊尒時佛告大菩薩衆諸善男子今當分明宣語汝等是諸
世界若著微塵及不著者盡以為塵一塵一劫我成佛已來復過於此百千万億那由
他阿僧祇劫自從是來我常在此娑婆世界說法教化亦於餘處百千万億那由他
阿僧祇國導利衆生諸善男子於是中間我說然燈佛等又復言其入於涅槃如是皆
以方便分別諸善男子若有衆生來至我所我以佛眼觀其信等諸根利鈍隨所應
度處處自說名字不同年紀大小亦復現言當入涅槃又以種種方便說微妙法能令
衆生發歡喜心諸善男子如來見諸衆生樂於小法德薄垢重者為是人說我少
出家得阿耨多羅三藐三菩提然我實成佛已來久遠若斯但以方便教化衆生令
入佛道作如是說諸善男子如來所演經典皆為度脫衆生或說己身或說他身或
示己身或示他身或示己事或示他事諸所言說皆實不虛所以者何如來如
實知見三界之相无有生死若退若出亦无在世及滅度者非實非虛非如非異
不如三界見於三界如斯之事如來明見无有錯謬以諸衆生有種種性種種欲種
種行種種憶想分別故欲令生諸善根以若干因緣譬喻言辭種種說法所作佛事未
曾暫廢如是我成佛已來甚大久遠壽命无量阿僧祇劫常住不滅諸善男子
我本行菩薩道所成壽命今猶未盡復倍上數然今非實滅度而便唱言當取滅
度如來以是方便教化衆生所以者何若佛久住於世薄德之人不種善根貧窮下賤

BD01217 號　妙法蓮華經卷五　　（14–8）

不如三界見於三界如斯之事如來明見无有錯謬以諸衆生有種種性種種欲種
種行種種憶想分別故欲令生諸善根以若干因緣譬喻言辭種種說法所作佛事未
曾暫廢如是我成佛已來甚大久遠壽命无量阿僧祇劫常住不滅諸善男子
我本行菩薩道所成壽命今猶未盡復倍上數然今非實滅度而便唱言當取滅
度如來以是方便教化衆生所以者何若佛久住於世薄德之人不種善根貧窮下賤
貪著五欲入於憶想妄見網中若見如來常在不滅便起憍恣而懷厭怠不能生
難遭之想恭敬之心是故如來以方便說比丘當知諸佛出世難可值遇所以者何諸
薄德人過无量百千万億劫或有見佛或不見者以此事故我作是言諸比
丘如來難可得見斯衆生等聞如是語必當生於難遭之想心懷戀慕
渴仰於佛便種善根是故如來雖不實滅而言滅度又善男子諸佛如
來法皆如是為度衆生皆實不虛譬如良醫智慧聰達明練方藥善
治衆病其人多諸子息若十二十乃至百數以有事緣遠至餘國諸子於後
飲他毒藥藥發悶亂宛轉于地是時其父還來歸家諸子飲毒或失
本心或不失者遙見其父皆大歡喜拜跪問訊善安隱歸我等愚
癡誤服毒藥願見救療更賜壽命父見子等苦惱如是依諸經方
求好藥草色香美味皆悉具足擣篩和合與子令服而作是言此大
良藥色香美味皆悉具足汝等可服速除苦惱无復衆患其諸子中
不失心者見此良藥色香俱好即便服之病盡除愈餘失心者見其父
來雖亦歡喜問訊求索治病然與其藥而不肯服所以者何毒氣深入
失本心故於此好色香藥而謂不美父作是念此子可愍為毒所中心皆顛
倒雖見我喜求索救療如是好藥而不肯服我今當設方便令服此藥即
作是言汝等當知我今衰老死時已至是好良藥今留在此汝可取服勿憂
不差作是教已復至他國遣使還告汝父已死是時諸子聞父背喪心大憂
惱而作是念若父在者慈愍我等能見救護今者捨我遠喪他國自惟
孤露无復恃怙常懷悲感心遂醒悟乃知此藥色味香美即取服之毒
病皆愈其父聞子悉已得差尋便來歸咸使見之諸善男子於意云何
頗有人能說此良醫虛妄罪不不也世尊佛言我亦如是成佛已來无量无邊
百千万億那由他阿僧祇劫為衆生以方便力言當滅度亦无有能如法說我

BD01217號　妙法蓮華經卷五　（14–9）

孤露无復恃怙常懷悲感心遂醒悟乃知此藥色味香美即取服之毒
病皆愈其父聞子悉已得差尋便來歸咸使見之諸善男子於意云何
頗有人能說此良醫虛妄罪不不也世尊佛言我亦如是成佛已來无量无邊
百千万億那由他阿僧祇劫為衆生以方便力言當滅度亦无有能如法說我
虛妄過者尒時世尊欲重宣此義而說偈言
佛昔從釋種　出家近伽耶　坐於菩提樹　尒來尚未久　此諸佛子等　其數不可量　久已行佛道
自我得佛來　所經諸劫數　无量百千万　億載阿僧祇　常說法教化　无數億衆生　令入於佛道
尒來无量劫　為度衆生故　方便現涅槃　而實不滅度　常住此說法　我常住於此　以諸神通力
令顛倒衆生　雖近而不見　衆見我滅度　廣供養舍利　咸皆懷戀慕　而生渴仰心　時我及衆僧
俱出靈鷲山　我時語衆生　常在此不滅　以方便力故　現有滅不滅　餘國有衆生　恭敬信樂者
我復於彼中　為說无上法　汝等不聞此　但謂我滅度　我見諸衆生　沒在於苦惱　故不為現身
令其生渴仰　因其心戀慕　乃出為說法　神通力如是　於阿僧祇劫　常在靈鷲山　及餘諸住處
衆生見劫盡　大火所燒時　我此土安隱　天人常充滿　園林諸堂閣　種種寶莊嚴　寶樹多華菓
衆生所遊樂　諸天擊天鼓　常作衆伎樂　雨曼陀羅華　散佛及大衆　我淨土不毀　而衆見燒盡
憂怖諸苦惱　如是悉充滿　是諸罪衆生　以惡業因緣　過阿僧祇劫　不聞三寶名　諸有修功德
柔和質直者　則皆見我身　在此而說法　或時為此衆　說佛壽无量　久乃見佛者　為說佛難值
我智力如是　慧光照无量　壽命无數劫　久修業所得　汝等有智者　勿於此生疑　當斷令永盡
佛語實不虛　如醫善方便　為治狂子故　實在而言死　无能說虛妄　我亦為世父　救諸苦患者
為凡夫顛倒　實在而言滅　以常見我故　而生憍恣心　放逸著五欲　墮於惡道中　我常知衆生
行道不行道　隨應所可度　為說種種法　每自作是意　以何令衆生　得入无上道　速成就佛身

妙法蓮華經分別功德品第十七

尒時大會聞佛說壽命劫數長遠如是无量无邊阿僧祇衆生得大饒益於時世
尊告弥勒菩薩摩訶薩阿逸多我說是如來壽命長遠時六百八十万億那由他恒河
沙衆生得无生法忍復千倍菩薩摩訶薩得聞持陀羅尼門復有一世界微塵數菩薩
摩訶薩得樂說无礙辯才復有一世界微塵數菩薩摩訶薩得百千万億无量旋陀羅
尼復有三千大千世界微塵數菩薩摩訶薩能轉不退法輪復有二千中國土微塵
數菩薩摩訶薩能轉清淨法輪復有小千國土微塵數菩薩摩訶薩八生得阿耨
多羅三藐三菩提復有四四天下微塵數菩薩摩訶薩四生當得阿耨多羅三藐三
菩提復有三四天下微塵數菩薩摩訶薩三生當得阿耨多羅三藐三菩提

BD01217號　妙法蓮華經卷五　（14–10）

摩訶薩得樂說无㝵辯才復有一世界微塵數菩薩摩訶薩得百千万億无量旋陀羅
尼復有三千大千世界微塵數菩薩摩訶薩能轉不退法輪復有二千中國土微塵
數菩薩摩訶薩能轉清淨法輪復有小千國土微塵數菩薩摩訶薩八生得阿耨
多羅三藐三菩提復有四四天下微塵數菩薩摩訶薩四生得阿耨多羅三藐三
菩提復有三四天下微塵數菩薩摩訶薩三生當得阿耨多羅三藐三菩提
復有二四天下微塵菩薩摩訶薩二生當得阿耨多羅三藐三菩提復一四天下
微塵數菩薩摩訶薩一生當得阿耨多羅三藐三菩提復有八世界微塵數衆生
皆發阿耨多羅三藐三菩提心佛說是諸菩薩摩訶薩得大法利時於虚空中雨
曼陀羅華摩訶曼陀羅華以散无量百千万億寶樹下師子座上諸佛并散七
寶塔中師子座上釋迦牟尼佛及久滅度多寶如來亦散一切諸大菩薩及四部衆
又雨細末栴檀沉水香等於虚空中天鼓自鳴妙聲深遠又雨千種天衣垂諸瓔
珞真珠瓔珞摩尼珠瓔珞如意珠瓔珞遍於九方衆寶香爐燒无價香自
然周至供養大會一一佛上有諸菩薩執持幡蓋次第而上至于梵天是諸
菩薩以妙音聲歌无量頌讚歎諸佛尒時彌勒菩薩從坐而起偏袒右肩合掌
向佛而說偈言

佛說希有法　昔所未曾聞　世尊有大力　壽命不可量　无數諸佛子　聞世尊分別　說得法利者
歡喜充遍身　或住不退地　或得陀羅尼　或无礙樂說　万億旋總持　或有大千界　微塵數菩薩
各各皆能轉　不退之法輪　復有中千界　微塵數菩薩　各各皆能轉　清淨之法輪　復有小千界
微塵數菩薩　餘各八生在　當得成佛道　復有四三二　如是四天下　微塵諸菩薩　隨數生成佛
或一四天下　微塵數菩薩　餘有一生在　當成一切智　如是等衆生　聞佛壽長遠　得无量无漏
清淨之果報　復有八世界　微塵數菩薩　聞佛說壽命　皆發无上心　世尊說无量　不可思議法
多有所饒益　如虚空无邊　雨天曼陀羅　釋梵如恒沙　无數佛土來　雨栴檀沉水　繽紛而亂墜
如鳥飛空下　供散於諸佛　天鼓虚空中　自然出妙聲　天衣千万種　旋轉而來下　衆寶妙香爐
燒无價之香　自然悉周遍　供養諸世尊　其大菩薩衆　執七寶幡蓋　高妙万億種　次第至梵天
一一諸佛前　寶幢懸勝幡　亦以千万偈　歌詠諸如來　如是種種事　昔所未曾有　聞佛壽无量
一切皆歡喜　佛名聞十方　廣饒益衆生　一切具善根　以上无上心

尒時佛告彌勒菩薩摩訶薩阿逸多其有衆生聞佛壽命長遠如是乃至能生一念
信解所得功德无有限量若有善男子善女人爲阿耨多羅三藐三菩提故於八十万億那由
他劫行五波羅蜜檀波羅蜜尸波羅蜜羼提波羅蜜毗梨耶波羅蜜禪波羅蜜除般若波
羅蜜以是功德比前功德百分千分百千万億分不及其一乃至筭數譬喻所不能知若

BD01217號　妙法蓮華經卷五　（14–11）

一切皆歡喜　佛名聞十方　廣饒益衆生　一切具善根　以上无上心
尒時佛告彌勒菩薩摩訶薩阿逸多其有衆生聞佛壽命長遠如是乃至能生一念
信解所得功德无有限量若有善男子善女人爲阿耨多羅三藐三菩提故於八十万億那由
他劫行五波羅蜜檀波羅蜜尸波羅蜜羼提波羅蜜毗梨耶波羅蜜禪波羅蜜除般若波
羅蜜以是功德比前功德百分千分百千万億分不及其一乃至筭數譬喻所不能知若
善男子有如是功德於阿耨多羅三藐三菩提退者无有是處尒時世尊欲重
宣此義而說偈言

若人求佛慧　於八十万億　那由他劫數　行五波羅蜜　於是諸劫中　布施供養佛　及緣覺弟子
并諸菩薩衆　珍異之飲食　上服與卧具　栴檀立精舍　以園林莊嚴　如是等布施　種種皆微妙
盡此諸劫數　以迴向佛道　若復持禁戒　清淨无缺漏　求於无上道　諸佛之所歎　若復行忍辱
住於調柔地　設衆惡來加　其心不傾動　諸有得法者　懷於增上慢　爲此所輕惱　如是亦能忍
若復勤精進　志念常堅固　於无量億劫　一心不懈息　又於无數劫　住於空閑處　若坐若經行
除睡常攝心　以是因緣故　能生諸禪定　八十億万劫　安住心不亂　持此一心福　願求无上道
我得一切智　盡諸禪定際　是人於百千　万億劫數中　行此諸功德　如上之所說　有善男女等
聞我說壽命　乃至一念信　其福過於彼　若人悉无有　一切諸疑悔　深心須臾信　其福爲如此
其有諸菩薩　无量劫行道　聞我說壽命　是則能信受　如是諸人等　頂受此經典　願我於未來
長壽度衆生　如今日世尊　諸釋中之王　道場師子吼　說法无所畏　我等未來世　一切所尊敬
坐於道場時　說壽亦如是　若有深心者　清淨而質直　多聞能總持　隨義解佛語　如是諸人等
於此无有疑

又阿逸多若有聞佛壽命長遠解其言趣是人所得功德无有限量能起如來无上之慧
何況廣聞是經若教人聞若自持若教人持若自書若教人書若以華香瓔珞幢
幡繒蓋香油蘇燈供養經卷是人功德无量无邊能生一切種智阿逸多若善
男子善女人聞我說壽命長遠深心信解則爲見佛常在耆闍崛山共大菩薩
諸聲聞衆圍繞說法又見此娑婆世界其地瑠璃坦然平正閻浮檀金以界八道寶
樹行列諸臺樓觀皆悉寶成其菩薩衆咸處其中若有能如是觀者當知是
爲深信解相又復如來滅後若聞是經而不毀呰起隨喜心當知已爲深信解相
何況讀誦受持之者斯人則爲頂戴如來阿逸多是善男子善女人不須爲我復
起塔寺及作僧坊以四事供養衆僧所以者何是善男子善女人受持讀誦是經
典者爲已起塔造立僧坊供養衆僧則爲以佛舍利起七寶塔高廣漸小至于梵
天懸諸幡蓋及衆寶鈴華香瓔珞末香塗香燒香衆鼓伎樂簫笛箜篌

BD01217號　妙法蓮華經卷五　（14–12）

樓觀皆悉寶成其菩薩眾咸處其中若有能如是觀者當知是
為深信解相又復如來滅後若聞是經而不毀呰起隨喜心當知已為深信解相
何況讀誦受持之者斯人則為頂戴如來阿逸多是善男子善女人不須為我復
起塔寺及作僧房以四事供養眾僧所以者何是善男子善女人受持讀誦是經
典者為已起塔造立僧坊供養眾僧則為以佛舍利起七寶塔高廣漸小至于梵
天懸諸幡蓋及眾寶鈴華香瓔珞末香塗香燒香眾鼓伎樂簫笛箜篌
種種儛戲以妙音聲歌唄讚頌則為於无量千萬億劫作是供養已阿逸多若我滅
後聞是經典有能受持若自書若教人書則為起立僧坊以赤栴檀作諸殿堂三
十有二高八多羅樹高廣嚴好百千比丘於其中止園林浴池經行禪窟衣服飲
食床褥湯藥一切樂具充滿其中如是僧坊堂閣若干百千萬億其數无
量以此現前供養於我及比丘僧是故我說如來滅後若有受持讀誦為他人
說若自書若教人書供養經卷不須復起塔寺及造僧坊供養眾僧況復有人
能持是經兼行布施持戒忍辱精進一心智慧其德最勝无量无邊譬如虛空
東西南北四維上下无量无邊是人功德亦復如是无量无邊疾至一切種
智若人讀誦受持是經為他人說若自書若教人書復能起塔及造僧坊供
養讚歎聲聞眾僧亦以百千萬億讚歎之法讚歎菩薩功德又為他人種種因緣隨義
解說此法華經復能清淨持戒與柔和者而共同止忍辱无瞋志念堅固常
貴坐禪得諸深定精進勇猛攝諸善法利根智慧善答問難阿逸多
若我滅後諸善男子善女人受持讀誦是經典者復有如是諸善功德當知是
人已趣道場近阿耨多羅三藐三菩提坐道樹下阿逸多是善男子善女人若坐若立
若行處此中便應起塔一切天人皆應供養如佛之塔尒時世尊欲重宣此義而說偈言
若我滅度後　能奉持此經　斯人福无量　如上之所說　是則為具足　一切諸供養　以舍利起塔
七寶而莊嚴　表剎甚高廣　漸小至梵天　寶鈴千萬億　風動出妙音　又於无量劫　而供養此塔
華香諸瓔珞　天衣眾伎樂　然香油酥燈　周匝常照明　惡世法末時　能持是經者　則為已如上
具足諸供養　若能持此經　則如佛現在　以牛頭栴檀　起僧坊供養　堂有卅二　高八多羅樹
上饌妙衣服　床臥皆具足　百千眾住處　園林諸浴池　經行及禪窟　種種皆嚴好　若有信解心
受持讀誦書　及供養經卷　散華香末香　以須曼瞻蔔　阿提目多伽　薰油常然之　如是供養者
得无量功德　如虛空无邊　其福亦如是　況復持此經　兼布施持戒　忍辱樂禪定　不瞋不惡口
恭敬於塔廟　謙下諸比丘　遠離自高心　常思惟智慧　有問難不瞋　隨順為解說　若能行是行
功德不可量　若見此法師　成就如是德　應以天華散　天衣覆其身　頭面接足禮　生心如佛想
又應作是念　不久詣道樹　得无漏无為　廣利諸

BD01217號　妙法蓮華經卷五　（14–13）

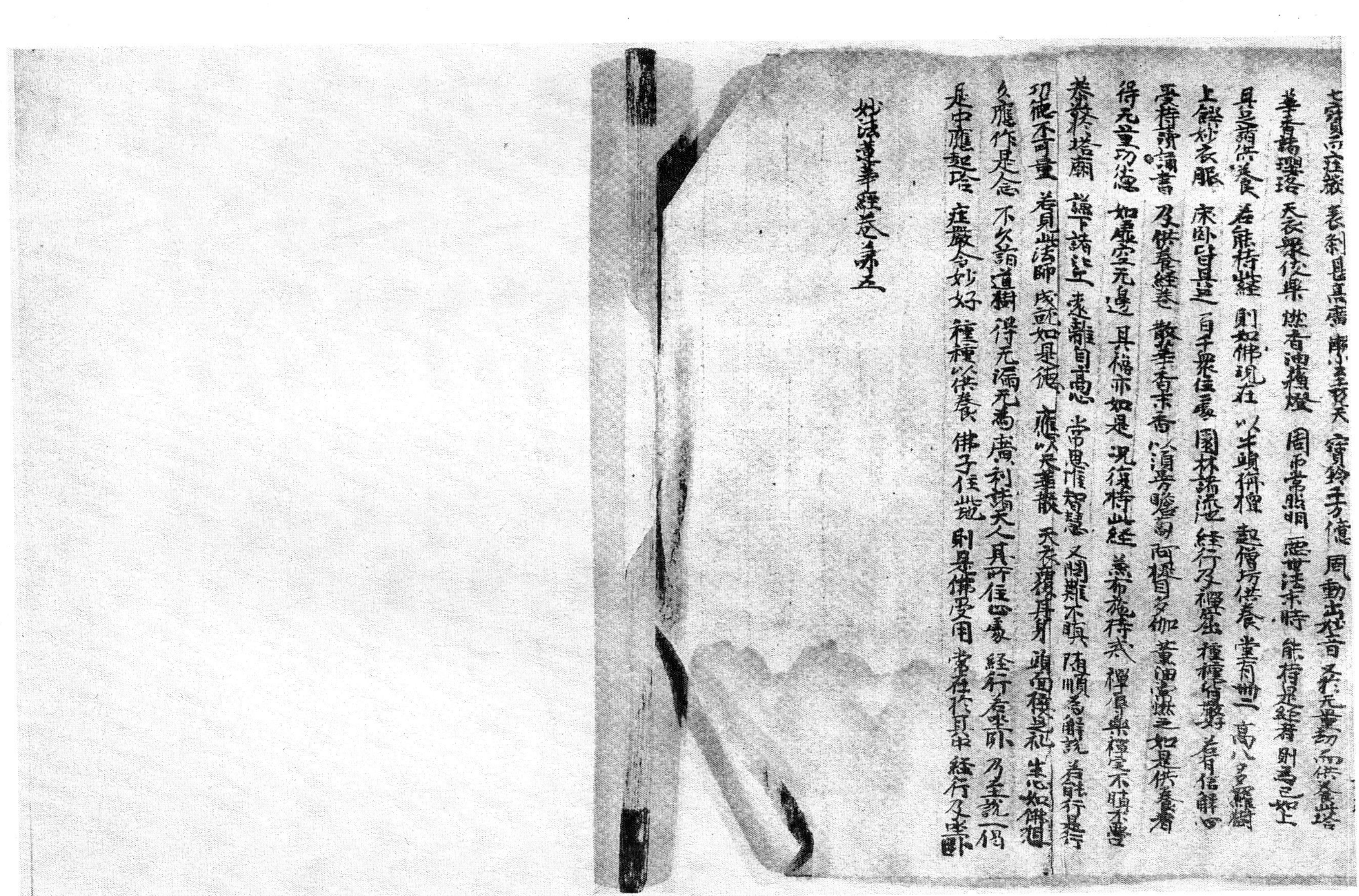
七寶而莊嚴　表剎甚高廣　漸小至梵天　寶鈴千萬億　風動出妙音　又於无量劫　而供養此塔
華香諸瓔珞　天衣眾伎樂　然香油酥燈　周匝常照明　惡世法末時　能持是經者　則為已如上
具足諸供養　若能持此經　則如佛現在　以牛頭栴檀　起僧坊供養　堂有卅二　高八多羅樹
上饌妙衣服　床臥皆具足　百千眾住處　園林諸浴池　經行及禪窟　種種皆嚴好　若有信解心
受持讀誦書　及供養經卷　散華香末香　以須曼瞻蔔　阿提目多伽　薰油常然之　如是供養者
得无量功德　如虛空无邊　其福亦如是　況復持此經　兼布施持戒　忍辱樂禪定　不瞋不惡口
恭敬於塔廟　謙下諸比丘　遠離自高心　常思惟智慧　有問難不瞋　隨順為解說　若能行是行
功德不可量　若見此法師　成就如是德　應以天華散　天衣覆其身　頭面接足禮　生心如佛想
又應作是念　不久詣道樹　得无漏无為　廣利諸人天　其所住止處　經行若坐臥　乃至說一偈
是中應起塔　莊嚴令妙好　種種以供養　佛子住此地　則是佛受用　常在於其中　經行及坐臥

妙法蓮華經卷第五

BD01217號　妙法蓮華經卷五　（14–14）

太上洞玄靈寶天尊名卷上

元始天尊千五百名号及諸讖悔文

是時元始天尊七月十五日於西那玉國鬱
察山浮羅之嶽長桑林中度一切人民天尊
與諸弟子真人上聖及諸天帝天龍鬼神雜
類人等俱遝長樂舍中騫木之下自然踊出
太玄真一九光瓊障七寶之座其座高廣皆
以黃金白銀真珠碧玉珊瑚虎魄車渠馬瑙
裝校彫鎸嚴麗華勢雜以寶幢懸諸幡蓋内
外光明映照十方無極世界香華妓樂周匝
圍遶師子辟耶龍麟猛狩騰虵神虎備衛左
右鳳皇孔雀金翅朱鳥皆吐雅音飛鳴其上
雖有座形不郭於物人衆往来無所隔导復
有諸小琉璃之座各從蓮華臺中自然踊出
四邊圍遶天尊尒時即登寶座正基而坐恬
神安漠端𡨥無為入衆妙門離言說道是諸
大衆各礼一拜依位而坐見是事已咸自思
惟嘆未曾有第一弟子左玄真人名曰法解
即從座起共十千同類徒衆前進作礼五體
投地一心正念上白天尊言此七寶座妙麗
所有於相究然不毀於物天尊座上即知法

大衆各礼一拜依位而坐見是事已忘自思
惟嘆未曾有弟一弟子左玄真人名曰法解
即從座起共十千同類徒衆前進作礼五體
投地一心正念上白天尊言此七寶座妙麗
希有形相究然不礙於物天尊座上即知法
解来問義趣從其面門即放五色光明遍照
問法所依處所依行事并說當下文當說
十方无極國土種種異類世界天堂地獄悉
於中見復有十方天尊諸大仙人悉於中見
生死苦樂福報多少悉於中見脩直階梯亦
於中見淨穢國土亦於中見十方来衆猶如
微塵不可稱數悉見天堂極樂地獄酸切極
苦無邊復見大福堂國長樂之舍極樂無比
勝於南宮法解真人太極真人大慧真人救
脫真人四大真人前白天尊今於光中見種種
國土苦樂不同天堂地獄受報差別唯願天
尊大慈哀愍救護衆生為作利益令得解脫
永離憂悲速生淨土天尊告救脫真人善哉
善哉汝等諦聽我今為汝分別解說十方諸
天尊名字至心礼拜懺悔滅无量罪生无量福
即得往生諸天極樂世界必須作无量功德
施散貧之觀行成就專心無二永斷愛染即
得出離无量煩惱救脫真人言此宛利天垂
賢世界雜惡之處地獄餓鬼畜生盈滿多不
善聚願我未来不聞惡聲不見惡人觀此之
言此處寶尒國土不淨人无樂事如此世界
中有四時八節刻食人命春秋冬夏風雨寒
熱晝明夜闇日月相催土地沙礫高下傾危

BD01218號　太上洞玄靈寶天尊名卷上

（3–2）

施散貪之觀行成就夷心無二永斷愛染郎
得出離无量煩惱救脫真人言此究利天嗇
賢世界雜惡之處地獄餓鬼畜生盈滿多不
善聚顛我未來不聞惡聲不見惡人觀此之
言此處實介國土不淨人无樂事如此世界
中有四時八節剋食人命春秋冬夏風雨寒
熱晝明夜闇日月相催土地砂礫高下傾危
山河嶮阻草木　刺無一可樂所受人身生
老病死不淨假合危難停其報身體須衣須
食難可充足飢渴常生復王法驅馳无由自
在假令聚集唯有童蒙无識共為伴侶正用
牛馬猪羊雜類畜生衆惡事物以為果報眼
見惡色耳聞惡聲鼻嗅惡香舌嘗惡味身受
惡觸意緣惡法如此之事何由可樂方復年
命无常待甚可畏出息入息念謝往假令百
年計其日數適得三万六千日活況復命有
多少短促死事何疑既不免死事須求生安
樂世界欲得往生長樂淨土但生被使樂无
撫衣以天繒食則行廚無有四時寒暑日夜
明闇亦無生老病死三塗八難痛苦之名地

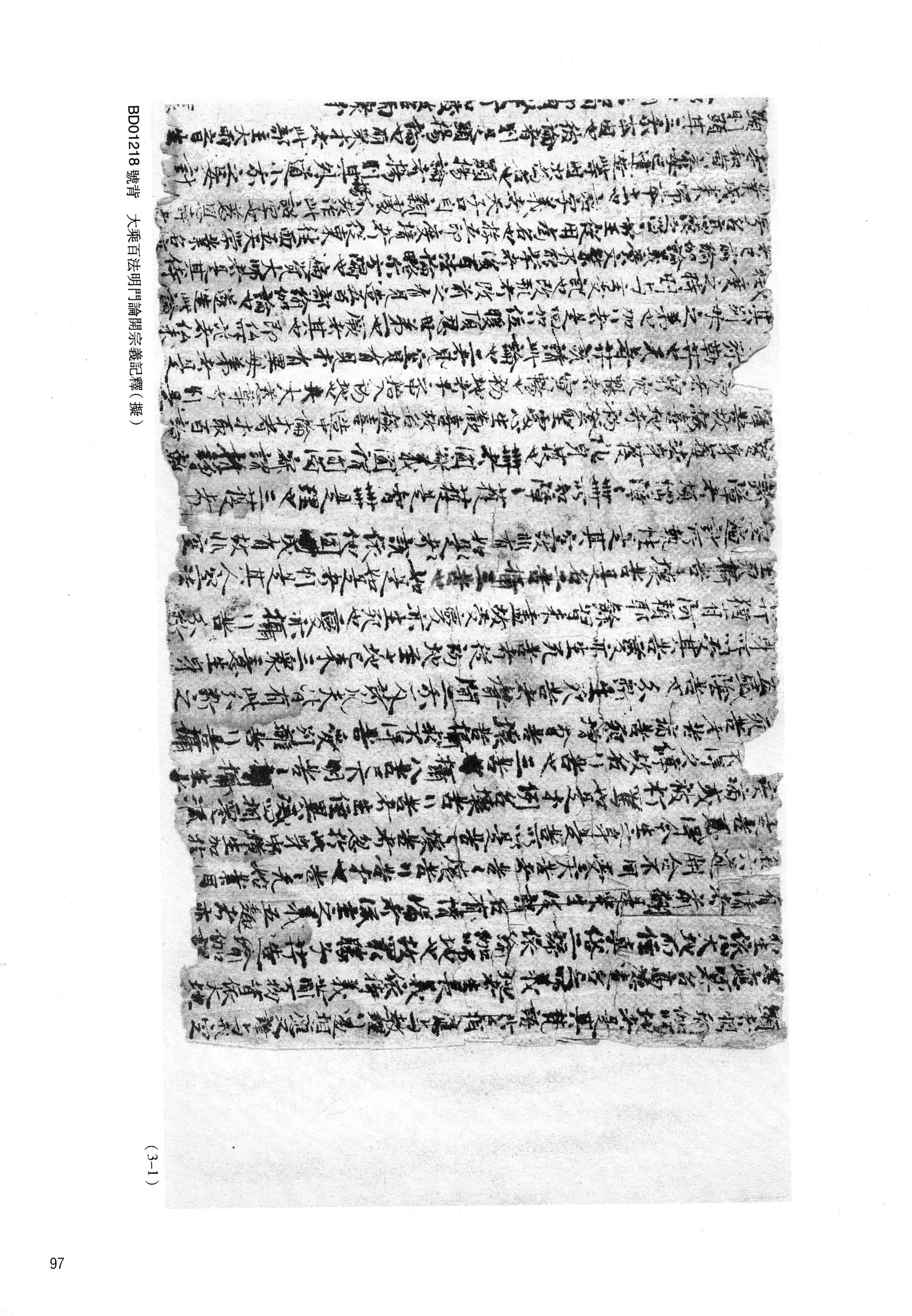

BD01218號背　大乘百法明門論開宗義記釋（擬）

（3–1）

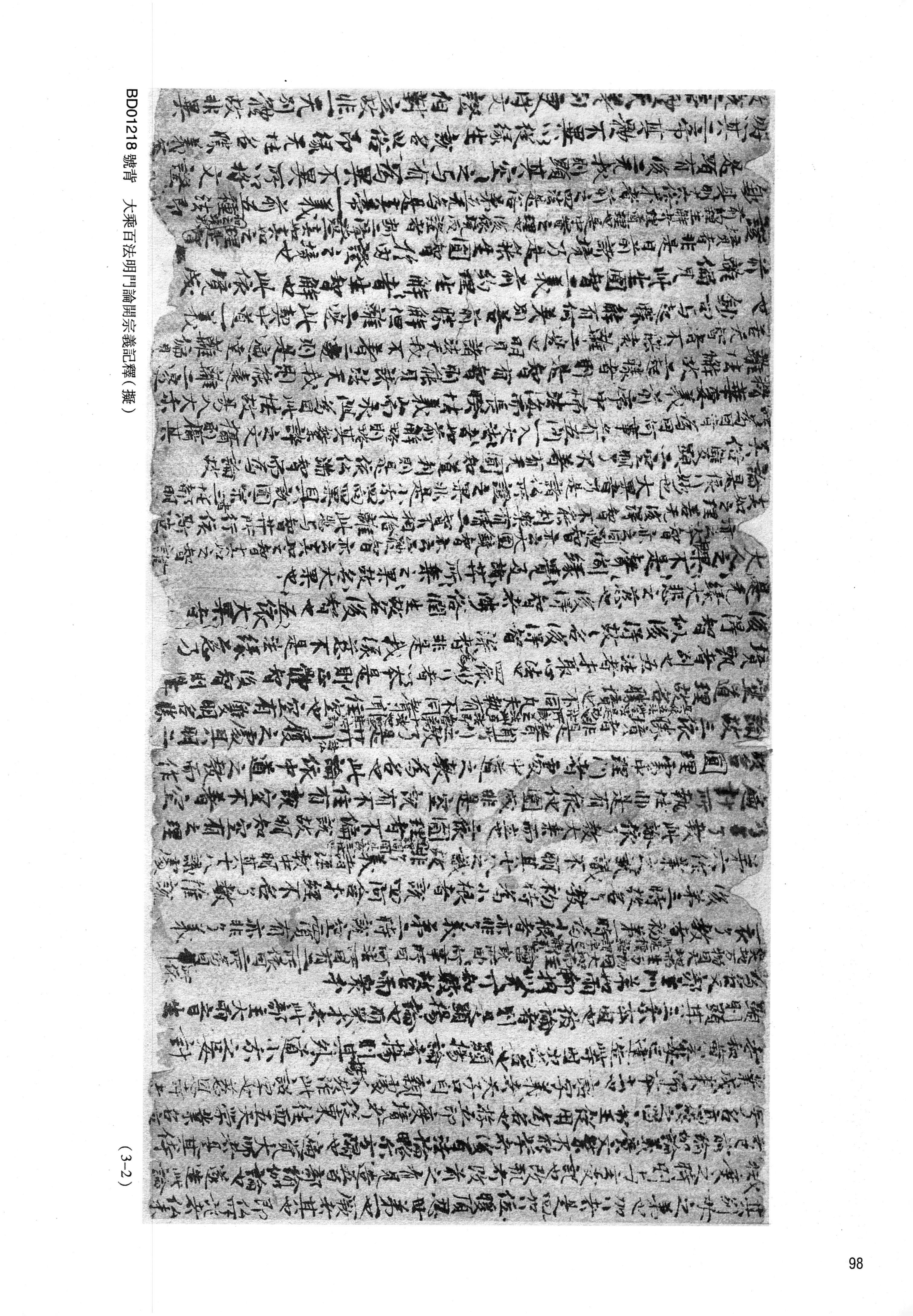

BD01218號背　大乘百法明門論開宗義記釋（擬）

（3–2）

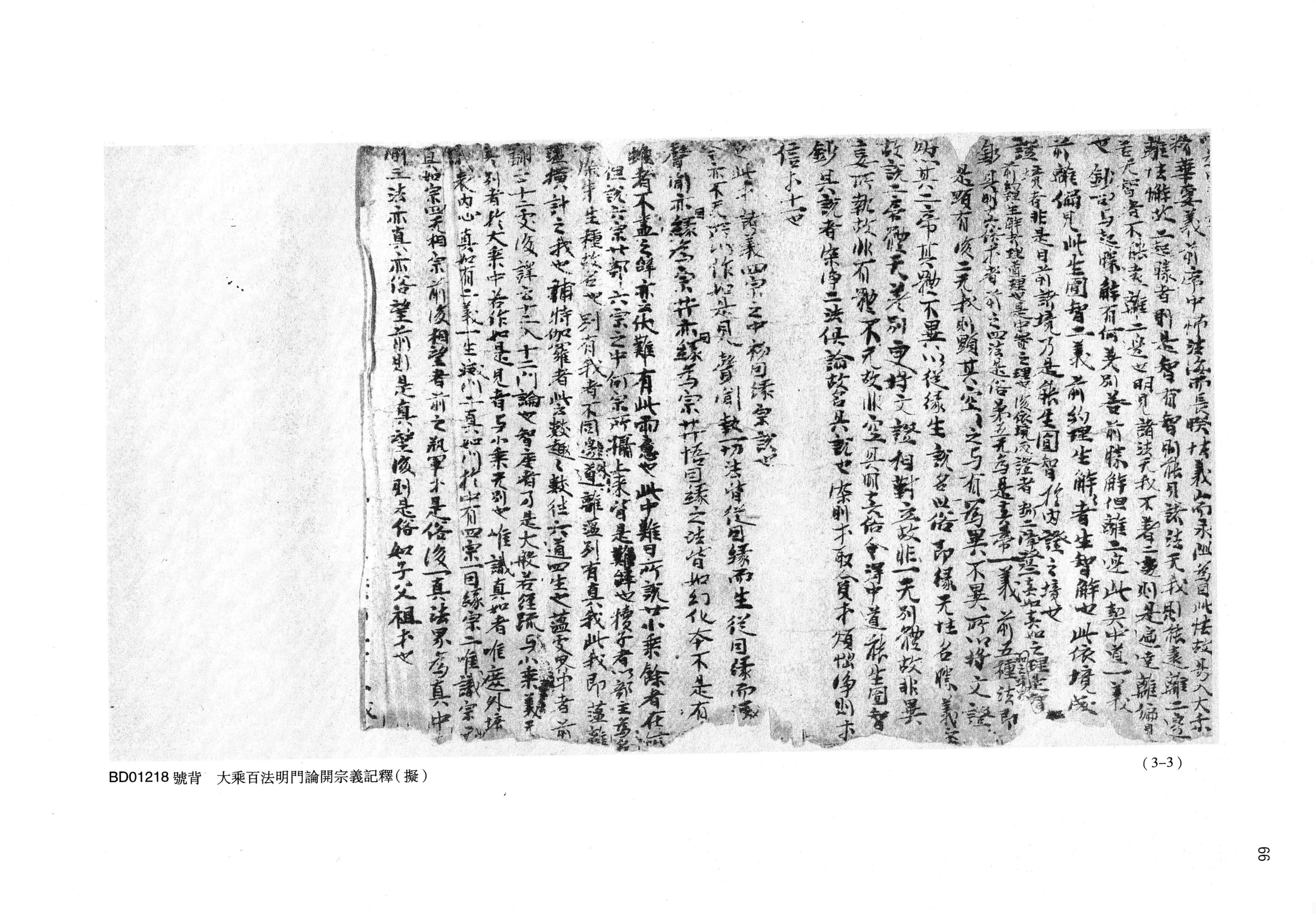

(3–3)

BD01218 號背　大乘百法明門論開宗義記釋（擬）

三[illegible]
識　弟子罪等懺悔之後所常
恒聞正法常得見經常得遇法善々相逢惡々相離身心清淨
煩惱消滅智惠開發得如斯所報道意恩　弟子衆等懺悔
之後斷六情彰去六欲淨根四識々々　弟一所取色不眼　弟二所聲不入耳
弟三所取味不入口　弟四所取惡不入意　弟五所取香不入鼻
弟六所取觸不入身　弟子衆等去此六取即得六識入明六根清淨當々
來生出離三界廿八天頂登四梵天宮受大快樂得如斯所報道意
恩　弟子衆等懺悔　惟願今家男女受年無病得度三灾免離九幽
厄出年值歲所至不再聞天地子更莫逢遇得如此報道意恩
弟子衆等懺悔　今家男女々々中頭々不痛額不熱床上
臥々病兒獄中莫大燃　生常聞說法莫聞哭聲得如斯碩
報道意恩　弟子衆等懺悔之後所罪鄣消除離苦解脫九
緣男女同上法船出離苦海同登道岸至永為果同法味導除愚癡
有同度法離橋生死々々得法水洗除清淨內外光明猶寶珠一天
瑕穢得甚所報道慈恩　年々歲々常見道場日々時々恒聞經法
靈律妙…澱灌身々過真粮寘真資藏府三灾九厄天敵侵百妻五
溫清淨如今以…身觀天尊具足相好所令此耳常聞天尊說法
一心奉行更不轉退所令此鼻常聞…數妙香氣捨諸臭穢令此舌常
食法味甘露々々食不嘗衆生之宍身令此身恒披天尊法服行坐天
畏…極所令此心成就道行慈親子等發大道心愍衆生
猶如赤子所弟子從今身盡未來際常發如此善願莫生退轉
不生退轉者頭面々々故向財衆等貴道向者為施主男女讀經懺悔
行道…功德…圓滿惟來受戒既其燒香燃燈轉經行道
何假受戒以為施主天尊以始者智惠初開須藉戒々防衛戒々為
用其猶…馬之着…雖々轡々馬之若不安轡則馳走東西難
若不戒…不持戒則心有攀緣之口…農家田種故
使苗稼遍茂須為壇々界若為壇則得善…增長荒草不侵若不為
壇界則草荒覆損…畏…是故當可解是故有道欲為施
主受々…金口所說大乘經戒施主男女至心歸依本際經云天尊

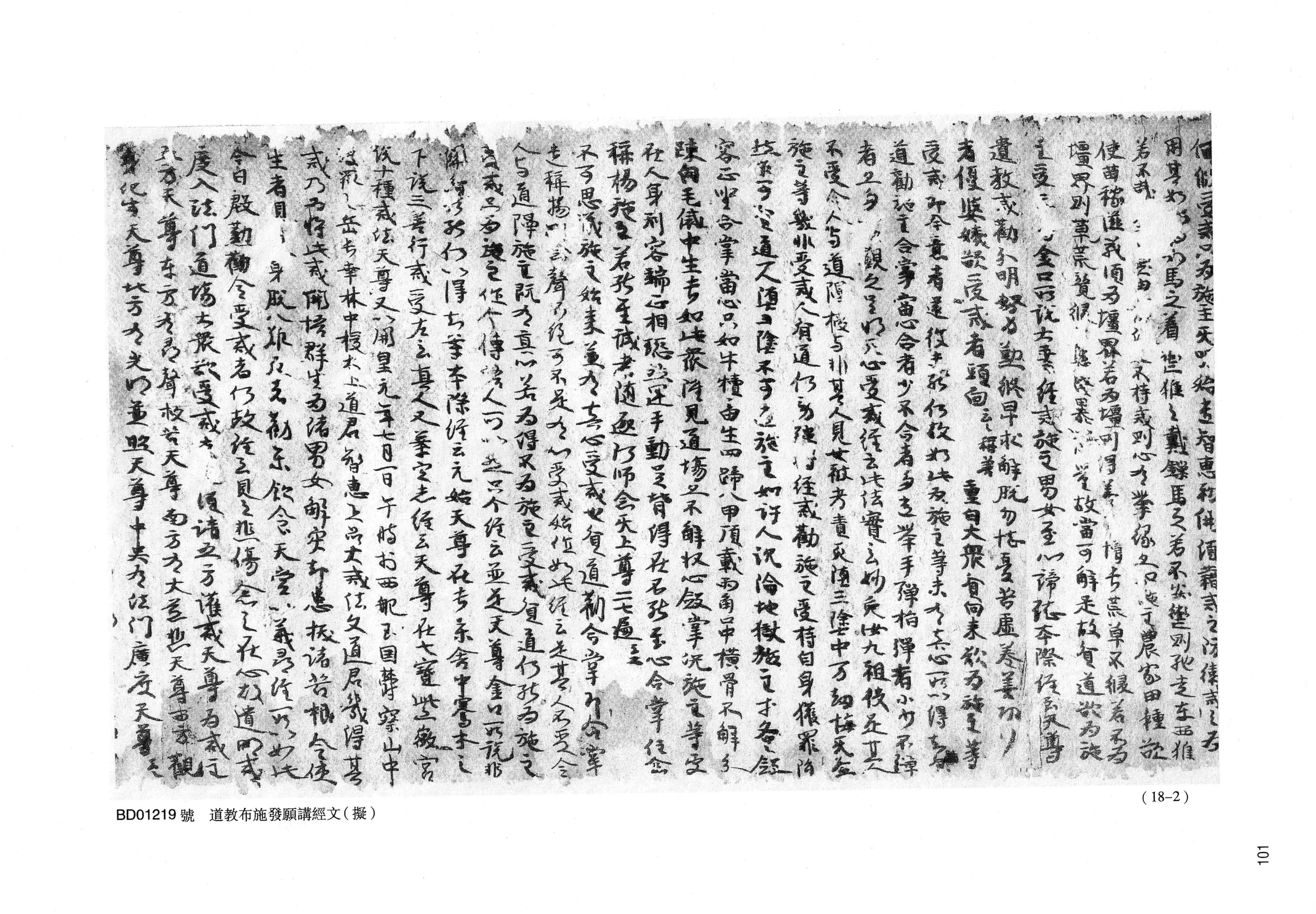

（18–2）

BD01219號　道教布施發願講經文（擬）

BD01219號　道教布施發願講經文(擬)

(18–3)

BD01219 號　道教布施發願講經文（擬）

（18–4）

BD01219 號　道教布施發願講經文（擬）

（18–5）

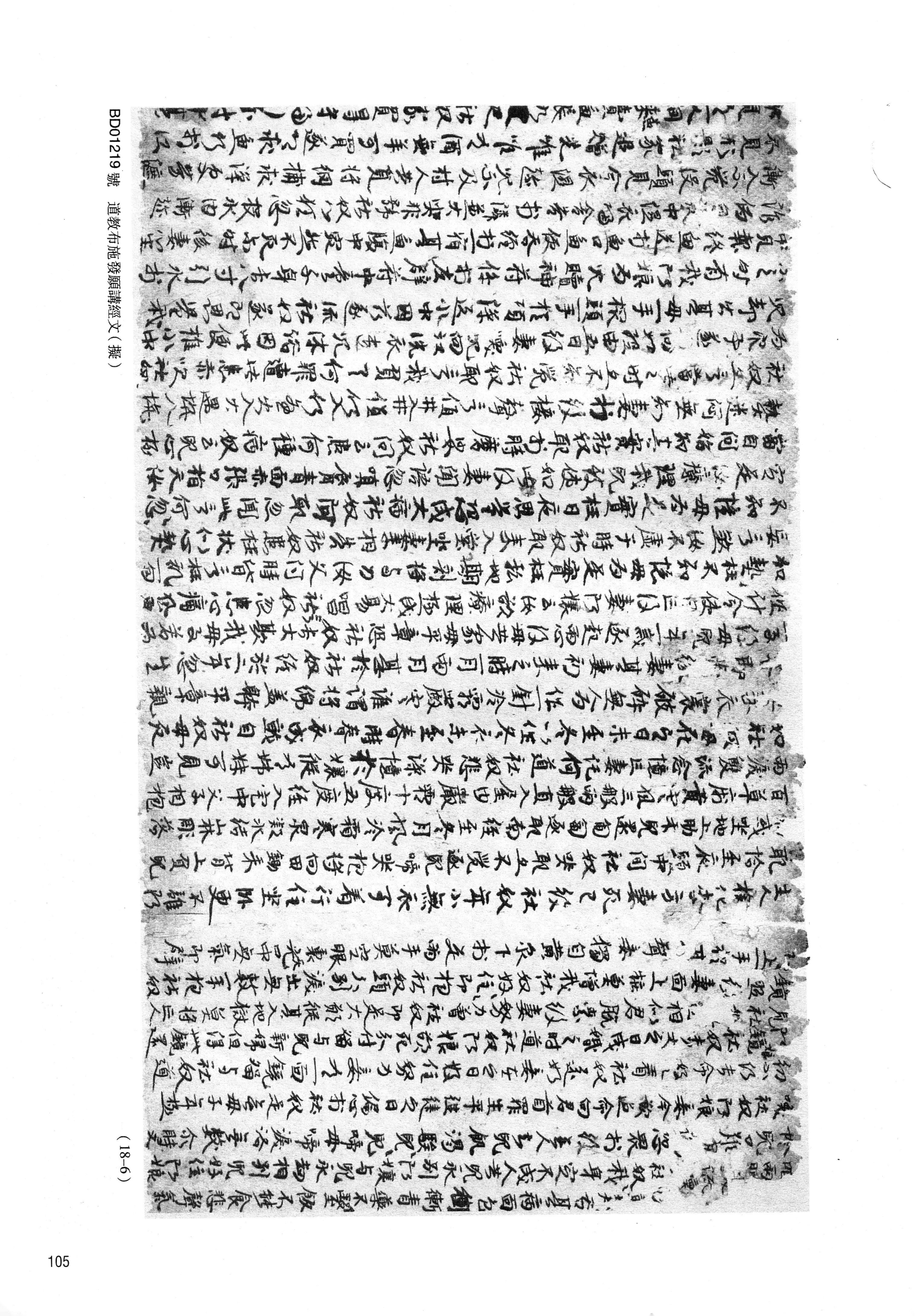

BD01219號　道教布施發願講經文（擬）

（18–6）

BD01219號　道教布施發願講經文（擬）

（18–7）

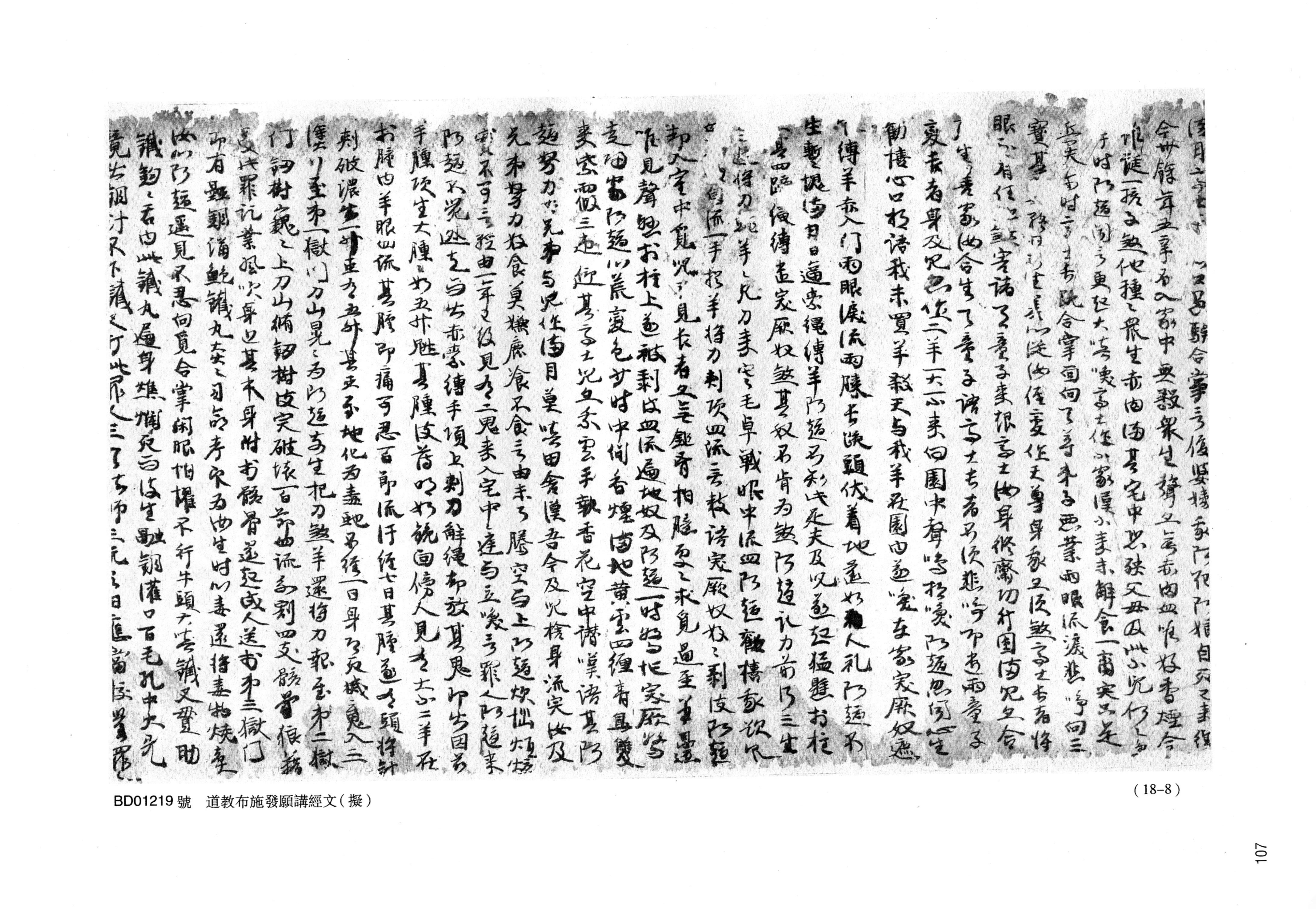

BD01219號　道教布施發願講經文（擬）

（18–8）

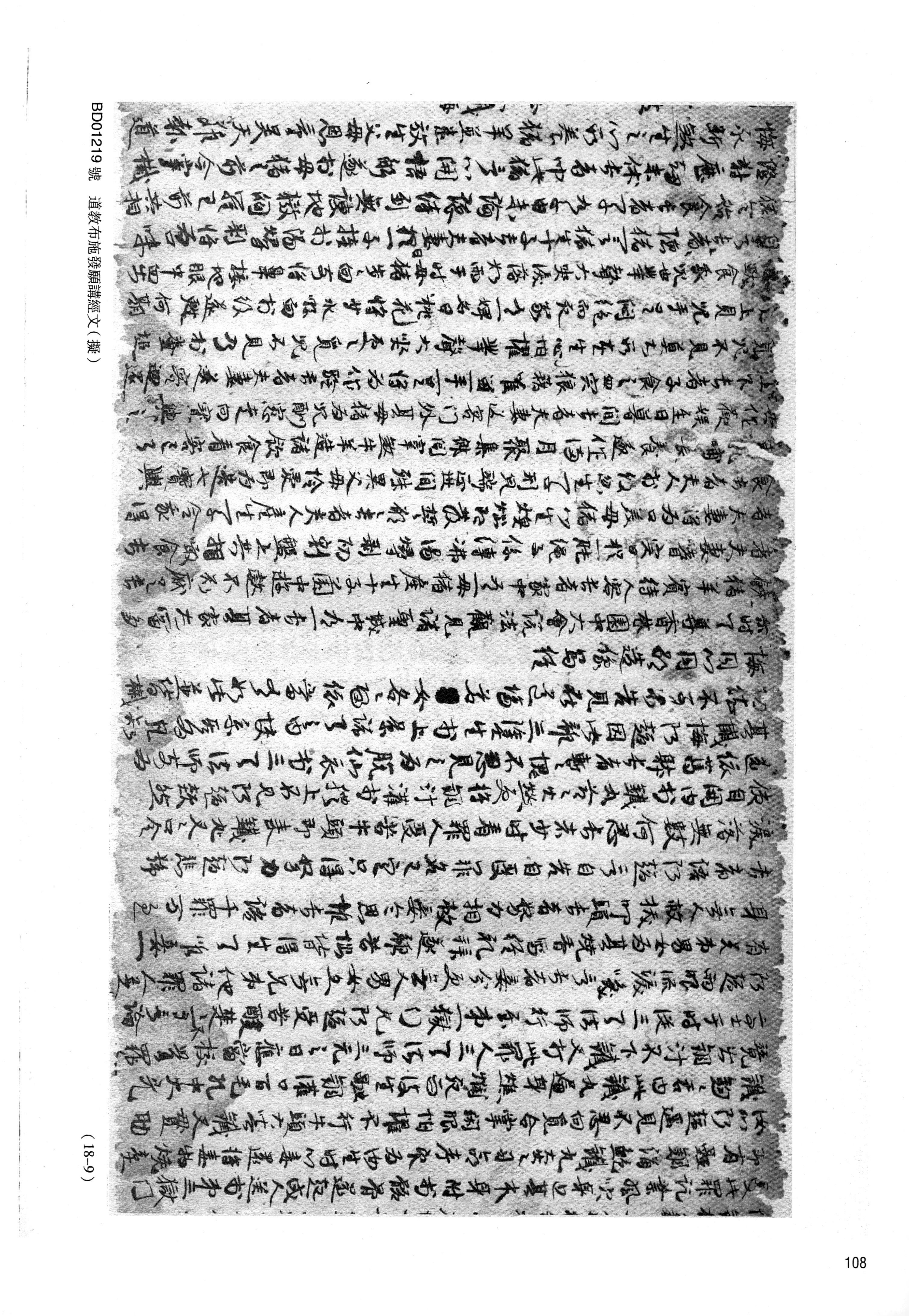

BD01219號　道教布施發願講經文（擬）

（18–9）

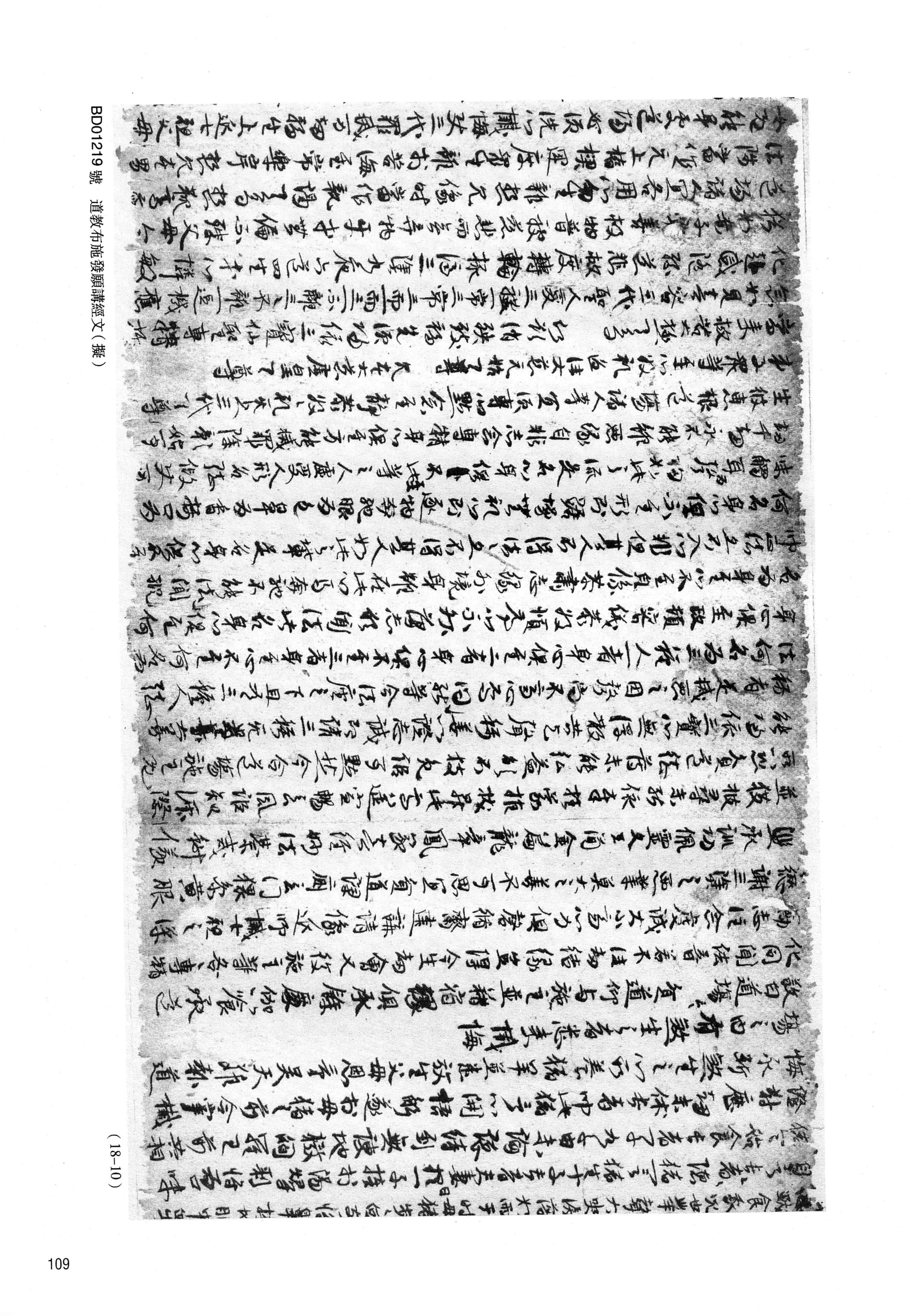

BD01219號　道教布施發願講經文（擬）

（18–10）

BD01219號　道教布施發願講經文（擬）

（18–11）

BD01219號　道教布施發願講經文（擬）

（18–12）

BD01219號　道教布施發願講經文（擬）

（18-13）

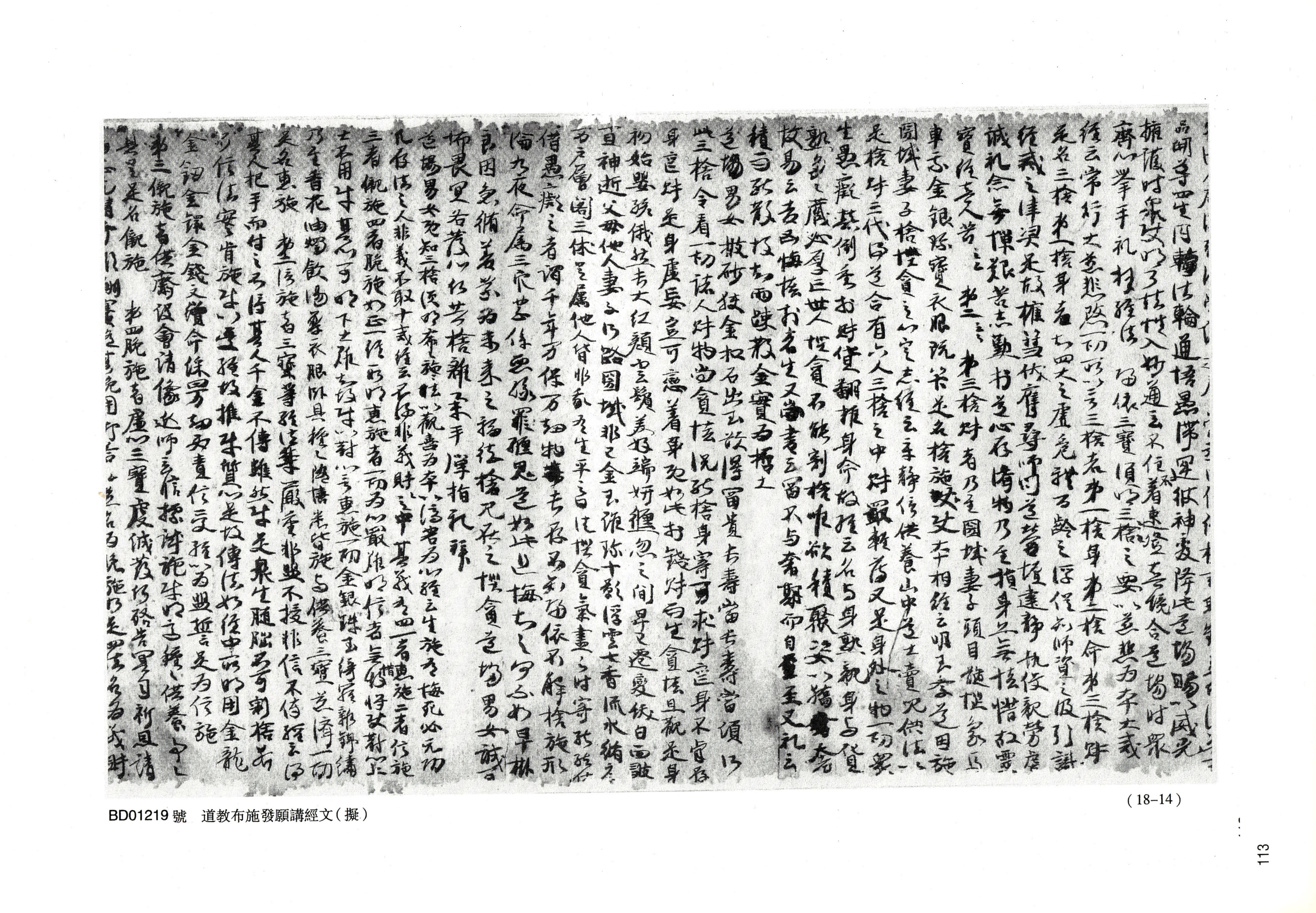

（18–14）

BD01219號　道教布施發願講經文（擬）

BD01219號　道教布施發願講經文（擬）

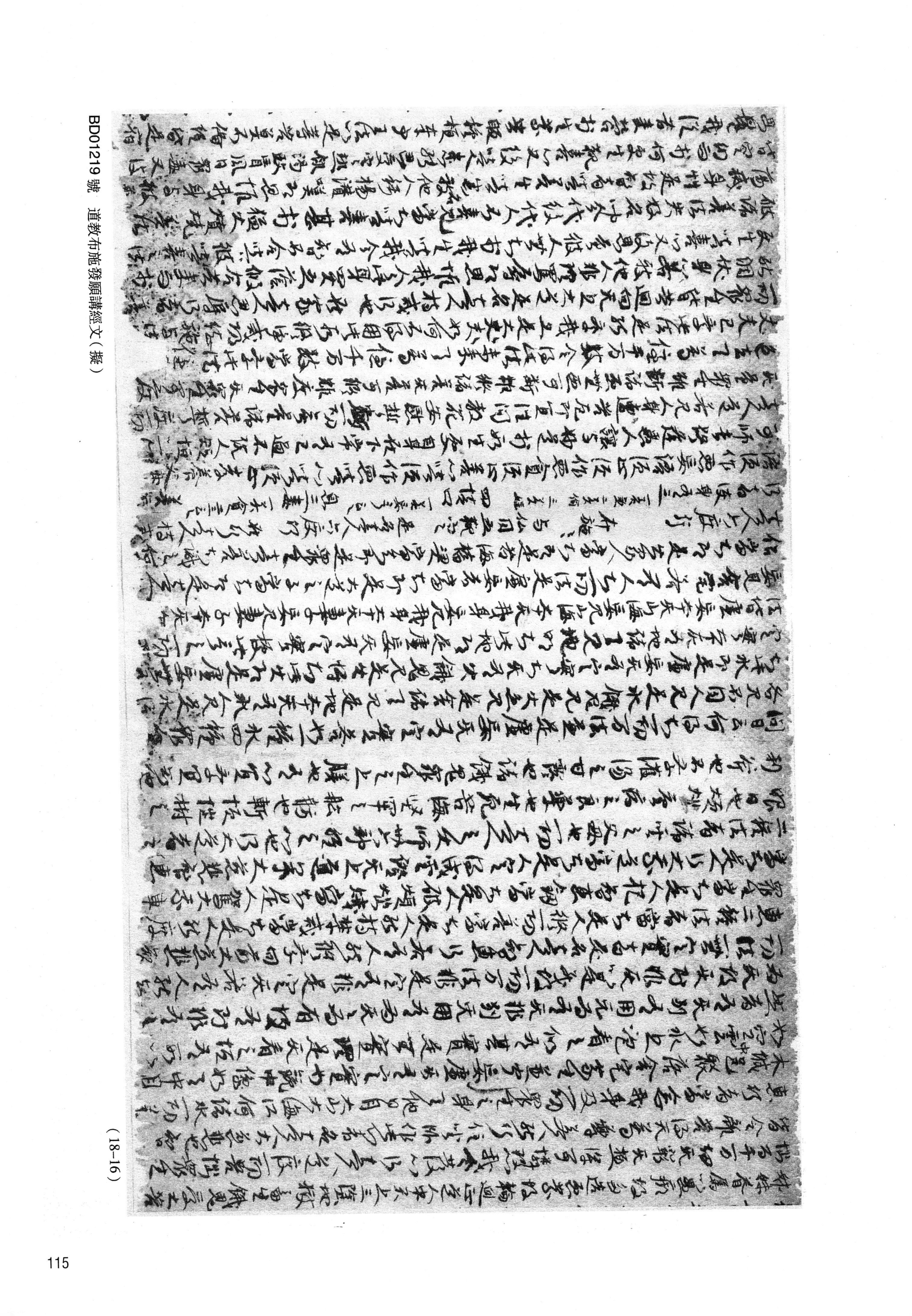

BD01219號　道教布施發願講經文（擬）

（18–16）

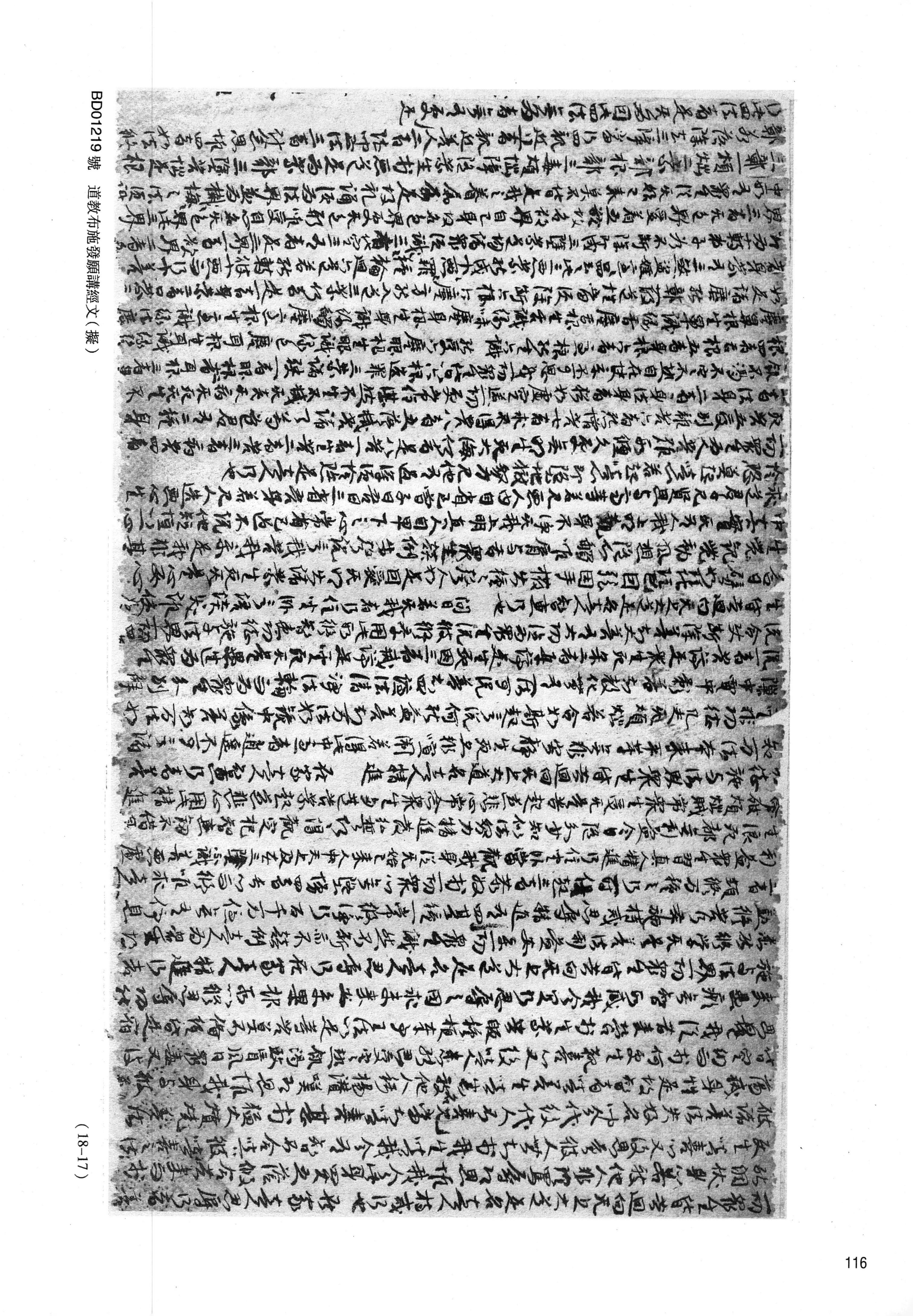

BD01219號　道教布施發願講經文（擬）

（18–17）

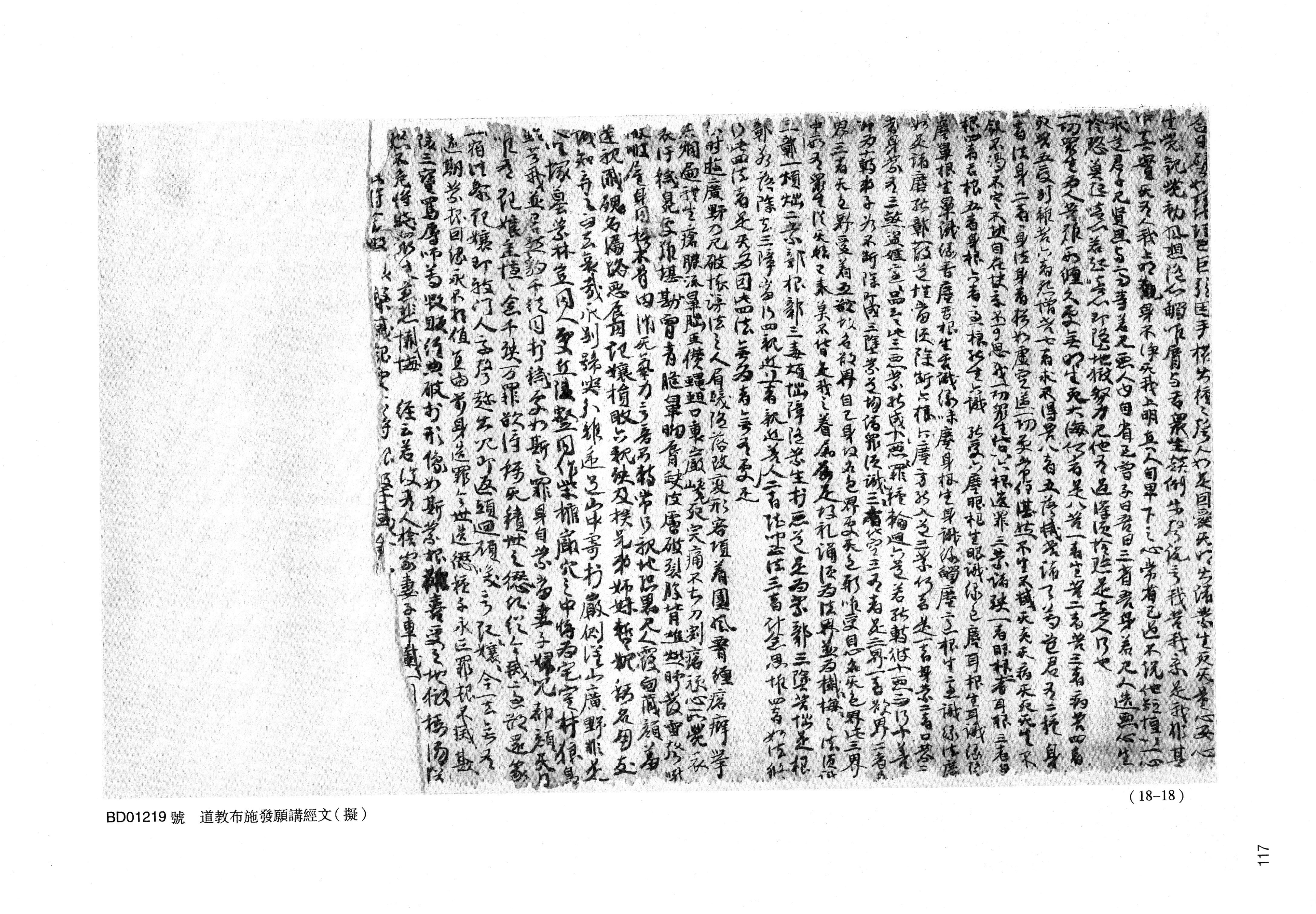

（18–18）

BD01219號　道教布施發願講經文（擬）

若須……
知是人成就……
則是非相是故如……
聞如是經典信解受持……
後五百歲其有衆生得聞是經信解……
是人則為第一希有何以故此人无我相人相
衆生相壽者相所以者何我相即是非相人
相衆生相壽者相即是非相何以故離一切
諸相則名諸佛佛告須菩提如是如是若復有
人得聞是經不驚不怖不畏當知是人甚為希
有何以故須菩提如來說第一波羅蜜非第一
波羅蜜是名第一波羅蜜
須菩提忍辱波羅蜜如來說非忍辱波羅蜜
何以故須菩提如我昔為歌利王割截身體
我於尒時无我相无人相无衆生相无壽者
相何以故我於往昔節節支解時若有我相
人相衆生相壽者相應生瞋恨須菩提又念
過去於五百世作忍辱仙人於尒所世无我
相无人相无衆生相无壽者相是故須菩提
菩薩應離一切相發阿耨多羅三藐三菩提
心不應住色生心不應住聲香味觸法生心

BD01220號　金剛般若波羅蜜經　（10–1）

人相衆生相壽者相應生瞋恨須菩提又念
過去於五百世作忍辱仙人於尒所世无我
相无人相无衆生相无壽者相是故須菩提
菩薩應離一切相發阿耨多羅三藐三菩提
心不應住色生心不應住聲香味觸法生心
應生无所住心若心有住則為非住是故佛
說菩薩心不應住色布施須菩提菩薩為
利益一切衆生應如是布施如來說一切諸相
即是非相又說一切衆生則非衆生須菩提
如來是真語者實語者如語者不誑語者不
異語者須菩提如來所得法此法无實无虛
須菩提若菩薩心住於法而行布施如人入
闇則无所見若菩薩心不住法而行布施如
人有目日光明照見種種色
須菩提當來之世若有善男子善女人能於此
經受持讀誦則為如來以佛智慧悉知是人
悉見是人皆得成就无量无邊功德
須菩提若有善男子善女人初日分以恒河
沙等身布施中日分復以恒河沙等身布
施後日分亦以恒河沙等身布施如是无量百
千万億劫以身布施若復有人聞此經典信心
不逆其福勝彼何況書寫受持讀誦為人解說
須菩提以要言之是經有不可思議不可稱
量无邊功德如來為發大乘者說為發最上

BD01220號　金剛般若波羅蜜經　（10–2）

於後日分亦以恒河沙等身布施如是无量百
千万億劫以身布施若復有人聞此經典信心
不逆其福勝彼何况書寫受持讀誦為人解說
須菩提以要言之是經有不可思議不可稱
量无邊功德如來為發大乘者說為發冣上
乘者說若有人能受持讀誦廣為人說如來
悉知是人悉見是人皆得成就不可量不可
稱无有邊不可思議功德如是人等則為荷
擔如來阿耨多羅三藐三菩提何以故須菩
提若樂小法者著我見人見眾生見壽者見
則於此經不能聽受讀誦為人解說須菩提
在在處處若有此經一切世間天人阿脩羅
所應供養當知此處則為是塔皆應恭敬作
礼圍遶以諸華香而散其處
復次須菩提善男子善女人受持讀誦此經
若為人輕賤是人先世罪業應墮惡道以今
世人輕賤故先世罪業則為消滅當得阿耨
多羅三藐三菩提須菩提我念過去无量阿
僧祇劫於然燈佛前得值八百四千万億那
由他諸佛悉皆供養承事无空過者若復有
人於後末世能受持讀誦此經所得功德於
我所供養諸佛功德百分不及一千万億分
乃至筭數譬喻所不能及須菩提若善男子
善女人於後末世有受持讀誦此經所得功德

人於後末世能受持讀誦此經所得功德於
我所供養諸佛功德百分不及一千万億分
乃至筭數譬喻所不能及須菩提若善男子
善女人於後末世有受持讀誦此經所得功德
我若具說者或有人聞心則狂亂狐疑不信須
菩提當知是經義不可思議果報亦不可思議
尒時須菩提白佛言世尊善男子善女人發
阿耨多羅三藐三菩提心云何應住云何降
伏其心佛告須菩提善男子善女人發阿耨
多羅三藐三菩提者當生如是心我應滅度
一切眾生滅度一切眾生已而无有一眾生
實滅度者何以故若菩薩有我相人相眾生
相壽者相則非菩薩所以者何須菩提實无
有法發阿耨多羅三藐三菩提者
須菩提於意云何如來於然燈佛所有法得
阿耨多羅三藐三菩提不不也世尊如我解
佛所說義佛於然燈佛所无有法得阿耨多
羅三藐三菩提佛言如是如是須菩提實无
有法如來得阿耨多羅三藐三菩提須菩提
若有法如來得阿耨多羅三藐三菩提然燈
佛則不與我受記汝於來世當得作佛号釋
迦牟尼以實无有法得阿耨多羅三藐三菩
提是故然燈佛與我受記作是言汝於來世
當得作佛号釋迦牟尼何以故如來者即諸

佛則不與我受記汝於來世當得作佛号釋
迦牟尼以實无有法得阿耨多羅三藐三菩
提是故然燈佛與我受記作是言汝於來世
當得作佛号釋迦牟尼何以故如來者即諸
法如義若有人言如來得阿耨多羅三藐
三菩提須菩提實无有法佛得阿耨多羅三
藐三菩提須菩提如來所得阿耨多羅三藐三
菩提於是中无實无虛是故如來說一切法皆是
佛法須菩提所言一切法者即非一切法是故名一切法
須菩提譬如人身長大須菩提言世尊如來
說人身長大則為非大身是名大身
須菩提菩薩亦如是若作是言我當滅度无
量衆生則不名菩薩何以故須菩提實无有
法名為菩薩是故佛說一切法无我无人无
衆生无壽者須菩提若菩薩作是言我當
莊嚴佛土是不名菩薩何以故如來說莊嚴
佛土者即非莊嚴是名莊嚴須菩提若菩薩
通達无我法者如來說名真是菩薩
須菩提於意云何如來有肉眼不如是世尊
如來有肉眼須菩提於意云何如來有天眼
不如是世尊如來有天眼須菩提於意云何
如來有慧眼不如是世尊如來有慧眼須菩
提於意云何如來有法眼不如是世尊如來
有法眼須菩提於意云何如來有佛眼不如

BD01220號　金剛般若波羅蜜經　（10-5）

不如是世尊如來有天眼須菩提於意云何
如來有慧眼不如是世尊如來有慧眼須菩
提於意云何如來有法眼不如是世尊如來
有法眼須菩提於意云何如來有佛眼不如
是世尊如來有佛眼須菩提於意云何恒河
中所有沙佛說是沙不如是世尊如來說是
沙須菩提於意云何如一恒河中所有沙有
如是等恒河是諸恒河所有沙數佛世界如
是寧為多不甚多世尊佛告須菩提尒所國
土中所有衆生若干種心如來悉知何以故
如來說諸心皆為非心是名為心所以者何
須菩提過去心不可得現在心不可得未來
心不可得須菩提於意云何若有人滿三千
大千世界七寶以用布施是人以是因緣得
福多不如是世尊此人以是因緣得福甚多
須菩提若福德有實如來不說得福德多
以福德无故如來說得福德多
須菩提於意云何佛可以具足色身見不不
也世尊如來不應以具足色身見何以故如
來說具足色身即非具足色身是名具足色
身須菩提於意云何如來可以具足諸相見
不不也世尊如來不應以具足諸相見何以故
如來說諸相具足即非具足是名諸相具
足須菩提汝勿謂如來作是念我當有所說

BD01220號　金剛般若波羅蜜經　（10-6）

身須菩提於意云何如来可以具足諸相見
不不也世尊如来不應以具足諸相見何以故
如来說諸相具足即非具足是名諸相具
足須菩提汝勿謂如来作是念我當有所說
法莫作是念何以故若有人言如来有所說法
即為謗佛不能解我所說故須菩提說法者
无法可說是名說法
須菩提白佛言世尊佛得阿耨多羅三藐三
菩提為无所得耶如是如是須菩提我於阿
耨多羅三藐三菩提乃至无有少法可得是
名阿耨多羅三藐三菩提復次須菩提是法
平等无有高下是名阿耨多羅三藐三菩提
以无我无人无衆生无壽者脩一切善法則
得阿耨多羅三藐三菩提須菩提所言善
法者如来說非善法是名善法
須菩提若三千大千世界中所有諸須弥山
王如是等七寶聚有人持用布施若人以此
般若波羅蜜經乃至四句偈等受持讀誦為
他人說於前福德百分不及一百千万億分
乃至筭數譬喻所不能及
須菩提於意云何汝等勿謂如来作是念我
當度衆生須菩提莫作是念何以故實无有
衆生如来度者若有衆生如来度者如来則
有我人衆生壽者須菩提如来說有我者則

BD01220號　金剛般若波羅蜜經　（10–7）

須菩提於意云何汝等勿謂如来作是念我
當度衆生須菩提莫作是念何以故實无有
衆生如来度者若有衆生如来度者如来則
有我人衆生壽者須菩提如来說有我者則
非有我而凡夫之人以為有我須菩提凡夫
者如来說則非凡夫
須菩提於意云何可以三十二相觀如来不須
菩提言如是如是以三十二相觀如来佛言
須菩提若以三十二相觀如来者轉輪聖王則
是如来須菩提白佛言世尊如我解佛所說義
不應以三十二相觀如来尒時世尊而說偈言
若以色見我　以音聲求我　是人行邪道　不能見如来
須菩提汝若作是念如来不以具足相故得
阿耨多羅三藐三菩提須菩提莫作是念如
来不以具足相故得阿耨多羅三藐三菩提
須菩提汝若作是念發阿耨多羅三藐三菩
提者說諸法斷滅相莫作是念何以故發阿耨
多羅三藐三菩提者於法不說斷滅相須菩
提若菩薩以滿恒河沙等世界七寶布施若
復有人知一切法无我得成於忍此菩薩勝
前菩薩所得功德須菩提以諸菩薩不受福
德故須菩提白佛言世尊云何菩薩不受福德須
菩提菩薩所作福德不應貪著是故說不受福
德須菩提若有人言如来若来若去若坐若卧

BD01220號　金剛般若波羅蜜經　（10–8）

菩薩所得功德須菩提以諸菩薩不受福
德故須菩提白佛言世尊云何菩薩不受福德須
菩提菩薩所作福德不應貪著是故說不受福
德須菩提若有人言如來若來若去若坐若卧
是人不解我所說義何以故如來者无所從
来亦无所去故名如来
須菩提若善男子善女人以三千大千世界
碎為微塵於意云何是微塵衆寧為多不甚
多世尊何以故若是微塵衆實有者佛則不
說是微塵衆所以者何佛說微塵衆則非微
塵衆是名微塵衆世尊如来所說三千大千
世界則非世界是名世界何以故若世界實
有者則是一合相如来說一合相則非一合
相是名一合相須菩提一合相者則是不可
說但凡夫之人貪著其事須菩提若人言佛
說我見人見衆生見壽者見須菩提於意云
何是人解我所說義不世尊是人不解如来
所說義何以故世尊說我見人見衆生見壽
者見即非我見人見衆生見壽者見是名我
見人見衆生見壽者見須菩提發阿耨多
羅三藐三菩提心者於一切法應如是知如是
見如是信解不生法相須菩提所言法相者
如来說即非法相是名法相須菩提若有人
以滿无量阿僧祇世界七寶持用布施若有
善男子善女人發菩薩心者持於此經乃至

BD01220號　金剛般若波羅蜜經　（10–9）

所說義何以故世尊說我見人見衆生見壽
者見即非我見人見衆生見壽者見是名我
見人見衆生見壽者見須菩提發阿耨多
羅三藐三菩提心者於一切法應如是知如是
見如是信解不生法相須菩提所言法相者
如来說即非法相是名法相須菩提若有人
以滿无量阿僧祇世界七寶持用布施若有
善男子善女人發菩薩心者持於此經乃至
四句偈等受持讀誦為人演說其福勝彼云
何為人演說不取於相如如不動何以故
一切有為法 如夢幻泡影 如露亦如電 應作如是觀
佛說是經已長老須菩提及諸比丘比丘尼
優婆塞優婆夷一切世間天人阿脩羅聞佛
所說皆大歡喜信受奉行
金剛般若波羅蜜經

BD01220號　金剛般若波羅蜜經　（10–10）

薩行非垢行非淨行是菩薩行雖過魔行而
現降衆魔是菩薩行求一切智无非時求是菩
薩行雖觀諸法不生而不入正位是菩薩行
雖觀十二緣起而入諸耶見是菩薩行雖攝一
切衆生而不愛著是菩薩行雖樂遠離而不
依身心盡是菩薩行雖行三界而不壞法性是
菩薩行雖行於空而殖衆德本是菩薩行
雖行无相而度衆生是菩薩行雖行无作而現
受身是菩薩行雖行无起而起一切善行是
菩薩行雖行六波羅蜜而遍知衆生心心數
法是菩薩行雖行六通而不盡漏是菩薩
行雖行四无量心而不貪著生於梵世是菩
薩行雖行禪定解脫三昧而不隨禪生是菩
薩行雖行四念處而不畢竟離身受心法是
菩薩行雖行四正勤而不捨身心精進是菩
薩行雖行四如意足而得自在神通是菩薩
行雖行五根而分別衆生諸根利鈍是菩薩
行雖行五力而樂求佛十力是菩薩行雖行
七覺分而分別佛之智慧是菩薩行雖行八
正道而樂行无量佛法是菩薩行雖行止觀助
道之法而不畢竟墮於寂滅是菩薩行雖行

BD01221 號　維摩詰所說經卷中

（23–1）

行雖行五力而樂求佛十力是菩薩行雖行
七覺分而分別佛之智慧是菩薩行雖行八
正道而樂行无量佛法是菩薩行雖行止觀助
道之法而不畢竟墮於寂滅是菩薩行雖行
諸法不生不滅而以相好莊嚴其身是菩薩
行雖現聲聞辟支佛威儀而不捨佛法是菩
薩行雖隨諸法究竟淨相而隨所應為現
其身是菩薩行雖觀諸佛國土永寂如空
而現種種清淨佛土是菩薩行雖得佛道轉
于法輪入於涅槃而不捨於菩薩之道是菩
薩行說是語時文殊師利所將大衆其中八
千天子皆發阿耨多羅三藐三菩提心

不思議品第六

尒時舍利弗見此室中无有床座作是念
斯諸菩薩大弟子衆當於何坐長者維摩詰
知其意語舍利弗言云何仁者為法來耶求床
座耶舍利弗言我為法來非為床座維摩詰
言唯舍利弗夫求法者不貪軀命何況床座
夫求法者非有色受想行識之求非有界入
之求非有欲色无色之求唯舍利弗夫求法
者不著佛求不著法求不著衆求夫求法者
者不著佛求不著法求不著衆求夫求法者
无見苦求无斷集求无造盡證脩道之求所
以者何法无戲論若言我當見苦斷集證滅
脩道是則戲論非求法也唯舍利弗法名寂
[illegible]

BD01221 號　維摩詰所說經卷中

（23–2）

无見苦求无斷集求无造盡證脩道之求所
以者何法无戲論若言我當見苦斷集證滅
脩道是則戲論非求法也唯舍利弗法名寂
滅若行生滅是求生滅非求法也法名无染
若染法於乃至涅槃是則染著非求法也法
无行處若行於法是則行處非求法也法无
處所若著處所是則著處非求法也法名无
相若隨相識是則求相非求法也法不可住若
住於法是則住法非求法也法不可見聞覺
知若行見聞覺知是則見聞覺知非求法也
法名无為若行有為是求有為非求法也是
故舍利弗若求法者於一切法應无所求說
是語時五百天子於諸法中得法眼淨
尒時長者維摩詰問文殊師利仁者遊於无
量千万億阿僧祇國何等佛土有好上妙功
德成就師子之座文殊師利言居士東方度
卅六恒河沙國有世界名須弥相其佛号須
弥燈王今現在彼佛身長八万四千由旬其
師子座高八万四千由旬嚴飾第一於是長
者維摩詰現神通力即時彼佛遣三万二千
師子座高廣嚴好来入維摩詰室諸菩薩大
弟子釋梵四天王等昔所未見其室廣博
悉苞容受三万二千師子座无所妨礙於毗
耶離城及閻浮提四天下亦不迫迮悉見如
故尒時維摩詰語文殊師利就師子座與諸

BD01221號　維摩詰所說經卷中　（23–3）

弟子釋梵四天王等昔所未見其室廣博
悉苞容受三万二千師子座无所妨礙於毗
耶離城及閻浮提四天下亦不迫迮悉見如
故尒時維摩詰語文殊師利就師子座與諸
菩薩上人俱坐當自立身如彼坐像其得神
通菩薩即自變身為四万二千由旬坐師子
座諸新發意菩薩及大弟子皆不能昇尒時
維摩詰語舍利弗就師子座舍利弗言居士
此座高廣吾不能昇維摩詰言唯舍利弗為
須弥燈王如来作礼乃可得坐於是新發意
菩薩及大弟子即為須弥燈王如来作礼便
得坐師子座舍利弗言居士未曾有也如是小
室乃容受此高廣之座於毗耶離城无所妨
礙又於閻浮提聚落城邑及四天下諸天龍王
鬼神宮殿亦不迫迮維摩詰言唯舍利弗諸
佛菩薩有解脫名不可思議若菩薩住是解
脫者以須弥之高廣內芥子中无所增減須
弥山王本相如故而四天王忉利諸天不覺
不知已之所入唯應度者乃見須弥入芥子中
是名不可思議解脫法門又以四大海水入一
毛孔不嬈魚鱉黿鼉水性之屬而彼大海本
相如故諸龍鬼神阿脩羅等不覺不知已之所
入於此衆生亦无所嬈又舍利弗住不可思議
解脫菩薩斷取三千大千世界如陶家輪著
右掌中擲過恒河沙世界之外其中衆生不
覺不知已之所往又復還置本處都不使

BD01221號　維摩詰所說經卷中　（23–4）

解脫菩薩斷取三千大千世界如陶家輪著
右掌中擲過恒河沙世界之外其中眾生不
覺不知己之所往又復還置本處都不使
人有往來想而此世界本相如故又舍利
弗或有眾生樂久住世而可度者菩薩即演
七日以為一劫令彼眾生謂之一劫或有眾
生不樂久住而可度者菩薩即促一劫以為
七日令彼眾生謂之七日又舍利弗住不可
思議解脫菩薩以一切佛土嚴飾之事集在
一國示於眾生又菩薩以一佛土眾生置之
右掌飛到十方遍示一切而不動本處又
舍利弗十方眾生供養諸佛之具菩薩於一
毛孔皆令得見又十方國土所有日月星宿
於一毛孔普使見之又舍利弗十方世界所
有諸風菩薩悉能吸著口中而身无損外諸
樹木亦不摧折又十方世界劫盡燒時以一切火
内於腹中火事如故而不為害又於下方過
恒河沙等諸佛世界取一佛土舉著上方過恒
河沙无數世界如持針鋒舉一棗葉而无所嬈
又舍利弗住不可思議解脫菩薩能以神通現
作佛身或現辟支佛身或現聲聞身或現帝
釋身或現梵王身或現世主身或現轉輪王
身又十方世界所有眾聲上中下音皆能變
之令作佛聲演出无常苦空无我之音及十
方諸佛所說種種之法皆於其中普令得
聞舍利弗我今略說菩薩不可思議解脫之

身又十方世界所有眾聲上中下音皆能變
之令作佛聲演出无常苦空无我之音及十
方諸佛所說種種之法皆於其中普令得
聞舍利弗我今略說菩薩不可思議解脫之
力若廣說者窮劫不盡是時大迦葉聞說菩
薩不可思議解脫法門歎未曾有謂舍利弗
譬如有人於盲者前現眾色像非彼所見
一切聲聞聞是不可思議解脫法門不能解
了為若此也智者聞是其誰不發阿耨多羅
三藐三菩提心我等何為永絕其根於此大
乘已如敗種一切聲聞聞是不可思議解脫法門
皆應號泣聲震三千大千世界一切菩薩應
大喜慶頂受此法若有菩薩信解不可思
議解脫法門者一切魔眾无如之何大迦葉說
是語時三万二千天子皆發阿耨多羅三藐
三菩提心
尒時維摩詰語大迦葉仁者十方无量阿僧
祇世界中作魔王者多是住不可思議解脫
菩薩以方便力教化眾生現作魔王又迦葉十
方无量菩薩或有人從乞手足耳鼻頭目髓
腦血肉皮骨聚落城邑妻子奴婢象馬車
乘金銀瑠璃車𤦲馬瑙珊瑚虎珀真珠珂貝
衣服飲食如此乞者多是住不可思議解
脫菩薩以方便力而往試之令其堅固所以者何
住不可思議解脫菩薩有威德力故行逼迫

乘金銀瑠璃車𤦲馬瑙珊瑚虎珀真珠珂貝
衣服飲食如此乞者多是住不可思議解
脫菩薩以方便力而往試之令其堅固所以者何
住不可思議解脫菩薩有威德力故行逼迫
示諸衆生如是難事凡夫下劣无有力勢不
能如是逼迫菩薩譬如龍象蹴蹋非驢所堪
是名住不可思議解脫菩薩智慧方便之門

觀衆生品第七

尒時文殊師利問維摩詰言菩薩云何觀於
衆生維摩詰言譬如幻師見所幻人菩薩觀
衆生為若此如智者見水中月如鏡中見其
面像如熱時焰如呼聲響如空中雲如水聚
沫如水上泡如芭蕉堅如電久住如第五大
如第六陰如第七情如十三入如十九界菩薩
觀衆生為若此如无色界色如燋穀牙如須陁
洹身見如阿那含入胎如阿羅漢三毒如得
忍菩薩貪恚毀禁如佛煩惱習如盲者見
色如入滅盡定出入息如空中鳥跡如石女
兒如化人煩惱如夢所見已寤如滅度者受
身如无烟之火菩薩觀衆生為若此
文殊師利言若菩薩住是觀者云何行慈維
摩詰言菩薩住是觀者自念我當為衆生說
如斯法是即真實慈也行寂滅慈无所生故
行不熱慈无煩惱故行等之慈等三世故行
无諍慈无所起故行不二慈內外不合故行
不壞慈畢竟盡故行堅固慈心无壞故行清

如斯法是即真實慈也行寂滅慈无所生故
行不熱慈无煩惱故行等之慈等三世故行
无諍慈无所起故行不二慈內外不合故行
不壞慈畢竟盡故行堅固慈心无毀故行清
淨慈諸法性淨故行无邊慈如虛空故行阿
羅漢慈破結賊故行菩薩慈安衆生故行如
来慈得如相故行佛之慈覺衆生故行自然
慈无因得故行菩提慈等一味故行无等慈
斷諸愛故行大悲慈導以大乘故行无厭慈觀
空无我故行法施慈无遺惜故行持戒慈化
毀禁故行忍辱慈護彼我故行精進慈荷負
衆生故行禪定慈不受味故行智慧慈不无
知時故行方便慈一切示現故行无隱慈直心
清淨故行深心慈无雜行慈行无誑慈不
虛假故行安樂慈令得佛樂故菩薩之慈為
若此也
文殊師利又問何謂為悲答曰菩薩所作功
德皆與一切衆生共之何謂為喜答曰有所
饒益歡喜无悔何謂為捨答曰所作福祐无
所希望文殊師利又問生死有畏菩薩當何
所依維摩詰言菩薩於生死畏中當依如来
功德之力文殊師利又問菩薩欲依如来功
德之力當於何住答曰菩薩欲依如来功德
力者當住度脫一切衆生又問欲度衆生當
何所除答曰欲度衆生除其煩惱又問欲除

功德之力文殊師利又問菩薩欲依如来功
德之力當於何住荅曰菩薩欲依如来功德
力者當住度脫一切衆生又問欲度衆生當
何所除荅曰欲度衆生除其煩惱又問欲除
煩惱當何所行荅曰當行正念又問云何行於
正念荅曰當行不生不滅又問何法不生何法
不滅荅曰不善不生善法不滅又問善不善
孰為本荅曰身為本又問身孰為本荅曰
欲貪為本又問欲貪孰為本荅曰虛妄分
別為本又問虛妄分別孰為本荅曰顛倒想
為本又問顛倒想孰為本荅曰无住為本又
問无住孰為本荅曰无住則无本文殊師利
從无住本立一切法
時維摩詰室有一天女見諸大人聞所說法
便現其身即以天華散諸菩薩大弟子上華
至諸菩薩即皆墮落至大弟子便著不墮
一切弟子神力去華不能令去尒時天問舍
利弗何故去華荅曰此華不如法是以去之天曰
勿謂此華為不如法所以者何是華无所分別
仁者自生分別想耳若於佛法出家有所分
別為不如法若无分別是則如法觀諸菩薩
華不著者以斷一切分別想故譬如人畏時非
人得其便如是弟子畏生死故色聲香味
觸得其便已離畏者一切五欲无五欲无能
觸得其便已離畏者一切五欲无能為也結

華不著者以斷一切分別想故譬如人畏時非
人得其便如是弟子畏生死故色聲香味
觸得其便已離畏者一切五欲无五欲无能
觸得其便已離畏者一切五欲无能為也結
習未盡華著身耳結習盡者華不著也舍
利弗言天止此室其已久如荅曰我止此室
如耆年解脫舍利弗言止此久耶天曰耆年
解脫亦何如久舍利弗默然不荅天曰如何
耆舊大智而默荅曰解脫者无所言說故吾
於是不知所云天曰言說文字皆解脫相所
以者何解脫者不內不外不在兩間文字亦
不內不外不在兩間是故舍利弗无離文字
說解脫也所以者何一切諸法皆解脫相舍
利弗言不復以離婬怒癡為解脫乎天曰佛
為增上慢人說離婬怒癡為解脫耳若无增
上慢者佛說婬怒癡性即是解脫舍利弗言
善哉善哉天女汝何所得以何為證辯乃如
是天曰我无得无證故辯如是所以者何若
有得有證者則於佛法為增上慢
舍利弗問天汝於三乘為何求天曰以聲聞
法化衆生故我為聲聞以因緣法化衆生
故我為辟支佛以大悲法化衆生故我為大乘
舍利弗如人入瞻蔔林唯齅瞻蔔不齅餘香
如是若入此室但聞佛法功德之香不樂聲
聞辟支佛功德香也舍利弗其有釋梵四天
王諸天龍鬼神等入此室者聞斯上人講說正

如是若入此室但聞佛法功德之香不樂聲
聞辟支佛功德香也舍利弗其有釋梵四天
王諸天龍鬼神等入此室者聞斯上人講說正
法皆樂佛功德之香發心而出舍利弗吾止此
室十有二年初不聞說聲聞辟支佛法但聞
菩薩大慈大悲不可思議諸佛之法舍利
弗此室常現八未曾有難得之法何等為八
此室常以金色光照晝夜无異不以日月所
照為明是為一未曾有難得之法此室入者
不為諸垢之所惱也是為二未曾有難得之法
此室常有釋梵四天王他方菩薩來會不絕
是為三未曾有難得之法此室常說六波
羅蜜不退轉法是為四未曾有難得之法
此室常作天人第一之樂絃出无量法化之聲
是為五未曾有難得之法此室有四大藏眾
寶積滿周窮濟乏求得无盡是為六未曾
有難得之法此室釋迦牟尼佛阿弥陀佛阿
閦佛寶德寶炎寶月寶嚴難勝師子響一切
利成如是等十方无量諸佛是上人念時即皆
為來廣說諸佛祕要法藏說已還去是為七
未曾有難得之法此室一切諸天嚴飾宮殿
諸佛淨土皆於中現是為八未曾有難得之
法舍利弗此室常現八未曾有難得之法
誰有見斯不思議事而復樂於聲聞法乎舍
利弗言汝何以不轉女身天曰我從十二年來

諸佛淨土皆於中現是為八未曾有難得之
法舍利弗此室常現八未曾有難得之法
誰有見斯不思議事而復樂於聲聞法乎舍
利弗言汝何以不轉女身天曰我從十二年來
求女人相了不可得當何所轉譬如幻師化作幻
女若有人問何以不轉女身是人為正問不舍
利弗言不也幻无定相當何所轉天曰一切諸
法亦復如是无有定相云何乃問不轉女身
即時天女以神通力變舍利弗令如天女天自
化身如舍利弗而問言何以不轉女身舍利
弗以天女像而答言我今不知何轉而變為
女身天曰舍利弗若能轉此女身則一切女
人亦當能轉如舍利弗非女而現女身一切女
人亦復如是雖現女身而非女也是故佛說
一切諸法非男非女即時天女還攝神力舍利
弗身還復如故天問舍利弗女身色相今
何所在舍利弗言女身色相无在无不在
天曰一切諸法亦復如是无在无不在夫无
在无不在者佛所說也舍利弗問天汝於此
沒當生何所天曰佛化所生吾如彼生曰佛
化所生非沒生也天曰眾生猶然无沒生也
舍利弗問天汝久如當得阿耨多羅三藐三
菩提天曰如舍利弗還為凡夫我當得成阿
耨多羅三藐三菩提舍利弗言我作凡夫
无有是處天曰我得阿耨多羅三藐三菩提
亦无是處所以者何菩提无住處是故无[illegible]

菩提天曰如舍利弗還爲凡夫我當得成阿
耨多羅三藐三菩提舍利弗言我作凡夫
无有是處天曰我得阿耨多羅三藐三菩提
亦无是處所以者何菩提无住處是故无有
得者舍利弗言今諸佛得阿耨多羅三藐三
菩提已得當得今得如恒河沙皆何謂乎
天曰皆已世俗文字數故說有三世非謂
菩提有去来今天曰舍利弗汝得阿羅
漢道耶曰无所得故而得天曰諸佛菩薩
亦復如是无所得故而得尒時維摩詰語舍
利弗是天女曾已供養九十二億佛已能遊
戲菩薩神通所願具足得无生忍住不退轉
以本願故隨意能現教化衆生

佛道品第八

尒時文殊師利問維摩詰言菩薩云何通達
佛道維摩詰言若菩薩行於非道是爲通達
佛道又問云何菩薩行於非道荅曰若菩薩
行五无間而无惱恚至于地獄无諸罪垢至
于畜生无有无明憍慢等過至于餓鬼
而具足功德行色无色界道不以爲勝示行貪
欲離諸染著示行瞋恚於諸衆生无有恚礙
示行愚癡而以智慧調伏其心示行慳貪而
捨内外所有不惜身命示行毀禁而安住淨
戒乃至小罪猶懷大懼示行瞋恚而懷慈忍
示行懈怠而懃修功德示行亂意而常念
定示行愚癡而通達世間出世間慧示行諂偽

BD01221號　維摩詰所說經卷中　（23–13）

捨内外所有不惜身命示行毀禁而安住淨
戒乃至小罪猶懷大懼示行瞋恚而懷慈忍
示行懈怠而懃修功德示行亂意而常念
定示行愚癡而通達世間出世間慧示行諂偽
而善方便隨諸經義示行憍慢而於衆生猶
如橋梁示行諸煩惱而心常清淨示入於魔
而順佛智慧不隨他教示入聲聞而爲衆生
說未聞法示入辟支佛而成就大悲教化衆
生示入貧窮而有寶手功德无盡示入形殘而
具諸相好以自莊嚴示入下賤而生佛種姓中
具諸功德示入羸劣醜陋而得那羅延身一切
衆生之所樂見示入老病而永斷病根超
越死畏示有資生而恒觀无常實无所貪示
有妻妾婇女而常遠離五欲淤泥現於訥鈍而
成就辯才摠持无失示入邪濟而以正濟度諸
衆生現遍入諸道而斷其因緣現於涅槃而
而不斷生死文殊師利菩薩能如是行於
非道是爲通達佛道
於是維摩詰問文殊師利何等爲如來種文
殊師利言有身爲種无明有愛爲種貪恚
癡爲種四顛倒爲種五蓋爲種六入爲種七識
處爲種八邪法爲種九惱處爲種十不善道
爲種以要言之六十二見及一切煩惱皆是
佛種曰何謂也荅曰若見无爲入正位者不
能得發阿耨多羅三藐三菩提心譬如高原

BD01221號　維摩詰所說經卷中　（23–14）

處為種八耶法為種九惱處為種十不善道
為種以要言之六十二見及一切煩惱皆是
佛種曰何謂也荅曰若見无為入正位者不
能得發阿耨多羅三藐三菩提心譬如高原
陸地不生蓮華卑濕汙泥乃生此華如是見
无為法入正位者終不復能生於佛法煩惱
泥中乃有衆生起佛法耳又如殖種於空終
得生糞壤之地乃能滋茂如是入无為正位
者不生佛法起於我見如須弥山猶能發于
阿耨多羅三藐三菩提心生佛法矣是故當
知一切煩惱為如来種譬如不入巨海不能得
无價寶珠如是不入煩惱大海則不能生一
切智寶之心
尒時大迦葉歎言善哉善哉文殊師利快說
此語誠如所言塵勞之疇為如来種我等今
者不復堪任發阿耨多羅三藐三菩提心乃至
五无間罪猶能發意生於佛法而今我等永
不能發譬如根敗之士其於五欲不能復利
如是聲聞諸結斷者於佛法中无所復益永
不志願是故文殊師利凡夫於佛法有反復
而聲聞无也所以者何凡夫聞佛法能起无
上道心不斷三寶正使聲聞終身聞佛法力
无畏等永不能發无上道意尒時會中有菩
薩名普現色身問維摩詰言居士父母妻子
親戚眷屬吏民知識悉為是誰奴婢僮僕象
馬車乘皆何所在於是維摩詰以偈荅曰

BD01221 號　維摩詰所說經卷中　（23–15）

上道心不斷三寶正使聲聞終身聞佛法力
无畏等永不能發无上道意尒時會中有菩
薩名普現色身問維摩詰言居士父母妻子
親戚眷屬吏民知識悉為是誰奴婢僮僕象
馬車乘皆何所在於是維摩詰以偈荅曰
智度菩薩母　方便以為父　一切衆導師　无不由是生
法喜以為妻　慈悲心為女　善心誠實男　畢竟空寂舍
弟子衆塵勞　隨意之所轉　道品善知識　由是成正覺
諸度法等侶　四攝為伎女　歌詠誦法言　以此為音樂
揔持之園苑　无漏法林樹　覺意淨妙華　解脫智慧果
八解之浴池　定水湛然滿　布以七淨華　浴此无垢人
象馬五通馳　大乘以為車　調御以一心　遊於八正路
具相以嚴容　衆好飾其姿　慚愧之上服　深心為華鬘
富有七財寶　教授以滋息　如所說脩行　迴向為大利
四禪為床座　從於淨命生　多聞增智慧　以為自覺音
甘露法之食　解脫味為漿　淨心以澡浴　戒品為塗香
摧滅煩惱賊　勇健无能踰　降伏四種魔　勝幡建道場
雖知无起滅　示彼故有生　悉現諸國土　如日无不現
供養於十方　无量億如来　諸佛及己身　无有分別想
雖知諸佛國　及與衆生空　而常脩淨土　教化於群生
諸有衆生類　形聲及威儀　无畏力菩薩　一時能盡現
覺知衆魔事　而示隨其行　以善方便智　隨意皆能現
或示老病死　成就諸群生　了知如幻化　通達无有礙
或現劫盡燒　天地皆洞然　衆人有常想　照令知无常
无數億衆生　俱来請菩薩　一時到其舍　化令向佛道
經書禁咒術　工巧諸伎藝　盡現行此事　饒益諸群生

BD01221 號　維摩詰所說經卷中　（23–16）

覺知衆魔事 而示隨其行 以善方便智 隨意皆能現
或示老病死 成就諸群生 了知如幻化 通達无有礙
或現劫盡燒 天地皆洞然 衆人有常想 照令知无常
无數億衆生 俱來請菩薩 一時到其舍 化令向佛道
經書禁呪術 工巧諸伎藝 盡現行此事 饒益諸群生
世間衆道法 悉於中出家 因以解人惑 而不墮邪見
或作日月天 梵王世界主 或時作地水 或復作風火
劫中有疾疫 現作諸藥草 若有服之者 除病消衆毒
劫中有饑饉 現身作飲食 先救彼饑渴 却以法語人
劫中有刀兵 為之起慈悲 化彼諸衆生 令住无諍地
若有大戰陣 立之以等力 菩薩現威勢 降伏使和安
一切國土中 諸有地獄處 輒往到于彼 勉濟諸苦惱
一切國土中 畜生相食噉 皆現生於彼 為之作利益
示受於五欲 亦復現行禪 令魔心憒亂 不能得其便
火中生蓮華 是可謂希有 在欲而行禪 希有亦如是
或現作婬女 引諸好色者 先以欲鉤牽 後令入佛智
或為邑中主 或作商人導 國師及大臣 以祐利衆生
諸有貧窮者 現為无盡藏 因以勸導之 令發菩提心
我心憍慢者 為現大力士 消伏諸貢高 令住佛上道
其有恐懼者 居前而安慰 先施以无畏 後令發道心
或現離婬欲 為五通仙人 開導諸群生 令住戒忍慈
見須供事者 現為作僮僕 既悅可其意 乃發以道心
隨彼之所須 得入於佛道 以善方便力 皆能給足之
如是道无量 所行无有涯 智慧无邊際 度脫无數衆
假令一切佛 於无數億劫 讚歎其功德 猶尚不能盡
誰聞如是法 不發菩提心 除彼不肖人 癡冥无智者

如是道无量 所行无有涯 智慧无邊際 度脫无數衆
假令一切佛 於无數億劫 讚歎其功德 猶尚不能盡
誰聞如是法 不發菩提心 除彼不肖人 癡冥无智者
入不二法門品第九
尒時維摩詰謂衆菩薩言諸仁者云何菩薩
入不二法門各隨所樂說之會中有菩薩名
法自在說言諸仁者生滅為二法本不生今則
无滅得此无生法忍是為入不二法門
德首菩薩曰我我所為二因有我故便有我
所若无有我則无我所是為入不二法門
不瞬菩薩曰受不受為二若法不受則不可
得以不可得故无取无捨无作无行是為入
不二法門
德頂菩薩曰垢淨為二見垢實性則无淨相
順於滅相是為入不二法門
善宿菩薩曰是動是念為二不動則无念无
念則无分別通達此者是為入不二法門
善眼菩薩曰一相无相為二若知一相即是
无相亦不取无相入於平等是為入不二法門
妙臂菩薩曰菩薩心聲聞心為二觀心相空
如幻化者无菩薩心无聲聞心是為入不二
法門
弗沙菩薩曰善不善為二若不起善不善入
无相際而通達者是為入不二法門
師子菩薩曰罪福為二若達罪性則與福

法門
弗沙菩薩曰善不善為二若不起善不善入
无相際而通達者是為入不二法門
師子菩薩曰罪福為二若達罪性則與福
无異以金剛慧決了此相无縛无解者是為
入不二法門
師子意菩薩曰有漏无漏為二若得諸法等
則不起漏不漏想不著於相亦不住无相是
為入不二法門
淨解菩薩曰有為无為為二若離一切數則心
如虛空以清淨慧无所礙者是為入不二法
門
那羅延菩薩曰世間出世間為二世間性空
即是出世間於其中不入不出不溢不散是
為入不二法門
善意菩薩曰生死涅槃為二若見生死性則
无生死无縛无解不然不滅如是解者是為
入不二法門
現見菩薩曰盡不盡為二法若究竟盡若不
盡皆是无盡相无盡相即是空空則无有盡
不盡相如是入者是為入不二法門
普首菩薩曰我无我為二我尚不可得非我
何可得見我實性者不復起二是為入不二
法門
電天菩薩曰明无明為二无明實性即是明
明亦不可取離一切數於其中平等无二者

BD01221號　維摩詰所說經卷中　（23–19）

何可得見我實性者不復起二是為入不二
法門
電天菩薩曰明无明為二无明實性即是明
明亦不可取離一切數於其中平等无二者
是為入不二法門
喜見菩薩曰色色空為二色即是空非色滅
空色性自空如是受想行識識空為二識即
是空非識滅空識性自空於其中而通達者
是為入不二法門
明相菩薩曰四種異空種異為二四種性即
是空種性如前際後際空故中際亦空若能
如是知諸種性者是為入不二法門
妙意菩薩曰眼色為二若知眼性於色不貪
不恚不癡是名寂滅如是耳聲鼻香舌味身
觸意法為二若知意性於法不貪不恚不癡
是名寂滅安住其中是為入不二法門
无盡意菩薩曰布施迴向一切智為二布施性
即是迴向一切智性如是持戒忍辱精進禪定
智慧迴向一切智為二智慧性即是迴向一
切智性於其中入一相者是為入不二法門
深慧菩薩曰是空是无相无作為二空即是
无相无相即是无作若空无相无作則无心意
識於一解脫門即是三解脫門者是為入不
二法門
寂根菩薩曰佛法眾為二佛即是法法即是
眾是三寶皆无為相與虛空等一切法亦尒

BD01221號　維摩詰所說經卷中　（23–20）

无相即是无作若空无相无作則无心意
識於一解脫門即是三解脫門者是為入不
二法門
寂根菩薩曰佛法眾為二佛即是法法即是
眾是三寶皆无為相與虛空等一切法亦尒
能隨此行者是為入不二法門
心无身菩薩曰身身滅為二身即是身滅所
以者何見身實相者不起見身及見滅身
身與滅身无二无分別於其中不驚不懼者
是為入不二法門
上善菩薩曰身口意善為二是三業皆无作
相身无作相即口无作相口无作相即意无作
相是三業无作相即一切法无作相能如是隨
无作慧者是為入不二法門
福田菩薩曰福行罪行不動行為二三行實
性即是空空則无福行无罪行无不動行於
此三行而不起者是為入不二法門
華嚴菩薩曰從我起二為二見我實相者不
起二法若不住二法則无有識无所識者是
為入不二法門
德藏菩薩曰有所得相為二若无所得則无
取捨无取捨者是為入不二法門
月上菩薩曰闇與明為二无闇无明則无有
二所以者何如入滅受想定无闇无明一切法
亦復如是於其中平等入者是為入不二法

BD01221 號　維摩詰所說經卷中　（23–21）

取捨无取捨者是為入不二法門
月上菩薩曰闇與明為二无闇无明則无有
二所以者何如入滅受想定无闇无明一切法
亦復如是於其中平等入者是為入不二法
門
寶印手菩薩曰樂涅槃不樂世間為二若不樂
涅槃不猒世間則无有二所以者何若有縛
則有解若本无縛其誰求解无縛无解則
无樂猒是為入不二法門
珠頂王菩薩曰正道耶道為二住正道者則
不分別是耶是正離此二法是為入不二法門
樂實菩薩曰實不實為二實見者尚不見實
何況非實所以者何非肉眼所見慧眼乃能
見而此慧眼无見无不見是為入不二法門
如是諸菩薩各各說已問文殊師利何等是
菩薩入不二法門文殊師利曰如我意者於
一切法无言无說无示无識離諸問荅是為
入不二法門於是文殊師利問維摩詰我
等各自說已仁者當說何等是菩薩入不二法
門時維摩詰默然无言文殊師利歎言善
哉善哉乃至无有文字語言是真入不二法
門說是不二法門時於此眾中五千菩薩皆入
不二法門得无生法忍

維摩經卷中

BD01221 號　維摩詰所說經卷中　（23–22）

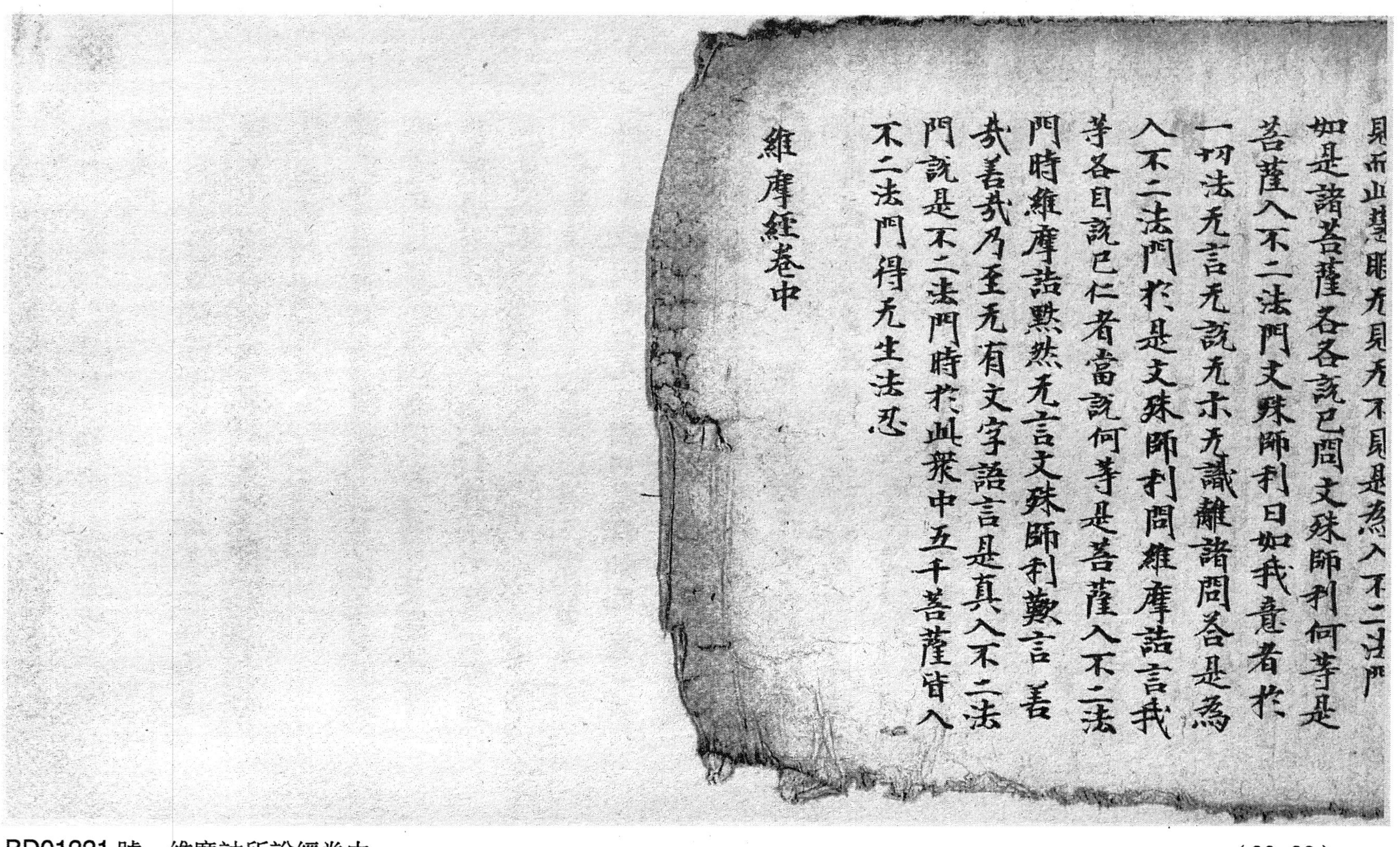

BD01221 號　維摩詰所說經卷中　　（23–23）

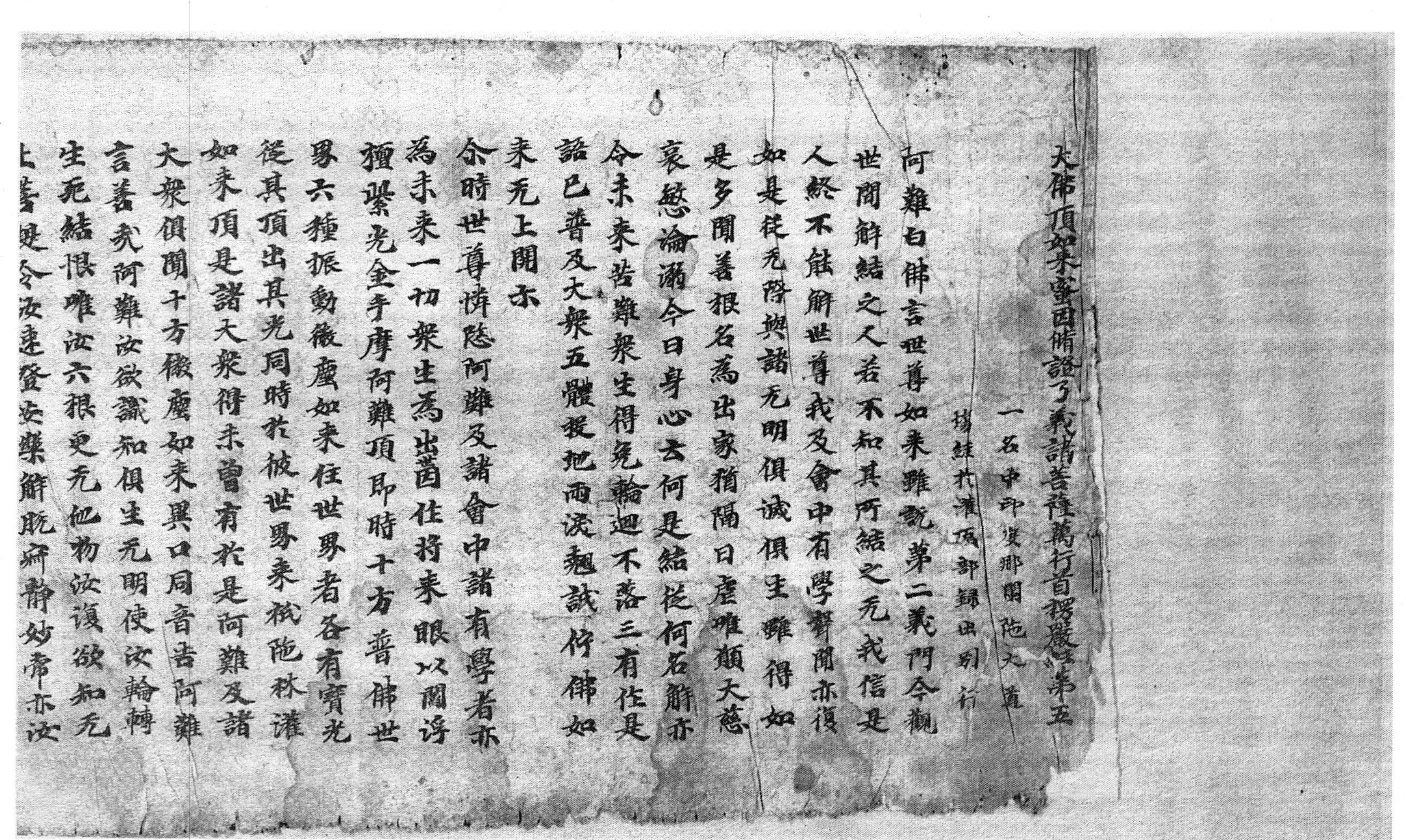

BD01222 號　大佛頂如來密因修證了義諸菩薩萬行首楞嚴經卷五　　（16–1）

如來頂是諸大衆得未曾有於是阿難及諸
大衆俱聞十方微塵如來異口同音告阿難
言善哉阿難汝欲識知俱生无明使汝輪轉
生死結根唯汝六根更无他物汝復欲知无
上菩提令汝速登安樂解脫寂靜妙常亦汝
六根更非他物阿難雖聞如是法音心猶未
明稽首白佛云何令我生死輪迴安樂妙常
同是六根更非他物佛告阿難根塵同源縛
脫无二識性虛妄猶如空花阿難由塵發知
因根有相相見无性同於交蘆是故汝今知
見立知即无明本知見无見斯即涅槃无漏
真淨云何是中更容他物尒時世尊欲重宣
此義而說偈言
真性有為空　緣生故如幻　无為无起滅　不實如空花
言妄顯諸真　妄真同二妄　猶非真非真　云何見所見
中間无實性　是故若交蘆　結解同所因　聖凡无二路
汝觀交中性　空有二俱非　迷晦即无明　發明便解脫
解結因次第　六解一亦亡　根選擇圓通　入流成正覺
陁那微細識　習氣成瀑流　真非真恐迷　我常不開演
自心取自心　非幻成幻法　不取无非幻　非幻尚不生
幻法云何立　是名妙蓮花　金剛王寶覺　如幻三摩提
彈指超无學　此阿毗達磨　十方薄伽梵　一路涅槃門
於是阿難及諸大衆聞佛如來无上慈誨祇
夜伽陁雜糅精瑩妙理清徹心目開明歎未
曾有阿難合掌頂禮白佛我今聞佛无遮大
悲性淨妙常真實法句心猶未達六解一亡
舒結倫次唯垂大慈再愍斯會及與將來施

BD01222號　大佛頂如來密因修證了義諸菩薩萬行首楞嚴經卷五　（16–2）

夜伽陁雜糅精瑩妙理清徹心目開明歎未
曾有阿難合掌頂禮白佛我今聞佛无遮大
悲性淨妙常真實法句心猶未達六解一亡
舒結倫次唯垂大慈再愍斯會及與將來施
以法音洗滌沉垢
即時如來於師子座整涅槃僧斂僧伽梨攬
七寶机引手於机取劫波羅天所奉花巾於
大衆前綰成一結示阿難言此名何等阿難
大衆俱白佛言此名為結於是如來綰疊花
巾又成一結重問阿難此名何等阿難大衆
又白佛言此亦名結如是倫次綰疊花巾總
成六結一一結成皆取手中所成之結持問
阿難此名何等阿難大衆亦復如是次第酬
佛此名為結佛告阿難我初綰巾汝名為結
此疊花巾先實一條第二第三云何汝曹復
名為結阿難白佛言世尊此寶疊花緝績成
巾雖本一體如我思惟如來一綰得一結名
若百綰成終名百結何況此巾秖有六結終
不至七亦不停五云何如來秖許初時第二
第三不名為結佛告阿難此寶花巾汝知此
巾元止一條我六綰時名有六結汝審觀察
巾體是同因結有異於意云何初綰結成名
為第一如是乃至第六結生吾今欲將第六結
名成第一不不也世尊六結若存斯第六名
終非第一縱我歷生盡其明辯如何令是六
結亂名佛言六結不同循顧本因一巾所
造令其雜亂終不得成則汝六根亦復如是
畢竟同中生畢竟異佛告阿難汝必嫌此六

BD01222號　大佛頂如來密因修證了義諸菩薩萬行首楞嚴經卷五　（16–3）

終非第一綰我歷生盡其明辯如何令是六
結亂名佛言六結不同循顧本因一巾所
造令其雜亂終不得成則汝六根亦復如是
畢竟同中生畢竟異佛告阿難汝必嫌此六
結不成願樂一成復云何得阿難言此結
若存是非鋒起於中自生此結非彼彼結非此
如來今日若總解除結若不生則无彼此尚
不名一六云何成佛言六解一亡亦復如是由
汝无始心性狂亂知見妄發發妄不息勞
見發塵如勞目睛則有狂花於湛精明无因
亂起一切世間山河大地生死涅槃皆即狂勞
顛倒花相阿難言此勞同結云何解除如來
以手將所結巾偏掣其左問阿難言如是
解不不也世尊旋復以手偏牽右邊又問阿
難如是解不不也世尊佛告阿難吾今以手
左右各牽竟不能解汝設方便云何成解阿
難白佛言世尊當於結心解即分散佛告阿
難如是如是若欲除結當於結心阿難我說
佛法從因緣生非取世間和合麤相如來發
明世出世法知其本因隨所緣出如是乃至
恒沙界外一滴之雨亦知頭數現前種種松
直鵠曲鵠白烏玄皆了元由是故阿難隨汝
心中選擇六根根結若除塵相自滅諸妄銷
亡不真何待阿難吾今問汝此劫波羅巾六結
現前同時解縈得同除不不也世尊是結本以
次第綰生今日當須次第而解六結同體結
不同時則結解時云何同除佛言六根解除
亦復如是此根初解先得人空空性圓明成

現前同時解縈得同除不不也世尊是結本以
次第綰生今日當須次第而解六結同體結
不同時則結解時云何同除佛言六根解除
亦復如是此根初解先得人空空性圓明成
法解脫解脫法已俱空不生是名菩薩從
三摩地得无生忍
阿難及諸大衆蒙佛開示慧覺圓通得无疑
惑一時合掌頂禮雙足而白佛言我等今日
身心皎然快得无礙雖復悟知一六亡義然
猶未達圓通本根世尊我輩飄零積劫孤露
何心何慮預佛天倫如失乳兒忽遇慈母若
復因此際會道成所得密言還同本悟則與
未聞无有差別唯垂大悲惠我秘嚴成就如
來最後開示作是語已五體投地退藏密機
兾佛冥授
爾時世尊普告衆中諸大菩薩及諸漏盡大
阿羅漢汝等菩薩及阿羅漢生我法中得成
无學吾今問汝最初發心悟十八界誰為圓
通從何方便入三摩地
憍陳那五比丘即從座起頂禮佛足而白佛
言我在鹿苑及於雞園觀見如來最初成道
於佛音聲悟明四諦佛問比丘我初稱解如
來印我名阿若多妙音密圓我於音聲得阿
羅漢佛問圓通如我所證音聲為上
優婆尼沙陀即從座起頂禮佛足而白佛言
我亦觀佛最初成道觀不淨相生大厭離悟
諸色性以從不淨白骨微塵歸於虛空空色
二无成无學道如來印我名尼沙陀塵色既

優婆尼沙陁即從座起頂礼佛足而白佛言
我亦觀佛最初成道觀不淨相生大猒離悟
諸色性以從不淨白骨微塵歸於虛空空色
二无成无學道如來印我名尼沙陁塵色既
盡妙色密圓我從色相得阿羅漢佛問圓通
如我所證色因為上
香嚴童子即從座起頂礼佛足而白佛言我
聞如來教我諦觀諸有為相我時辝佛宴晦
清齋見諸比丘燒沉水香香氣寂然來入鼻
中我觀此氣非木非空非烟非火去无所著
來无所從由是意銷發明无漏如來印我得香
嚴号塵氣倏滅妙香密圓我從香嚴得阿羅
漢佛問圓通如我所證香嚴為上
藥王藥上二法王子并在會中五百梵天即
從座起頂礼佛足而白佛言我无始劫為世
良醫口中嘗此娑婆世界草木金石名數凡
有十万八千如是悉知苦酢醎淡甘辛等味并
諸和合俱生變異是冷是熱有毒无毒悉能
遍知承事如來了知味性非空非有非即身
心非離身心分別味因從是開悟蒙佛如來印
我昆季藥王藥上二菩薩名今於會中為
法王子因味覺明位登菩薩佛問圓通如我
所證味因為上
跋陁婆羅并其同伴十六開士即從座起頂
礼佛足而白佛言我等先於威音王佛聞法
出家於浴僧時隨例入室忽悟水因既不洗塵
亦不洗體中間安然得无所有宿習无忘乃

BD01222號　大佛頂如來密因修證了義諸菩薩萬行首楞嚴經卷五　（16-6）

礼佛足而白佛言我等先於威音王佛聞法
出家於浴僧時隨例入室忽悟水因既不洗塵
亦不洗體中間安然得无所有宿習无忘乃
至今時從佛出家今得无學彼佛名我跋陁
婆羅妙觸宣明成佛子住佛問圓通如我
所證觸因為上
摩訶迦葉及紫金光比丘等即從座起頂礼
佛足而白佛言我於往劫於此界中有佛出
世名日月燈我得親近聞法修學佛滅度後
供養舍利然燈續明以紫光金塗佛形像自
尒已來世世生生身常圓滿紫金光聚此紫
金光比丘尼等即我眷屬同時發心我觀世
間六塵變壞唯以空寂修於滅盡身心乃能
度百千劫猶如彈指我以空法成阿羅漢世
尊說我頭陁為最妙法開明銷滅諸漏佛問
圓通如我所證法因為上
阿那律陁即從座起頂礼佛足而白佛言我
初出家常樂睡眠如來訶我為畜生類我聞
佛訶啼泣自責七日不眠失其雙目世尊示
我樂見照明金剛三昧我不因眼觀見十方
精真洞然如觀掌果如來印我成阿羅漢佛
問圓通如我所證旋見循元斯為苐一
周利槃特迦即從座起頂礼佛足而白佛言
我闕誦持无多聞性最初值佛聞法出家憶
持如來一句伽陁於一百日得前遺後得後
遺前佛愍我愚教我安居調出入息我時觀
息微細窮盡生住異滅諸行剎那其心豁然

BD01222號　大佛頂如來密因修證了義諸菩薩萬行首楞嚴經卷五　（16-7）

持如来一句伽陀於一百日得前遺後得後
遺前佛慈我愚教我安居調出入息我時觀
息微細窮盡生住異滅諸行剎那其心豁然
得大无礙乃至漏盡成阿羅漢住佛座下印
成无學佛問圓通如我所證返息脩空斯為
第一
驕梵鉢提即從座起頂礼佛足而白佛言我
有口業於過去劫輕弄沙門世世生生有牛
呞病如来示我一味清淨心地法門我得滅
心入三摩地觀味之知非體非物應念得超
世間諸漏內脫身心外遺世界遠離三有如
鳥出籠離垢銷塵法眼清淨成阿羅漢如来
親印登无學道佛問圓通如我所證還味旋
知斯為第一
畢陵伽婆蹉即從座起頂礼佛足而白佛道
我初發心從佛入道數聞如来說諸世間不可
樂事乞食城中心思法門不覺路中毒刺傷
足舉身疼痛我念有知此深痛雖覺覺痛
覺清淨心无痛痛覺我又思惟如是一身
寧有雙覺攝念未久身心忽空三七日中諸
漏虛盡成阿羅漢得親印記發明无學佛問
圓通如我所證純覺遺身斯為第一
須菩提即從座起頂礼佛足而白佛言我曠
劫来心得无礙自憶受生如恒河沙初在母
胎即知空寂如是乃至十方成空亦令衆生
證得空性蒙如来發性覺真空空性圓明得
阿羅漢頓入如来寶明空海同佛知見印成

BD01222 號　大佛頂如來密因修證了義諸菩薩萬行首楞嚴經卷五　（16–8）

劫来心得无礙自憶受生如恒河沙初在母
胎即知空寂如是乃至十方成空亦令衆生
證得空性蒙如来發性覺真空空性圓明得
阿羅漢頓入如来寶明空海同佛知見印成
无學解脫性空我為无上佛問圓通如我所
證諸相入非非所非盡旋法歸无斯為第一
舍利弗即從座起頂礼佛足而白佛言我曠劫
来心見清淨如是受生如恒河沙世出世間
種種變化一見則通獲无障㝵我於路中逢
迦葉波兄弟相逐宣說因緣悟心无際從佛出
家見覺明圓得大无畏成阿羅漢為佛長子
從佛口生從法化生佛問圓通如我所所心見
發光光極知見斯為第一
普賢菩薩即從座起頂礼佛足而白佛言我
已曾與恒沙如来為法王子十方如来教其弟
子菩薩根者脩普賢行從我立名世尊我用
心聞分別衆生所有知見若於他方恒沙界
外有一衆生心中發明普賢行者我於尒時乘
六牙象分身百千皆至其處縱彼障深未合
見我我與其人闇中摩頂擁護安慰令其
成就佛問圓通我說本因心聞發明分別自
在斯為第一
孫陀羅難陀即從座起頂礼佛足而白佛言
我初出家從佛入道雖具戒律於三摩提心
常散動未獲无漏世尊教我及俱絺羅觀鼻
端白我初諦觀經三七日見鼻中氣出入如
煙身心內明圓洞世界遍成虛淨猶如瑠璃
煙相漸銷鼻息成白心開漏盡諸出入息化

BD01222 號　大佛頂如來密因修證了義諸菩薩萬行首楞嚴經卷五　（16–9）

我初出家從佛入道雖具戒律於三摩提心
常散動未獲无漏世尊教我及俱絺羅觀鼻
端白我初諦觀經三七日見鼻中氣出入如
煙身心內明圓洞世界遍成虛淨猶如瑠璃
煙相漸銷鼻息成白心開漏盡諸出入息化
為光明照十方界得阿羅漢世尊記我當得
菩提佛問圓通我以銷息息久發明明圓滅
漏斯為第一
富樓那彌多羅尼子即從座起頂礼佛足而
白佛言我曠劫來辯才无礙宣說苦空深達
實相如是乃至恒沙如來秘密法門我於衆
中微妙開示得无所畏世尊知我有大辯才
以音聲輪教我發揚我於佛前助佛轉輪因
師子吼成阿羅漢世尊印我說法无上佛問
圓通我以法音降伏魔怨銷滅諸漏斯為第一
優波離即從座起頂礼佛足而白佛言我親
隨佛踰城出家親觀如來六年懃苦親見如
來降伏諸魔制諸外道解脫世間貪欲諸漏
承佛教我如是乃至三千威儀八万微細性
業遮業悉皆清淨身心寂滅成阿羅漢我是
如來衆中綱紀親印我心持戒脩身衆推无
上佛問圓通我以執身身得自在次第執心
心得通達然身心一切通利斯為第一
大目犍連即從座起頂礼佛足而白佛言我
初於路乞食逢遇優樓頻螺伽耶那提三迦
葉波宣說如來因緣深義我頓發心得大通
達如來惠我袈裟着身鬚髮自落我遊十方

心得通達然身心一切通利斯為第一
大目犍連即從座起頂礼佛足而白佛言我
初於路乞食逢遇優樓頻螺伽耶那提三迦
葉波宣說如來因緣深義我頓發心得大通
達如來惠我袈裟着身鬚髮自落我遊十方
得无罣礙神通發明推為无上阿羅漢寧唯
世尊十方如來歎我神力圓明清淨自在无
畏佛問圓通我以旋湛心光發宣如澄濁流
久成清瑩斯為第一
烏芻瑟摩於如來前合掌頂礼佛之雙足而
白佛言我常先憶久遠劫前性多貪欲有佛
出世名曰空王說多婬人成猛火聚教我遍
觀百骸四支諸冷煖氣神光內凝化多婬心
成智慧火從是諸佛皆呼召我名為火頭我
以火光三昧力故成阿羅漢心發大願諸佛
成道我為力士親伏魔怨佛問圓通我以諦
觀身心煖觸无礙流通諸漏既銷生大寶燄登
无上覺斯為第一
持地菩薩即從座起頂礼佛足而白佛言我
念往昔普光如來出現於世我為比丘常於
一切要路津口田地險隘有不如法妨損車
馬我皆平填或作橋梁或負沙土如是懃苦
經无量佛出現於世或有衆生於闤闠處
要人擎物我先為擎至其所詣放物即從不
取其直毗舍浮佛現在世時世多飢荒我為
負人无問遠近唯取一錢或有車牛被於泥
溺我有神力為其推輪拔其苦惱時國大王

要人擎物我先擎至其所詣放物即行不
取其直毗舍浮佛現在世時世多飢荒我為
負人无問遠近唯取一錢或有車牛被於泥
溺我有神力為其推輪拔其苦惱時國大王
延佛設齋我於尒時平地待佛毗舍如來摩
頂謂我當平心地則世界地一切皆平我即心
開見身微塵造世界所有微塵等无差別
微塵自性不相觸摩乃至刀兵亦无所觸我於
法性悟无生忍成阿羅漢迴心今入菩薩位
中聞諸如來宣妙蓮花佛知見地我先證
明而為上首佛問圓通我以諦觀身界二塵
等无差別本如來藏虛妄發塵塵銷智圓
成无上道斯為第一
月光童子即從座起頂礼佛足而白佛言我
憶往昔恒河沙劫有佛出世名為水天教諸
菩薩脩習水精入三摩地觀於身中水性无
奪初從涕唾如是窮盡津液精血大小便利
身中旋復水性一同見水身中與世界外浮
幢王刹諸香水海等无差別我於是時初成
此觀但見其水未得无身當為比丘室中安
禪我有弟子窺窓觀室唯見清水遍在屋
中了无所見童稚无知取一瓦礫投於水內激
水作聲顧盻而去我出定後頓覺心痛如舍
利弗遭違害鬼我自思惟今我已得阿羅漢
道久離病緣云何今日忽生心痛將无退失
尒時童子捷來我前說如上事我則告言汝
更見水可即開門入此水中除去瓦礫童子
奉教後入定時還復見水瓦礫宛然開門除

利弗遭違害鬼我自思惟今我已得阿羅漢
道久離病緣云何今日忽生心痛將无退失
尒時童子捷來我前說如上事我則告言汝
更見水可即開門入此水中除去瓦礫童子
奉教後入定時還復見水瓦礫宛然開門除
出我後出定身質如初逢无量佛如是至於
山海自在通王如來方得亡身與十方界諸
香水海性合真空无二无別今於如來得童
真名預菩薩會佛問圓通我以水性一味流
通得无生忍圓滿菩提斯為第一
瑠璃光法王子即從座起頂礼佛足而白佛
言我憶往昔經恒沙劫有佛出世名无量聲
開示菩薩本覺妙明觀此世界及衆生身皆
是妄緣風力所轉我於尒時觀界安立觀世
動時觀身動止觀心動念諸動无二等无差
別我時了覺此羣動性來无所從去无所至
十方微塵顛倒衆生同一虛妄如是乃至三
千大千一世界內所有衆生如一器中貯百
蚊蚋啾啾亂鳴於分寸中鼓發狂閙逢佛未
幾得无生忍尒時心開乃見東方不動佛國
為法王子事十方佛身心發光洞徹无礙佛
問圓通我以觀察風力无依悟菩提心入三摩
地令十方佛傳一妙心斯為第一
虛空藏菩薩即從座起頂礼佛足而白佛言
我與如來定光佛所得无邊身尒時手執四
大寶珠照明十方微塵佛刹化成虛空又於
[illegible]

琉[illegible]第一
虛空藏菩薩即從座起頂礼佛足而白佛言
我與如來定光佛所得无邊身尒時手執四
大寶珠照明十方微塵佛剎化成虛空又於
自心現大圓鏡內放十種微妙寶光流灌十
方盡虛空際諸幢王剎來入鏡內涉入我身
身同虛空不相妨礙身能善入微塵國土廣
行佛事得大隨順此大神力由我諦觀四大
无依妄想生滅虛空无二佛國本同於同發
明得无生忍佛問圓通我以觀察虛空无
邊入三摩地妙力圓明斯為第一
彌勒菩薩即從座起頂礼佛足而白佛言
我憶往昔經微塵劫有佛出世名日月燈明
我從彼佛而得出家心重世名好遊族姓尒
時世尊教我脩習唯心識定入三摩地歷劫已
來以此三昧事恒沙佛求世名心歇滅无有
至然燈佛出現於世我乃得成无上妙圓識
心三昧乃至盡空如來國土淨穢有无皆是
我心變化所現世尊我了如是唯心識故識
性流出无量如來今得授記次補佛處佛問
圓通我以諦觀十方唯識識心圓明入圓成
實遠離依地及遍計執得无生忍斯為第一
大勢至法王子與其同倫五十二菩薩即從
座起頂礼佛足而白佛言我憶往昔恒河沙
劫有佛出世名无量光十二如來相繼一劫其
最後佛名超日月光彼佛教我念佛三昧辟
如有人一專為憶一人專忘如是二人若逢
不逢或見非見二人相憶二憶念深如是乃至

BD01222號　大佛頂如來密因修證了義諸菩薩萬行首楞嚴經卷五　（16–14）

大勢至法王子與其同倫五十二菩薩即從
座起頂礼佛足而白佛言我憶往昔恒河沙
劫有佛出世名无量光十二如來相繼一劫其
最後佛名超日月光彼佛教我念佛三昧辟
如有人一專為憶一人專忘如是二人若逢
不逢或見非見二人相憶二憶念深如是乃至
從生至生同於形影不相乖異十方如來憐
念眾生如母憶子若子逃逝雖憶何為子若
憶母如母憶時母子歷生不相違遠若眾生
心憶佛念佛現前當來必定見佛去佛不
遠不假方便自得心開如染香人身有香氣
此則名曰香光莊嚴我本因地以念佛心入无
生忍今於此界攝念佛人歸於淨土佛問
圓通我无選擇都攝六根淨念相繼得三
摩提斯為第一

大佛頂萬行首楞嚴經卷第五

BD01222號　大佛頂如來密因修證了義諸菩薩萬行首楞嚴經卷五　（16–15）

生忍今於此界攝念佛人歸於淨土佛問
圓通我无選擇都攝六根淨念相繼得三
摩提斯為第一
大佛頂萬行首楞嚴經卷第五

BD01222號　大佛頂如來密因修證了義諸菩薩萬行首楞嚴經卷五　（16–16）

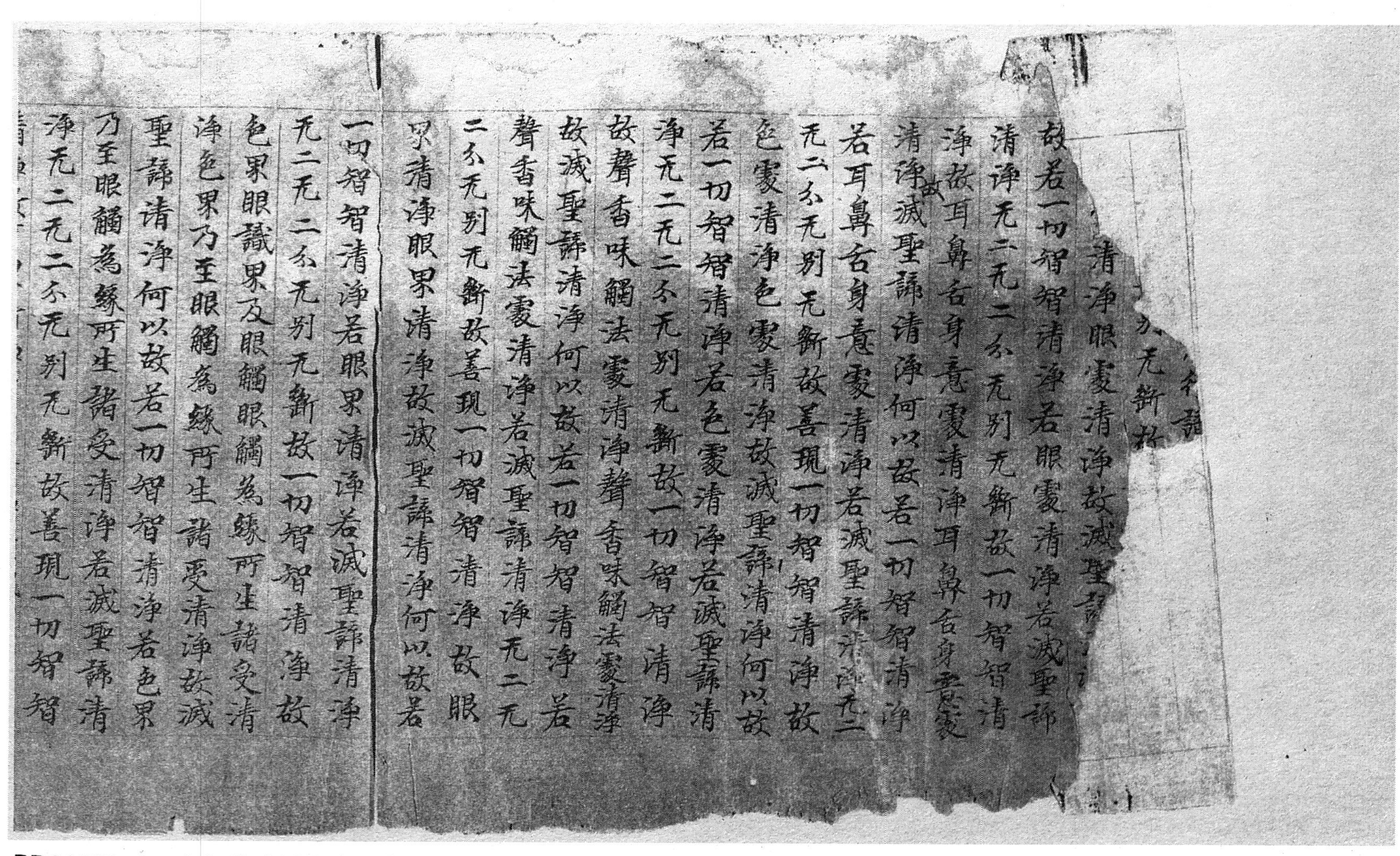

清淨眼處清淨故滅聖諦
故若一切智智清淨若眼處清淨若滅聖諦
清淨无二无二分无別无斷故一切智智清
淨故耳鼻舌身意處清淨耳鼻舌身意處
清淨故滅聖諦清淨何以故若一切智智清淨
若耳鼻舌身意處清淨若滅聖諦清淨无二
无二分无別无斷故善現一切智智清淨故
色處清淨色處清淨故滅聖諦清淨何以故
若一切智智清淨若色處清淨若滅聖諦清
淨无二无二分无別无斷故一切智智清淨
故聲香味觸法處清淨聲香味觸法處清淨
故滅聖諦清淨何以故若一切智智清淨若
聲香味觸法處清淨若滅聖諦清淨无二无
二分无別无斷故善現一切智智清淨故眼
界清淨眼界清淨故滅聖諦清淨何以故若
一切智智清淨若眼界清淨若滅聖諦清淨
无二无二分无別无斷故一切智智清淨故
色界眼識界及眼觸眼觸為緣所生諸受清
淨色界乃至眼觸為緣所生諸受清淨故滅
聖諦清淨何以故若一切智智清淨若色界
乃至眼觸為緣所生諸受清淨若滅聖諦清
淨无二无二分无別无斷故善現一切智智

BD01223號　大般若波羅蜜多經卷二六四　（16–1）

二分无別无斷故善現一切智智清淨故眼
界清淨眼界清淨故滅聖諦清淨何以故若
一切智智清淨若眼界清淨若滅聖諦清淨
无二无二分无別无斷故一切智智清淨故
色界眼識界及眼觸眼觸為緣所生諸受清
淨色界乃至眼觸為緣所生諸受清淨故滅
聖諦清淨何以故若一切智智清淨若色界
乃至眼觸為緣所生諸受清淨若滅聖諦清
淨无二无二分无別无斷故善現一切智智
清淨故耳界清淨耳界清淨故滅聖諦清淨
何以故若一切智智清淨若耳界清淨若滅
聖諦清淨无二无二分无別无斷故一切智
智清淨故聲界耳識界及耳觸耳觸為緣所
生諸受清淨聲界乃至耳觸為緣所生諸受
清淨故滅聖諦清淨何以故若一切智智清
淨若聲界乃至耳觸為緣所生諸受清淨若
滅聖諦清淨无二无二分无別无斷故善現
一切智智清淨故鼻界清淨鼻界清淨故滅
聖諦清淨何以故若一切智智清淨若鼻界
清淨若滅聖諦清淨无二无二分无別无斷
故一切智智清淨故香界鼻識界及鼻觸鼻觸
為緣所生諸受清淨香界乃至鼻觸為緣所
生諸受清淨故滅聖諦清淨何以故若一切
智智清淨若香界乃至鼻觸為緣所生諸
受清淨若滅聖諦清淨无二无二分无別无
斷故善現一切智智清淨故舌界清淨舌界
清淨故滅聖諦清淨何以故若一切智智清
淨舌界清淨若滅聖諦清淨无二

BD01223號　大般若波羅蜜多經卷二六四　（16–2）

生諸受清淨故滅聖諦清淨何以故若一切
智智清淨若香界乃至鼻觸為緣所生諸
受清淨若滅聖諦清淨无二无二分无別无
斷故善現一切智智清淨故舌界清淨舌界
清淨故滅聖諦清淨何以故若一切智智清
淨若舌界清淨若滅聖諦清淨无二无二分
无別无斷故一切智智清淨故味界舌識界
及舌觸舌觸為緣所生諸受清淨味界乃至
舌觸為緣所生諸受清淨故滅聖諦清淨何
以故若一切智智清淨若味界乃至舌觸為
緣所生諸受清淨若滅聖諦清淨无二无二
分无別无斷故善現一切智智清淨故身界
清淨身界清淨故滅聖諦清淨何以故若一
切智智清淨若身界清淨若滅聖諦清淨无
二无二分无別无斷故一切智智清淨故觸
界身識界及身觸身觸為緣所生諸受清淨
觸界乃至身觸為緣所生諸受清淨故滅聖
諦清淨何以故若一切智智清淨若觸界乃
至身觸為緣所生諸受清淨若滅聖諦清淨
无二无二分无別无斷故善現一切智智清
淨故意界清淨意界清淨故滅聖諦清淨何
以故若一切智智清淨若意界清淨若滅聖
諦清淨无二无二分无別无斷故一切智智
清淨故法界意識界及意觸意觸為緣所生
諸受清淨法界乃至意觸為緣所生諸受清
淨故滅聖諦清淨何以故若一切智智清淨
若法界乃至意觸為緣所生諸受清淨若滅
聖諦清淨无二无二分无別无斷故善現一

BD01223號　大般若波羅蜜多經卷二六四　（16–3）

諦清淨无二无二分无別无斷故[illegible]
清淨故法界意識界及意觸意觸為緣所生
諸受清淨法界乃至意觸為緣所生諸受清
淨故滅聖諦清淨何以故若一切智智清淨
若法界乃至意觸為緣所生諸受清淨若滅
聖諦清淨无二无二分无別无斷故善現一
切智智清淨故地界清淨地界清淨故滅聖
諦清淨何以故若一切智智清淨若地界清
淨若滅聖諦清淨无二无二分无別无斷故
一切智智清淨故水火風空識界清淨水火
風空識界清淨故滅聖諦清淨何以故若一
切智智清淨若水火風空識界清淨若滅聖
諦清淨无二无二分无別无斷故善現一切
智智清淨故无明清淨无明清淨故滅聖諦
清淨何以故若一切智智清淨若无明清淨
若滅聖諦清淨无二无二分无別无斷故一
切智智清淨故行識名色六處觸受取有
生老死愁歎苦憂惱清淨行乃至老死愁歎
苦憂惱清淨故滅聖諦清淨何以故若一切智
智清淨若行乃至老死愁歎苦憂惱清淨
若滅聖諦清淨无二无二分无別无斷故
善現一切智智清淨故布施波羅蜜多清淨
布施波羅蜜多清淨故滅聖諦清淨何以故
若一切智智清淨若布施波羅蜜多清淨若
滅聖諦清淨无二无二分无別无斷故一切
智智清淨故淨戒安忍精進靜慮般若波羅
蜜多清淨淨戒乃至般若波羅蜜多清淨故
滅聖諦清淨何以故若一切智智清淨若淨
戒乃至般若波羅蜜多清淨若滅聖諦清淨

滅聖諦清淨无二无二分无別无斷故一切
智智清淨故淨戒安忍精進靜慮般若波羅
蜜多清淨淨戒乃至般若波羅蜜多清淨故
滅聖諦清淨何以故若一切智智清淨若淨
戒乃至般若波羅蜜多清淨若滅聖諦清淨
无二无二分无別无斷故善現一切智智清淨
故內空清淨內空清淨故滅聖諦清淨何
以故若一切智智清淨若內空清淨若滅聖
諦清淨无二无二分无別无斷故一切智智
清淨故外空內外空空空大空勝義空有為
空无為空畢竟空无際空散空无變異空本
性空自相空共相空一切法空不可得空无
性空自性空无性自性空清淨外空乃至无
性自性空清淨故滅聖諦清淨何以故若一
切智智清淨若外空乃至无性自性空清淨
若滅聖諦清淨无二无二分无別无斷故善
現一切智智清淨故真如清淨真如清淨故
滅聖諦清淨何以故若一切智智清淨若真
如清淨若滅聖諦清淨无二无二分无別无
斷故一切智智清淨故法界法性不虛妄性
不變異性平等性離生性法定法住實際虛
空界不思議界清淨法界乃至不思議界清
淨故滅聖諦清淨何以故若一切智智清淨
若法界乃至不思議界清淨若滅聖諦清淨
无二无二分无別无斷故善現一切智智清
淨故苦聖諦清淨苦聖諦清淨故滅聖諦
清淨何以故若一切智智清淨若苦聖諦清淨
若滅聖諦清淨无二无二分无別无斷故一切

若法界乃至不思議界清淨若滅聖諦清淨
无二无二分无別无斷故善現一切智智清
淨故苦聖諦清淨苦聖諦清淨故滅聖諦
清淨何以故若一切智智清淨若苦聖諦清淨
若滅聖諦清淨无二无二分无別无斷故一切
智智清淨故集道聖諦清淨集道聖諦清
淨故滅聖諦清淨何以故若一切智智清淨若
集道聖諦清淨若滅聖諦清淨无二无二分无
別无斷故善現一切智智清淨故四靜慮清
淨四靜慮清淨故滅聖諦清淨何以故若一
切智智清淨若四靜慮清淨若滅聖諦清淨
无二无二分无別无斷故一切智智清淨故
四无量四无色定清淨四无量四无色定清
淨故滅聖諦清淨何以故若一切智智清淨
若四无量四无色定清淨若滅聖諦清淨无
二无二分无別无斷故善現一切智智清淨
故八解脫清淨八解脫清淨故滅聖諦清淨
何以故若一切智智清淨若八解脫清淨若
滅聖諦清淨无二无二分无別无斷故一切
智智清淨故八勝處九次第定十遍處清淨
八勝處九次第定十遍處清淨故滅聖諦清
淨何以故若一切智智清淨若八勝處九次
第定十遍處清淨若滅聖諦清淨无二无二
分无別无斷故善現一切智智清淨故四念
住清淨四念住清淨故滅聖諦清淨何以故
若一切智智清淨若四念住清淨若滅聖諦
清淨无二无二分无別无斷故一切智智清
淨故四正斷四神足五根五力七等覺支八

住清淨四念住清淨故滅聖諦清淨何以故
若一切智智清淨若四念住清淨若滅聖諦
清淨无二无二分无別无斷故一切智智清
淨故四正斷四神足五根五力七等覺支八
聖道支清淨四正斷乃至八聖道支清淨故
滅聖諦清淨何以故若一切智智清淨若四
正斷乃至八聖道支清淨若滅聖諦清淨无
二无二分无別无斷故善現一切智智清淨
故空解脫門清淨空解脫門清淨故滅聖諦
清淨何以故若一切智智清淨若空解脫門
清淨若滅聖諦清淨无二无二分无別无斷
故一切智智清淨故无相无願解脫門清淨
无相无願解脫門清淨故滅聖諦清淨何以
故若一切智智清淨若无相无願解脫門清
淨若滅聖諦清淨无二无二分无別无斷故
善現一切智智清淨故菩薩十地清淨菩薩
十地清淨故滅聖諦清淨何以故若一切智
智清淨若菩薩十地清淨若滅聖諦清淨无
二无二分无別无斷故
善現一切智智清淨故五眼清淨五眼清淨
故滅聖諦清淨何以故若一切智智清淨若
五眼清淨若滅聖諦清淨无二无二分无
別无斷故一切智智清淨故六神通清淨六
神通清淨故滅聖諦清淨何以故若一切智
智清淨若六神通清淨若滅聖諦清淨无二
无二分无別无斷故善現一切智智清淨故
佛十力清淨佛十力清淨故滅聖諦清淨何

别无斷故一切智智清淨故六神通清淨六
神通清淨故滅聖諦清淨何以故若一切智
智清淨若六神通清淨若滅聖諦清淨无二
无二分无別无斷故善現一切智智清淨故
佛十力清淨佛十力清淨故滅聖諦清淨何
以故若一切智智清淨若佛十力清淨若滅
聖諦清淨无二无二分无別无斷故一切智
智清淨故四无所畏四无礙解大慈大悲大
喜大捨十八佛不共法清淨四无所畏乃至
十八佛不共法清淨故滅聖諦清淨何以故
若一切智智清淨若四无所畏乃至十八佛不
共法清淨若滅聖諦清淨无二无二分无別无
斷故善現一切智智清淨故无忘失法清淨
无忘失法清淨故滅聖諦清淨何以故若一切
智智清淨若无忘失法清淨若滅聖諦清淨
无二无二分无別无斷故一切智智清淨故恒
住捨性清淨恒住捨性清淨故滅聖諦清淨
何以故若一切智智清淨若恒住捨性清淨
若滅聖諦清淨无二无二分无別无斷故善
現一切智智清淨故一切智清淨一切智清
淨故滅聖諦清淨何以故若一切智智清淨
若一切智清淨若滅聖諦清淨无二无二分无
別无斷故一切智智清淨故道相智一切相
智清淨道相智一切相智清淨故滅聖諦
清淨何以故若一切智智清淨若道相智
一切相智清淨若滅聖諦清淨无二无二分
无別无斷故善現一切智智清淨故一切陁
羅尼門清淨一切陁羅尼門清淨故滅聖諦

BD01223號　大般若波羅蜜多經卷二六四　（16–8）

清淨何以故若一切智智清淨若道相智
一切相智清淨若滅聖諦清淨无二无二分
无別无斷故善現一切智智清淨故一切陁
羅尼門清淨一切陁羅尼門清淨故滅聖諦
清淨何以故若一切智智清淨若一切陁羅
尼門清淨若滅聖諦清淨无二无二分无別
无斷故一切智智清淨故一切三摩地門清淨
一切三摩地門清淨故滅聖諦清淨何以故若
一切智智清淨若一切三摩地門清淨若滅
聖諦清淨无二无二分无別无斷故
善現一切智智清淨故預流果清淨預流果
清淨故滅聖諦清淨何以故若一切智智清
淨若預流果清淨若滅聖諦清淨无二无二
分无別无斷故一切智智清淨故一來不還
阿羅漢果清淨一來不還阿羅漢果清淨故
滅聖諦清淨何以故若一切智智清淨若一
來不還阿羅漢果清淨若滅聖諦清淨无二
无二分无別无斷故善現一切智智清淨故
獨覺菩提清淨獨覺菩提清淨故滅聖諦
清淨何以故若一切智智清淨若獨覺菩提清
淨若滅聖諦清淨无二无二分无別无斷故
善現一切智智清淨故一切菩薩摩訶薩行
清淨一切菩薩摩訶薩行清淨故滅聖諦清
淨何以故若一切智智清淨若一切菩薩摩
訶薩行清淨若滅聖諦清淨无二无二分
无別无斷故善現一切智智清淨故諸佛无
上正等菩提清淨諸佛无上正等菩提清淨
故滅聖諦清淨何以故若一切智智清淨若

BD01223號　大般若波羅蜜多經卷二六四　（16–9）

淨何以故若一切智智清淨若一切菩薩摩
訶薩行清淨若滅聖諦清淨无二无二分
无別无斷故善現一切智智清淨故諸佛无
上正等菩提清淨諸佛无上正等菩提清淨
故滅聖諦清淨何以故若一切智智清淨若
諸佛无上正等菩提清淨若滅聖諦清淨无
二无二分无別无斷故
復次善現一切智智清淨故色清淨色清淨
故道聖諦清淨何以故若一切智智清淨若
色清淨若道聖諦清淨无二无二分无別无斷
故一切智智清淨故受想行識清淨受想
行識清淨故道聖諦清淨何以故若一切智
智清淨若受想行識清淨若道聖諦清淨无
二无二分无別无斷故善現一切智智清淨
故眼處清淨眼處清淨故道聖諦清淨何以
故若一切智智清淨若眼處清淨若道聖諦
清淨无二无二分无別无斷故一切智智清
淨故耳鼻舌身意處清淨耳鼻舌身意處清
淨故道聖諦清淨何以故若一切智智請淨
若耳鼻舌身意處清淨若道聖諦清淨无二
无二分无別无斷故善現一切智智清淨故色
處清淨色處清淨故道聖諦清淨何以故
若一切智智清淨若色處清淨若道聖諦清
淨无二无二分无別无斷故一切智智清淨
故聲香味觸法處清淨聲香味觸法處清淨
故道聖諦清淨何以故若一切智智清淨若
聲香味觸法處清淨若道聖諦清淨无二无
二分无別无斷故善現一切智智清淨故眼
界清淨眼界清淨故道聖諦清淨何以故若

故聲香味觸法處清淨聲香味觸法處清淨
故道聖諦清淨何以故若一切智智清淨若
聲香味觸法處清淨若道聖諦清淨无二无
二分无別无斷故善現一切智智清淨故眼
界清淨眼界清淨故道聖諦清淨何以故若
一切智智清淨若眼界清淨若道聖諦清淨
无二无二分无別无斷故一切智智清淨故
色界眼識界及眼觸眼觸為緣所生諸受清
淨色界乃至眼觸為緣所生諸受清淨故道
聖諦清淨何以故若一切智智清淨若色界
乃至眼觸為緣所生諸受清淨若道聖諦清
淨无二无二分无別无斷故善現一切智智清
淨故耳界清淨耳界清淨故道聖諦清淨
何以故若一切智智清淨若耳界清淨若道
聖諦清淨无二无二分无別无斷故一切智
智清淨故聲界耳識界及耳觸耳觸為緣所
生諸受清淨聲界乃至耳觸為緣所生諸受
清淨故道聖諦清淨何以故若一切智智清
淨若聲界乃至耳觸為緣所生諸受清淨若
道聖諦清淨无二无二分无別无斷故善現
一切智智清淨故鼻界清淨鼻界清淨故道
聖諦清淨何以故若一切智智清淨若鼻界
清淨若道聖諦清淨无二无二分无別无斷
故一切智智清淨故香界鼻識界及鼻觸鼻
觸為緣所生諸受清淨香界乃至鼻觸為緣
所生諸受清淨故道聖諦清淨何以故若一
切智智清淨若香界乃至鼻觸為緣所生
諸受清淨若道聖諦清淨无二无二分无別

觸為緣所生諸受清淨香界乃至鼻觸為緣
所生諸受清淨故道聖諦清淨何以故若一
切智智清淨若香界乃至鼻觸為緣所生
諸受清淨若道聖諦清淨无二无二分无別
无斷故善現一切智智清淨故舌界清淨舌
界清淨故道聖諦清淨何以故若一切智智清
淨若舌界清淨若道聖諦清淨无二无二分
无別无斷故一切智智清淨故味界舌識界
及舌觸舌觸為緣所生諸受清淨味界乃至
舌觸為緣所生諸受清淨故道聖諦清淨何
以故若一切智智清淨若味界乃至舌觸為
緣所生諸受清淨若道聖諦清淨无二无二
分无別无斷故善現一切智智清淨故身界
清淨身界清淨故道聖諦清淨何以故若一
切智智清淨若身界清淨若道聖諦清淨无
二无二分无別无斷故一切智智清淨故觸
界身識界及身觸身觸為緣所生諸受清淨
觸界乃至身觸為緣所生諸受清淨故道聖
諦清淨何以故若一切智智清淨若觸界乃
至身觸為緣所生諸受清淨若道聖諦清淨
无二无二分无別无斷故善現一切智智清
淨故意界清淨意界清淨故道聖諦清淨何
以故若一切智智清淨若意界清淨若道
聖諦清淨无二无二分无別无斷故一切智智
清淨故法界意識界及意觸意觸為緣所生
諸受清淨法界乃至意觸為緣所生諸受清
淨故道聖諦清淨何以故若一切智智清淨
若法界乃至意觸為緣所生諸受清淨若道

清淨故法界意識界及意觸意觸為緣所生
諸受清淨法界乃至意觸為緣所生諸受清
淨故道聖諦清淨何以故若一切智智清淨
若法界乃至意觸為緣所生諸受清淨若道
聖諦清淨无二无二分无別无斷故善現一
切智智清淨故地界清淨地界清淨故道聖
諦清淨何以故若一切智智清淨若地界清
淨若道聖諦清淨无二无二分无別无斷故
一切智智清淨故水火風空識界清淨水火
風空識界清淨故道聖諦清淨何以故若一
切智智清淨若水火風空識界清淨若道聖
諦清淨无二无二分无別无斷故善現一切
智智清淨故无明清淨无明清淨故道聖諦
清淨何以故若一切智智清淨若无明清淨
若道聖諦清淨无二无二分无別无斷故一
切智智清淨故行識名色六處觸受愛取有
生老死愁歎苦憂惱清淨行乃至老死愁歎
苦憂惱清淨故道聖諦清淨何以故若一切
智智清淨若行乃至老死愁歎苦憂惱清淨
若道聖諦清淨无二無二分無別無斷故善
現一切智智清淨故布施波羅蜜多清淨布
施波羅蜜多清淨故道聖諦清淨何以故若
一切智智清淨若布施波羅蜜多清淨若道
聖諦清淨无二无二分无別无斷故一切智
智清淨故淨戒安忍精進靜慮般若波羅蜜
多清淨淨戒乃至般若波羅蜜多清淨故道
聖諦清淨何以故若一切智智清淨若淨戒

智清淨故淨戒安忍精進靜慮般若波羅蜜
多清淨淨戒乃至般若波羅蜜多清淨故道
聖諦清淨何以故若一切智智清淨若淨戒
乃至般若波羅蜜多清淨若道聖諦清淨无
二无二分无別无斷故善現一切智智清淨
故內空清淨內空清淨故道聖諦清淨何以
故若一切智智清淨若內空清淨若道聖諦
清淨无二无二分无別无斷故一切智智清
淨故外空內外空空空大空勝義空有為空
无為空畢竟空无際空散空无變異空本性
空自相空共相空一切法空不可得空无性
空自性空无性自性空清淨外空乃至无性
自性空清淨故道聖諦清淨何以故若一切
智智清淨若外空乃至无性自性空清淨若
道聖諦清淨无二无二分无別无斷故善現
一切智智清淨故真如清淨真如清淨故道
聖諦清淨何以故若一切智智清淨若真如
清淨若道聖諦清淨无二无二分无別无斷
故一切智智清淨故法界法性不虛妄性不
變異性平等性離生性法定法住實際虛空
界不思議界清淨法界乃至不思議界清淨
故道聖諦清淨何以故若一切智智清淨若
法界乃至不思議界清淨若道聖諦清淨
无二无二分无別无斷故善現一切智智清
淨故苦聖諦清淨苦聖諦清淨故道聖諦
清淨何以故若一切智智清淨若苦聖諦清
淨若道聖諦清淨无二无二分无別无斷故
一切智智清淨故集滅聖諦清淨集滅聖諦

无二无二分无別无斷故善現一切智智清
淨故苦聖諦清淨苦聖諦清淨故道聖諦
清淨何以故若一切智智清淨若苦聖諦清
淨若道聖諦清淨无二无二分无別无斷故
一切智智清淨故集滅聖諦清淨集滅聖諦
清淨故道聖諦清淨何以故若一切智智清
淨若集滅聖諦清淨若道聖諦清淨无二无
二分无別无斷故善現一切智智清淨故四
靜慮清淨四靜慮清淨故道聖諦清淨何以
故若一切智智清淨若四靜慮清淨若道聖
諦清淨无二无二分无別无斷故一切智智
清淨故四无量四无色定清淨四无量四无
色定清淨故道聖諦清淨何以故若一切智
智清淨若四无量四无色定清淨若道聖諦
清淨无二无二分无別无斷故善現一切智
智清淨故八解脫清淨八解脫清淨故道聖
諦清淨何以故若一切智智清淨若八解脫
清淨若道聖諦清淨无二无二分无別无斷
故一切智智清淨故八勝處九次第定十遍
處清淨八勝處九次第定十遍處清淨故道
聖諦清淨何以故若一切智智清淨若八勝
處九次第定十遍處清淨若道聖諦清淨无
二无二分无別无斷故善現一切智智清淨
故四念住清淨四念住清淨故道聖諦清淨
何以故若一切智智清淨若四念住清淨若
道聖諦清淨无二无二分无別无斷故一切
智智清淨故四正斷四神足五根五力七等
覺支八聖道支清淨四正斷乃至八聖道支
清淨故道聖諦清淨何以故若一切智智清

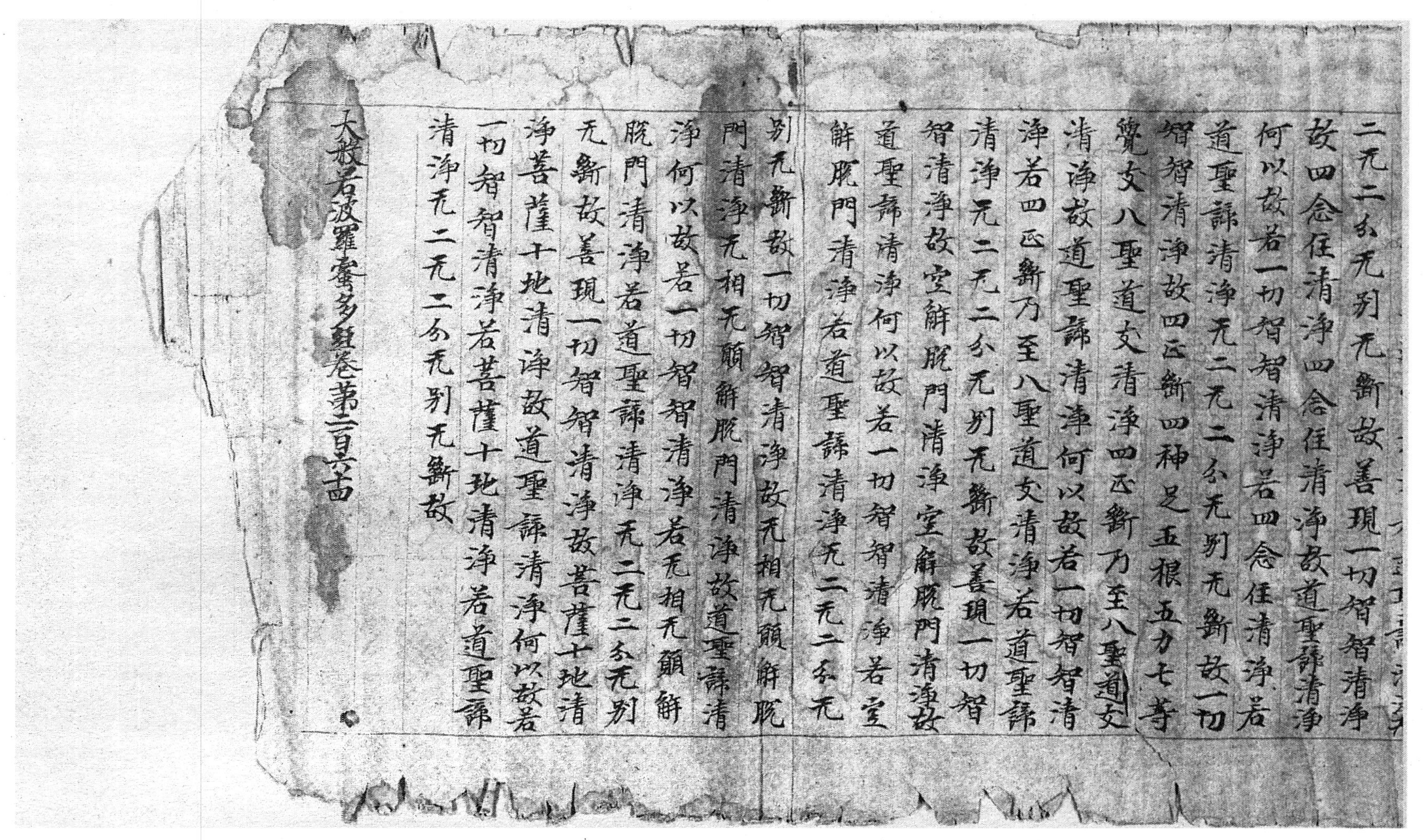

二无二分无別无斷故善現一切智智清淨
故四念住清淨四念住清淨故道聖諦清淨
何以故若一切智智清淨若四念住清淨若
道聖諦清淨无二无二分无別无斷故一切
智智清淨故四正斷四神足五根五力七等
覺支八聖道支清淨四正斷乃至八聖道支
清淨故道聖諦清淨何以故若一切智智清
淨若四正斷乃至八聖道支清淨若道聖諦
清淨无二无二分无別无斷故善現一切智
智清淨故空解脫門清淨空解脫門清淨故
道聖諦清淨何以故若一切智智清淨若空
解脫門清淨若道聖諦清淨无二无二分无
別无斷故一切智智清淨故无相无願解脫
門清淨无相无願解脫門清淨故道聖諦清
淨何以故若一切智智清淨若无相无願解
脫門清淨若道聖諦清淨无二无二分无別
无斷故善現一切智智清淨故菩薩十地清
淨菩薩十地清淨故道聖諦清淨何以故若
一切智智清淨若菩薩十地清淨若道聖諦
清淨无二无二分无別无斷故

大般若波羅蜜多經卷第二百六十四

BD01223號　大般若波羅蜜多經卷二六四　（16–16）

BD01224 號　羯磨

（16–1）

与我隨覆藏日羯磨我比丘某甲已行若干日未
行若干日白大德令知我行覆藏乞摩那埵羯磨
文
大德僧聽我比丘某甲犯僧殘罪覆藏我比丘某
甲犯僧殘罪隨覆藏日已從僧乞覆藏羯磨僧已
與我隨覆藏日羯磨我比丘某甲行覆藏竟今從
僧乞六夜摩那埵願僧与我六夜摩那埵慈愍故
如是三說
与摩那埵羯磨文
大德僧聽此比丘某甲犯僧殘罪覆藏此比丘某甲犯僧
殘罪隨覆藏日已從僧乞覆藏羯磨僧已与比丘某
甲隨覆藏日羯磨此比丘某甲行覆藏竟今從僧乞
六夜摩那埵若僧時到僧忍聽僧今与比丘某甲六
夜摩那埵白如是　大德僧聽比丘某甲犯僧
殘罪覆藏此比丘某甲犯僧殘罪隨覆藏日已從僧
乞覆藏羯磨僧已与比丘某甲隨覆藏日羯磨此比
丘某甲行覆藏竟從僧乞六夜摩那埵僧今与比丘
某甲六夜摩那埵誰諸長老忍僧与比丘某甲六夜摩
那埵者嘿然誰不忍者說是初羯磨　第二第三亦如是說　僧已
忍与比丘某甲六夜摩那埵竟僧忍嘿然故是事如是
持　佛言聽行摩那埵比丘亦如上事行摩那埵者應常在僧中宿日日白應如是白偏露右肩脫革屣右膝
着地合掌白如是言　大德僧聽我比丘某甲犯僧殘罪覆藏我比
丘某甲犯僧殘罪隨覆藏日已從僧乞覆藏羯磨僧已
与我隨覆藏日羯磨我比丘某甲行覆藏竟從僧乞
六夜摩那埵僧已与我六夜摩那埵我比丘某甲已
行若干日未行若干日白大德令知我行摩那埵　第二第三亦如是說

丘某甲犯僧殘罪隨覆藏日已從僧乞覆藏竟僧已
與我隨覆藏日羯磨我比丘某甲行覆藏竟從僧乞
六夜摩那埵僧已與我六夜摩那埵我比丘某甲已
行若干日未行若干日白大德令知我行摩那埵　第二第三亦如是説

乞出罪羯磨文

大德僧聽我比丘某甲犯僧殘罪覆藏我比丘某甲犯
僧殘罪隨覆藏日已從僧乞覆藏羯磨僧已與我
隨覆藏日羯磨我比丘某甲行覆藏竟從僧乞六
夜摩那埵僧已我六夜摩那埵我比丘某甲行六夜
摩那埵我比丘某甲行六夜摩那埵竟今從僧乞出罪
羯磨願僧與我出罪羯磨慈愍故　第二第三亦如是説

與出罪羯磨文　大德僧聽比丘某甲犯僧殘罪
覆藏此比丘某甲犯僧殘罪隨覆藏日已從僧乞覆藏
羯磨僧已與比丘某甲隨覆藏日羯磨此比丘某甲已行
覆藏竟從僧乞六夜摩那埵僧已與比丘某甲六夜
摩那埵此比丘某甲行六夜摩那埵竟從僧乞出
罪羯磨若僧時到僧忍聽僧今與比丘某甲出罪羯
磨白如是

大德僧聽比丘某甲犯僧殘罪覆藏此比丘某
甲犯僧殘罪隨覆藏日已從僧乞覆藏羯磨僧
已與比丘某甲隨覆藏日羯磨此比丘某甲行覆藏竟從
僧乞六夜摩那埵羯磨僧已與比丘某甲六夜摩那埵羯
磨此比丘某甲行六夜摩那埵竟從僧乞出罪羯磨僧今
與比丘某甲出罪羯磨誰諸長老忍僧與比丘某甲出罪
羯磨者嘿然誰不忍者説是初羯磨　第二第三亦如是説　僧已
忍與比丘某甲出罪羯磨竟僧忍嘿然故是事如是持

（16–3）

已与比丘某甲隨覆藏竟僧

僧乞六夜摩那埵羯磨僧已与比丘某甲六夜摩那埵羯

磨此比丘某甲行六夜摩那埵竟從僧乞出罪羯磨僧今

与比丘某甲出罪羯磨誰諸長老忍僧与比丘某甲出罪

羯磨者嘿然誰不忍者說是初羯磨 第二第三亦如是說 僧已

忍与比丘某甲出罪羯磨竟僧忍嘿然故是事如是持

呵嘖言自呵汝心生猒離某甲聽允出家人有二法不得解脫一敢犯已即懺是為二法庚得解脫時懺者難得解脫當思惟三事一者身命難保二者好心難得三者衆僧難集以是義故慎

謙 此 或 莫 復 更 犯 之

捨墮懺悔法 此第三偏左膝著波逸提過犯兩兼故加以折伏法要須僧中捨若往處元僧之得三人二人一人前捨但不別

衆捨 持捨墮衣於僧中捨文 大德僧聽我比丘某甲故畜

之 第二第三之如是說 捨已即應僧中懺悔

尒許長衣過十日犯捨隨今捨与僧

從僧乞懺悔文 大德僧聽我比丘某甲故畜尒所長

衣過十日犯捨墮此衣已捨与僧犯某甲罪今從衆僧乞懺

悔願僧聽我比丘某甲懺悔慈愍故 第二第三亦如是說僧中別請一人對懺悔至清淨比

丘所作如是言 我比丘某甲請大德懺悔 受懺悔者應白僧已然後受懺 受懺者僧

中白文 大德僧聽比丘某甲故畜尒許長衣過十日犯捨

墮此衣已捨与僧有某甲罪今從衆僧懺悔若僧時到僧

忍聽我受比丘某甲懺悔白如是 對一人僧中懺悔文

大德一心念我比丘某甲故畜尒許長衣過十日犯捨墮

此衣已捨与僧今有某甲罪今從大德懺悔不敢覆藏懺

悔則安樂不懺悔不安樂憶念犯發露知而不覆藏

大德憶我清淨戒身具足清淨布薩 第二第三亦如是說已受懺者

應語言宿方羯磨還若有緣亦聽即日作羯磨但須

別稱人轉付不得直還若天畜衆者皆即還今此畜

長衣犯捨墮還衣是還 宿還羯磨文可 大德僧聽比丘某甲故畜

尒所長衣過十日犯捨墮此衣已捨與僧若僧時到

僧忍聽僧今持此衣還比丘某甲白如是大德僧聽比丘

大德憶我清淨戒身具足清淨布薩（第二第三亦如是說已受職者）
應語言宿方羯磨選若有緣然聽即日作羯磨但須
別稱人轉付不得直選若天畜樂者皆即選令此畜
長衣犯捨墮選衣是逐　大德僧聽比丘某甲故畜
宿選羯磨文耳
尒所長衣過十日犯捨墮此衣已捨與僧若僧時到
僧忍聽僧今持此衣還比丘某甲白如是大德僧聽比丘
某甲故畜尒所長衣過十日犯捨墮此衣已捨與僧僧
今持此衣還比丘某甲誰諸長老忍僧持衣還比丘某甲
者嘿然誰不忍者說僧已忍還比丘某甲衣竟僧忍嘿
然故是事如是持　三人二人一人前捨墮文（若三人二人一人前捨法同上不羅）
僧爲異三人二人中懺悔法受懺者應語邊人然後受懺對一人者直尒捨已而藏　三人二人
中受懺者語邊人文長老聽我受比丘某甲懺
悔（彼答言聽）懺法如上餘罪懺悔法（言餘罪除上二偏及尼薩）
耆月餘波逸提下二偏偷蘭遮突吉羅罪等此餘罪中波逸提提舍尼皆是對手悔第五偏罪皆是責心悔偷蘭遮突吉羅此二人重者衆中微者心悔故致悔法皆隆不同　向一比丘懺
悔文（是右膝着地合掌說罪種作如是言）
長老一心念我某甲比丘犯某甲罪念從長老懺悔
不敢覆藏懺悔則安樂不懺悔不安樂憶念犯發
露知而不覆藏長老憶我清淨戒身具足清淨布
薩（第二第三如是說彼受懺者應語言）自責汝心生厭離（答言尒）二比丘前
懺悔文（應至二清淨比丘所請一比丘對懺悔受懺者應尒先問彼第二比丘作如是言）長老
聽受比丘某甲懺（言）（彼答尒）（同上法）（具懺法）三比丘前懺悔文
（應至三清淨比丘所尒請一比丘對懺悔除与上二人法同）僧中懺悔文（應法僧中）
（偏露右肩脫革屣禮僧足已右膝着地合掌白如是言）大德僧聽我比丘某甲犯
某甲罪今從僧乞懺悔（第二第三亦如是說僧中別請一人對懺至清淨比丘所作如是言）
我比丘某甲請大德懺悔（受懺者應白僧已然後受懺應作如是白）大德
僧聽彼比丘某甲犯某甲罪今從僧懺悔若僧時到

[illegible]言 [illegible]同上法

應至三清淨比丘所尒請一比丘對 懺悔除与上二人法同 僧中懺悔文 應法 僧中

偏露右肩脫革從礼僧足已右 膝着地合掌白如是言 大德僧聽我比丘某甲犯

某甲罪今從僧乞懺悔 第二第三尒如是說僧中列請 一又對懺至清淨比丘所作如是言

我比丘某甲請大德懺悔 受懺者應白僧已然 後受懺應作如是白 大德

僧聽彼比丘某甲犯某甲罪今從僧懺悔若僧時到

僧忍聽我受比丘某甲懺白如是 作如是白已受 懺某悔法同上 一切

僧同犯即僧中懺悔文 於住處當說戒一切僧同犯而同 者不得相向懺悔既臨說戒時

復不容於外求清淨比丘說戒事重故聽 眾以單白而懺得為說戒應作如是白也 大德僧

聽此一切眾僧犯罪若僧時到僧忍聽此一切僧懺悔

白如是 作是白已 然後懺說戒 疑罪發露文 至一清淨比丘所偏 露右肩脫革從礼足

已右膝着地合掌自稱 所犯戒名口作是語 大僧憶念我於某罪生疑今

向大德說須後元疑時當如法懺悔 一切僧同犯罪

疑於僧中發露文 尒是當說戒時疑罪發露 与上懺悔法同應作是白 大德僧聽

此一切僧於罪有疑若僧時到僧忍聽此眾僧自說罪

白如是 作如白已 然後得說戒

說戒法第四

與欲及清淨文 若有佛法僧事病患 及看病与欲清淨法 大德一心念今日

眾僧布薩說戒我某甲為某緣事故如法僧事与欲清

淨 有五種与欲若言与汝欲若言我說欲若 現身相若廣說盡成与欲不者不成与欲自恣時与欲尒

同但言我与欲 自恣為異耳 受欲清淨文 隨能憶姓字多少得 受至僧中應如是說 大德

一心念眾多比丘為緣事与眾多比丘受欲清淨彼如

法僧事与欲清淨轉與欲清淨文 受彼欲清淨已後自 有事起故以彼及已

欲清淨更轉 與餘人言 長老一心念我比丘某甲與眾多比丘受欲

清淨今有緣事彼及我身如法僧事與欲清淨

布薩說戒文 布薩日若小食上大 食上上坐應唱言 今布薩日某時眾僧集

[illegible]先戒 若四人若過四人應先白已然後說戒白者如戒 [illegible]長老一

法僧事与欲清淨轉與欲清淨文 受彼欲清淨已後自有事起故以彼及已
欲清淨更轉與餘人言 長老一心念我比丘某甲與衆多比丘受欲
清淨今有緣事彼及我身如法僧事與欲清淨
布薩說戒文 布薩日若小食上大食上上坐應唱言 今布薩日某時衆僧集
堂說戒 若四人若過四人應先白已然後說戒白者如戒中說若三人若二人各各相向共作三語布薩言 長老一
心念今日衆僧十日說戒我某甲清淨 如是三說若一人應心念口言
今日衆僧十五日說戒我某甲清淨 第二第三亦如是說 告清淨
文 布薩日有三或十六日十五日十四日人有若舊已說未說未有先後衆有多少及等若舊已說後舊比丘來多之以等皆更重說
若舊比丘少當出界外說戒若舊比丘已說戒後客比丘來多舊比丘應更重說戒客比丘少之以等應自出界外說
戒若說戒日同而時不同客舊先後少以等若舊比丘說戒後客比丘來多之以等皆更重說戒若客比丘少當告清淨若舊比丘
說戒後舊比丘來多之以等若比丘當更重說戒少當告清淨依次坐聽若舉衆未起若多已起說以不說義皆同上告淨法應言
大德僧聽我某甲清淨 隨次坐聽 如是三說已 八難事起及餘緣略說
戒文 八難者王難賊難火難水難病難人難非人難惡虫難是為八難及餘緣者大衆集狹坐少若衆病大衆集坐上覆
蓋不周或天雨若布薩多若鬪諍事起論阿毗曇毗尼說法夜已久明相未出應作羯磨說戒若明相出不得宿受欲清淨羯磨說戒
應隨事遠近可廣說不者如法治可略說便略說不者如法治若難事近不得略說即應從坐起去略說戒者說戒序已餘者應言僧常
聞若說序四事已餘者應言僧常聞如是乃至提舍尼餘者應言僧常聞
教誡比丘尼法 僧說戒時誦戒者應問誰遣比丘尼來受教受尼囑授者應為白僧言 大德僧
聽比丘尼僧某甲等衆和合禮大德僧足求教授 如是三說衆中若有
教授又應差若元上坐應說教誡勅 差教誡比丘尼人羯磨文
大德僧聽若僧時到僧忍聽差比丘某甲教授比丘尼
白如是 大德僧聽僧差比丘某甲教授比丘尼誰長
老忍僧差比丘某甲教授比丘尼者嘿然誰不忍者說僧
已忍差比丘某甲教授比丘尼竟僧忍嘿然故是事如是
持 彼差人往居寺中應教 集尼僧已 先為說八不可違法何等為八一
者雖百歲比丘尼見新受戒比丘應起迎逆禮拜与敷

（16–7）

BD01224號　羯磨

老忍僧差比丘某甲教授比丘尼者嘿然誰不忍者說僧
已忍差比丘某甲教授比丘尼竟僧忍嘿然故是事如是
持 依差人往尼寺中集尼僧已應教 先為說八不可違法何等為八一
者雖百歲比丘尼見新受戒比丘應起迎逆礼拜与敷
淨坐具此法應尊重讚嘆盡形壽不得違 二者比丘尼
不應罵比丘呵嘖比丘不應誹謗言破見破威儀此法應
尊重讚嘆盡形壽不得違 三者比丘尼不應為比丘
作舉作憶念作自言不應遮他覓罪說戒自恣不應呵
比丘比丘應呵比丘尼此法應尊重讚嘆盡形壽不得違
四者式叉摩那學戒已從比丘僧乞受大戒此法應尊重讚
嘆盡形壽不得違 五者比丘尼犯僧殘罪應在二部
僧中半月行摩那埵此法應尊重讚嘆盡形壽不得違
六者比丘尼半月半月從僧乞授教此法應尊重讚嘆盡
形壽不得違
七者比丘尼不應在元比丘僧處夏安居此法應尊重讚
嘆盡形壽不得違 八者比丘尼僧安居竟應往比
僧中求三事自恣見聞疑此法應尊重讚歎盡形壽
不得違 說八不可違已然後隨意為說法 上座誡勑文 答言 明日尼來
此處元教授人尼衆等當如法布薩謹慎莫放逸
時受囑者應還依此文答違之 安居法第五
磨文 大德僧聽若僧時到僧忍聽差比丘某甲分
房舍卧具白如是 大德僧聽差比丘某甲分房舍
卧具誰諸長老忍僧差比丘某甲分房舍卧具者嘿然誰不
忍者說僧已忍差比丘某甲分房舍卧具竟僧忍嘿然
故是事如是持 分房法先作營事人題羅一房與已餘白上座次弟與房白言 大德
上座如是好房舍卧具隨意所樂便取 先与上座房已次与第二第三第四

房舍卧具白如是　大德僧聽差比丘某甲分房舍
卧具誰諸長老忍僧差比丘某甲分房舍卧具者嘿然誰不
忍者説僧已忍差比丘某甲分房舍卧具竟僧忍嘿然
故是事如是持　分房法先營事人選擇一房 取已餘白上坐次第取房白言　大德
上坐如是好房舍卧具隨意所樂便取　先与上坐房已次 与第二第三第四
乃至下坐　爾如是若 有長房應留客比丘　長老一心念我某甲比丘依某甲聚落
某甲僧伽藍某甲房舍前三月夏安居房舍破脩治故　後安居爾如是 法唯言後安居
第二第三 爾如是説　依某甲持律若有疑事當往問
為 受七日文　長老一心念我比丘某甲受七日法出界外
異 為某甲事故還此中安居白長老令知　第二第三 爾如是説　受過七日
羯磨法　具羯磨法出在律本瞻波揵度犍斯以 驗舊本受日羯磨文少不足故宜須詳准改以正也　乞受過七
日羯磨文　大德僧聽我比丘某甲此處夏安居受過七日
法十五日若一月日出界外為某事故還此中安居今從僧乞受
過七日法十五日若一月日羯磨願僧与我比丘某甲某甲受過
七日法十五日若一月日羯磨慈愍故　第二第三 爾如是説　與過七日羯磨文
大德僧聽比丘某甲此處夏安居受過七日法十五日若一月
日出界外為某事故還此中安居今從僧乞受過七日法
十五日若一月日羯磨若僧時到僧忍聽僧今与比丘某甲受
過七日法十五日若一月日羯磨白如是　大德僧聽比丘某
甲此處夏安居受過七日法十五日若一月日出界外為某事
故還此中安居今從僧乞受過七日法十五日若一月日羯磨誰諸
長老忍僧今與比丘某甲受過七日法十五日若一月日羯磨者
嘿然誰不忍者説僧已忍与比丘某甲受過七日法十五日若一月
日羯磨竟僧忍嘿然故是事如是持　自恣法第六
僧差自恣人羯磨文　大德僧聽若僧時到僧忍聽僧差
比丘某甲作受自恣人白如是　大德僧聽僧差比丘某甲作

BD01224號　羯磨

（16–9）

嘿然誰不忍者說僧已忍与比丘某甲受過七日法十五日若一月
日羯磨竟僧忍嘿然故是事如是持　自恣法第六
僧差自恣人羯磨文　大德僧聽若僧時到僧忍聽僧差
比丘某甲作受自恣人白如是　大德僧聽僧差比丘某甲作
受自恣人誰諸長老忍僧差比丘某甲作受自恣人者嘿然誰
不忍者說僧已忍差比丘某甲作受自恣人竟僧忍嘿然故是
事如是持　白僧自恣文　大德僧聽今日衆僧自恣若僧時
到僧忍聽僧和合自恣白如是　作如是白已然後自恣　衆僧自恣文
大德一心念衆僧今日自恣我比丘某甲亦自恣若見聞疑罪大
德長老哀愍故語我我若見罪當如法懺悔　第二第三亦如是說　若四人更互如是三說
自恣文長老一心念衆僧今日自恣我比丘某甲亦自恣　若三人若二人若
三人亦如是說若一人心
念口言自恣　衆僧今日自恣我比丘某甲亦自恣　如是三說自恣
法若五人若減五人不得受欲　有八難事起白僧各三語自恣文　大德僧
聽若僧時到僧忍聽僧今各三語自恣白如是　如是白已若共三語自恣再說一說之
如是若難事近不得各各共三語自恣亦不得作白彼比丘即應以此難事故去也　差持功德衣人羯磨
文　僧應先問誰能持功德衣若有言能去應差也　大德僧聽若僧時
到僧忍聽僧差比丘某甲為僧持功德衣白如是大德僧聽僧
差比丘某甲為僧持功德衣誰諸長老忍僧差比丘某甲為僧
持功德衣者嘿然誰不忍者說僧已忍差比丘某甲為僧持功
德衣竟僧忍嘿然故是事如是持　以衣與持功德衣人
羯磨文
大德僧聽此住處僧得可分衣現前僧應分若僧時到
僧忍聽僧今持此衣与比丘某甲當持此衣為
僧受作功德衣於此住處持白如是　大德僧聽此住
處僧得可分衣現前僧應分僧今持此衣与比丘某甲此
比丘某甲當持此衣為僧受作功德衣於此住處持誰諸長老

羯磨文
大德僧聽此住處僧得可分衣現前僧應分若僧時到
僧忍聽僧今持此衣与比丘某甲當持此衣爲
僧受作功德衣於此住處持白如是　大德僧聽此住
處僧得可分衣現前僧應分僧今持此衣与比丘某甲此
比丘某甲當持此衣爲僧受作功德衣於此住處持誰諸長老
忍僧持此衣与比丘某甲受作功德衣於此住處持者嘿然誰
不忍者説僧已忍与比丘某甲衣此比丘某甲持此衣於此住處
持竟僧忍嘿然故是事如是持　受功德衣文　大德
僧聽今日衆僧受功德衣若僧時到僧忍聽僧今和合受功
德衣白如是持　功德衣人持衣衆僧前説文　以功德衣襵疊長跪使上次弟
隨手及衣者人若捉衣已持衣應作如是説　此衣衆僧當受作功德衣此衆僧今受作
功德衣衆僧已受作功德衣　第二第三亦如是説　捉衣者受功德衣文　其手捉衣
入隨次若自言受之應作如是説　某受者已善受此中所有功德名稱屬我
持衣者善言亦如是盡若説受已復以功德衣次弟轉下亦合隨手及者捉説受法用如前如是　説　未　出功德
衣白羯磨文　大德僧聽今日衆僧出功德衣若僧時
到僧忍聽僧今和合出功德衣白如是　分衣法第七　分非
時僧得施羯磨文　僧得施凡有二種一時僧得施爲夏安居應時法故若隨安居處備二非時僧得施物无所妨礙
作羯磨法分之　大德僧聽此住處若衣若非衣現前僧應分若僧時
到僧忍聽僧今與比丘某甲作某甲當還與僧白如是
大德僧聽此住處若衣若非衣現前僧應分僧今與比丘某
甲作某甲當還与僧誰諸長老忍此住處若衣若非衣現
前僧應分僧今与比丘某甲彼某甲當還与僧者嘿然誰
不忍者説僧已忍与比丘某甲彼某甲當還与僧竟僧
忍嘿然故是事如是持　若住處有三人二人得施衣物應若二相向作如是説言　長老一心
念是住處得可分衣物現前僧應分是中无僧此衣物

（16–11）

BD01224號　羯磨

到僧忍聽僧今與比丘某甲依某甲當還與僧白如是
大德僧聽此住處若衣若非衣現前僧應分僧今與比丘某
甲依某甲當還与僧誰諸長老忍此住處若衣若非衣現
前僧應分僧今与比丘某甲彼某甲當還与僧者嘿然誰
不忍者說僧已忍与比丘某甲依某甲當還与僧竟僧
忍嘿然故是事如是持 若住處有三人二人得施衣物應若二相向作如是說言 長老一心
念是住處得可分衣物現前僧應分是中无僧此衣物
屬我長老受用 第二第三亦如是說 若一人應心念口言 是住處得可分衣物現
前僧應分是中无僧此衣物屬我我應受用 第二第三亦如是說 分
亡者衣物羯磨文 以出家人同遵出離身行所為莫不皆是僧法所攝故身亡已後所有生資皆屬四方僧同非時僧得施又僧得施其用有二一者隨處二者隨人故非時僧得施從施主為定亡比丘衣物據輕重為判重隨界入住處輕者僧作羯磨法
分 看病人持亡者衣物資生具僧中捨文 大德僧聽比丘
某甲此住處命過所有若衣若非衣此住處現前僧應
分 第二第三亦如是說 持亡者衣鉢與看病人羯磨文
大德僧聽比丘某甲此住處命過所有衣鉢坐具針筒
盛衣諸器現前僧應分若僧時到僧忍聽僧今与比丘
某甲看病人白如是 大德僧聽比丘某甲此住處命過
過所有衣鉢坐具針筒盛衣諸器現前僧應分僧今与
比丘某甲看病人誰諸長老忍僧与比丘某甲看病人衣
鉢坐具針筒盛衣諸器者嘿然誰不忍者說僧已忍与
比丘某甲看病人衣鉢坐具針筒盛衣諸器竟僧忍嘿
然故是事如是持 現前僧分亡者輕物羯磨文
大德僧聽比丘某甲此住處命過所有若衣若非衣現前
僧應分若僧時到僧忍聽僧今与比丘某甲比丘某甲當還
与僧白如是 大德僧聽比丘某甲此住處命過所有若

鉢坐具針筒盛衣諸器者嘿然，誰不忍者說。僧已忍與

比丘某甲看病人衣鉢坐具針筒盛衣諸器竟。僧忍嘿

然故，是事如是持。　現前僧分三者輕物羯磨文

大德僧聽：比丘某甲此住處命過，所有若衣若非衣現前

僧應分。若僧時到僧忍聽，僧今與比丘某甲，比丘某甲當還

與僧。白如是。　大德僧聽：比丘某甲此住處命過，所有若

衣若非衣現前僧應分，僧今與比丘某甲，比丘某甲當

還與僧。誰諸長老忍比丘某甲此住處命過，所有若衣若

非衣現前僧應分，僧今與比丘某甲，比丘某甲當還與僧者

嘿然，誰不忍者說。僧已忍與比丘某甲，比丘某甲當還與僧竟。僧

忍嘿然故，是事如是持。　三人二人分亡者衣物文

若住處有二人三人，欲分亡者衣物，應各各相向作如是言：長老一心念，比丘某甲此住處命過，

所有若衣若非衣現前僧應分，此處无僧，是衣物屬我

及長老，我及長老受用。第二第三亦如是說。獨一人應心念口言：比丘某甲此處

住命過，所有若衣若非衣現前僧應分，此處无僧，是衣

物應屬我，我受用。第二第三亦如是說。　衣藥淨法第八

真實淨施文　長老一心念，我比丘某甲有此長衣未作

淨，今為作淨故，捨與長老，為真實淨施故。

展轉淨施文　長老一心念，我比丘某甲有此長衣

未作淨，為展轉淨故，施與長老。彼受請者應如是言：長老一心念，

汝有此長衣未作淨，為展轉淨故，施與我，我已受之。受已當彼言：汝

施主是誰？彼應答言：施主某甲。受請者應語如是言：長老一心念，汝有是長衣未

作淨，為展轉淨故，施與我，我已受之。是衣某甲已有，汝為

某甲故護持，用時隨意。作真實施者應問主然後得用；展轉淨施者若問若不問，隨意用。大德

我已足食，長老看是，知是作餘食法。彼應取少，許食已語言：我

已食止，汝取食之。若受請之食，作餘食法，亦如是。唯請受請為異。受請已食前

（16–13）

BD01224號　羯磨

作淨為展轉淨故施与我我已受之是衣某甲已有故
某甲故誰持用時隨意 作真實施者應問主然後得用 展轉淨施者若問若不問隨意用 大德
我已足食長老看是知是作餘食法 彼應取少 許食已語言 我
已食心訖取食之 若受請足食作餘食法 亦如是唯稱受請為異 受請已食前
食後入村囑授文 長老一心念我比丘某甲已受某
甲請有緣事欲入某甲聚落至某甲舍白長老令知
受七日藥文 先從淨人邊受已持至 大比丘所作如是言 長老一心念我比丘某甲
有病因緣是七日藥為供宿七日服故今於長老邊受 第二
第三亦 如是說 受盡形壽藥文 先從淨人邊受持 至大比丘所作如是言 長老一心念我比丘
某甲有病因緣此盡形壽藥為供宿長服故今於長老
邊受 第二第三 亦如是說 結淨地文 淨地法有四種一者初作僧伽藍時處分 二者僧伽藍半有籬鄣半無籬鄣三者
三者初作僧伽藍未在中宿此三不須羯磨結四者僧已住宿作 羯磨結若故僧伽藍疑先有淨地應解已然後更結 大德僧
聽若僧時到僧忍聽僧今結某處作淨地白如是 大德僧
聽僧今結某處作淨地誰諸長老忍僧結某處作淨地者嘿
然誰不忍者說僧已忍結某處作淨地竟僧忍嘿然故是
事如是持
房舍雜法第九 乞作小房羯磨文
大德僧聽我比丘某甲自乞作房無主自為己今從僧乞處
分無難處無妨處 第二第三亦如是說僧應當觀此比丘若可信即應聽 若不可信一切僧應當到彼處看若無難可信者看
已作 羯磨 大德僧聽比丘某甲自乞作房無主自為己今從僧乞處分
無難處無妨處若僧時到僧忍聽僧今與比丘某甲處分無
難處無妨處白如是 大德僧聽此比丘某甲自乞作房無主
自為己從僧乞處分無難無妨處僧今與比丘某甲處分無難
處無妨處誰諸長老忍僧與比丘某甲處分無難處無妨
處者嘿然誰不忍者說僧已忍與比丘某甲處分無難無妨
處竟僧忍嘿然故是事如是持 次後大房羯磨與此 同但稱有主為異 結房作庫藏
文 大德僧聽若僧時到僧忍聽僧結某甲房作庫藏屋

處无妨處誰諸長老忍僧与比丘某甲處分无難處无妨
處者嘿然誰不忍者說僧已忍与比丘某甲處分无難无妨
處竟僧忍嘿然故是事如是持（以後之房羯磨与此同但稱有主為異）結房作庫藏
文　大德僧聽若僧時到僧忍聽僧結某甲房作庫藏屋
白如是　大德僧聽僧結某房甲作庫藏誰諸長老忍
僧結某甲房作庫藏屋者嘿然誰不忍者說　僧已忍結
某甲房作庫藏屋竟僧忍嘿然故是事如是持
差守庫藏物人羯磨文　大德僧聽若僧時到僧忍聽差
比丘某甲作守物人白如是　大德僧聽僧差某甲比丘作守物
人誰諸長老忍僧差比丘某甲作守物人者嘿然誰不忍
者說僧已忍差比丘某甲作守物人竟僧忍嘿然故是事
如是持（差作那羅使如法作飲食淨菓菜羯杖數僧臥具分僧粥分餅分衣衣處分沙彌守僧薗人如是等羯磨文同但稱事異）
差病比丘畜杖絡囊乞羯磨文
大德僧聽我比丘某甲老病不能无杖絡囊而行今從僧乞
畜杖絡囊願僧聽我比丘某甲畜杖絡囊慈愍故（第二第三亦如是說）
与老病比丘畜杖絡囊羯磨文
大德僧聽比丘某甲老病不能无杖絡囊而行今從僧乞
畜杖絡囊若僧時到僧忍聽比丘某甲畜杖絡囊白如
是　大德僧聽比丘某甲老病不能无杖絡
囊而行今從僧乞畜杖絡囊僧今聽此比丘畜杖絡囊
誰諸長老忍僧聽比丘某甲畜杖絡囊者嘿然誰不忍
者說僧已忍聽比丘某甲畜杖絡囊竟僧忍嘿然故是
事如是持　非時入聚落囑授文
長老一心念我比丘某甲非時入某甲聚落至某甲家為某
緣事白長老令知　比丘尼羯磨法　結界法第一
其諸結界羯磨作法一与　受戒法第二　比丘尼乞畜衆羯磨

諦諦長老[illegible]

者說僧已忍聽比丘某甲畜杖絡囊竟僧忍嘿然故是

事如是持　　非時入聚落囑授文

長老一心念我比丘某甲非時入某甲聚落至某甲家為某

緣事白長老令知　　比丘尼羯磨法　　結戒法第一

其諸結界羯磨作法一与大僧同唯稱尼大姊為異　受戒法第二　比丘尼乞畜衆羯磨

文　若比丘尼欲度人者當往比丘尼僧中偏露右肩脫革從和僧乞已右膝著地合掌乞畜衆羯磨作如是白　大姊僧聽

我比丘尼某甲今從衆乞度人授具足戒願僧聽我度

人授具足戒　第二第三亦如是說　与畜衆羯磨文　大姊僧聽

此比丘尼某甲今從僧乞度人授具足戒若僧時到僧忍

聽僧今聽比丘尼某甲度人授具足戒白如是

大姊僧聽此比丘尼某甲今從僧乞度人授人具足戒僧

今聽比丘尼某甲度人授人具足戒誰諸大姊忍僧聽比

丘尼某甲度人授人具足者嘿然誰不忍者說僧已忍聽

比丘尼某甲度人授具足戒竟僧忍嘿然故是事如是

持　度沙弥尼文　若欲寺內剃髮者應白一切僧若不和合應房房語令知若和合應作白

然後與剃髮應作如是白　大姊僧聽此某甲欲從某甲求剃髮若

僧時到僧忍聽為某甲剃髮白如是　白已為剃髮欲在寺內出家者應白

一切僧若不和合應房房語令知若和合應作白然後与出家應作如是白　大姊僧聽此某甲

欲從某甲求出家若僧時到僧忍聽与某甲出家白如是

應作如是出家教出家者着袈裟已偏露右肩脫革屣右膝著地合掌教作如是言　我阿姨某甲歸依佛歸

依僧我今隨佛出家和上尼某甲如來无所

等正覺是我世尊　第二第三亦如是說　我阿姨[illegible]

BD01224號背　題名、雜寫

（4-1）

BD01224號背　題名、雜寫

（4–2）

（4-3）

BD01224號背　題名、雜寫

BD01224號背　題名、雜寫

（4-4）

扌无衆生相无壽者相何以故我於往昔
節節支解時若有我相人相衆生相壽者相
應生瞋恨須菩提又念過去於五百世作忍
辱仙人於尒所世无我相无人相无衆生相无
壽者相是故須菩提菩薩應離一切相發
阿耨多羅三藐三菩提心不應住色生心不
應住色聲香味觸法生心應生无所住心若
心有住則為非住是故佛說菩薩心不應住
色布施須菩提菩薩為利益一切衆生應如
是布施如來說一切諸相即是非相又說一切
衆生則非衆生須菩提如來是真語者實
語者不誑語者不異語者須菩提如來所得
法此法无實无虛

真如分第八

須菩提若菩薩心住於法而行布施如人入
闇則无所見若菩薩心不住法而行布施如
人有目日光明照見種種色須菩提當來之
世若有善男子善女人能於此經受持讀誦
則為如來以佛智慧悉知是人悉見是人皆得
成就无量无邊功德
須菩提若有善男子善女人初日分以恒河

BD01225號　金剛般若波羅蜜經（三十二分本）　（8–1）

闇則无所見若菩薩心不住法而行布施如
人有目日光明照見種種色須菩提當來之
世若有善男子善女人能於此經受持讀誦
則為如來以佛智慧悉知是人悉見是人皆得
成就无量无邊功德
須菩提若有善男子善女人初日分以恒河
沙等身布施中日分復以恒河沙等身布施
後日分亦以恒河沙等身布施如是无量百
千万億劫以身布施若復有人聞此經典信
心不逆其福勝彼何況書寫受持讀誦為
人解說

利益分第九

須菩提以要言之是經有不可思議不可稱
量无邊功德如來為發大乘者說為發最上
乘說若有人能受持讀誦廣為人說如來悉
知是人悉見是人皆得成就不可量不可稱
无有邊不可思議功德如是人等則為荷擔
如來阿耨多羅三藐三菩提何以故須菩提
若樂小法者著我見人見衆生見壽者見
則於此經不能聽受讀誦為人解說須菩提
在在處處若有此經一切世間天人阿脩羅
所應供養當知此處則為是塔皆應恭敬作
礼圍遶以諸華香而散其處
復次須菩提善男子善女人受持讀誦此經
若為人輕賤是人先世罪業應墮惡道以今

BD01225號　金剛般若波羅蜜經（三十二分本）　（8–2）

所應供養當知此處則為是塔皆應恭敬作
礼圍遶以諸華香而散其處
復次須菩提善男子善女人受持讀誦此經
若為人輕賤是人先世罪業應墮惡道以今
世人輕賤故先世罪業則為消滅當得阿耨
多羅三藐三菩提
須菩提我念過去无量阿僧祇劫於燃燈佛
前得值八百四千万億那由他諸佛悉皆供養
承事无空過者若復有人於後末世能受持
讀誦此經所得功德於我所供養諸佛功德
百分不及一千万億分乃至筭數譬喻所不能
及須菩提若善男子善女人於後末世有受
持讀誦此經所得功德我若具說者或有人
聞心則狂亂狐疑不信須菩提當知是經義
不可思議果報亦不可思議
斷疑分明无功用道第十
尒時須菩提白佛言世尊善男子善女人發
阿耨多羅三藐三菩提心云何應住云何降
伏其心佛告須菩提善男子善女人發阿耨
多羅三藐三菩提者當生如是心我應滅度
一切衆生滅度一切衆生已而无有一衆生實
滅度者何以故若菩薩有我相人相衆生相
壽者相則非菩薩所以者何須菩提實无有
法發阿耨多羅三藐三菩提心者須菩提於
意云何如來於燃燈佛所有法得阿耨多羅

BD01225號　金剛般若波羅蜜經（三十二分本）　（8–3）

滅度者何以故若菩薩有我相人相衆生相
壽者相則非菩薩所以者何須菩提實无有
法發阿耨多羅三藐三菩提心者須菩提於
意云何如來於燃燈佛所有法得阿耨多羅
三藐三菩提不不也世尊如我解佛所說義
佛於燃燈佛所无有法得阿耨多羅三藐三
菩提佛言如是如是須菩提實无有法如來
得阿耨多羅三藐三菩提須菩提若有法如
來得阿耨多羅三藐三菩提者燃燈佛則不
與我受記汝於來世當得作佛号釋迦牟尼
以實无有法得阿耨多羅三藐三菩提是故
燃燈佛與我受記作是言汝於來世當得作
佛号釋迦牟尼何以故如來者即諸法如義若
有人言如來得阿耨多羅三藐三菩提須菩
提實无有法佛得阿耨多羅三藐三菩提須
菩提如來所得阿耨多羅三藐三菩提於是
中无實无虛是故如來說一切法皆是佛法
須菩提所言一切法者即非一切法是故一切
法須菩提譬如人身長大須菩提言世尊如
來說人身長大則為非大身是名大身須菩
提菩薩亦如是若作是言我當滅度无量衆
生則不名菩薩何以故須菩提實无有法名
為菩薩是故佛說一切法无我无人无衆生无
壽者須菩提若菩薩作是言我當莊嚴佛土
是不名菩薩何以故如來說莊嚴佛土者即

BD01225號　金剛般若波羅蜜經（三十二分本）　（8–4）

生則不名菩薩何以故須菩提實无有法名
為菩薩是故佛說一切法无我无人无衆生无
壽者須菩提若菩薩作是言我當莊嚴佛土
是不名菩薩何以故如來說莊嚴佛土者即
非莊嚴是名莊嚴須菩提若菩薩通達无
我法者如來說名真是菩薩
須菩提於意云何如來有肉眼不如是世尊
如來有肉眼須菩提於意云何如來有天眼
不如是世尊如來有天眼須菩提於意云何
如來有慧眼不如是世尊如來有慧眼須菩
提於意云何如來有法眼不如是世尊如來
有法眼須菩提於意云何如來有佛眼不如
是世尊如來有佛眼須菩提於意云何如恒
河中所有沙佛說是沙不如是世尊如來說是
沙須菩提於意云何如一恒河中所有沙有如
是等恒河是諸恒河所有沙數佛世界如是寧
為多不甚多世尊佛告須菩提尒所國土中
所有衆生若干種心如來悉知何以故如來說
諸心皆為非心是名為心所以者何須菩提過去
心不可得現在心不可得未來心不可得須菩提
於意云何若有人滿三千大千世界七寶以用
布施是人以是因緣得福多不如是世尊此人
以是因緣得福甚多須菩提若福德有實
如來不說得福德多以福德无故如來說得
福德多

BD01225號　金剛般若波羅蜜經（三十二分本）　（8–5）

布施是人以是因緣得福多不如是世尊此人
以是因緣得福甚多須菩提若福德有實
如來不說得福德多以福德无故如來說得
福德多
須菩提於意云何佛可以具足色身見不不
也世尊如來不應以具足色身見何以故如來
說具足色身即非具足色身是名具足色身
須菩提於意云何如來可以具足諸相見不
不也世尊如來不應以具足諸相見何以故如
來說諸相具足即非具足是名諸相具足
須菩提汝勿謂如來作是念我當有所說法
莫作是念何以故若人言如來有所說法即
為謗佛不能解我所說故須菩提說法者无
法可說是名說法
須菩提白佛言世尊佛得阿耨多羅三藐三
菩提為无所得耶如是如是須菩提我於阿
耨多羅三藐三菩提乃至无有少法可得是
名阿耨多羅三藐三菩提
復次須菩提是法平等无有高下是名阿
耨多羅三藐三菩提以无我无人无衆生无
壽者脩一切善法則得阿耨多羅三藐三菩
提須菩提所言善法者如來說非善法
是名善法
須菩提若三千大千世界中所有諸須弥
山王如是等七寶聚有人持用布施若人以

BD01225號　金剛般若波羅蜜經（三十二分本）　（8–6）

提須菩提所言善法者如来說非善法
是名善法
須菩提若三千大千世界中所有諸須弥
山王如是等七寶聚有人持用布施若人以
此般若波羅蜜經乃至四句偈等受持讀
誦為他人說於前福德百分不及一百千万
億分乃至筭數譬喻所不能及
須菩提於意云何汝等勿謂如来作是念
我當度眾生須菩提莫作是念何以故實
无有眾生如来度者若有眾生如来度者
如来則有我人眾生壽者須菩提如来說
有我者則非有我而凡夫之人以為有我須
菩提凡夫者如来說則非凡夫
須菩提於意云何可以三十二相觀如来不
須菩提言如是如是以三十二相觀如来佛
言須菩提若以三十二相觀如来者轉輪聖
王則是如来須菩提白佛言世尊如我解
佛所說義不應以三十二相觀如来尒時世
尊而說偈言
若以色見我　以音聲求我　是人行邪道　不能見如来
須菩提汝若作是念如来不以具足相故得
阿耨多羅三藐三菩提須菩提莫作是念
如来不以具足相故得阿耨多羅三藐三菩
提須菩提汝若作是念發阿耨多羅三藐
三菩提者說諸法斷滅莫作是念何以故發

BD01225號　金剛般若波羅蜜經（三十二分本）　（8–7）

須菩提汝若作是念如来不以具足相故得
阿耨多羅三藐三菩提須菩提莫作是念
如来不以具足相故得阿耨多羅三藐三菩
提須菩提汝若作是念發阿耨多羅三藐
三菩提者說諸法斷滅莫作是念何以故發
阿耨多羅三藐三菩提者於法不說斷滅相
須菩提若菩薩以滿恒河沙等世界七寶布
施若復有人知一切法无我得成於忍此菩
薩勝前菩薩所得功德須菩提以諸菩薩
不受福德故須菩提白佛言世尊云何菩
薩不受福德須菩提菩薩所作福德不應
貪著是故說不受福德須菩提若有人言
如来若来若去若坐若卧是人不解我所說
義何以故如来者无所從来亦无所去故名
如来
須菩提若善男子善女人以三千大千世界
碎為微塵於意云何是微塵眾寧為多不

BD01225號　金剛般若波羅蜜經（三十二分本）　（8–8）

於未
生嚴淨
死滿多生習
魔天中作大魔王於
斷閻浮提內十惡五逆一切
日夜受苦輪轉其中隨業
注死若復有人修造此經受持
命之後必出三塗不入地獄在生
害母破齋破戒殺諸牛羊雞豬
一切重罪應墮惡道十劫五劫若造此經
及諸尊像記在業鏡閻羅歡喜判放其
人生富貴家免其罪過若有善男子善女人比
丘比丘尼優婆塞優婆夷預修生七齋每
月二時十五日卅日若是新死依一七計至七
七百日一年三年並須請此十王名字每七
有一王下檢察必須作齋功德有無即報
天曹地府供養三寶祈設十王唱名納
狀狀上六曹官善惡童子奏上天曹地
府冥官等記在名案身到日時當便
配生快樂之處不住中陰四十九日身死亡
後若待男女六親眷屬追救命過十王若
闕一齋乖在一王并新死亡人留連受苦

BD01226號　十王經

（5–1）

天曹地府供養三寶祈設十王唱名納
狀狀上六曹官善惡童子奏上天曹地
府冥官等記在名案身到日時當便
配生快樂之處不住中陰四十九日身死亡
後若待男女六親眷屬追救命過十王若
闕一齋乖在一王并新死亡人留連受苦
不得出生遲滯一劫是故勸汝作此齋事
如至齋日到无財物及有事忙不得作
齋請佛延僧建福應其齋日下食兩
盤紙錢餵飼新亡之人并隨歸在一王得
免冥間業報飢餓之苦若是生在之日作
此齋名為預修生七齋七分功德盡皆
得之若亡沒已後男女六親眷屬為作齋
者七分功德亡人唯獲一分六分生人將去自
種自得非關他人與之
爾時普廣菩薩言若善男子善女人等能
修此十王逆修生七及亡人齋得善神下來
敬禮凡夫凡夫云何得賢聖善神禮我凡夫
一切善神并閻羅天子及諸菩薩欽敬皆
生歡喜
爾時地藏菩薩龍樹菩薩救苦觀世音菩
薩普廣菩薩常悲菩薩常慘菩薩陀
羅尼菩薩金剛藏菩薩文殊師利菩薩
彌勒菩薩普賢菩薩等稱讚世尊善哉
慈悲大說此妙經拔死救生頂禮佛足

BD01226號　十王經

（5–2）

薩普廣菩薩常悲菩薩常慘菩薩陀
羅尼菩薩金剛藏菩薩文殊師利菩薩
彌勒菩薩普賢菩薩等稱讚世尊哀
慜凡夫說此妙經拔死救生頂禮佛足
爾時二十八重一切獄主與閻羅天子六道冥
官禮拜發願若有四衆比丘比丘尼優婆
塞優婆夷若造此經讀誦一偈我當免
其罪過送出地獄往生天宮不令繫滯
受諸苦惱爾時閻羅天子說偈白佛
南無阿波羅　日度數千河　衆生無定相
猶如水上波　願得智慧風　漂與法輪河
光明照世界　巡歷悉經過　普拔衆生苦
降鬼攝諸魔　四王行世界　傳佛修多羅
凡夫修善少　顛倒信邪多　持經免地獄
書寫過災痾　超度三界難　永不見藥叉
生處登高位　富貴壽延長　至心誦此經
天王恒守護　欲得無罪咎　莫信邪師卜
祭鬼煞衆生　為此入地獄　念佛把真經
應當自誡勗　手把金剛刀　斷除魔種族
佛行平等心　衆生不具足　修福似微塵
造罪如山岳　欲得命延長　當修造此經
能除地獄苦　往生豪貴家　善神恒守護
造經讀誦人　忽爾無常至　善使自來迎
天王相引接　攜手入金城

BD01226號　十王經　（5–3）

造罪如山岳　欲得命延長　當修[illegible]
能除地獄苦　往生豪貴家　善神恒守護
造經讀誦人　忽爾無常至　善使自來迎
天王相引接　攜手入金城
爾時佛告阿難一切龍神八部大神閻羅天子
太山府君司命司錄五道大神地獄冥
官等行道天王當起慈悲法有寬縱
可容一切罪人若慈孝男女六親眷屬修
福薦拔亡人報生養恩七七修齋造
經造像報父母令得生天
爾時閻羅法王白佛言世尊我當發使乘
黑馬把黑幡着黑衣撿亡人家造何功
德准名放牒抽出罪人不違誓願伏
願世尊聽我撿齋十王名字
第一七齋秦廣王下　第二七齋宋帝王下
第三七齋初江王下　第四七齋五官王下
第五七齋閻羅王下　第六七齋變成王下
第七七齋太山王下　百日齋平正王下
一年齋都市王下　三年齋五道轉輪王下
爾時閻羅法王更廣勸信心善男子善
女人等努力修此十王齋具足免十惡五
逆之罪並得天王當令四大野叉王守護
此經不令陷沒稽首世尊地獄罪人多是

BD01226號　十王經　（5–4）

第七齋太山王下　百日齋平正王下
一年齋都市王下　三年齋五道轉輪王下
尒時閻羅法王更廣勸信心善男子善
女人等努力脩此十王齋具足免十惡五
逆之罪並得天王當令四大野叉王守護
此經不令陷沒稽首世尊地獄罪人多是
用三寶財物并諸造惡業人在此諸獄
受罪喧鬧无億報諸信心可自誡慎
勿犯三寶財物罪報難容見此經者
應當脩學得離地獄之因
尒時琰摩羅法王歡喜頂礼退坐一面
佛告阿難此經名閻羅王受記令四衆
預脩生七齋功德往生淨土經汝
等比丘比丘尼優婆塞優婆夷天龍八
部鬼神諸菩薩等當奉持流傳國
界依教奉行
閻羅受記經
戊辰年八月一日八十五老人手寫流傳依教不脩
生入地獄

BD01226號　十王經　（5–5）

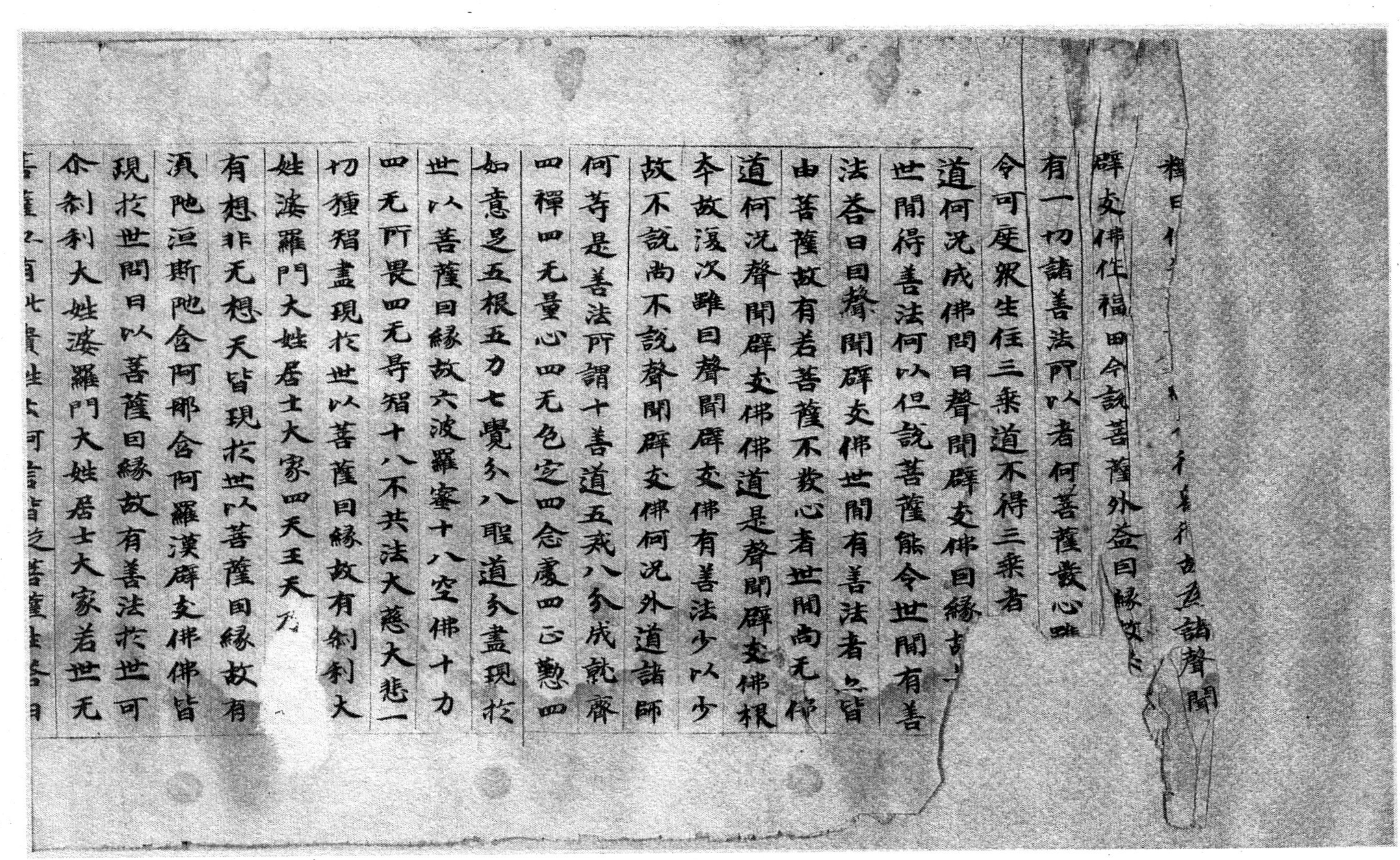
辟支佛作福田令諸菩薩外益因緣故亦
有一切諸善法所以者何菩薩發心時
令可度衆生住三乘道不得三乘者
道何况成佛問曰聲聞辟支佛因緣故
世間得善法何以但說菩薩能令世間有善
法荅曰因聲聞辟支佛世間有善法者亦皆
由菩薩故有若菩薩不發心者世間尚无佛
道何况聲聞辟支佛佛道是聲聞辟支佛根
本故復次雖因聲聞辟支佛有善法少以少
故不說尚不說聲聞辟支佛何况外道諸師
何等是善法所謂十善道五戒八分成就齋
四禪四无量心四无色定四念處四正懃四
如意足五根五力七覺分八聖道分盡現於
世以菩薩因緣故六波羅蜜十八空佛十力
四无所畏四无导智十八不共法大慈大悲一
切種智盡現於世以菩薩因緣故有剎利大
姓婆羅門大姓居士大家四天王天乃
有想非无想天皆現於世以菩薩因緣故有
須陁洹斯陁含阿那含阿羅漢辟支佛佛皆
現於世間以菩薩因緣故有善法於世可
尒剎利大姓婆羅門大姓居士大家若世无
菩薩亦有七寶生不可言皆之菩薩生皆因

BD01227號　大智度論卷三六　（24–1）

切種智盡現於世以菩薩因緣故有剎利大
姓婆羅門大姓居士大家四天王天乃至非
有想非无想天皆現於世以菩薩因緣故有
須陁洹斯陁含阿那含阿羅漢辟支佛佛皆
現於世問曰以菩薩因緣故有善法於世可
尒剎利大姓婆羅門大姓居士大家若世无
菩薩亦有此貴姓云何言皆從菩薩生荅曰
以菩薩因緣故世間有五戒十善八齋等是
法有上中下上者得道中者生天下者為人故
有剎利大姓婆羅門大姓居士大家問曰若
世无菩薩世間亦有五戒十善八齋剎利等
大姓荅曰菩薩受身種種或時受業因緣身
或受變化身於世間教化說諸善法及世界
法王法世俗法出家法在家法種類法居家
法憐愍衆生護持世界雖无菩薩法常行世
以是因緣故皆從菩薩有問曰菩薩清淨行
大慈悲云何說世俗諸雜法荅曰有二種菩
薩一者行慈悲直入菩薩道二者敗壞菩薩
亦有悲心治以國法无所貪利雖有所惱所
安者多治一惡人以成一家如是立法人雖
不名為清淨菩薩得名敗壞菩薩以是因緣
故皆由菩薩有世間諸富貴皆從二乘道有
二乘道從佛有佛因菩薩有若无菩薩說善
法者世間无有天道人道阿脩羅道无有樂
受不苦不樂受但有苦受常有地獄啼哭之
聲菩薩如是大利益故云何不名為世間住
福田舍利弗聞是菩薩有大功德應當供養

BD01227號　大智度論卷三六　（24–2）

二乘道從佛有佛因菩薩有若无菩薩說善
法者世間无有天道人道阿脩羅道无有樂
受不苦不樂受但有苦受常有地獄啼哭之
聲菩薩如是大利益故云何不名為世間住
福田舍利弗聞是菩薩有大功德應當供養
心念煩惱未盡雖有大福不能消其供養如
人雖噉好食以內有病故不能消化以是故
舍利弗白佛言菩薩摩訶薩淨畢施福不佛
言不也何以故本已淨畢故
釋曰以菩薩從初發心時便為一切衆生供
養之上首所以者何以決定為无量无邊阿
僧祇衆生代受懃苦又益利无量阿僧祇衆
生令得度脫欲取一切諸佛法大智慧力故
能令世間即是涅槃如是種種因緣故言本已
淨畢復次佛重說消施因緣故
舍利弗菩薩摩訶薩為大施主施何等施諸
善法何等善法十善道五戒乃至十八不共
法一切種智以是施與
釋曰先說由菩薩因緣世間有善法今說菩
薩施善法之主是為差別
舍利弗白佛言世尊菩薩摩訶薩云何習般
若波羅蜜與般若波羅蜜相應
釋曰上說一日脩般若波羅蜜勝聲聞辟支
佛從是因緣來佛種種讚嘆菩薩如是大功
德皆從般若波羅蜜生是故今問云何菩薩
習行是般若波羅蜜與般若波羅蜜相應復

BD01227號　大智度論卷三六　（24–3）

釋曰上說一日備般若波羅蜜勝聲聞辟支
佛從是因緣来佛種種讃嘆菩薩如是大功
德皆從般若波羅蜜生是故今問云何菩薩
習行是般若波羅蜜與般若波羅蜜相應復
次舍利弗知般若波羅蜜難行難得如幻如
化難可受持恐行者違錯故問相應
佛告舍利弗菩薩摩訶薩習色空是名與般
若波羅蜜相應習受想行識空是名與般若
波羅蜜相應復次舍利弗菩薩摩訶薩習眼
空是名與般若波羅蜜相習耳鼻舌身心
空是名與般若波羅蜜相應習色空是名與
般若波羅蜜相應習聲香味觸法空是名與
般若波羅蜜相應習眼界空色界空識界空
是名與般若波羅蜜相應習耳聲識鼻香識
舌味識身觸識意法識空是名與般若波羅
蜜相應習苦空是名與般若波羅蜜相應習
集滅道空是名與般若波羅蜜相應習无明
空是名與般若波羅蜜相應習行識名色六
處觸受愛取有生老死空是名與般若波羅
蜜相應習一切諸法空若有為若无為是名
與般若波羅蜜相應
釋曰五衆者色受想行識色衆者可見法是
色因緣故亦有對有對者亦名為色如得道
者名為道人餘出家未得道者亦名為道人
何等是可見一處是可見有對色氣分无作
業亦名為色如經說色有三種有色可見有

BD01227號　大智度論卷三六　　（24-4）

色因緣故亦有對有對者亦名為色如得道
者名為道人餘出家未得道者亦名為道人
何等是可見一處是可見有對色氣分无作
業亦名為色如經說色有三種有色可見有
對有色不可見有對有色不可見无對是色
復有四種內有受不受外有受不受復有五
種色所謂五塵復有一種色所謂壊惱相衆
生身色名為壊惱相非衆生色亦名為壊惱
相惱相因緣故亦名惱譬如有身則有飢渴
寒熱老病刀杖等苦復有二種色所謂四大
四大造色內色外色受色不受色繫色不繫
色有色能生罪有色能生福業色非業色業
色果色業色報色果色報色隱沒无記色不
隱沒无記色可見色不可見色有對色无對
色有漏色无漏色如是等二種分別色復有
三種色如上可見有對中說復有三種色善
色不善色无記色學无學非學非无學色從
見諦所斷生色從思惟所斷生色從无斷生
色復有三種色欲界繫色色界繫色不繫色
有色能生貪欲有色能生瞋恚有色能生愚
癡三結三漏等亦如是有色能生不貪善根
不瞋善根不愚癡善根如是等諸三善法應
廣說有色能生隱沒无記法能生不隱沒无
記法不隱沒无記有二種有報生有非報生
者如是等三種无記復有四種色如上受不

BD01227號　大智度論卷三六　　（24-5）

不眼善根不愚癡善根如是等諸三善法應
廣說有色能生隱沒无記法能生不隱沒无
記法不隱沒无記有二種有報生有非報生
者如是等三種无記復有四種色如上受不
受中說四大及造色三種善不善无記身業
作无作色口業作无作色受色（受持時得律儀色）心色
（惡不善業）用色（如眾僧受用種越所施之物）不用色（餘无用之色）如是等四種色
復有五種色身作无作色口作无作色及非
業色五情五塵麁色動色影色像色誑色麁
色者可見可聞可嗅可味可觸如土石等動
色者有二種一者眾生動作二者非眾生動
作如水火風動作地動下有大風動水水動
地風之動樹酒自沸動如慈石牽鐵如真珠
玉車璖馬瑙夜能自行皆是眾生先世福德
業因緣不可思議問曰影色像色不應別說
何以故眼光明對清淨鏡故及自照見影亦
如是遮光故影現无更有法荅曰是事不然
如油中見像黑則非本色如五尺刀中橫觀
則面像廣縱觀則面像長則非本面如大秦
水精中玷玷皆有面像則非一面像以是因
緣故非還見本像復次有鏡有人有持者有
光明眾緣和合故有像生若眾緣不具則像
不生是像亦非无因緣亦不在因緣中如是
別自有法非是面也此微色生法如是不同
塵色如因火有烟火滅烟在問曰若尒者不
應別說影同是細色故荅曰鏡中像有種種
色影則一色是故不同是二雖待形俱動形

BD01227號　大智度論卷三六　（24-6）

不生是像亦非无因緣亦不在因緣中如是
別自有法非是面也此微色生法如是不同
塵色如因火有烟火滅烟在問曰若尒者不
應別說影同是細色故荅曰鏡中像有種種
色影則一色是故不同是二雖待形俱動形
質各異影從麁明而現像則從種種因緣生
雖同細色各各差別誑色者如夫如幻如化
如乾闥婆城等遠誑人眼近无所有如是等
種種无量色摠名為眾受眾者內眼因外色
緣念欲見有明有空色在可見處如是等因
緣生眼識是上因緣及識和合故從識中生
心數法名為觸是觸為一切心數法根本三
眾俱生所謂受想行問曰眼識中亦有觸及
三眾何以故言觸法因緣生三眾荅曰此論
現在因緣觸生三眾非眼見因緣問曰因心
心數法生三眾何以但言觸荅曰眼識少許
時住便滅生意識細疲不了故不說生三眾
但說從觸生如色法從因緣和合生心數法
亦如是從觸法和合生如色法從和合生无
和合則不生心數法亦如是有觸則生无觸
則不生此受眾一種所謂受相復有二種受
身受心受內受外受麁細遠近淨不淨等復
次有三種受苦樂不苦不樂善不善无記學
无學非學非无學見諦所斷思惟所斷不斷
因見諦所斷生受因思惟所斷生受因不斷
生受或因身見生不還與身見在因或因身

BD01227號　大智度論卷三六　（24-7）

身受心受內受外受麁細遠近淨不淨等復
次有三種受苦樂不苦不樂善不善无記學
无學非學非无學見諦所斷思惟所斷不斷
曰見諦所斷生受曰思惟所斷生受曰不斷
生受或曰身見生不還與身見住曰或曰身
見生還與身見住曰或不曰身見生不還與
身見住曰復有三種受欲界繫色界繫无色
界繫如是等三種受復有四種受內身受外
身受內心受外心受四正懃四如意足等相
應受及四流四縛等相應受是名四種受復
有五種受樂根苦根憂根喜根捨根見苦所
斷相應受乃至思惟所斷相應受五蓋五結
諸煩惱相應受亦如是復有六受眾六識相
應受意識分別為十八受所謂眼見色思惟
分別心生喜眼見色思惟分別心生憂眼見
色思惟分別心生捨乃至意識亦如是是十
八受中有淨有垢為卅六三世各卅六為百
八如是等種種因緣分別名為受眾想眾相
應行眾識眾亦如是分別何以故與受相應
故復次佛說有四種想有小想大想无量想
无所有想小想者覺知小法如說小法者小
欲小信小色小緣相名為小想復次欲界繫
想名為小色界繫想名為大三无色天繫想
名為无量无所有處繫想是名无所有想復
次煩惱相應想名為小想煩惱薄故有漏无
垢想名為大想諸法實相想名為无所有想

欲小信小色小緣相名為小想復次欲界繫
想名為小色界繫想名為大三无色天繫想
名為无量无所有處繫想是名无所有想復
次煩惱相應想名為小想煩惱薄故有漏无
垢想名為大想諸法實相想名為无所有想
无漏想名為无量想為涅槃无量法故復次
佛說有六想眼觸相應生想乃至意觸相應
生想行眾者佛或時說一切有為法名為行
或說三行身行口行意行身行者出入息所
以者何息屬身故口行者覺觀所以者何
先覺觀然後語言意行者受想所以者何受
苦樂取相心發是名意行心數法有二種一
者屬見二者屬愛屬愛主名為受屬見主名
為想以是故說是二法為意行佛或說十二
因緣中三行福行罪行无動行福行者欲界
繫善業罪行者不善業无動行者色无色界
繫業阿毗曇除受想餘心數法及无想定滅
盡定等心不相應法是名為行眾識眾者內
外六入和合故生六覺名為識以內緣力大
故名為眼識乃至名為意識問曰意即是識
云何意緣力故生意識荅曰意生滅相故多
因先生意故緣法生意識問曰前意已滅云
何能生後識荅曰意有二種一者念念滅二
者心相續名為一為是相續心故諸心名為
一意是故依意而生識无咎意識雖解故九
十六種道不說依意故生識但以依神為本
此五眾四念處中廣說所以者何身念處說色
眾受念處說受眾心念處說識眾法念處說

一意是故依意而生識无各意識雜解故九
十六種道不說依意故生識但以依神為本
此五眾四念處中廣說所以者何身念處說色
眾受念處說受眾心念處說識眾法念處說
想想眾行眾問曰不應有五眾但應有色眾
識眾識眾隨時分別故有異名名為受想行
如不淨識名為煩惱淨識名為善法荅曰不
然所以者何若名異故實之異若无異法名
不應異若唯有心而无心法者心不應有垢
有淨辟如清淨地水狂鳥入中令其混濁若
清水珠入水即清淨不得言水外无鳥无珠
心亦如是煩惱入故能令心濁諸慈悲等善
法入心令心清淨以是故不得言煩惱慈悲
等法即是心問曰汝不聞我先說垢心即是
煩惱淨心即是善法荅曰若垢心次第云何
能生淨心淨心次第云何當生垢心以是故
是事不然汝但知麁現之事不知心數法不
可以不知故便謂為无當知必有五眾問曰
若有者何以不多不少但說五荅曰諸法各
有定限如手法五指不得求其多少復次有
為法雖復无量佛分判為五分則盡問曰若
尒者何以故復說十二入十八界若曰眾義
應尒入界義異佛為法王為眾生故或時略
說或時廣說有眾生於色識中不入耶或於
心數法中多有錯繆故說五眾有眾生心心
數法中不生耶惑但惑揔色為是眾生故說色

BD01227號　大智度論卷三六　（24–10）

應尒入界義異佛為法王為眾生故或時略
說或時廣說有眾生於色識中不入耶或於
心數法中多有錯繆故說五眾有眾生心心
數法中不生耶惑但惑揔色為是眾生故說色
為十處心心數法揔說二處有眾生於心心數
法中少生耶惑而多不了色心為是眾生故說
心數法為一界色心為十七界或有眾生亦知
世間苦法生滅不知離苦道為是眾生故說四
諦世間及身皆為是苦受等煩惱是苦因煩
惱滅是苦滅滅煩惱方便法是名道或有眾
生著吾我故於諸法中耶見生一異相或言
世間无因无緣或墮耶因緣為是眾生故說
十二因緣有人說常法或說神常或說一切
法常但滅時隱藏微細非是无也若得因緣
會還出更无異法為是人故說一切有為法
皆是作法无有常定辟如木人種種機開木
楯和合故能動作无有實事是名有為法問
曰是中說五眾有何次第荅曰行者初習觀
法先觀麁法知身不淨无常苦空无我等身
患如是眾生所以著此身者以能生樂故諦
觀此樂有无量苦常隨逐之此樂亦无常空
无我等六塵中有无量苦眾生何因緣生著
以眾生取相故著如二人身一種偏有所著
能沒命隨死取相受苦樂發動生思等諸行
心行發動時識知離苦得樂方便是為識復
次眾生五欲因緣故受苦樂取相因緣故深
著是樂以深著樂故或起三毒若三善根是

BD01227號　大智度論卷三六　（24–11）

心行数動時識知離苦得樂方便是為識復
次衆生五欲因緣故受苦樂取相因緣故深
著是樂以深著樂故戒起三毒若三善根是
名為行識為其主受用上事五欲即是色色
是根本故初說色衆餘次第有名餘入界諸
法等皆由五衆次第有唯法入法界中增无
為法四諦中增智緣滅入界乃至有為无為
法如上說今五衆等諸法皆是空何以故聖
主說故聖有三種下中上佛為其主如星宿
月中日為其冣光明大故佛得一切智慧故
名為聖主聖主所說故應當是實復次以十
八空故一切法空若以性空能空一切法何況
十八若以内空外空能空一切法何況十八
復次若有法應二種色法非色法是色法分
別破裂乃至微塵分別微塵亦不可得終本
皆空无色法念念生滅故皆空如四念處中
說復次諸法性空但名字因緣和合故有名
字如山河草木土地人民州郡城邑名之為
國巷里市陌廬館宮殿名之為都梁椽棟
瓦竹壁石名之為殿上中下分和合名之為
柱斤斤和合故有分名衆札和合故有斤名
衆微和合故有札名是微塵有大有中有小
大者遊塵可見中者諸天所見小者上聖人
天眼所見慧眼觀之則无所見所以者何性
實无故若微塵實有即是常不可分裂不可
毀壞火不能燒水不能沒復次若微塵有形
无形二俱有過若无形云何是色若微塵有

BD01227號　大智度論卷三六　（24–12）

大者遊塵可見中者諸天所見小者上聖人
天眼所見慧眼觀之則无所見所以者何性
實无故若微塵實有即是常不可分裂不可
毀壞火不能燒水不能沒復次若微塵有形
无形二俱有過若无形云何是色若微塵有
形則與虛空作分亦有十方分若有十方分
則不名為微塵佛法中色无有遠近麁細是
常者復次辭是因緣名字則无有法今除山
河土地因緣名字更无國名除廬里道陌因
緣名字則无都名除梁椽竹瓦因緣名字更
无殿名除三分柱因緣名字更无柱名除斤因
緣名字則无分名除札因緣名字則无斤名
除衆微因緣名字則无札名除中微塵名字
則无大微塵名除小微塵名字則无中微塵
名除天眼長見則无小微塵名如是等種種
因緣義故知諸法必空問曰若法畢竟空何
以有名字答曰名字若是有與法俱破若无
則不應難名字與法俱无有異以是故知一切
法空復次一切法實空所以者何空无有一法
故皆從多法和合生若无一亦无有多譬如
樹根莖枝葉和合故有假名樹若无樹法根
莖枝葉為誰和合若无和合則无一法若无
一法則亦无多初一後多故復次一切諸觀
語言戲論皆无常者若世間常亦不然世間
无常亦不然有衆生无衆生有邊无邊有我
无我諸法實諸法空皆不然如先種種論議
門中說若是諸觀戲論皆无者云何不空問

BD01227號　大智度論卷三六　（24–13）

一法則々无多初一後多故復次一切諸觀
語言戲論皆无常者若世間常々不然世間
无常々不然有衆生无衆生有邊无邊有我
无我諸法實諸法空皆不然如先種種論議
門中說若是諸觀戲論皆无者云何不空問
曰汝言諸法實諸法空皆不然者今云何復
言諸法空荅曰有二種空一者說名字空但
破著有而不破空二者破有々无有空如小
劫盡時刀兵疾疫飢餓猶有人物鳥獸山河
大劫燒時山河樹木乃至金剛地下大水々
盡劫火既滅持水之風々滅一切廓然无有
遺餘空々如是破諸法皆空唯有空在而取
相著之大空者破一切法空々復空以是故
汝不應作是難若滅諸戲論云何不空如是
等種種因緣處處說空當知一切法空習者
隨般若波羅蜜脩習行觀不息不休是名為
習譬如弟子隨順師教不違師意是名相應
如般若波羅蜜相菩薩々隨是相以智慧觀
能得能成就不增不減是名相應譬如函蓋
大小相稱雖般若波羅蜜滅諸觀法而智慧
力故名為无所不能无所不觀能如是不墮
二邊是為與般若相應
復次舍利弗菩薩摩訶薩習性空是名與般
若波羅蜜相應如是舍利弗菩薩摩訶薩行
般若波羅蜜習七空所謂性空自相空諸法
空不可得空无法空有法空无法有法空是

BD01227號　大智度論卷三六　（24–14）

二邊是為與般若相應
復次舍利弗菩薩摩訶薩習性空是名與般
若波羅蜜相應如是舍利弗菩薩摩訶薩行
般若波羅蜜習七空所謂性空自相空諸法
空不可得空无法空有法空无法有法空是
名與般若波羅蜜相應問曰何以不說住十
八空但說住七空名與般若波羅蜜相應荅
曰佛法中廣說則十八空略說則七空如廣說
則助道法則有卅七品略說七覺分復次是
七空多用利益衆生故如大空无始空或時
有衆生起是耶見為是故說性空者一切諸
法性本末常自空何況現在因緣常空何況
果報自相空者諸法總相別相盡觀其空心
則遠離用是二空諸法皆空是名諸法空從
性故有相相空故諸法皆空諸法空故更无
所得是名不可得空用是四種空破一切有
法若以有法有相為過者取於无法是故說
无法空若以无法為非還欲取有法是故說
有法空先說四空雖破有法行者心則雖有
而存於无是則說无法空若說无法為非心
无所寄還欲存有是故略說有法空以存有
心薄故无法有法空者行者以无法空為非
心還疑有若心觀有還疑无法是故有无俱
觀其空如內外空觀以是故但說七空問曰
汝言如一切法空滅諸觀是名與般若波羅
蜜相應如是觀是名相應不如是觀則不相

BD01227號　大智度論卷三六　（24–15）

觀其空如内外空觀以是故但說七空問曰
汝言如一切法空滅諸觀是名與般若波羅
蜜相應如是觀是名相應不如是觀則不相
應分別是非故即亦是觀云何言滅答曰以
是故
佛告舍利弗菩薩摩訶薩習七空時不見色
若相應若不相應不見受想行識若相應若
不相應不見色若生相若滅相不見受相行
識若生相若滅相不見色若垢相若淨相不
見受想行識若垢相若淨相
釋曰不生不滅者不見五衆有生有滅若五
衆有生滅相即墮斷滅中墮斷滅故則无罪
无福无罪无福故與禽獸无異不垢不淨者
不見五衆有縛有解若五衆是縛性无有得
解脫者若五衆是淨性則无有學道法不見
色與受合不見受與想合不見想與行合不
見行與識合何以故无有法與法合者其性
空故釋曰心心數法无形无形故則无住處
以是故色不與受合如四大及四大所造色
二觸和合心心數法中无觸法故不得和合
問曰若尒者何以說受想行識不共和合荅
曰佛此中自說无有法與法合者何以故一
切法性常空故若无法與法合亦无有離復
次佛自說因緣舍利弗色空中无有色受想
行識空中无有識何以故色與空相違若空

BD01227號　大智度論卷三六　（24–16）

曰佛此中自說无有法與法合者何以故一
切法性常空故若无法與法合亦无有離復
次佛自說因緣舍利弗色空中无有色受想
行識空中无有識何以故色與空相違若空
來則滅色云何色空中有色譬如水中无火
火中无水性相違故復次有人言色非實空
行者入空三昧中見色為空以是故言色空
中都无有色受想行識亦如是
舍利弗色空故无惱壞相受空故无受相想
空故无知相行空故无作相識空故无覺相
問曰此義有何次第荅曰先說五衆空中无
五衆是中今說其因緣五衆各各自相不可
得故故言五衆空中无五衆何以故舍利弗
非色異空非空異色色即是空空即是色受
想行識亦如是釋曰佛重說因緣若五衆與
空異空中應有五衆今五衆不異空空不異
五衆五衆即是空空即是五衆以是故空不
破五衆所以者何是中佛自說因緣舍利弗
是諸法空相不生不滅不垢不淨不增不減
是空法非過去非未來非現在是故空中无
色无受想行識无眼耳鼻舌身意无色聲香
味觸法无眼界乃至无意識界无无明亦无
无明盡乃至无老死无老死盡无苦集滅道
亦无智亦无得无須陁洹无須陁洹果无斯
陁含无斯陁含果无阿那含无阿那含果无阿
羅漢无阿羅漢果无辟支佛无辟支佛道无

BD01227號　大智度論卷三六　（24–17）

无明盡乃至无老死无老死盡无苦集滅道
亦无智亦无得无須陁洹无須陁洹果无斯
陁含无斯陁含果无阿那含无阿那含果无阿
羅漢无阿羅漢果无辟支佛无辟支佛道无
佛亦无佛道舍利弗菩薩摩訶薩如是習是
名與般若波羅蜜相應問曰人皆知空中无
所有不生不滅不垢不淨不增不減无一切
法佛何以分別說五衆等諸法各各空荅曰
有人雖復習空想空中猶有諸法如行慈人
雖无衆生而想衆生得樂自得无量福故以
是故佛說諸法性常自空非空三昧故令法
空如水冷相火令其熱若言以空三昧故令
法空者是事不然智者是无漏八智得者初
得聖道須陁洹果乃至佛道義先已廣說
舍利弗是菩薩摩訶薩行般若波羅蜜不見
般若波羅蜜若相應若不相應不見檀波羅
蜜尸波羅蜜羼提波羅蜜毗梨耶波羅蜜禪
波羅蜜若相應若不相應亦不見色若相應
若不相應不見受想行識若相應若不相應
不見眼乃至意色乃至法眼色識界乃至意
法識界若相應若不相應不見四念處乃至
八聖道分佛十力乃至一切種智若相應若
不相應如是舍利弗當知菩薩摩訶薩與般
若波羅蜜相應釋曰菩薩得諸法實相入般
若波羅蜜即於般若波羅蜜不見定相若相
應若不相應何況見有餘法云何不見般若

不相應如是舍利弗當知菩薩摩訶薩與般
若波羅蜜相應釋曰菩薩得諸法實相入般
若波羅蜜即於般若波羅蜜不見定相若相
應若不相應何況見有餘法云何不見般若
相應不相應不見如是行為應般若波羅蜜
不見不如是行為不應般若波羅蜜如常樂
我行不應般若波羅蜜无常苦无我行為應
波羅蜜若行實不應般若波羅蜜若行空為
應般若波羅蜜如有无行為不應般若波羅
蜜如非有非无行為應般若波羅蜜般若波
羅蜜中皆无是事般若波羅蜜相畢竟清淨
故五波羅蜜五衆乃至一切種智亦如是問
曰般若波羅蜜畢竟清淨應尒五波羅蜜及
餘法云何清淨荅曰先說五事雖般若波羅
蜜不名波羅蜜與般若波羅蜜和合名波羅
蜜如般若波羅蜜初品中說云何名檀波羅
蜜不見施者不見受者无財物故五衆法是
菩薩觀處與般若波羅蜜和合故畢竟清淨
故不見相應不相應十二入十八界十二因
緣亦如是諸法无有定性无有定法以是
故不見若相應若不相應十八空四念處乃
至大慈大悲一切種智不見若相應若不相
應問曰是菩薩非聲聞辟支佛云何有卅七
品未得佛道云何有十力四无所畏荅曰是
菩薩非聲聞辟支佛亦觀聲聞辟支佛法欲

故不見若相應若不相應十八空四念處乃
至大慈大悲一切種智不見若相應若不相
應問曰是菩薩非聲聞辟支佛云何有卅七
品未得佛道云何有十力四无所畏荅曰是
菩薩非聲聞辟支佛亦觀聲聞辟支佛法欲
以聲聞辟支佛道度衆生故復有人言行聲
聞辟支佛道但不取證如後品中說入空无
相无作三昧菩薩住是三解脫門住是念言
今是觀時非是證時或有新發意菩薩聞有
聲聞辟支佛卅七品法讀誦正憶念分別以
是故說菩薩有卅七品佛十力等亦如是菩
薩自於菩薩十力四无所畏十八不共法中
住住是法中若聞若憶想分別佛十力四无
所畏十八不共法等甚深微妙亦是我分復
次是菩薩无量阿僧祇劫來脩習佛十力四
无所畏等坐樹下時得无导解脫故增益清
淨辟如勳勞既立然後受其功賞菩薩亦如
是有是功德乃受其名是功德皆是般若波
羅蜜勢力合故不見若相應若不相應此諸
法義從六波羅蜜乃至一切智先已說
復次舍利弗菩薩摩訶薩行般若波羅蜜時
空不與空合无相不與无相合无作不與无
作合何以故空无相无作无有合與不合舍
利弗菩薩摩訶薩如是習是名與般若波羅
蜜相應問曰一心中无有二空云何說空不
與空合荅曰空有二種一者空三昧二者法

作合何以故空无相无作无有合與不合舍
利弗菩薩摩訶薩如是習是名與般若波羅
蜜相應問曰一心中无有二空云何說空不
與空合荅曰空有二種一者空三昧二者法
空空三昧不與法空合何以故若以空三昧
力令法空者是法非自性空又空者性自空
不從因緣生若從因緣生則不名性空行者
若入時見空出時不見空當知是虛妄復次
佛自說因緣空中无合无不合无相无作亦
如是舍利弗菩薩如是習是名與般若波羅
蜜相應問曰但一處說不見與般若波羅蜜
相應不相應便是何以故復更種種說相應
不相應因緣若一處應餘則皆應若一處不
應餘亦不應辟如一旨无見千旨俱尒荅曰
不然若欲以戲論求勝應如是難諸法相雖
不可說佛以大慈大悲故種種方便說又佛
說法不為一種衆生得度為未悟者重說又
復一說為斷見諦結使二說為斷思惟結使
復更說為諸餘結使分分皆斷又一說有人
得聲聞道一說種辟支佛道因緣更一說發
阿耨多羅三藐三菩提心更一說行六波羅
蜜更一說行方便得无生忍更一說得初住
地更一說乃至十住地更一說為人故更一
說為天故復次是般若波羅蜜相甚深難解
難知佛知衆生心根有利鈍鈍根少智為其

蜜更一說行方便得无生忍更一說得初住
地更一說乃至十住地更一說為人故更一
說為天故復次是般若波羅蜜相甚深難解
難知佛知眾生心根有利鈍鈍根少智為其
重說若利根者一說二說便悟不須種種重
說譬如快馬下一鞭便走駑馬多鞭乃去如
是等種種因緣故經中重說无咎
復次舍利弗菩薩摩訶薩行般若波羅蜜時
入諸法自相空入已色不作合不作不合受
想行識不作合不作不合色不與前際合何
以故不見前際故色不與後際合何以故不
見後際故色不與現在合何以故不見現在
故受想行識亦如是釋曰先說空无相无作
无合无不合今更說因緣入自相空故五眾
不作合不作不合若一切法自相空是中无
有合不合合者諸法如其相如地堅相識知
相如是等自相不在異法是名為合不合者
自相不在自法中略說諸法相不增不減色
不說與前際合何以故前際空无所有但有
名字若色入過去則滅无所有云何與前際
合後際者未有未生色不應與後際合現在
色生滅不住故不可取相色不應與現在合
復次佛自說因緣色不與前際合非不合何
以故前際不可見故色不與後際合非不合
何以故後際不可見故色不與現在合非不

BD01227號　大智度論卷三六　（24–22）

色生滅不住故不可取相色不應與現在合
復次佛自說因緣色不與前際合非不合何
以故前際不可見故色不與後際合非不合
何以故後際不可見故色不與現在合非不
合何以故現在不可見故受想行識亦如是
復次舍利弗菩薩摩訶薩行般若波羅蜜前
際不與後際合後際不與前際合現在不與
前際後際合前際後際亦不與現在合三世
名空故舍利弗菩薩摩訶薩如是習者是名
與般若波羅蜜相應問曰云何前際後際合
答曰有人說三世諸法皆是有未來法轉為
現在現在轉為過去如泥揣現在瓶為未來
土為過去若成瓶時瓶為現在泥揣為過去
瓶破為未來如是者是為合若有三世相是
事不然以多過故是為不合復次三世合者
如過去法與過去未來現在世作因現在法
與現在未來世作因未來法與未來世作因
又過去心心數法緣三世法未來現在心心
數法亦如是斷心心數法能緣不斷法不斷
心心數法能緣可斷法如是等三世諸法因
緣業果共相和合是名為合菩薩不作是合
何以故如先說過去已滅云何能為因能為
緣未來未有云何為因緣現在乃至一念中
不住云何為因緣是名不合復次佛自說因
緣三世及名字空故云何言合

BD01227號　大智度論卷三六　（24–23）

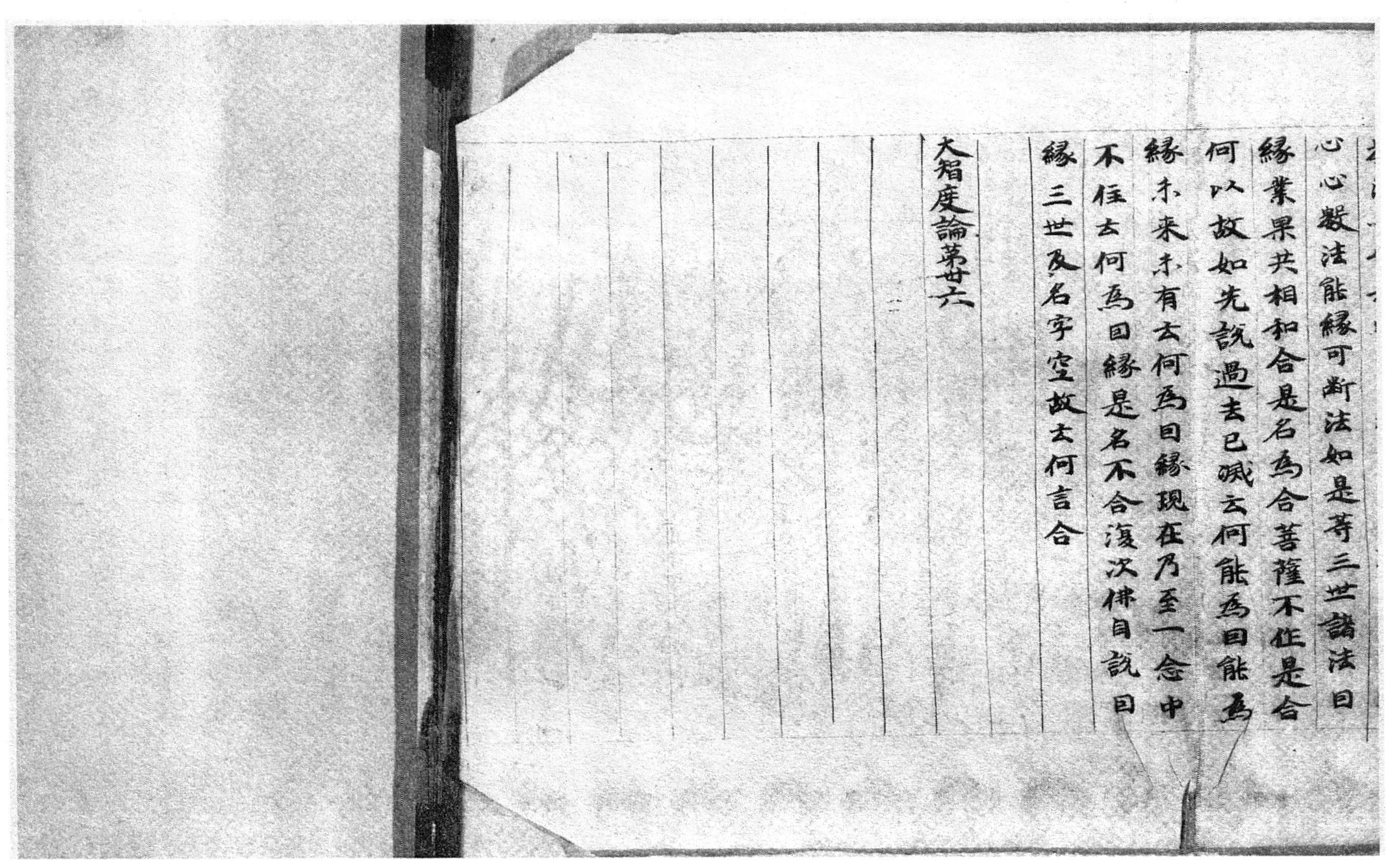
心心數法能緣可斷法如是等三世諸法因
緣業果共相和合是名爲合菩薩不住是合
何以故如先說過去已滅云何能爲因能爲
緣未來未有云何爲因緣現在乃至一念中
不住云何爲因緣是名不合復次佛自說因
緣三世及名字空故云何言合
大智度論第卅六

BD01227號　大智度論卷三六　　（24–24）

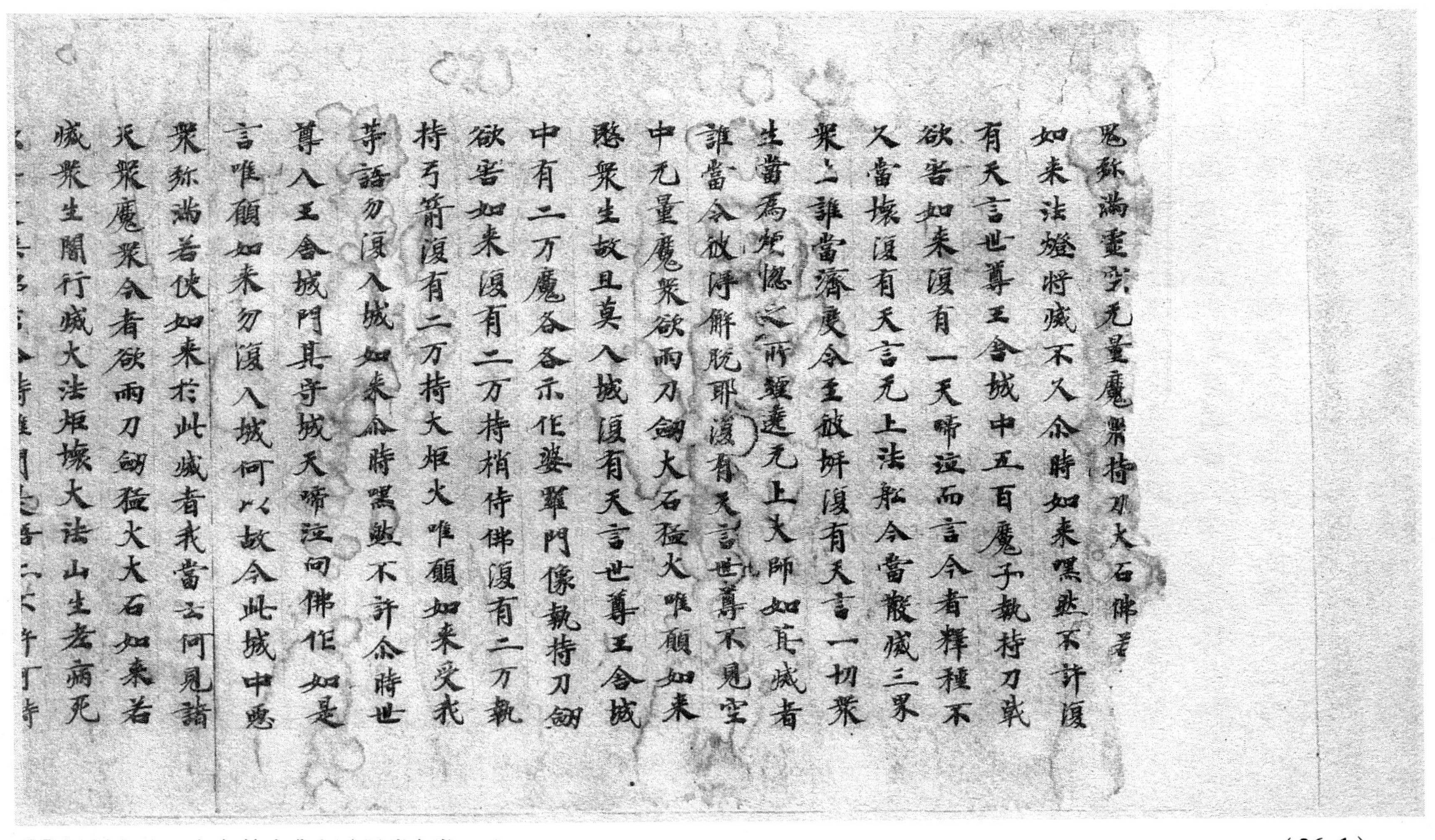
鬼彌滿虛空无量魔衆持刀大石佛若
如來法燈將滅不久尒時如來嘿然不許復
有天言世尊王舍城中五百魔子執持刀戟
欲害如來復有一天啼泣而言今者釋種不
久當壞復有天言无上法船今當散滅三界
衆生誰當濟度今王被拼復有天言一切衆
生當爲煩惱之所纏逺无上大師如其滅者
誰當令彼淨解脫耶復有天言世尊不見空
中无量魔衆欲雨刀劒大石猛火唯願如來
愍衆生故且莫入城復有天言世尊王舍城
中有二万魔各各示作婆羅門像執持刀劒
欲害如來復有二万持稍侍佛復有二万執
持弓箭復有二万持大炬火唯願如來受我
等語勿復入城如來尒時嘿然不許尒時世
尊入王舍城門其守城天啼泣向佛作如是
言唯願如來勿復入城何以故今此城中惡
衆彌滿若使如來於此滅者我當云何見諸
天衆魔衆今者欲雨刀劒猛火大石如來若
滅衆生闇行滅大法炬壞大法山生老病死

BD01228號　大方等大集經（異卷）卷一八　　（26–1）

尊入王舍城門其守城天啼泣向佛作如是
言唯願如來勿復入城何以故今此城中惡
衆弥滿若使如來於此城者我當云何見諸
天衆魔衆今者欲雨刀劒猛火大石如來若
滅衆生闇行滅大法炬壞大法山生老病死
歡喜受樂佛於尒時雖聞是語亦不許可時
天復言世尊若不惜身命必欲放捨有六大
城何必於此如來若於此闇滅者則令我於
无量世中得大惡名尒時復有无量諸天俱
至佛所作如是言世尊我已曾見无量諸佛
說法教化无量衆生實未曾見如是魔業世
間衆生常為諸惡煩惱之所圍遶値遇良醫
通達无量醫方方便如來何故放捨大慈大
悲之心復有天言如來往昔无量劫中為諸
衆生脩集苦行今者云何欲捨衆生放棄身
命唯願怜愍演說正法調伏一切闇昧衆生
願施衆生光明迷行之人示以正路永斷一
切三惡道苦唯願久住莫捨身命尒時復有
淨居諸天告諸天言且勿啼哭放捨悲惱如
來具足十力无畏今欲摧滅一切魔衆假使
无量无邊魔衆乃至不能動佛一毛尒時梵
王釋提桓因往至佛所白佛言世尊一切魔
衆今者定欲毀害如來唯願勿往如來當滅
一切衆生无明暗行世尊往昔請諸衆生許

BD01228號　大方等大集經（異卷）卷一八　（26–2）

无量无邊魔衆乃至不能動佛一毛尒時梵
王釋提桓因往至佛所白佛言世尊一切魔
衆今者定欲毀害如來唯願勿往如來當滅
一切衆生无明暗行世尊往昔請諸衆生許
以甘露斯事未果云何便欲放捨身命莫倚
往昔菩提樹下壞一魔已輕蔑餘者如來若
入王舍城中即便滅沒无復疑也尒時世尊
出大梵音聲遍三千大千世界而作是言諦
聽諦聽假使諸魔悉遍十方世界盡其力勢
乃至不能動我一毛我昔已請无量衆生許
以甘露今當演說第一義諦增長善法說於
正道以稱我願我於往昔无量世中為說衆
生多受苦惱放捨一切金銀流離頗梨寶貨
國城妻子衣服飲食及以身命以妙華香幡
蓋燈明供養諸佛受持淨戒脩行忍辱誰能
以惡加於我身我於衆生常脩慈悲誰能令
我而滅沒耶如來先以摧魔眷屬當知今者
亦能破壞汝等於此勿生怖畏時无量天聞
是語已心生喜樂各各而言南无大士如來
世尊壞大魔衆破諸煩惱永離習氣摧憍慢
山拔生死樹滅死日月除无明暗勸化一切
耶見衆生燋涸四流燈大法炬示菩提道擊
大法鼓施諸衆生善法之樂復令覺悟四真
諦相度生死海入无畏處語是語已以妙香

BD01228號　大方等大集經（異卷）卷一八　（26–3）

山拔生死樹摧死日月除无明暗觸化一切
耶見衆生燋涸四流燈大法炬示菩提道擊
大法鼓施諸衆生善法之樂復令覺悟四真
諦相度生死海入无畏處語是語已以妙香
華幡蓋伎樂供養於佛復以種種微妙好華
散王舍城所謂雱陁羅華摩訶雱陁羅華波
樓沙華摩訶波樓沙華迦迦羅華摩訶迦迦
羅華雱殊沙華摩訶雱殊沙華瞻婆羅華摩
訶瞻婆羅華歡喜華大歡喜華愛樂華大愛
樂華波利質多華俱䩭遮羅華優鉢羅華俱
物頭華波頭摩華分陁利華如是等華莊嚴
遍覆如來行處於路二邊七寶行樹高一多
羅樹間有八味清泉上虛空中多有諸天手
持上妙七寶蓋雨諸雜華金銀頗梨流離等
沙牛頭栴檀及白栴檀堅鞕沉水種種華香
遍雨如來所行之處復有種種微妙伎樂一
切人民悉共嚴治王舍城外如來行處諸魔
眷民莊嚴城內時佛世尊入王舍城介時心
遊首楞嚴定示現微妙八十種好若事象者
即現象像事師子者現師子像有事牛者即
現牛像事鳥命命現命命像有事䖵者即現
䖵像有魚龍黿鼉梵天自在違陁八臂帝釋
阿脩羅迦樓羅帝狼腦麻水火風神日月星
宿國王大臣男女大小沙門婆羅門四王夜

現牛像事鳥命命現命命像有事䖵者即現
䖵像有魚龍黿鼉梵天自在違陁八臂帝釋
阿脩羅迦樓羅帝狼腦麻水火風神日月星
宿國王大臣男女大小沙門婆羅門四王夜
叉菩薩如來各隨所事而得見之見已皆稱
南无南无南无无上世尊合掌恭敬礼拜供養介
時雪山光昧仙人与其弟子在西門下側立
侍佛光昧仙人覩見佛身是仙人像為无量
衆生所供養即作是言如是人者真是大仙
堪受世間人天供養何以故福德相故我云
何知彼大我大我今當問生姓經書出家久
近光味仙人即趣佛所告其弟子摩納彼仙
人者德相成就了了可知聡明叡哲能解深
義汝等應當至心生信如我所見相書所載
是人必能說无上道彼定能令我度生死五
百弟子同聲歎言善哉善哉
介時光味与五百弟子前後圍遶即至佛所
作如是言汝是誰耶佛言是婆羅門光味復
問姓何等耶荅言我姓瞿曇又問受何義耶
荅言吾受三義又問脩集何行荅言吾脩三
空行又問出家已來為久近乎荅言具大智
時又問汝頗讀誦星宿書不荅言汝今讀誦
得何利益光味復言我以此法教化衆生受
我語者多獻供養佛言汝知此書頗能得過

時又問汝頗讀誦星宿書不答言汝今讀誦
得何利益光味復言我以此法教化衆生受
我語者多獻供養佛言汝知此書頗能得過
生老死不光味復問瞿曇生老病死云何可
斷佛言汝若不能斷生老死何用讀誦如是
星書光味復言瞿曇汝若不知星宿書者身
上何故有星行處如我知者定謂瞿曇通達
如是星宿无復放捨佛言云何名星宿道光
味答言謂廿八宿日月隨行一切衆生日月
年歲皆悉繫屬瞿曇一切星宿聊有四分瞿
曇東方七宿謂角亢氐房心尾箕若与生日
屬角星者口闊四指額廣二今其身右邊多
生黑子上皆有毛當知是人多財富貴廣額
似象聰明多知眷屬熾盛其項恒長脚兩指
長左有刀劍多有妻子惡性輕躁壽命八十
四十年時一受衰苦長子不壽心樂法事衰
患在火瞿曇屬角星者有如是相屬亢星者
心樂法事受性多巧聰明富貴多慚愧怨
不能嘗樂欲出家受性柔濡輕躁福盡无所
隱藏壽六十年三十五時身遇篤疾遶頸四
指當有瘡瘢不宜子息瞿曇屬亢星者有如
是相屬氐星者生人受身勇健臣富豪貴壽
廿五左有黑子於父母所恒生惡心敬出家
人於己眷屬不能增長瞿曇屬氐星者有如

BD01228號　大方等大集經（異卷）卷一八　（26-6）

是相屬氐星者生人受身勇健臣富豪貴壽
廿五左有黑子於父母所恒生惡心敬出家
人於己眷屬不能增長瞿曇屬氐星者有如
是相屬房星人受性弊惡愚騃无智臣富豪
貴右有黑子壽卅五當被兵死宜於兄弟瞿
曇屬房星人有如是相屬心星人富貴多財
愚癡風病壽四十五頭有瘡瘢有大名聲嫉
不能中妻子不樂瞿曇屬心星人有如是相
屬尾生人具諸好相雄壯富貴得大自在兩
乳輪相有大名聲身諸光明勝於日月聰明
大智无能勝者貪樂出家能調煩惱增長眷
屬多有慚愧壽命百年四十五時暫一受苦
匈有德相衆生樂見不宜父母瞿曇屬尾生
人有如是相屬箕生人樂喜諍訟多犯禁戒
受性弊惡人不喜見貪欲熾盛壽六十年貧
窮困苦常樂遊行牙齒疏小匈臆瘠瘦瞿曇
屬東方宿有如是相屬井生人多饒財寶人
所恭敬心樂於法　有瘡瘢壽八十年慈孝
供養父母師長先父母喪心无慳恡多有慚
愧衰禍在外瞿曇屬井生者有如是相屬鬼
生人慳恡短壽　下四指當有黑子不宜父
母喜樂諍訟瞿曇屬鬼生者有如是相屬柳
生者富貴持戒慕樂法事壽七十五增長眷
屬死已生天胃有赤子敬愛法者人所信伏

BD01228號　大方等大集經（異卷）卷一八　（26-7）

生人慳恡極壽　下四柏當有黑子不宜父
毋喜樂諍訟瞿曇屬鬼生者有如是相屬柳
生者富貴持戒慕樂法事壽七十五增長眷
屬死已生天胷有赤子敬愛法者人所信伏
瞿曇屬柳生者有如是相屬七星者樂為劫
賊盜物為業姧僞諂曲薄德極壽衆動羸穖
愚癡狂騃必被兵死瞿曇七星生者有如是
相屬張生者壽命八十善於音樂首髮希少
褱廿七及三十三富貴勇健有大名稱聰明
无恡樂法慚愧不宜父毋及以兄弟項有瘡
髀過三十五乃有子息陰有黑子髀有黃子
瞿曇屬張生者有如是相屬翼生人善知筭
數慳恡惡性鈍根耶見右有黑子壽卅三髭
无子息瞿曇屬翼生人有如是相屬軫生人
巨富豪貴多饒眷屬奴婢僕使聰明勇健樂
法愛法敬受法者壽命百年死已生天瞿曇
屬南方星者有如是相屬亢生者其人兩頰
當有黑子持戒樂法敬受法者富貴樂施身
有少瘡壽五十年瞿曇屬亢生者有如是相
屬婁生者壽命極促貧窮困苦樂見鬬戒其
心慳恡膝下瘡髀壽三十年不宜於兄瞿曇
屬婁生者有如是相屬胃生者不宜父毋多
失財寶田業舍宅膝有黑子過廿二得大富
貴不慳樂施瞿曇屬胃生者有如是相屬昴

心慳恡膝下瘡髀壽三十年不宜於兄瞿曇
屬婁生者有如是相屬胃生者不宜父毋多
失財寶田業舍宅膝有黑子過廿二得大富
貴不慳樂施瞿曇屬胃生者有如是相屬昴
生者樂於正法辯口利辭聰明富貴多有名
稱談持禁戒人所敬信死已生天膝有青子
壽五十年瞿曇屬昴生者有如是相屬畢生
者人所信伏惡性喜鬪於己姊妹生於貪心
富貴多怨常患匈臆不宜錢財左右黑子壽
七十年瞿曇屬畢生者有如是相屬觜生者
富貴樂施慚愧无貪无有病苦衆生樂見死
已生天褱在七十壽滿八十瞿曇屬觜生者
有如是相屬參生者受性弊惡多造惡業作
守獄卒貪欲偏多聰明貧苦壽六十五多有
黑子瞿曇屬西方星有如是相屬斗生者受
性愚癡貪不知足貧窮惡性壽命短促當病
食死黑色羸瘦瞿曇屬斗星者有如是相屬
牛生者性癡貧窮樂為偷竊心多嫉妬壽七
十年无有妻子瞿曇屬牛生者有如是相屬
女生者持戒樂施其人之下當有黑子增長
眷屬壽八十年有大名聲无有病痛宜於父
毋及以兄弟瞿曇屬女生者有如是相屬虛
生者福德富貴眷屬愛樂慳恡不施壽六十
五其人之下當有黑子瞿曇屬虛生者有如
是相屬危生者身无痛苦聰明持戒通達世

毋及以兄弟瞿曇屬女生者有如是相屬室
生者福德富貴眷屬愛樂慳悋不施壽六十
五其人之下當有黑子瞿曇屬壹生者有如
是相屬危生者身无痛苦聡明持戒通達世
事富貴多財壽八十年宜諸眷屬瞿曇屬危
生者有如是相屬室生者受性弊惡多犯禁
戒為人富貴壽命百年死墮惡道不宜父毋
及以兄弟瞿曇屬室生者有如是相屬壁生
者雄猛多力尊榮富貴有大名稱眷屬增長
不宜父毋壽命千年名聞无量樂法出家敬
受法者聡明多智善解世事瞿曇屬北方星
有如是相若有通達如是相者到於彼岸得
大智慧佛言眾生闇行著於顛到煩惱繫縛
隨逐如是星宿書籍仙人星宿雖好亦復生
於牛馬狗豬亦有同屬一星者而有貧賤富
貴叅差是故我知不定法仙人汝雖得禪我
是一切大智之仙何故不問解脫因緣乃問
是事光味又言汝今現身如世无異而尊其
事与仙无別我今真實不知汝是天耶仙耶
龍耶鬼耶聲如梵音色如古仙我從昔來未
曾見聞如是色相如是事業是故今問汝為
是誰繫屬於誰姓氏何等宣說何事唯願廣
說我等聽受尒時世尊即說偈言

BD01228號　大方等大集經（異卷）卷一八　（26–10）

是誰繫屬於誰姓氏何等宣說何事唯願廣
說我等聽受尒時世尊即說偈言
若有學習著相書　是人不能知此彼
若為煩惱所縛者　不能解脫常受苦
我今具之六神通　是故名大婆羅門
六波羅蜜是我性　以六和敬調諸根
我以受持三種戒　行空无相三脫門
我往初發菩提心　尒時得名大出家
我觀法覺一法相　是故不說星宿書
法无眾生无壽命　是故演說无我淨
已度三受三行岸　斷諸相故无有相
我以真實知諸法　是故獲得大寂靜
若无罣㝵如虛空　雖行菩提不學法
脩集戒禁大忍辱　即得无相大智惠
若不覺業求果報　如法不轉得菩提
心不貪著一切陰　亦復不觀於此彼
有不覺知菩提邊　是能速得菩提道
无有相貌无想念　於一切法无覺觀
亦无貪著於諸法　即能獲得一切覺
若有脩集淨梵行　是人得名婆羅門
觀察諸法如虛空　是人即得名大覺
於是世尊說是偈已光味仙人及諸眷屬一
切皆見如來本身見本身已往善所追即各
得寶幢三昧得是三昧能遍觀察一切三

BD01228號　大方等大集經（異卷）卷一八　（26–11）

觀察諸法如虛空　是人即得名大覺
於是世尊說是偈已光味仙人及諸眷屬一
切皆見如來本身見本身已往善所追即各
獲得寶幢三昧得是三昧能遍觀察一切三
昧故名為幢於諸三昧而得自在遊入一切
三昧境界是故名為寶幢三昧尒時光味合
掌恭敬持微妙華滿其手掬說偈讚佛
如來成就无量德　猶如大海水弥滿
功德光明甚微妙　悉照三千大千界
勇猛精進大智慧　出勝一切諸衆生
具足大慈大悲心　是故我礼无上尊
如來永斷諸煩惱　故我稽首大仙師
清淨金色威光明　我今礼敬於佛日
能乹衆生諸煩惱　能說真實菩提行
能壞一切煩惱山　轉於无上正法輪
令我脩於菩提行　為得无上大智慧
如來具足一切相　願記我等菩提時
我當云何斷煩惱　度脫一切苦衆生
演於真實正直道　平等猶如十方佛
衆生三世造惡業　我當云何令其斷
若我身口意善業　願此因緣斷彼結
永斷一切煩惱病　身受妙樂如先佛
令衆妙色諸根具　遠離諸惡脩善法
斷除衆生諸耶見　脩身具足於正見

永斷一切煩惱病　身受妙樂如先佛
令衆妙色諸根具　遠離諸惡脩善法
斷除衆生諸耶見　脩身具足於正見
得識宿命樂善行　度生死河至彼岸
六波羅蜜得具足　知佛深法常住世
樂降无上大法雨　令諸衆生離貪渴
若我身口意惡業　今於佛前悉懺悔
我今所有福德力　施与衆生早成佛
我請一切諸衆生　勸之令種菩提子
我為衆生受苦時　願不生悔及退轉
淨於世界及衆生　得无导智淨法界
若我真實得佛道　願此所散成華蓋
尒時光味即以華散是時三千大千世界六
種震動无量衆生生敬喜心有諸衆生本事
象者見佛是象作如是言云何此象有大福
德令是仙人敬意供養及至若有敬事佛者
見彼仙人敬心供養見已生信礼拜讚嘆尒
時世尊出首楞嚴定從定起已一切衆生悉
見佛身見已心生供養歡喜各任己力而作
供養尒時世尊告光味言善男子一切諸天
見汝決定發阿耨多羅三藐三菩提心歡喜
踊躍故令是地六種震動善男子汝當成就
无量智慧然後獲得无上佛道乃當復於无
量世界然大法炬善男子汝於來世過三阿

見汝決定發阿耨多羅三藐三菩提心歡喜
踊躍故令是地六種震動善男子汝當成就
无量智慧然後獲得无上佛道乃當復於无
量世界然大法炬善男子汝於來世過三阿
僧祇劫當於此土北方世界名曰香華其界
莊嚴如阿弥陁當於彼中得成為佛名光功
德如來應正遍知明行足善逝世間解无上
士調御丈夫天人師佛世尊於无量世宣說
大乘終不說於聲聞緣覺尒時大衆耳聞目
見光味仙人得受記莂悉共歡喜供養恭敬
五百弟子无量衆生發阿耨多羅三藐三菩
提心其意堅固无有退轉
大方等大集經寶幢分中相品第五
尒時佛知諸魔心已即入三昧三昧力故令
王舍城有十二門一一門中有一如來尒時
諸魔見十二佛自現其身為五通像乃至示
現梵天王像以妙香華幡蓋伎樂供養於佛
佛入城時足梢案地令此三千大千世界六
種震動其中天人阿脩羅等帝釋梵天及四
天王一切衆生悉皆得見十方世界一方衆
生皆悉來集三舍大城賷持香華供養於佛
佛神力故令香華中說如是偈
若欲永斷三惡道　應當發起菩提心
若於生死獨覺者　是能度脫諸衆生

佛神力故令香華中說如是偈
若欲永斷三惡道　應當發起菩提心
若於生死獨覺者　是能度脫諸衆生
若欲離於惡忘務　應當脩集於正定
若有值遇諸如來　是人即得受道記
如來大士利衆生　今來入此王舍城
欲摧一切諸魔衆　欲轉无上正法輪
佛為五濁諸衆生　宣說三乘首楞嚴
如來今欲大受記　欲聽寶義應往教
是偈音聲周遍而聞迦蘭陁竹林精舍有諸
菩薩阿羅漢等悉往集會王舍城中乃至十
方无量世界淨土穢土有佛之處及无佛處
一切衆生悉來聚集尒時世尊入佛莊嚴瓔
珞三昧入三昧已令此娑婆世界清淨莊嚴
猶如如來遍見如來所有國土尒時世尊光
明淨妙衆生樂見十方无量微塵世界淨穢
等土有无佛處一切衆生亦復如是樂見如
來淨妙光明亦復樂聞如來音聲尒時十方
一一方面无量佛土菩薩悉來至此娑婆世界
王舍大城尒時此界具足多有无量菩薩如
是菩薩悉共供養如來世尊或有菩薩於娑
婆世界雨諸離香以供養佛或有菩薩於此
世界雨真珠寶以供養佛或有菩薩於此世
界雨妙瓔珞或雨金銀流離頗梨車璖馬瑙

娑世界雨諸雜香以供養佛或有菩薩於此
世界雨真珠寶以供養佛或有菩薩於此世
界雨妙瓔珞或雨金銀流離頗梨車𤦲馬瑙
或雨栴檀沉水諸香或復有雨牛頭栴檀或
雨諸華須曼那華以供養佛或有菩薩以真
寶法讚嘆於佛或有現作天帝釋梵天王
像四天王像魔王形像自在天像違陁天像
八辟天像轉輪王像寶像山像樹林等像大
臣長者男女師宗牛羊象馬水牛等像作如
是像趣王舍城大蓮華所以手集華即為大
動是時一切魔眾男女大小及諸眷屬皆悉
動極生大恐怖即作是言何因緣故我之宮
殿如是傾動我等所尊將不退沒失我天耶
我等復不欲臧箘手我注常見如是世界有
五濁今者何緣豁然清淨尒時諸魔悉見
十方清淨菩薩皆来集會娑婆世界見有此
事已復作是言以佛世尊光明嚴飾眾生樂
見之因緣故乃至不見己之眷屬有一人在
復作是念我今何故不往佛所親近供養時
魔波旬即至佛所合掌恭敬而說偈言
我今歸依於如来 已得歡喜至心樂
願見放捨還本處 還已乃當聽正法
尒時世尊說偈荅曰
我不礙汝以去来 諸法性相亦如是

BD01228 號　大方等大集經（異卷）卷一八　（26–16）

魔波旬即至佛所合掌恭敬而說偈言
我今歸依於如来 已得歡喜至心樂
願見放捨還本處 還已乃當聽正法
尒時世尊說偈荅曰
我不礙汝以去来 諸法性相亦如是
汝今若有大神通 隨意自在无㝵者
是時波旬復說偈言
如佛世尊真實語 今者實无㝵我者
我適欲還本處時 尋即見身被五縛
佛言我已永斷一切繫縛欲解一切眾生繫
縛我亦不念眾生諸惡是故得名解脫繫縛
尒時世尊見十方眾生悉来集會即說偈言
一切大眾至心聽 遠離一切疑网心
我今所說不思議 應當諦觀業因緣
无上世尊甚難有 法僧二寶亦復然
人身難得信亦尒 施心福田亦復然
无上世尊難得見 見已聞法亦復難
難得遠離於八難 得如法忍亦復難
其心難得而調伏 脩習三昧亦復難
脩善思惟如法住 如是二事亦復難
一切煩惱難遠離 獲得菩提亦復難
我今說趣菩提事 猶如世人說變化
我之所說遠離愛 能壞暗冥脩善法
所示无上正真道 應當至心懃脩行

BD01228 號　大方等大集經（異卷）卷一八　（26–17）

一切煩惱難遠離　獲得菩提亦復難
我今說勝菩提事　猶如世人說變化
我之所說遠離愛　能壞暗冥脩善法
所示无上正真道　應當至心懃脩行
若欲遠離三惡垢　及餘一切諸魔業
不為煩惱之所害　應當從佛聽正法
若欲具足三種義　應學具足三脫門
即能破壞三界結　亦能過於三惡道
若不斷絕三寶性　為於正法喪身命
即能具足无量通　是人名為如法住
若於三世无覺觀　亦復不著三世法
是人能過於三界　亦復獲得如法忍
一切凡夫无明覆　常為四倒所圍遶
於无法中作法想　於无物中作物想
以是因緣名顛倒　如是之人行邪道
若有說言眼見色　乃至意能知諸法
如是之人行顛倒　流轉生死无量劫
若有脩集四禪者　是則名為世間惠
能度一切諸顛倒　亦於生死得解脫
若能調伏諸衆生　亦復遠離於四流
如是之人乹生死　亦復能到於彼岸
若能具足四意至　是名菩薩无所畏
亦能永斷於生死　令諸衆生脫恐怖
若能了了知五陰　是人能到无漏邊
了知无生亦不滅　能令衆生到彼岸

BD01228號　大方等大集經（異卷）卷一八　（26–18）

若能具足四意至　是名菩薩无所畏
亦能永斷於生死　令諸衆生脫恐怖
若能了了知五陰　是人能到无漏邊
了知无生亦不滅　能令衆生到彼岸
若能於佛世尊前　懺悔發露一切罪
是人遠離於邪見　能到生死之彼岸
若觀生死多受苦　行業因緣送三惡
以近惡友因緣故　造作无量之惡業
若能遠離惡知識　亦能遠離諸邪見
是人能觀生死過　亦能諮問第一義
若有能觀第一義　是人能服甘露味
我常說於第一義　至心聽者无有相
我說六入真實空　无有造作无受者
衆生顛倒謂有相　法性實真无所有
若有衆生六受愛　是能生於六集因
如是六觸真實空　一切諸法亦復然
如一法性諸法尒　如一切法一法然
一切說法无生滅　亦无相狠无有物
我所宜說无勝道　一切諸法如一法
若見諸法无性相　是人獲得真實義
若有脩行一三忍　即能度於生死岸
真知法性衆生性　得无上道如先佛
於是世尊說是偈時十方如恒河沙等五滓
世界一切衆生悉得聞之一一世界无量衆

BD01228號　大方等大集經（異卷）卷一八　（26–19）

若有能行一三忍　　即能度於生死岸
真知法性衆生性　　得无上道如先佛
於是世尊說是偈時十方如恒河沙等五濁
世界一切衆生悉得聞之一一世界无量衆
生聞已即得不退轉心或有獲得陁羅尼者
或復有得三昧定者或有成就得諸忍者此
佛世界无量衆生聞已亦得不退轉心教化
成就无量衆生於三乘中尒時光味菩薩於
蓮華邊遣七寶梯具種種華合掌恭敬而白
佛言如來佛曰大慈悲光无量衆生多受苦
惱唯願降澍无上法雨除滅衆生煩惱疾病
有諸衆生任為法器堪受如來无上法味願
說八道淨於法眼上昇蓮華摧伏衆魔十方
世界无量菩薩悉為證人了了能見諸法空
寂无有根根猶如虛空知法无我唯願如來
憶念往昔初發无上菩提心時所立誓願如
來尒時自言我若具足十力四无所畏當施
衆生甘露法味悉令得度生死大海今已果
之唯願演說清淨之法度諸衆生於生死海
化无量人於菩提道尒時世尊即橙寶梯坐
蓮華上遍觀十方告波句言波句汝亦當生
觀樂之心何以故以汝因緣有是大集亦因
於汝令我說法說法因緣斷諸生死度於四
流令諸衆生獲得正法得虛空相如是等事

BD01228號　大方等大集經（異卷）卷一八　　（26–20）

觀樂之心何以故以汝因緣有是大集亦因
於汝令我說法說法因緣斷諸生死度於四
流令諸衆生獲得正法得虛空相如是等事
皆因於汝汝當請我我當說法魔波句言瞿
曇若无瞋心慊慢嫉妬何故惱我而宣說法
若有瞋恚慊慢嫉妬云何自言我得解脫佛
言波句我住母胎經歷十月汝於尒時欲來
數我我心於汝亦无瞋恚我初生時地六種
動汝於尒時復降石雨我飲乳時汝持毒藥
置之乳中我昔初乘香象之時汝動此地令
六種震欲令我墮我在林野脩世禪時汝將
采女欲來亂我我乞食時汝以鬼豆持來施
我我時雖受竟不食之我初出城汝自變身
為黑毒蛇又作惡賊圍城四邊我行虛空復
放風雨我下馬時雨大猛火我苦行時復作
惡聲故令五人恐怖於我我身羸瘦復放泠
風及其洗浴放大暴水我渡河已復欲危害
化作无量師子惡獸受牧牛女所奉乳糜汝
復持毒置之而去我趣菩提道樹之時復於
中路降金剛雨我坐樹下金剛坐上復遣四
女來嬈亂我汝雖如是欲來害我然我於汝
都无惡心如是等事終不能令我心擾亂復
將无量百千万衆造作種種无量惡事欲令
我身不得菩提我既獲得阿耨多羅三藐三

BD01228號　大方等大集經（異卷）卷一八　　（26–21）

女来娆乱我汝雖如是欲来害我然我於汝
都无惡心如是等事終不能令我心擾乱復
將无量百千万衆造作種種无量惡事欲令
我身不得菩提我既獲得阿耨多羅三藐三
菩提已復来請我令捨壽命曰於汝故令我
於彼婆羅大村乞食不得又因汝故令阿闍
世放大醉象欲令害我又因汝故提婆達多
放下大石又因汝故令我受彼婆羅門請三
月之中食噉馬麦又因汝故令我爲彼孫陁
利女之所誣謗又因汝故尸利毱多火坑毒
食以請於我汝於尒時作如是等无量惡事
不能害我今復聚合如是魔衆欲来害我然
我於汝都无瞋心我今當度无量億魔我爲
衆生常勲脩集慈悲喜捨汝若不信十方諸
佛諸大菩薩可爲明證唯爲汝故使我於此
惡世之中施作佛事汝雖於我作无量惡然
我猶故随逐於汝我今實无瞋嫉惱憐我於
汝所脩集慈心汝於我所生大惡心善哉波
旬應離惡心啚請於我說无上法我欲與汝
授菩提記既受記已當廣爲汝宣說法要汝
聞法已當淨遠離一切惡業我常思念種種
方便令汝解脫而汝於我常生惡心我常於
汝生慈愍想汝今當捨惡見惡意我當授汝
阿耨多羅三藐三菩提記尒時波旬聞是語

方便令汝解脫而汝於我常生惡心我常於
汝生慈愍想汝今當捨惡見惡意我當授汝
阿耨多羅三藐三菩提記尒時波旬聞是語
已生瞋惡心欲逐所亡復逐見身被五繫縛
欲出大聲而不能出即吐惡氣欲歔欻佛尒
時如來變其惡氣成須曼華佛神力故令是
化華遍至十方恒河沙等諸如來所而以供
養於諸佛上一一化作須曼華蓋尒時无量
諸佛世尊无量菩薩各各自問其土如來如
是變化誰之神力无量諸佛各各說言娑婆
世界釋迦如來欲爲具足五濁衆生演說法
要於諸法印句門入陁羅尼能壞一切魔境
界力開顯一切佛功德力竪大法幢不斷佛
種能令一切善法增長能壞一切邪見衆生
能破一切惡夢不祥能斷疾病刀兵飢饉鬪
訟等事復能調伏一切天龍乾闥婆人緘燃
慧炬示導一切平正之道能令一切遠離惡
見能斷一切諸惡種姓能令一切同於一姓
能護一切城邑聚落沙門婆羅門能知一切
星宿運度能學一切世間諸事能令一切遠
離惡口獲无导辯觀一切法通達其性如法
而住能說大乘安慰菩薩悉能令得不退之
心能施无上甘露法味能令獲得无上法忍
轉正法輪利益調伏无量衆生悉令得住六

而住能說大乘安慰菩薩悉能令得不退之
心能施无上甘露法味能令獲得无上法忍
轉正法輪利益調伏无量衆生悉令得住六
波羅蜜令衆生見无上道能降法雨示諸佛
事過四魔界入大涅槃金剛法心因緣自在陁
羅尼時欲演說如是等法如過去佛未來
諸佛之所宣說現在十方諸佛世尊住世說
法教化衆生皆是金剛法心因緣自在陁羅
尼也過去未來諸佛世尊亦復如是尒時諸
方无量菩薩各白佛言世尊我初未曾聞金
剛法心因緣自在陁羅尼云何名爲金剛法
心因緣自在陁羅尼唯願如來分別解說乃
至爲令入大涅槃利益无量人天離顛尒時
十方諸佛世尊各各告其諸菩薩言善男子
我亦欲見釋迦如來聽受是法爲欲利益一
切衆生爲壞一切衆生惡業乃至爲欲入大
涅槃尒時十方諸佛世尊告諸菩薩言善男
子若欲供養一佛世界无量諸佛若欲聽受
无上正法所未聞法見大集會宜當往詣娑
婆世界釋迦如來所住之處尒時无量諸菩
薩等嘿然而受佛之教勑各作是言我欲於
彼一佛世界供養恭敬无量諸佛亦欲於彼
无量佛所聽受種種无量法義亦欲覩見无
量神通及以无量不思儀事不知彼土有坐

BD01228號　大方等大集經（異卷）卷一八　（26–24）

薩等嘿然而受佛之教勑各作是言我欲於
彼一佛世界供養恭敬无量諸佛亦欲於彼
无量佛所聽受種種无量法義亦欲覩見无
量神通及以无量不思儀事不知彼土有坐
處不若有坐處則得供養聽受正法尒時諸
佛告諸菩薩言善男子汝等不應於如來所
生疑慮心何以故諸佛境界不可思議智恵
方使不可思議爲欲調伏一切衆生善男子
娑婆世界釋迦如來智恵方便不可限量善
男子釋迦如來一切衆生陰所攝身一一皆
如須弥山王能令亭歷容其坐處是名如來
智恵方便亦令衆見亭歷不寬所坐不迮而
亭歷子其質如本无增減相復次善男子一
切世界所有大地悉令入於一微塵中亦令
微塵无增減相是名如來智恵方便復次善
男子一切世界所有諸水悉能令入一微塵
中亦令微塵无增減相是名如來智恵方便
復次善男子一切世界所有諸風悉能令入
一毛孔中亦令毛孔无增減相是名如來智
恵方便復次善男子一切世界所有諸大悉
令入於一毛孔中亦令毛孔无增減相是名
如來智恵方便復次善男子十方所有一切
衆生悉能令入一微塵中亦令微塵无增減
相是名如來智恵方便復次善男子一切衆

BD01228號　大方等大集經（異卷）卷一八　（26–25）

惠方便復次善男子一切世界所有諸大悲
令入於一毛孔中亦令毛孔无增减相是名
如来智惠方便復次善男子十方所有一切
衆生悉能令入一微塵中亦令微塵无增减
相是名如来智惠方便復次善男子一切衆
生三世所有身口意業三世所有苦受樂受
无苦樂受三世衆生身口意業所受果報三
世所有地水火風乃至一切法界釋迦如来
於一念中了了通達亦不稱言我知我覺又
不役慮然後而知善男子釋迦如来具足如
是智惠方便住娑婆界尒時十方无量佛土
无量菩薩既得聞佛无量功德即各具足无
量神通

大方等大集經卷第十八

BD01228號　大方等大集經（異卷）卷一八　（26–26）

如是不可思量須菩提菩薩但應如所教住
須菩提於意云何可以身相見如来不不也
世尊不可以身相得見如来何以故如来所
說身相即非身相佛告須菩提凡所有相皆
是虛妄若見諸相非相則見如来
須菩提白佛言世尊頗有衆生得聞如是言
說章句生實信不佛告須菩提莫作是說如
来滅後後五百歲有持戒脩福者於此章句
能生信心以此爲實當知是人不於一佛二
佛三四五佛而種善根已於无量千萬佛所
種諸善根聞是章句乃至一念生淨信者須
菩提如来悉知悉見是諸衆生得如是无量
福德何以故是諸衆生无復我相人相衆生
相壽者相无法相亦无非法相何以故是諸
衆生若心取相則爲着我人衆生壽者若取
法相即着我人衆生壽者何以故若取非法
相即着我人衆生壽者是故不應取法不應
取非法以是義故如来常說汝等比丘知我
說法如筏喻者法尚應捨何况非法
須菩提於意云何如来得阿耨多羅三藐三
菩提耶如来有所說法耶須菩提言如我解
佛所說義无有定法名阿耨多羅三藐三菩
提亦无有定法如来可說何以故如来所說

BD01229號　金剛般若波羅蜜經　（15–1）

取非法以是義故如来常說汝等比丘知我
說法如筏喻者法尚應捨何况非法
須菩提於意云何如来得阿耨多羅三藐三
菩提耶如来有所說法耶須菩提言如我解
佛所說義无有定法名阿耨多羅三藐三菩
提亦无有定法如来可說何以故如来所說
法皆不可取不可說非法非非法所以者何
一切賢聖皆以无為法而有差別
須菩提於意云何若人滿三千大千世界七
寶以用布施是人所得福德寧為多不須菩
提言甚多世尊何以故是福德即非福德性
是故如来說福德多若復有人於此經中受
持乃至四句偈等為他人說其福勝彼何以
故須菩提一切諸佛及諸佛阿耨多羅三藐
三菩提法皆從此經出須菩提所謂佛法者
即非佛法
須菩提於意云何須陁洹能作是念我得須
陁洹果不須菩提言不也世尊何以故須陁
洹名為入流而无所入不入色聲香味觸法
是名須陁洹須菩提於意云何斯陁含能作
是念我得斯陁含果不須菩提言不也世尊
何以故斯陁含名一往来而實无往来是名
斯陁含須菩提於意云何阿那含能作是念
我得阿那含果不須菩提言不也世尊何以
故阿那含名為不来而實无来是故名阿那

BD01229號　金剛般若波羅蜜經　（15–2）

何以故斯陁含名一往来而實无往来是名
斯陁含須菩提於意云何阿那含能作是念
我得阿那含果不須菩提言不也世尊何以
故阿那含名為不来而實无来是故名阿那
含須菩提於意云何阿羅漢能作是念我得
阿羅漢道不須菩提言不也世尊何以故實
无有法名阿羅漢世尊若阿羅漢作是念我
得阿羅漢道即為著我人衆生壽者世尊
佛說我得无諍三昧人中最為第一是第一離欲
阿羅漢我不作是念我是離欲阿羅漢世
尊我若作是念我得阿羅漢道世尊則不
說須菩提是樂阿蘭那行者以須菩提實
无所行而名須菩提是樂阿蘭那行
佛告須菩提於意云何如来昔在然燈佛所
於法有所得不世尊如来在然燈佛所於法
實无所得
須菩提於意云何菩薩莊嚴佛土不不也世
尊何以故莊嚴佛土者則非莊嚴是名莊嚴
是故須菩提諸菩薩摩訶薩應如是生清淨
心不應住色生心不應住聲香味觸法生心
應无所住而生其心須菩提譬如有人身如
須弥山王於意云何是身為大不須菩提言
甚大世尊何以故佛說非身是名大身
須菩提如恒河中所有沙數如是沙等恒河
於意云何是諸恒河沙寧為多不須菩提言

BD01229號　金剛般若波羅蜜經　（15–3）

應无所住而生其心須菩提譬如有人身如
須弥山王於意云何是身為大不須菩提言
甚大世尊何以故佛說非身是名大身
須菩提如恒河中所有沙數如是沙等恒河
於意云何是諸恒河沙寧為多不須菩提言
甚大世尊但諸恒河尚多无數何况其沙須
菩提我今實言告汝若有善男子善女人以
七寶滿尒所恒河沙數三千大千世界以用
布施得福多不須菩提言甚多世尊佛告須
菩提若善男子善女人於此經中乃至受持
四句偈等為他人說而此福德勝前福德
復次須菩提隨說是經乃至四句偈等當知
此處一切世間天人阿脩羅皆應供養如佛
塔廟何况有人盡能受持讀誦須菩提當
知是人成就最上第一希有之法若是經典
所在之處則為有佛若尊重弟子
尒時須菩提白佛言世尊當何名此經我等
云何奉持佛告須菩提是經名為金剛般若
波羅蜜以是名字汝當奉持所以者何須菩
提佛說般若波羅蜜則非般若波羅蜜須菩
提於意云何如來有所說法不須菩提白佛
言世尊如來无所說須菩提於意云何三千
大千世界所有微塵是為多不須菩提言甚
多世尊須菩提諸微塵如來說非微塵是名
微塵如來說世界非世界是名世界須菩提

BD01229號　金剛般若波羅蜜經　（15–4）

言世尊如來无所說須菩提於意云何三千
大千世界所有微塵是為多不須菩提言甚
多世尊須菩提諸微塵如來說非微塵是名
微塵如來說世界非世界是名世界須菩提
於意云何可以三十二相見如來不不也世
尊不可以三十二相得見如來何以故如來
說三十二相即是非相是名三十二相
須菩提若有善男子善女人以恒河沙等身
命布施若復有人於此經中乃至受持四句
偈等為他人說其福甚多
尒時須菩提聞說是經深解義趣涕淚悲泣
而白佛言希有世尊佛說如是甚深經典我
從昔來所得慧眼未曾得聞如是之經世尊
若復有人得聞是經信心清淨則生實相當
知是人成就第一希有功德世尊是實相者
則是非相是故如來說名實相世尊我今得
聞如是經典信解受持不足為難若當來世
後五百歲其有眾生得聞是經信解受持是
人則為第一希有何以故此人无我相人相
眾生相壽者相所以者何我相即是非相人
相眾生相壽者相即是非相何以故離一切
諸相則名諸佛
佛告須菩提如是如是若復有人得聞是經
不驚不怖不畏當知是人甚為希有何以故
須菩提如來說第一波羅蜜非第一波羅蜜

BD01229號　金剛般若波羅蜜經　（15–5）

衆生相壽者相所以者何我相即是非相人
相衆生相壽者相即是非相何以故離一切
諸相則名諸佛
佛告須菩提如是如是若復有人得聞是經
不驚不怖不畏當知是人甚爲希有何以故
須菩提如来說第一波羅蜜非第一波羅蜜
是名第一波羅蜜
須菩提忍辱波羅蜜如来說非忍辱波羅蜜
何以故須菩提如我昔爲歌利王割截身體
我於尒時无我相无人相无衆生相无壽者
相何以故我於往昔節節支解時若有我相
人相衆生相壽者相應生瞋恨須菩提又念
過去於五百世作忍辱仙人於尒所世无我
相无人相无衆生相无壽者相是故須菩提
菩薩應離一切相發阿耨多羅三藐三菩提
心不應住色生心不應住聲香味觸法生心
應生无所住心若心有住則爲非住是故佛
說菩薩心不應住色布施須菩提菩薩爲利
益一切衆生應如是布施如来說一切諸相即
是非相又說一切衆生則非衆生
須菩提如来是真語者實語者如語者不誑
語者不異語者須菩提如来所得法此法无
實无虚
須菩提若菩薩心住於法而行布施如人入
闇則无所見若菩薩心不住法而行布施如

BD01229號　金剛般若波羅蜜經　（15-6）

須菩提如来是真語者實語者如語者不誑
語者不異語者須菩提如来所得法此法无
實无虚
須菩提若菩薩心住於法而行布施如人入
闇則无所見若菩薩心不住法而行布施如
人有目日光明照見種種色
須菩提當来之世若善男子善女人能於此
經受持讀誦則爲如来以佛智慧悉知是人
悉見是人皆得成就无量无邊功德
須菩提若有善男子善女人初日分以恒河
沙等身布施中日分復以恒河沙等身布施
後日分亦以恒河沙等身布施如是无量百
千万億劫以身布施若復有人聞此經典信
心不逆其福勝彼何況書寫受持讀誦爲人
解說
須菩提以要言之是經有不可思議不可稱
量无邊功德如来爲發大乘者說爲發最上
乘者說若有人能受持讀誦廣爲人說如来
悉知是人悉見是人皆得成就不可量不可
稱无邊　不可思議功德如是人等則爲荷
擔如来阿耨多羅三藐三菩提何以故須菩
提若樂小法者著我見人見衆生見壽者見
則於此經不能聽受讀誦爲人解說須菩提
在在處處若有此經一切世間天人阿脩羅
所應供養當知此處則爲是塔皆應恭敬作

BD01229號　金剛般若波羅蜜經　（15-7）

則於此經不能聽受讀誦為人解說須菩提
在在處處若有此經一切世間天人阿脩羅
所應供養當知此處則為是塔皆應恭敬作
礼圍遶以諸華香而散其處
復次須菩提善男子善女人受持讀誦此經
若為人輕賤是人先世罪業應墮惡道以今
世人輕賤故先世罪業則為消滅當得阿耨
多羅三藐三菩提須菩提我念過去无量阿
僧祇劫於然燈佛前得值八百四千万億那
由他諸佛悉皆供養承事无空過者若復有
人於後末世能受持讀誦此經所得功德於
我所供養諸佛功德百分不及一千万億分
乃至筭數譬喻所不能及須菩提若善男子
善女人於後末世有受持讀誦此經所得功
德我若具說者或有人聞心則狂乱狐疑不
信須菩提當知是經義不可思議果報亦不
可思議
尒時須菩提白佛言世尊善男子善女人發
阿耨多羅三藐三菩提心云何應住云何降
伏其心佛告須菩提善男子善女人發阿耨
多羅三藐三菩提者當生如是心我應滅度
一切衆生滅度一切衆生已而无有一衆生
實滅度者何以故若菩薩有我相人相衆生
相壽者相則非菩薩所以者何須菩提實无
有法發阿耨多羅三藐三菩提者

BD01229號　金剛般若波羅蜜經　（15–8）

多羅三藐三菩提者當生如是心我應滅度
一切衆生滅度一切衆生已而无有一衆生
實滅度者何以故若菩薩有我相人相衆生
相壽者相則非菩薩所以者何須菩提實无
有法發阿耨多羅三藐三菩提者
須菩提於意云何如来於然燈佛所有法得
阿耨多羅三藐三菩提不不也世尊如我解
佛所說義佛於然燈佛所无有法得阿耨多
羅三藐三菩提佛言如是如是須菩提實无
有法如来得阿耨多羅三藐三菩提須菩提
若有法如来得阿耨多羅三藐三菩提然燈
佛則不與我受記汝於来世當得作佛号釋
迦牟尼以實无有法得阿耨多羅三藐三菩
提是故然燈佛與我受記作是言汝於来世
當得作佛号釋迦牟尼何以故如来者即諸
法如義若有人言如来得阿耨多羅三藐三
菩提須菩提實无有法佛得阿耨多羅三
藐三菩提須菩提如来所得阿耨多羅三藐三
菩提於是中无實无虛是故如来說一切法
皆是佛法須菩提所言一切法者即非一切
法是故名一切法
須菩提譬如人身長大須菩提言世尊如来
說人身長大則為非大身是名大身
須菩提菩薩亦如是若作是言我當滅度无

BD01229號　金剛般若波羅蜜經　（15–9）

法是故名一切法
須菩提譬如人身長大須菩提言世尊如来
說人身長大則爲非大身是名大身
須菩提菩薩亦如是若作是言我當滅度无
量衆生則不名菩薩何以故須菩提實无有
法名爲菩薩是故佛說一切法无我无人无
衆生无壽者須菩提若菩薩作是言我當莊
嚴佛土是不名菩薩何以故如来說莊嚴佛
土者即非莊嚴是名莊嚴須菩提若菩薩通
達无我法者如来說名真是菩薩
須菩提於意云何如来有肉眼不如是世尊
如来有肉眼須菩提於意云何如来有天眼
不如是世尊如来有天眼須菩提於意云何
如来有慧眼不如是世尊如来有慧眼須菩
提於意云何如来有法眼不如是世尊如来
有法眼須菩提於意云何如来有佛眼不如
是世尊如来有佛眼須菩提於意云何恒河
中所有沙佛說是沙不如是世尊如来說是
沙須菩提於意云何如一恒河中所有沙有
如是等恒河是諸恒河所有沙數佛世界如
是寧爲多不甚多世尊佛告須菩提尒所國
土中所有衆生若干種心如来悉知何以故
如来說諸心皆爲非心是名爲心所以者何
須菩提過去心不可得現在心不可得未来
心不可得須菩提於意云何若有人滿三千

BD01229號　金剛般若波羅蜜經　（15–10）

土中所有衆生若干種心如来悉知何以故
如来說諸心皆爲非心是名爲心所以者何
須菩提過去心不可得現在心不可得未来
心不可得須菩提於意云何若有人滿三千
大千世界七寶以用布施是人以是因緣得
福多不如是世尊此人以是因緣得福甚多
須菩提若福德有實如来不說得福德多以
福德无故如来說得福德多
須菩提於意云何佛可以具足色身見不不
也世尊如来不應以具足色身見何以故如
来說具足色身即非具足色身是名具足色
身須菩提於意云何如来可以具足諸相見
不不也世尊如来不應以具足諸相見何以故
如来說諸相具足即非具足是名諸相具足
須菩提汝勿謂如来作是念我當有所說法
莫作是念何以故若人言如来有所說法即
爲謗佛不能解我所說故須菩提說法者
无法可說是名說法
須菩提白佛言世尊佛得阿耨多羅三藐三
菩提爲无所得耶如是如是須菩提我於阿
耨多羅三藐三菩提乃至无有少法可得是
名阿耨多羅三藐三菩提復次須菩提是法
平等无有高下是名阿耨多羅三藐三菩提
以无我无人无衆生无壽者脩一切善法則
得阿耨多羅三藐三菩提須菩提所言善法

BD01229號　金剛般若波羅蜜經　（15–11）

平等无有高下是名阿耨多羅三藐三菩提
以无我无人无衆生无壽者脩一切善法則
得阿耨多羅三藐三菩提須菩提所言善法
者如来說非善法是名善法
須菩提若三千大千世界中所有諸須彌山
王如是等七寶聚有人持用布施若人以此
般若波羅蜜經乃至四句偈等受持讀誦爲
他人說於前福德百分不及一百千万億分
乃至筭數譬喻所不能及
須菩提於意云何汝等勿謂如来作是念我
當度衆生須菩提莫作是念何以故實无有
衆生如来度者若有衆生如来度者如来則
有我人衆生壽者須菩提如来說有我者則
非有我而凡夫之人以爲有我須菩提凡夫
者如来說則非凡夫
須菩提於意云何可以卅二相觀如来不須
菩提言如是如是以卅二相觀如来佛言須
菩提若以卅二相觀如来者轉輪聖王則是
如来須菩提白佛言世尊如我解佛所說義
不應以卅二相觀如来尒時世尊而說偈言
若以色見我　以音聲求我　是人行邪道　不能見如来
須菩提汝若作是念如来不以具足相故得
阿耨多羅三藐三菩提須菩提莫作是念如
来不以具足相故得阿耨多羅三藐三菩提

若以色見我　以音聲求我　是人行邪道　不能見如来
須菩提汝若作是念如来不以具足相故得
阿耨多羅三藐三菩提須菩提莫作是念如
来不以具足相故得阿耨多羅三藐三菩提
須菩提汝若作是念發阿耨多羅三藐三菩
提者說諸法斷滅莫作是念何以故發阿耨
多羅三藐三菩提者於法不說斷滅相須菩
提若菩薩以滿恒河沙等世界七寶布施若
復有人知一切法无我得成於忍此菩薩勝
前菩薩所得功德須菩提以諸菩薩不受福
德故須菩提白佛言世尊云何菩薩不受福
德須菩提菩薩所作福德不應貪着是故說
不受福德
須菩提若有人言如来若来若去若坐若卧
是人不解我所說義何以故如来者无所從
来亦无所去故名如来
須菩提若善男子善女人以三千大千世界
碎爲微塵於意云何是微塵衆寧爲多不甚
多世尊何以故若是微塵衆實有者佛則不
說是微塵衆所以者何佛說微塵衆則非微
塵衆是名微塵衆世尊如来所說三千大千
世界則非世界是名世界何以故若世界實
有者則是一合相如来說一合相則非一合相
是名一合相須菩提一合相者則是不可說
但凡夫之人貪着其事須菩提若人言佛說

塵衆是名微塵衆世尊如来所說三千大千
世界則非世界是名世界何以故若世界實
有者則是一合相如来說一合相即非一合相
是名一合相須菩提一合相者則是不可說
但凡夫之人貪着其事須菩提若人言佛說
我見人見衆生見壽者見須菩提於意云何
是人解我所說義不世尊是人不解如来所
說義何以故世尊說我見人見衆生見壽者
見即非我見人見衆生見壽者見是名我見
人見衆生見壽者見須菩提發阿耨多羅三
藐三菩提心者於一切法應如是知如是見
如是信解不生法相須菩提所言法相者如
来說即非法相是名法相須菩提若有人以
滿无量阿僧祇世界七寶持用布施若有善
男子善女人發菩薩心者持於此經乃至四
句偈等受持讀誦爲人演說其福勝彼云何
爲人演說不取於相如如不動何以故
一切有爲法　如夢幻泡影　如露亦如電　應作如是觀
佛說是經已長老須菩提及諸比丘比丘尼
優婆塞優婆夷一切世間天人阿脩羅聞佛
所說皆大歡喜信受奉持

金剛般若波羅蜜經

BD01229號　金剛般若波羅蜜經　　　（15–14）

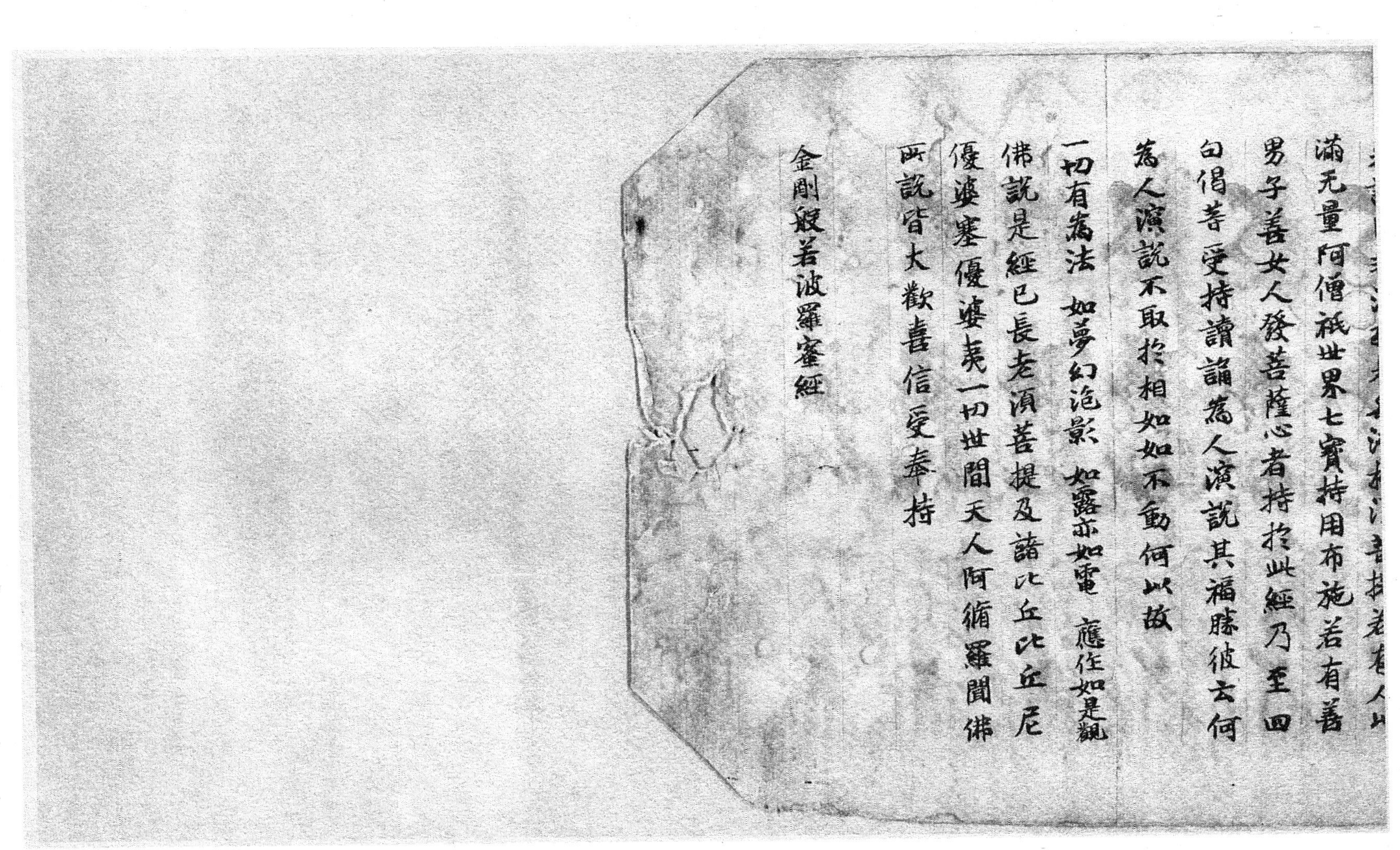

滿无量阿僧祇世界七寶持用布施若有善
男子善女人發菩薩心者持於此經乃至四
句偈等受持讀誦爲人演說其福勝彼云何
爲人演說不取於相如如不動何以故
一切有爲法　如夢幻泡影　如露亦如電　應作如是觀
佛說是經已長老須菩提及諸比丘比丘尼
優婆塞優婆夷一切世間天人阿脩羅聞佛
所說皆大歡喜信受奉持

金剛般若波羅蜜經

BD01229號　金剛般若波羅蜜經　　　（15–15）

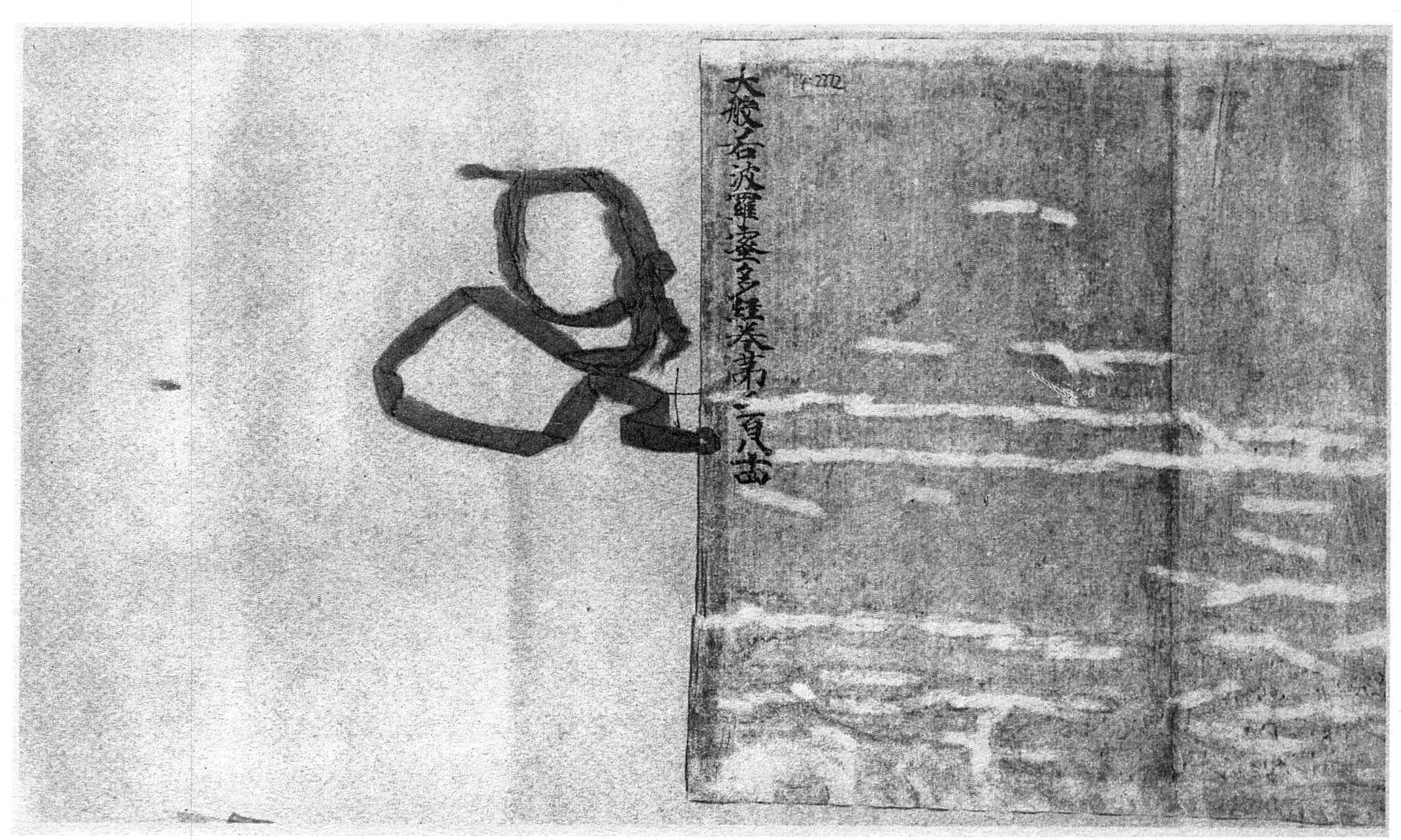

大般若波羅蜜多經卷第二百八十四

BD01230 號背　大般若波羅蜜多經卷二八四護首　　（1-1）

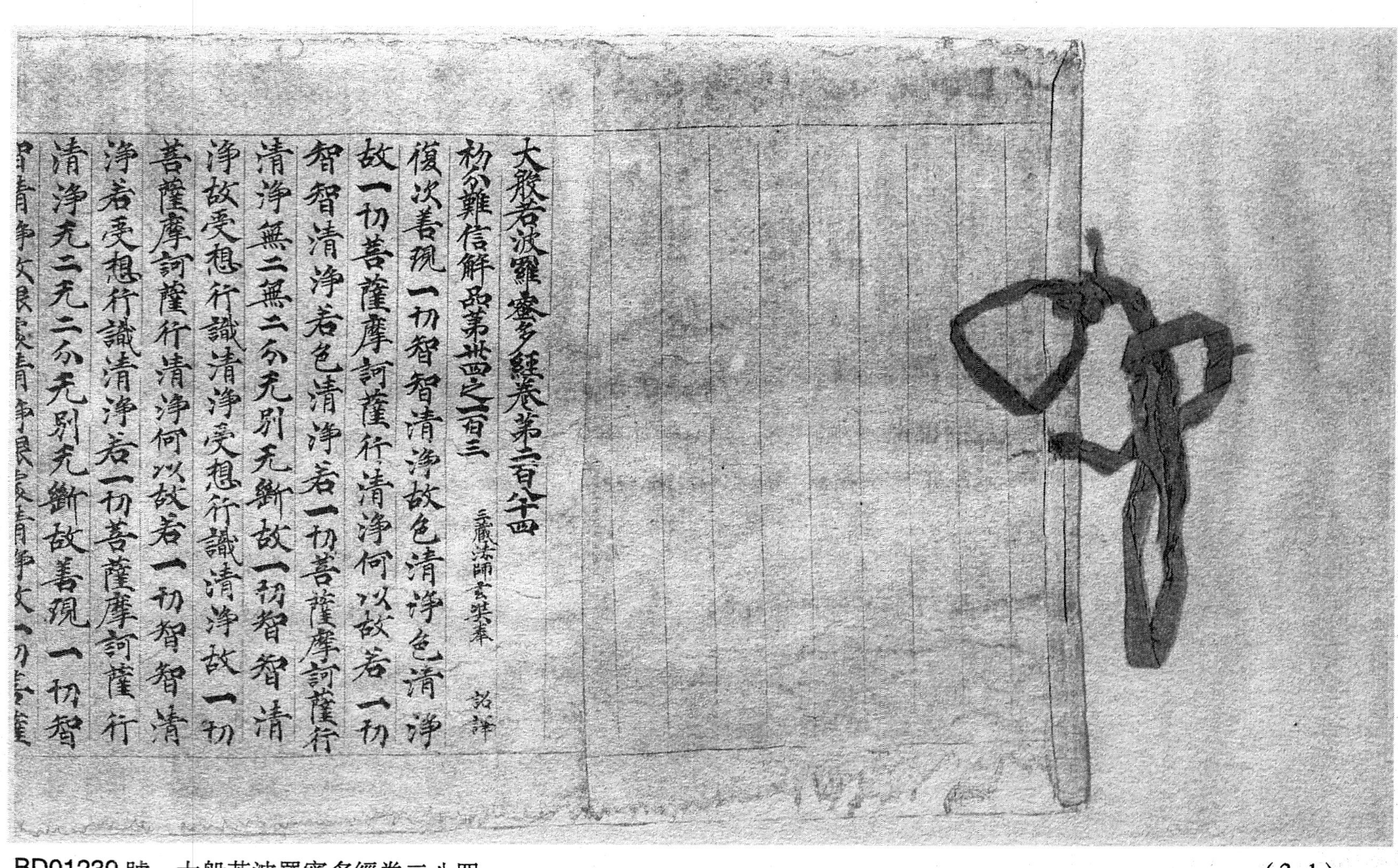

大般若波羅蜜多經卷第二百八十四

初分難信解品第卅四之一百三　三藏法師玄奘奉　詔譯

復次善現一切智智清淨故色清淨色清淨

故一切菩薩摩訶薩行清淨何以故若一切

智智清淨若色清淨若一切菩薩摩訶薩行

清淨無二無二分无別无斷故一切智智清

淨故受想行識清淨受想行識清淨故一切

菩薩摩訶薩行清淨何以故若一切智智清

淨若受想行識清淨若一切菩薩摩訶薩行

清淨无二无二分无別无斷故善現一切智

BD01230 號　大般若波羅蜜多經卷二八四　　（3-1）

淨故受想行識清淨受想行識清淨故一切
菩薩摩訶薩行清淨何以故若一切智智清
淨若受想行識清淨若一切菩薩摩訶薩行
清淨无二无二分无別无斷故善現一切智
智清淨故眼處清淨眼處清淨故一切菩薩
摩訶薩行清淨何以故若一切智智清淨若
眼處清淨若一切菩薩摩訶薩行清淨无二
无二分无別无斷故一切智智清淨故耳鼻
舌身意處清淨耳鼻舌身意處清淨故一切
菩薩摩訶薩行清淨何以故若一切智智清
淨若耳鼻舌身意處清淨若一切菩薩摩訶
薩行清淨无二无二分无別无斷故善現一
切智智清淨故色處清淨色處清淨故一切
菩薩摩訶薩行清淨何以故若一切智智清
淨若色處清淨若一切菩薩摩訶薩行清淨
无二无二分无別无斷故一切智智清淨故
聲香味觸法處清淨聲香味觸法處清淨故
一切菩薩摩訶薩行清淨何以故若一切智
智清淨若聲香味觸法處清淨若一切菩薩
摩訶薩行清淨无二无二分无別无斷故善
現一切智智清淨故眼界清淨眼界清淨故
一切菩薩摩訶薩行清淨何以故若一切智
智清淨若眼界清淨若一切菩薩摩訶薩行
清淨无二无二分无別无斷故一切智智清
淨故色界眼識界及眼觸眼觸爲緣所生諸
受清淨色界乃至眼觸爲緣所生諸受清淨

BD01230號　大般若波羅蜜多經卷二八四　（3–2）

清淨无二无二分无別无斷故一切智智清
淨故色界眼識界及眼觸眼觸爲緣所生諸
受清淨色界乃至眼觸爲緣所生諸受清淨
故一切菩薩摩訶薩行清淨何以故若一切
智智清淨若色界乃至眼觸爲緣所生諸受
清淨若一切菩薩摩訶薩行清淨无二无二
分无別无斷故善現一切智智清淨故耳界
清淨耳界清淨故一切菩薩摩訶薩行清淨
何以故若一切智智清淨若耳界清淨若一
切菩薩摩訶薩行清淨无二无二分无別无
斷故一切智智清淨故聲界耳識界及耳觸
耳觸爲緣所生諸受清淨聲界乃至耳觸爲
緣所生諸受清淨故一切菩薩摩訶薩行清
淨何以故若一切智智清淨若聲界乃至耳
觸爲緣所生諸受清淨若一切菩薩摩訶薩
行清淨无二无二分无別无斷故善現一切
智智清淨故鼻界清淨鼻界清淨故一切菩
薩摩訶薩行清淨何以故若一切智智清淨
若鼻界清淨若一切菩薩摩訶薩行清淨無
二无二分无別无斷故一切智智清淨故香
界鼻識界及鼻觸鼻觸爲緣所生諸受清淨
香界乃至鼻觸爲緣所生諸受清淨故一切
菩薩摩訶薩行清淨何以故若一切智智清
淨若香界乃至鼻觸爲緣所生諸受清淨若
一切菩薩摩訶薩行清淨无二无二分无別

BD01230號　大般若波羅蜜多經卷二八四　（3–3）

[illegible]
子菩薩如是等三万二千人俱
復有万梵天王尸棄等從餘四天下來詣佛
所而聽法復有万二千天帝亦從餘四天下
來在會坐并餘大威力諸天龍神夜叉乾闥
婆阿脩羅迦樓羅緊那羅摩睺羅伽等悉來
會座諸比丘尼優婆塞優婆夷俱來會座彼
時佛與无量百千之衆恭敬圍遶而爲說法
譬如須彌山王顯于大海安處衆寶師子
之座蔽於一切諸來大衆尒時毗耶離城有
長者子名曰寶積與五百長者子俱持七
寶蓋來詣佛所頭面礼足各以其蓋共供養
佛佛之威神令諸寶蓋合成一蓋遍覆三千
大千世界而此世界廣長之相悉於中現又此
三千大千世界諸須彌山雪山目真隣陁山
摩訶目真隣陁山香山寶山金山黑山鐵
圍山大鐵圍山大海江河川流泉源及日月
星辰天宮龍宮諸尊神宮悉現於寶蓋中又
十方諸佛諸佛說法亦現於寶蓋中尒時一
切大衆覩佛神力歎未曾有合掌礼佛瞻仰
尊顏目不暫捨長者子寶積即於佛前以偈
頌曰

BD01231 號　維摩詰所說經卷上　（7–1）

十方諸佛諸佛說法亦現於寶蓋中尒時一
切大衆覩佛神力歎未曾有合掌礼佛瞻仰
尊顏目不暫捨長者子寶積即於佛前以偈
頌曰
目淨脩廣如青蓮　心淨已度諸禪定
久積淨業稱无量　導衆以寂故稽首
既見大聖以神變　普現十方无量土
其中諸佛演說法　於是一切悉見聞
法王法力超羣生　常以法財施一切
能善分別諸法相　於第一義而不動
已於諸法得自在　是故稽首此法王
說法不有亦不无　以因緣故諸法生
无我无造无受者　善惡之業亦不亡
始在佛樹力降魔　得甘露滅覺道成
以无心意无受行　而悉摧伏諸外道
三轉法輪於大千　其輪本來常清淨
天人得道此爲證　三寶於是現世間
以斯妙法濟羣生　一受不退常寂然
度老病死大醫王　當礼法海德无邊
毀譽不動如須弥　於善不善等以慈
心行平等如虛空　孰聞人寶不敬承
今奉世尊此微蓋　於中現三千界
諸天龍神所居宮　乾闥婆等及夜叉
悉見世間諸所有　十力哀現是化變
衆覩希有皆歎佛　今我稽首三界尊
大聖法王衆所歸　淨心觀佛靡不欣

BD01231 號　維摩詰所說經卷上　（7–2）

今奉世尊此微蓋　於中現三千界
諸天龍神所居宮　乾闥婆等及夜叉
悉見世間諸所有　十力哀現是化變
衆覩希有皆歎佛　今我稽首三界尊
大聖法王衆所歸　淨心觀佛靡不欣
各見世尊在其前　斯則神力不共法
佛以一音演說法　衆生隨類各得解
皆謂世尊同其語　斯則神力不共法
佛以一音演說法　衆生各各隨所解
普得受行獲其利　斯則神力不共法
佛以一音演說法　或有恐畏或歡喜
或生猒離或斷疑　斯則神力不共法
稽首十力大精進　稽首已得无所畏
稽首住於不共法　稽首一切大道師
稽首能斷衆結縛　稽首已到於彼岸
稽首能度諸世間　稽首永離生死道
悉知衆生來去相　善於諸法得解脫
不著世間如蓮華　常善入於空寂行
達諸法相无罣㝵　稽首如空无所依

尒時長者子寶積說此偈已白佛言世尊是五百長者皆已發阿耨多三三藐三菩提心願聞得佛國土清淨唯願世尊說諸菩薩淨土之行佛言善哉寶積乃能為諸菩薩問於如來淨土之行諦聽諦聽善思念之當為汝說於是寶積及五百長者子受教而聽佛

BD01231號　維摩詰所說經卷上　（7–3）

願聞得佛國土清淨唯願世尊說諸菩薩淨土之行佛言善哉寶積乃能為諸菩薩問於如來淨土之行諦聽諦聽善思念之當為汝說於是寶積及五百長者子受教而聽佛言寶積衆生之類是菩薩佛土所以者何菩薩隨所化衆生而取佛土隨所調伏衆生而取佛土隨諸衆生應以何國入佛智慧而取佛土隨諸衆生應以何國起菩薩根而取佛土所以者何菩薩取於淨國皆為饒益諸衆生故譬如有人欲於空地造立宮室隨意无㝵若於虛空終不能成菩薩如是為成就衆生故願取佛國願取佛國者非於空也寶積當知直心是菩薩淨土菩薩成佛時不諂衆生來生其國深心是菩薩淨土菩薩成佛時具足功德衆生來生其國發大乘心是菩薩淨土菩薩成佛時大乘衆生來生其國布施是菩薩淨土菩薩成佛時一切能捨衆生來生其國持戒是菩薩淨土菩薩成佛時行十善道滿願衆生來生其國忍辱是菩薩淨土菩薩成佛時卅二相莊嚴衆生來生其國精進是菩薩淨土菩薩成佛時勤脩一切功德衆生來生其國禪定是菩薩淨土菩薩成佛時攝心不亂衆生來生其國智慧是菩薩淨土菩薩成佛時正定衆生來生其國四无量心是菩薩淨土菩薩成佛時成就慈悲喜捨衆生來生其國四攝法是菩薩淨土菩薩成佛

BD01231號　維摩詰所說經卷上　（7–4）

菩薩成佛時正定衆生來生其國四无量心是
菩薩淨土菩薩成佛時成就慈悲喜捨衆
生來生其國四攝法是菩薩淨土菩薩成佛
時解脫所攝衆生來生其國方便是菩薩淨
土菩薩成佛時於一切法方便无㝵衆生來
生其國卅七道品是菩薩淨土菩薩成佛時
念處正勤神足根力覺道衆生來生其國迴
向心是菩薩淨土菩薩成佛時得一切具足功
德國土說除八難是菩薩淨土菩薩成佛時
國土无有三惡八難自守戒行不譏彼闕是
菩薩淨土菩薩成佛時國土无有犯禁之名
十善是菩薩淨土菩薩成佛時命不中夭大
富梵行所言誠諦常以濡語眷屬不離善
和諍訟言必饒益不嫉不恚正見衆生來生
其國如是寶積菩薩隨其直心則能發行隨
其發行則得深心隨其深心則意調伏隨意
調伏則如說行隨如說行則能迴向隨其迴向
則有方便隨其方便則成就衆生隨成就衆
生則佛土淨隨佛土淨則說法淨隨說法
淨則智慧淨隨智慧淨則其心淨隨其心淨
則一切功德淨是故寶積若菩薩欲得淨土
當淨其心隨其心淨則佛土淨
尒時舍利弗承佛威神作是念若菩薩心淨
則佛土淨者我世尊本為菩薩時意豈不淨
而是佛土不淨若此佛知其念即告之言於

當淨其心隨其心淨則佛土淨
尒時舍利弗承佛威神作是念若菩薩心淨
則佛土淨者我世尊本為菩薩時意豈不淨
而是佛土不淨若此佛知其念即告之言於
意云何日月豈不淨耶而盲者不見對曰不
也世尊是盲者過非日月咎舍利弗衆生罪
故不見如來佛國嚴淨非如來咎舍利弗我
此土淨而汝不見尒時螺髻梵王語舍利弗
勿作是意謂此佛土以為不淨所以者何我
見釋迦牟尼佛土清淨譬如自在天宮舍利
弗言我見此土丘陵坑坎荊棘沙礫土石諸
山穢惡充滿螺髻梵言仁者心有高下不依
佛慧故見此土為不淨耳舍利弗菩薩於一
切衆生悉皆平等深心清淨依佛智慧則能
見此佛土清淨於是佛以足指按地即時三
千大千世界若干百千珍寶嚴飾譬如寶莊
嚴佛无量功德寶莊嚴土一切大衆歎未
曾有而皆自見坐寶蓮華佛告舍利弗汝且觀是
佛土嚴淨舍利弗言唯然世尊本所不見本
所不聞今佛國土嚴淨悉現佛語舍利弗我
佛國土常淨若此為欲度斯下劣人故示是
衆惡不淨土耳譬如諸天共寶器食隨其福
德飯色有異如是舍利弗若人心淨便見
此土功德莊嚴當佛現此國土嚴淨之時寶
積所將五百長者子皆得无生法忍八万四
千人發阿耨多羅三藐三菩提心[illegible]

嚴佛无量功德寶莊嚴土一切大衆歎未
曾有而皆自見坐寶蓮華佛告舍利弗汝且觀是
佛土嚴淨舍利弗言唯然世尊本所不見本
所不聞今佛國土嚴淨悉現佛語舍利弗我
佛國土常淨若此為欲度斯下劣人故示是
衆惡不淨土耳譬如諸天共寶器食隨其福
德飯色有異如是舍利弗若人心淨便見
此土功德莊嚴當佛現此國土嚴淨之時寶
積所將五百長者子皆得无生法忍八万四
千人發阿耨多羅三藐三菩提心佛攝神足
於是世界還復如故求聲聞乘三万二千天
及人知有為法皆悉无常遠塵離垢得法眼
淨八千比丘不受諸法漏盡解

方便品第二

尒時毗耶離大城中有長者名維摩詰已曾
供養无量諸佛深殖善本得无生忍辯才无
㝵遊戲神通逮諸總持獲无所畏降魔勞怨
入深法門善於智度通達方便大願成就明
了衆生心之所趣又能分別諸根利鈍久於佛
道心已純淑決定大乘諸有所作能善思量住

五趣者地獄餓鬼畜生人天也六有修羅名六道但說趣亦
其有修羅含在五中或是鬼趣攝經論中名大力鬼也或畜
生攝毋是師子也或大趣攝福德踰過天也四生胎卵濕化也於五
趣受四生不同　頌云　人傍生具四　鬼通胎化二　地獄及諸天
中有唯化生　三苦者苦苦壞苦行苦一切衆生具有身
名曰身苦又加寒寒熱寒獄攝打痛惱逼迫名苦苦
整樂不還苦樂盡苦來名曰壞苦世非常相非論隨夜不如
意處縱使自在遨遊豐衣足食念念之中歸於磨滅名行苦也
三攝八者生老病死憎會苦苦攝愛別離求不得壞苦攝
五盛蘊等行苦　二攝三者謂變易生死若分段生死生苦
苦苦攝苦分段所攝約三界內說　行苦一種變易所攝約
三界外說菩薩雖得意生身　通於三界由未免於變
易生死　楞伽云種種意生身我說為心量　如來者
乘如實道來正覺　名曰如來　又云無所從來亦無所去
故名如來　經云欲得佛身斷一切衆生病者當發阿耨多
羅三藐三菩提心　明知從菩提心中來　出世者　為衆在三
界五趣被煩惱逼迫　佛興大悲出現世　於六經為衆生有
有生老死故如來出現于世現無身之身若衆生病除
佛無出沒法性之身　本來常示方便為說種種妙法者
諸佛為修空法有行有八空袖智相次見無滯號曰方便
能將此方便權應根機說種種法調伏衆心不說一法何以說
種種法為衆生根機不等說八万四千法藥所以隨病說藥也
說八万四千法門　如是　如故非如者前　如先之人後　如之法　此二種
約遍執空理　色相二俱是空　如是如故非空者前如是

諸仏為修空海有行有八定補智相次身行善无滞号曰方便
能將此方便權應根機說種種法問何故來不說一法何乃說茲
種種答為衆生根機不等說八万四千諸塵勞所以隨病設藥亦
說八万四千甘露門 如是空故非有者前如說人後如說法此二種
約遍計所執無體言相二俱是空 如是有故非空者前如是
約依他後如是約圓成實二俱空也

永斷二障者謂煩惱障報障業障煩惱增長障人聖道曰障 造五逆等
重業及輪王善業令人不得成聖曰障生地獄畜生餓鬼邊地長壽天
盲聾等曰報障 一十若論地地有障惣而言之无出二種煩惱所知
煩惱障人空生空欲悟生空先斷此障已得成小果所知障法空欲
悟法空先斷此障已得成大果煩惱障障理理無也所知障障智智即菩提
諸仏如來於三祇劫伏斷修證至金剛位二障方盡智從種生名得菩提
三菩提者謂法身菩提報身菩提化身菩提菩提林凡悟此方皆是智也如來所
得如來智及法如來理智是真實之智理是真如之理理智无別名為法
身報身者修因得果名報報諸菩薩功德因故 化身者謂化地前
凡小現故以非真身如化現故但是變化現故為化六道異類
顯異類但化現故名化 應身者應諸菩薩淨心現故但應凡小心
所現故 言刹六有感斯現名應身義不別故合二為一又玄不可言一
十地所見各不同故所見諸仏无別處故不可言異異者如衆諸人同
於一處各見不同 小乘三身者謂戒定惠解脫知見此五是賢聖所於
體故名法身報身者即是王宮父母所生卅二相等酬報過去因
之報故化身者所現神通化相身是 業障清淨成化身煩惱
障清淨成報應身智障清淨成法身 又轉根本心盡得法
身謂本識依根本心盡得報身謂末那起事心盡得化身謂六識
又戢雜有為發菩提心得法身析衆生發菩提心得報應身慈
敏衆生發菩提心得化身 法身五相一轉依相二白淨相三无二相四常
住相五不思議相 報身五相一受法相二[illegible]

之報故化身者所現神通化相身是　業障清淨感化身煩惱
障清淨感報應身智障清淨感法身　又轉根本心盡得法
身謂本識依根本心盡得依身謂末那起事心盡得化身謂六識
又散雖有為發菩提心得法身折衆以攝發菩提心得報應身悲
愍衆生發菩提心得化身　法身五相一轉依相二白淨相三无二相四常
住相五不思議相　報身五相一護法相二可見相三无休息相四隱沒
相五是現相化身八相上生兜率相下降母胎相納妃相出家相苦行相
得菩提相轉法輪相般涅槃相　涅槃者梵語此云寂滅皆圓寂
亦名寂淨圓謂圓滿具一衆德故寂謂寂淨異苦障故斯不同有四
種別一自性清淨謂一切法本真如現雖有客塵而本性淨一切有情
平等共有其性本淨故名涅槃二有餘依此有二種若二乘人至无學
位依此生死苦身之上斷煩障顯真如性心得寂淨名為涅槃
此苦身尚未棄捨名有餘依者即苦身也若仏世尊煩惱雖盡
身心寂淨名得涅槃有餘无漏常樂我淨功德身在依此身上所得
涅槃名有餘依也三无餘依涅槃此有二種若二乘之人煩惱斷盡厭此
苦身將滅盡定滅其心智又自化火焚滅身无苦依身諸苦
永寂名曰无餘依涅槃若仏如來无漏功德所依身上一切煩惱悉
已寂淨永无苦惱餘所依故名无餘依四无住處涅槃謂即真如
出所知障由斯不住生死涅槃利樂有情窮未來際用而常寂
名曰涅槃若論菩薩至第五地能斷下乘般涅槃障能證真如无住真理
名為分得无住涅槃若仏世尊一切障盡摩訶般若　解脫法身三事
圓滿名大涅槃　四真中一切衆生皆有初一二乘无学容有前三唯
我世尊可言具四　言三事者唯涅槃經秘密之藏如世伊字三點若
別亦不成三點若並即不成伊縱亦不成如摩醯首羅面上三目乃得
成伊三點若別亦不得成伊我說如是解脫之法亦非涅槃如來身
亦非涅槃摩訶般若亦非涅槃我今安住如是三法為衆生故入般
涅槃如世伊字能證生法二空真如智為般若　為證生法二空真
如名曰法身由智證理離諸障染不為染縛名為解脫彼圓

BD01232號　百法明門論疏（擬）　（24-3）

我世尊可言具四　言三事者唯卌經秘密之藏如世伊字三點若
別亦不成三點若並即不成伊縱亦不成如摩醯首羅面上三目乃得
成伊三點若別亦不得成伊我說如是解脫之法亦非如來
亦非矣摩訶若般亦非卌我今安住如是三法為衆生故入涅槃
卌如卌伊字能證生法二空真如智為般若為證生法二空真
如名曰法身由智證理離諸障染不為染縛名為解脫彼圓
伊字兩點在上一點在下如此方倒安品字下點喻理是所依故
上二喻依般若解脫依理起故別三不成夫者若唯般若真
如未證障解脫不成圓寂若唯真理能證智无煩惱斷
亦未圓寂若唯解脫體般理俱无不名圓寂是故三別不
名涅槃仏涅槃後者說仏身樣灭也　龍樹菩薩大惠
汝應知善逝卌後未來世當有持於我法者南天竺國中
大名德比丘　厥号為龍樹　能破有无宗　世間中顯我无上大
乘法得初歡喜地

龍樹菩薩者云龍猛此人本是南天竺國婆羅門子其父母是外道尼揵子之門弟
授其外法龍猛年始稚歲父母請二師諸家侍養師乃名誦四万伽他其子聞已言
下會悟一字勿遺師出去已子為母說伽他之義母乃驚悟知其非常後身長藝術
聰明利智无事不解在世天人過者其龍樹更有伴三人遂相說曰我等世間異籍
志已具所有人無[illegible]女等可於五欲恣情適意最不美哉[illegible]遂往術師
師所祈隱形之藥[illegible]特尊名聞遠施何得我輩甲師與此四人其心高舉若
与其法終不重我但与其藥不示秘方意在斯也何得問師各与青藥一丸令以水磨之
清水磨之塗其眼上即得隱身不能見於其四人得藥已共龍樹嗅之即知其藥
七十味分兩多少即將其事具說於師師知非常更方受与得此方已身心非法[illegible]
遊於王宮出入闡閣宮人懷孕因茲事起三人被捐龍樹便得脫七步既得脫已
發作是念言世間虛幻遂入山坐石室出家求道乃至龍王山知人菩根性遂入宮見
為一居士請菩薩龍宮中九十日　依義說至龍宮三月之中龍王為菩薩誦經
目錄猶未能盡菩薩乃說不量經藏頗多可以未聞何況更解已將迴應經藏入廣布釋
宣示七佛論經不可窮盡菩薩從宮出已諸方遊化到諸伽藍云其一切智四方寺舍咨三
門中四句皆滅度更曾不開菩薩開啟擬　一年放藏神杖一下良久乃開菩薩自慚都
入山修道後將衆與衆生結緣遂往一國入城乞食逢一女人其菩薩與之王知是菩薩請
為國師其王貪位於師見長壽衆師乃与之王年七百歲其王世福与官人後太子見王長命
怪而問之乃說其由其時太子設計於師見首菩薩以草自刎其首与之王聞菩薩滅
度王亦同化云本傳具委極喜地者初地也瑜伽云得未曾得世間智具證三空
能為自他生大歡喜故極喜也所修行勝依持令得法生長故名地也
[illegible]歡喜地

BD01232號　百法明門論疏（擬）

（24–6）

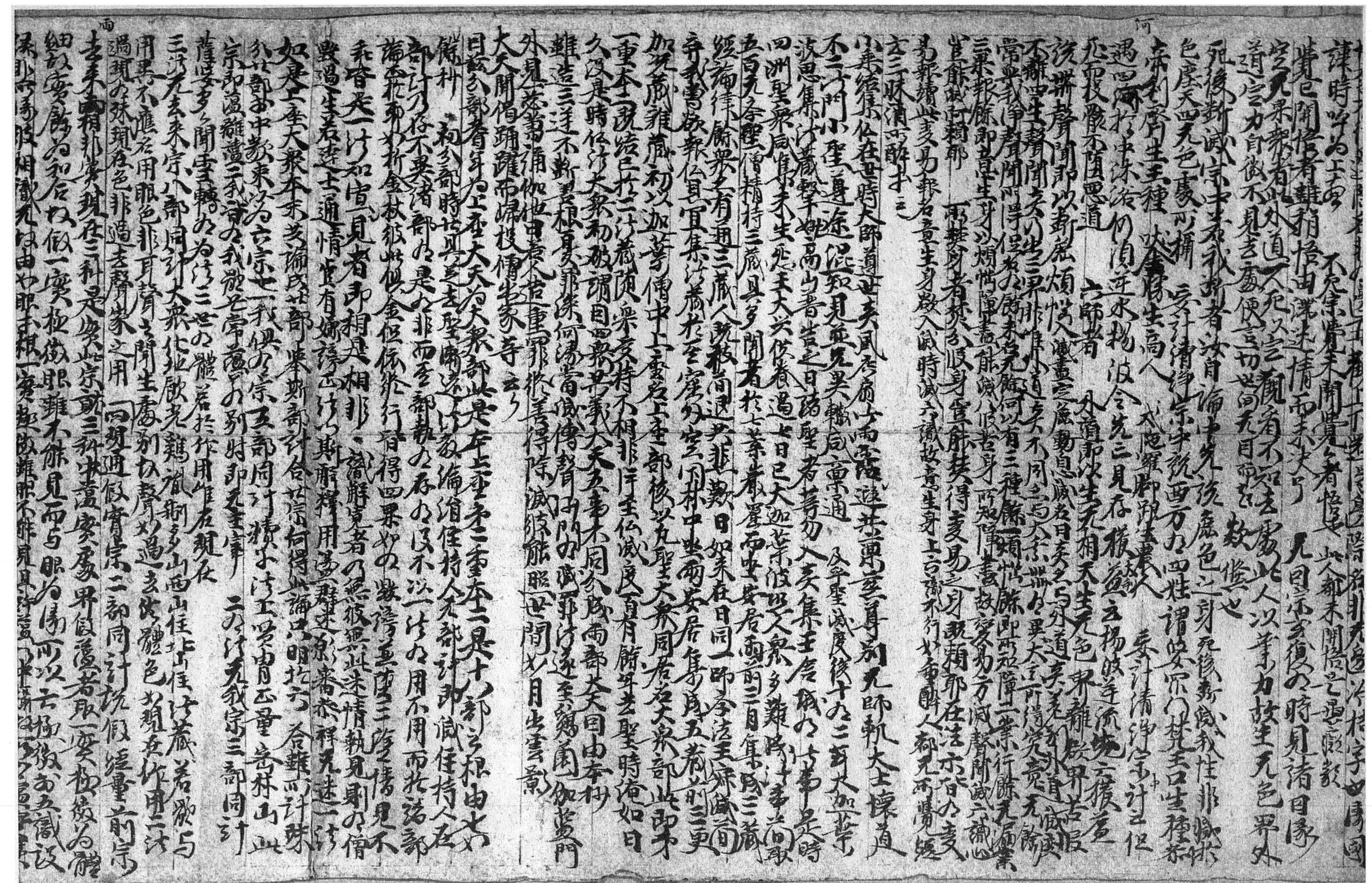

BD01232號　百法明門論疏（擬）

（24–7）

BD01232號　百法明門論疏（擬）

（24–8）

BD01232號　百法明門論疏（擬）

（24–9）

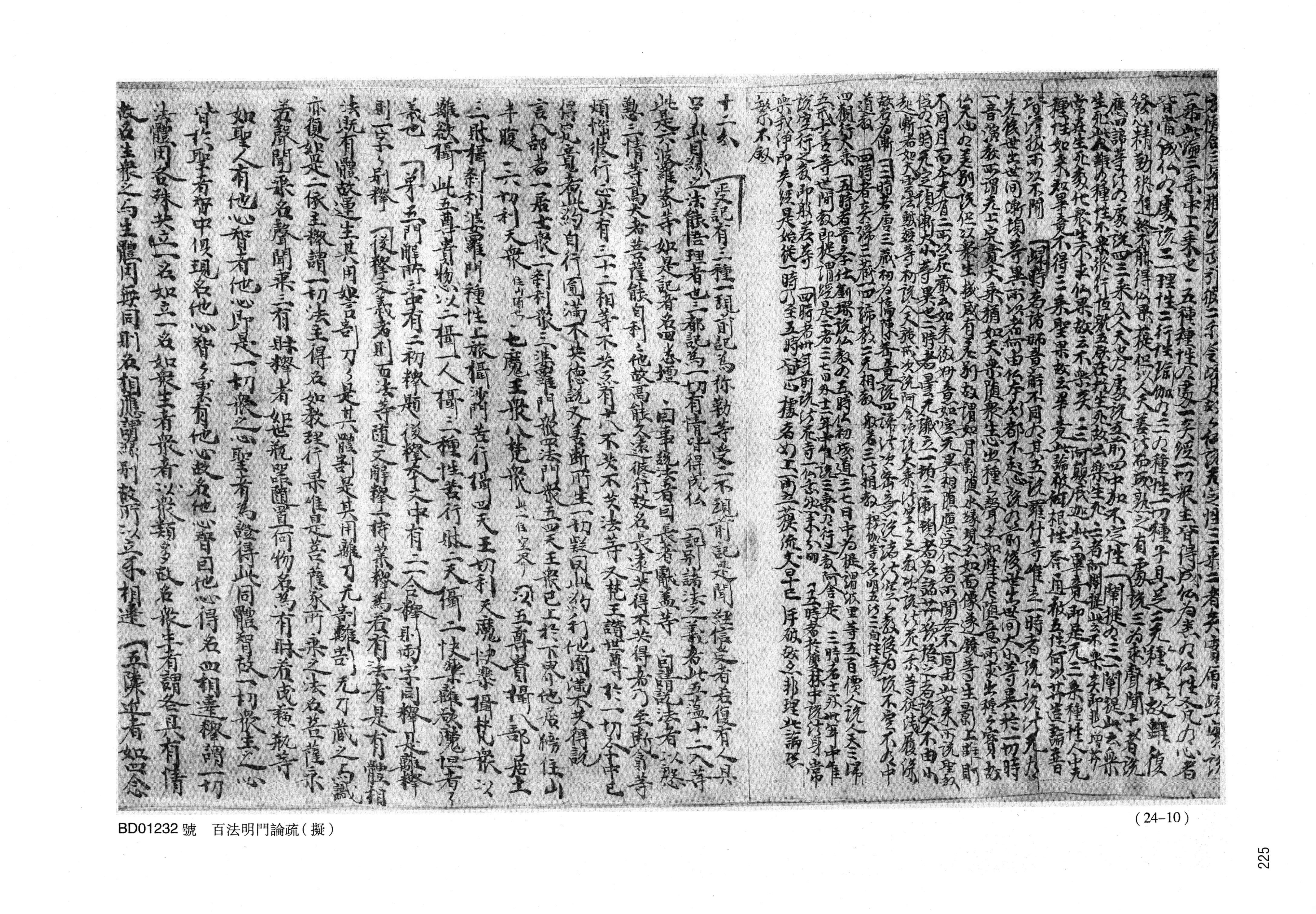

(24–10)

BD01232號　百法明門論疏（擬）

亦復如是二依主釋謂一切法主得名 如教理行果唯是菩薩家所乘之法名菩薩乘
若聲聞乘名聲聞乘三有財釋者如世親菩薩置何物名爲有財看成種類等
如聖人有他心智有他心事是一切衆生之心
皆於聖者智中俱現名他心智々有他心故名他心智曰他心得名 四相違釋謂一切
法體用各殊共立一名如立一名如衆生者衆者以種類多故名衆生者謂各具有情
故名生衆之与生體用無同則名相應謂別故所以立爲相違 五隣近者如四念
住念者以惠爲體念則難惠以爲體心住之時爲不猶惠故名猶念住故難惠念住念以惠爲
體所以念近惠心故名隣近 言大乘者謂菩薩乘大乘者是仏乘何得云菩薩乘大
乘之言通因及果今就向彰云菩薩乘菩薩爲乘此乘到仏地故言仏乘有是仏乘故
約果而説 大乘以何爲體就用者定用理智以爲其體能證是智所證是理智有爲理
則无爲一切万行莫不因此二法而得成就理智相對末爲大乘有且理爲大者真如之理
遍一切處名大智爲乘者智能顯理故名乘智爲大者諸仏之智世出世間无事
不曾故名大理爲乘者理能運生其智既有智故應機名乘名乘是誰家之智
是大乘理之智依主釋得則 理智當體立大乘理爲大者理性遍一切處故名大所以
云真如遍一切 理爲乘者理有運生智之功能名乘智爲大者仏之一智能知万法故
名大智爲乘者 以有智故能顯其理真撰惠万德并故 教理行果四法綺
不相違者教大者仏説十二分教持廣大故果名乘者既悟真理得成仏滿果後能
運度一切人民故名乘二乘大者仏之滿果超過一切故名大教爲乘者所詮教法運
度衆生故名乘 理智二法亦可准知 惠能乘論菩薩即是能乘所乘即菩薩亦是
大亦是大乘 以七種大超過二乘故名爲大真者一所緣大但是了義經教皆是菩薩所
緣曰大是智境故五法等 二發心大能无上菩提心故 三信樂大謂信樂甚深法故 四思惟
利大思惟 衆一切有情故 五资粮大謂具福智二種大功德故 六時大謂三无數
劫只得菩提故七成就大謂成十力四无所畏等諸功德故 明者惠也如人有惠明
无惠則愚有惠之人能詮釋一切教法者不能擇理不自顯故名爲明 門者通也
何名爲通爲有故百法能顯生其惠於二百法之中進入里自在悟甚深 以法是惠家
進里賤之處故稱爲門 論有二種一随釋論疏中分三一随經論即法花經等二随
律論即明論等三随論即瑜伽釋等 二集義論如瑜伽雜集諸經文義无有不盡
此百法論於二種論中總収引經云一切法无我後随釋得名随釋論名得名集義論攝
集百法一切義故 合釋門 論名能依教果等是所依論是能詮教是所詮
以教對教者將大乘中教對百法中教大乘教即是百法教持業釋 將百法中
教對大乘中教百法教即大乘教名持業釋 以理對理其義可知
以教望理以理望教者將百法中教望大乘中理此百法中教是大乘理家之教

律論[illegible]
此百法論於二種論中惣收列經云一切法无我後隨釋得名隨釋論名得名集義論標
集百法一切義故　合釋門　〔論名能依教果等是所依論是能詮教是所詮
以教對教者將大乘中教對百法中教大乘教即是百法教持業釋將百法中
教對大乘中教百法教即大乘教名持業釋　以理對理其義可知
以教望理以理望教者將百法中教望大乘中理此百法中教是那大宗理家之教
依主釋也　〔以理望教者將百法中理望大乘中教此百法理是大乘教家之理依
主釋也　〔論所依門　伽論具有五分於中別无本事分名義對法論乃本事
分於中不明百法之義此論既從本事分出与伽論不同者如何　答伽論
雖无本事分明有本地分今者此中云本事分者彼地為事々者體也體乃依持
之義地亦乃依持義所以約義取之名異義同　〔傍乃師云彼地為事者非也
自有本事分在彼論未譯　答也是者應題云中存論中略錄名數　何故云分中略
錄故知論之[illegible]三也

正釋門　文初舉經後問起舉經者如世尊言一切法无我問起者
何等一切法云何為无我文中以有二問今者云何等是一切法之體性云何即一切法
稱其无我非是離此五種法外更有無我　十号義　舊云正遍知者名不
甄例遍知者於四顛倒无不通達今者正者名為一數可量可稱遍知者不
可數不可量不可稱是故号佛為正遍知聲聞緣覺亦有遍知知五蘊十二入
十八界名為遍知云何不遍假二乘於无量劫觀一色蔭不能盡知以是
義故无有遍知之義　應分段生者然分段變易約斷煩惱論
小乘人約十使辯煩惱身邊二見戒取見取邪見上五名利使斷此五故
名見諦煩惱能迷實理令不得見貪嗔慢无明疑此五鈍使号修道
能障事中修道之行故須流人斷見諦煩惱盡未斷修道一來不來二人雖
少斷修道煩惱猶未盡故但受分段身最人斷三界見修二論煩惱盡故不
生三界中所以三界外受變易身　大乘法中用五住地以辯煩惱見
一切處住地遍通三界煩惱欲愛住地欲界煩惱色愛住地色界煩惱有
愛住地无色界煩惱无明住地三界外煩惱前三果及四向人斷前四住地煩惱
未盡故在三界中受分生死阿羅漢辟支仏大力菩薩三種意生身斷四住
煩惱盡故免三界分斷生死仍有无明住地未斷故受三界外變易身也
意生身者能覺了諸法如幻相等悉有所得无如幻三昧乃餘无量諸三昧
門无相之力自在神通妙花庄嚴迅疾如意猶如幻花水中月等非四
大生以四大相具足身分一切修行得如意自在隨入諸仏國土大衆之中
[illegible]三地得三摩跋提樂意生身四五六地得覺法自在意

BD01232號　百法明門論疏（擬）

（24–13）

有三義故名心。緣慮義，八識皆名慮妄分別。分者何？名慮妄分別也。不言我是
色，但是一切諸法皆不自名，衆生慮妄心分別故，與一切法強立名字，去是色
非強起心攀緣思慮。攀緣者，猶如猿猴上樹，先以手攀，後以脚上。一切衆生亦復如
是，先將心攀，後以將心及心所共緣，前思慮一刹那中，方般心起之時皆託
相分，故名質多。二貞實義。何者？八識皆能變生一切諸法，眼能變色，耳
能變聲等。若无貞實之體，何能變生世出世間一切男女花葉等事？
將知心有貞實義。二真心，梵云乾栗大，此云堅實義，猶如樹心說真
心矣。三者妄心，梵云質多，即緣慮心。若論其心有二種：一性，二相。性則真
无生滅，相乃妄有攀緣。故起信論說：阿梨耶，即生滅門，其如來
藏體无生滅，即是真心。由无明風熏此真心，而有相生，成阿梨耶，而
受生滅。故云：但業相滅，而體不滅。其起信宗妄熏如來藏，唯識妄
熏第八。唯識所熏要須生滅，真无生滅，堅不受熏。然起信宗真妄
法界攝一切法。迷之是妄，悟乃成真。真妄相熏，理故然矣。所言覺者，謂
心體離此人解佛義。无念是佛，有生滅无念真如。

三集起義者，何故弟八得集起二義？以弟八識性為无記，能含受前七識
三性種子，納受熏義，得名為集。若前七現行之時，要從弟八而起種子，
故名為起。何者前七識集起義，眼能集色熏色等可之。
起之時，眼起色種子等可知。心於所緣唯取惣相等者，如眼識心王緣青
之時，祇但惣緣，云是青色。心所亦能同緣青色，亦能別緣，云是大青、小
青等，故知亦能取惣相，亦能取別相。如畫師資等者，師如心王，緣其惣相，
如作模；下柱弟子，如所心能取別相，填采填緣等，能成師之畫。如心王起
之時，有五十一个心所，一一行相別，故對謂觸對等者，如所中二人相逢是。
如眼觸色等，謂障导者，如手导手，石导等，亦於色法亦依處立
者，亦者此不相應亦於色法，亦於心法，亦於心所有法，以此三處為於
故下亦字，分者心一分，色一分等，於三法上假立，有五種義，与心所不同
故，所以立不相應。

亦（五）蘊中行蘊所攝者，廿四不相應心亦蘊門中行蘊所攝。此廿四个雖不与心相應
為心行，亦蘊門中所攝，故所以下亦字，簡行蘊中諸相應者，簡与攝
心應心所行蘊中攝，不与心相應心所，亦中行蘊攝相應不相應，以
可簡別，今簡卻行蘊中諸相應者廿五个，餘者廿四个是不相應

故即之是不相應
亦蘊中行蘊所攝者五十不相應心亦蘊門中行蘊所攝此廿四个雖不与心相應
為行等名蘊門中所攝故所以下名字箇行蘊中諸相應者問与相
心應心所行蘊中攝不与心相應心所名中行蘊攝相應不相應以
何取別答問却行蘊中諸相應者廿五个餘者廿四个是不相應
无為者　自體等非三世攝无生住等行所遷故此但法不是生住等
四相所遷動者則染法不隨三世自體湛然此是一義　其性清淨无有
漏染非業煩惱之所為故此法若不是業煩惱所造作者則染此
法其性清淨非是有漏是二義將後句解前句
弁法次第門　心遠行獨行无身寐於窟能潤伏雖伏我婆羅
門　遠行者一切忌夫自體展轉及回展轉雖无作者而流生死
前際至知故名遠行　獨行者此於現法非要伴侶速疾而轉
隨其自體初起現前剎剎那那得自在故眼外毛輪者諸法如毛輪
素遠離生住滅名離常无常染淨名如是　无有一色非心變
者三界唯是心亦別二自性轉依離人法其則為真如
難去心緣諸境起如盡依於隨不來虛空中何不起於盡　若緣
少亦相合心得　生者心既從緣起唯心義不疾　執著自心現合心而
得起所見實非外是故說唯心生唯是識生滅名唯識滅猶如盡
高下雖見无所有如乾闥婆城名如執時燄所見恒如是　靜觀不可
得觀中行八聖道為六支一了別支正見正了別已決定取故二表示支
即正思惟所思之事將解釋故三信受支即正語正業正命者若有問時
法如實答故不作非業戒清淨故如法而來常少欲故四除障支即正
精進能除大小二人二種障故　五除煩惱支即正念由正念故得棄
六除功德支即正定由定力故能得三明諸功德故
惛沉不得便故
生死次第　四十二支義空十二者何為義攸　一能引支即无明行
識二所引支即名色六入觸受三能生支即愛取有四所生支即
生老死失生即老死　能引支者即過因　能生支者是過因　若无
此二生不除故答如十二義不具故過去十二即无明用　亦云
此不故彼不此生故彼生所謂无明行等生也　此由前第　六度是名

BD01232號　百法明門論疏（擬）

（24–16）

識一向隨根立名隨境名也[illegible]中亦有隨根立者有五種義勝故亦以隨根立
之　一識者眼即是根要根不壞時依根發生其識若根壞已識終不
能生所依根識生　若說眼識定依色生色現前時盲者合見既知眼根懷色
前現之時盲者亦不見　雖既如是　若若無色時識能生不　答意亦色時
識生以色以根依根義勝若根壞已識定不生故亦以依根　二眼能發
識只如眼能發生其識若根有病所發之識隨生根無病時稱境明了
故知由我前色境同根要為簡不由諸色盡壞為簡眼識因[illegible]見故隨
根也　三屬眼之識者根色識名為種子若根種生時明識種隨生若色
種生時識不隨生故亦以依根立識　四助眼之識者由於根識和
合故識能助既能助故能取前境以所領受　根以領名　眷屬
威夏日色觀日之時則損其根見不明　若是秋翳觀月之時月性
影冷能其根故知損之與益非關色事亦不由前色境損由眼根故亦以隨
根　五如之識者　眼根能照色識名能照色故亦以云眼之識眼識定如眼等
照定是有情二種決定故亦以隨根立識　且如色境於有情中未決定何
者色中且如有情色如人及畜等有情無色如草木等於能照中不
決定名如明鏡珠等則能照用如磚石瓦礫等則無照用以資而
小乘根自見不假識助　如根能照有情定是有情名以如眼根等定是能
是中　既見如隨根立名其境便云秋之色境能引識生名為色識亦有道理
種不決定故亦以不依色立名　色於是中者於能照中於有有情中故名
何不立名答隨境立名雖則亦有少理但約分眾之人說之則得若是如來得從
從於一根門中緣一切境即令六識有雜亂過失何故如來一根發識能緣一一答且如
諸仏根一一皆具集圓智而成眼根中圓智不異鼻根中圓智乃至乃耳根中
圓智不異鼻根等圓智　難　一一門中皆有圓智而其圓智體相平等故所以
於一根圓智之中並能見色聞聲嗅香嘗味等於耳根之中亦復如是
若是諸仏見色名時爭為色識若眼中聞香嗅香之時呼諸仏眼作耳鼻得不
善隨色之便有如是雜亂　但依根時緣見六塵是眼識等
中目陀羅一一網孔之中皆如一寶珠見珠體圓寺數徹於一珠中看見　如帝釋
一切珠一切中被是一珠圓等如之復如是以體明徹故於一智中能見一切
所以云一剛一切於一圓智中能見一切境一切剛一圓智雖分其體圓同如如六塵之
大空之月於其水盆物能現影圓智亦復如是此智不異眼智　既見如隨
境無理其境用便云依境依用則無理如何以義　答但而隨根則無假
濫之過失　分別內外種名第者即是獨影境相分外即是六三塵境相
問第六立名意第七立名意此七意有何別於第六意　答此第七意是
持業釋意即是識彼第六意依主釋是第七意家之識名為意識

BD01232 號　百法明門論疏（擬）

（24–18）

家果　如來清淨意是淨无漏界解脫一切縛，圓鏡智相應
菩薩證人空，亦名有漏位；要證法空，始名无漏。彼緣異熟識
者。已下三个彼字，惣是染汙等三種意。心是
鈔中說：因与果雖定一等者，如麦子生芽，子之与芽非一離，芽无子亦離
子无芽，故非異。今此前七為因，第八為果。異何者？第八種子是前七熏
為因，前七為果。何者？從第八起種子，故為因；七識現行，故名果。因之与果，如
麦与芽不可定一，不可定別。何者？前七起現行之時，要從第八識生其種子，故
種子為因。只前七現見色聞聲，剎那剎那却熏第八，即現行為因，第八為
果，所以不可定一定異。　賴耶三相之中，果相者，即是我輩身是，此身是
賴耶所感之果。　所藏者，所者是處，所是即身處，所非是能所義也。
藏者藏也，積藏二性種子在自體中，名能藏。　却藏自體於諸法之中，
名所藏。　无始者，不可知其初始，故名无始來。　不思議，者无明名
為不思議。何者？不可知其初始，故名不思議。　不思議變者，即隨逐染
真如，是若不隨染即名性淨自性如　　即此種現攝持因果為自相者
相即體也，即此是第八識。　无記者，如種子即是芽，所以種子身形二
法為自體因果。　无記者，如貴人能闢階道，陶輪鈞手已，其輪猶轉，如薪
因雖无，亦猶現　任運相續者，任運為无記性說　相續於五趣四生
長流不絕，說其約前後身說，此生未生相續，約今日明相續。　似一者，同賴耶
識中有三性，恒隨地獄等種子不是一。　似常者，賴耶識雖是无記，任運緣
三種境界，故剎那生滅，如瀑流水，故不常。
故第七識於四所覆，故无我處雖執如我，背一切凡夫，未保一日一夜，能之是活
且作千年調，為我故。无常處執常等，第八實无自我，故被第七恒執故
約第七所執處立名，名執藏。　凡夫前三果，有雜染法者，有我執也。　无
不退菩薩雜染法盡也。　通後立者，能藏所藏義通，仍并位有。　最
勝捨故者，賴耶之名轉染依淨之時，最初捨故，所以倫說。　乃是能引善不
善業者，能引即是善惡二業，所引即是異熟識體，此善惡二業能引
識體於五道中，受果報身，故名異熟。者有三義：異時熟者，如今生中作善
惡因，來生方受其報，如世麦子，類在船中，終有生果之性，此善惡因雖然未潤，
終能達引遠自果，故自果即是善，自果不善自果，約未潤業因与果時
不同，故名異時。　變異而熟者，雖有善惡二業，要由愛心潤故，因始變異
發生其果，如父母因緣和會，已托胎，即有變異，即有熟異，与生起自果近，
故名變異熟。父母及愛心為生起因，如麦子即下田中得水潤已，必生不久，其
果即現，此亦如是。　謂諸種子有二：一是善者，諸種子即是善、不善二種子
異類而熟者，謂因是善惡，果即是无記，所以受五蘊身，非流轉不受苦樂
非夫因故，知身是无記。鈔中以執即是所熏，善惡二種此望第八无記，而為

終能牽引遠自果故自果即是善自果不善自果約未潤來因与果時
不同故名異時　變異而熟者雖有善惡二業未得引由愛心潤故曰始變異
發生其果如父母因緣和會已托胎即有變異即有熟異与生起自果近
故名變異熟　父母及愛心為生起因如妻子即不田中得水潤已必生不久其
果即現此立如是　謂諸種子有二因義者諸種子即是善不善二種子
異熟頌而熟者謂因是善惡果即是無記可以文云五蘊身非流轉不受苦樂
非夫曰故知身是無記動中以執即是可重異善惡二種此望第八無記而為
同性者　前七現行所重異善惡種子望彼第八無即種子此善惡二種而為
其六因為無此若而種子第八無記種子未無可從故知無記以善惡為因
可以文中以善惡因感無記果　名言者因名重種名曰名言言即是善
不善無記是記有善惡種子遍善受緣即令第八名言種熟生
異熟時變異而義者何異時者只如今生造五戒十善種子雜善業已令
五趣果果者即是託胎受身故知善惡二種与異熟為因　前七念有
生之未中者以一業引一生身既受身已於其身上多業圓滿多業即
是眼耳等究其歸由為由宿世造因故因与果熟之時不同故異
時名約現在因於本識中忽有名現前時便從本識生因与異故作果
故知現行非是因約此義次名異時破文云時果故　變異者由因變
異而果方熟由因現變行故但因在本識中時不名為果及至變因為現
行即名變異果約此二義前七念有　第一異義通因通果者同為善惡
種子果謂第八無記種子及現行即身是因[illegible]是善不善及至受果
已総有為無記名異　第二熟唯在果者要因感得此無記身及現行
識即名為熟如菓種已雖抽苗菓未名為熟菓果熟苗已名為果熟
將知果即是熟豈是因熟　第三果熟有二種子現行者如一切人身
即此身名現行何者現執受種子色根即此身中亦有三性種子能生
善不善等　動中謂即親生第八名言者親生第八名言種子即是
前七識能重生現行即是從此名言種生第八親識　此二皆是者此二
即第八名言種及現行是　業四將異字下各各別釋約因果說
善將果字屬因此熟是阿誰家執熟是善惡異因家之熟名為異
熟依主釋　若將異字屬果上者故曰異故名異故知異之与熟二
體不殊異即是熟持業釋也此上是異熟　異熟即識者
將異熟於識上安置　將異熟屬於現行者現行即是識持業釋
若將異熟於種子上即是異熟種子識依主識　故餘轉識不得此名

BD01232號　百法明門論疏（擬）　　（24–21）

三分或三四者[illegible]諍耶　體此四分為各別體為義別耶若義者別應[illegible]
非實若非是唯應有別體解去俱非以不即故義說為四以不離故
雖立四名而无別體用不離故說為非即无別體故說為非離
又正量部立見不立相清弁立相不立見安惠相見俱不立此中初正量破二量
後非量破清弁　前後二量破安惠宗　見惟能覺見相即所覺如世量物
有能所量及知量者心亦如是故集量論云似境相所量能取相自證
即能量及果此三體无別此陳那所造此云大域龍理門論中小乘以外
境為所量行相為能量見為量果如是四分或攝為三將四攝入
三或攝為二後三皆是能緣性故皆見分攝云似由自心執著心似
外境轉所見非有是故說唯心或前為後緣引彼切能故

增上緣　為若有法者諸有為及无為法間遍行執是无體法故非增上緣
難云據實具三緣名是增上為顯四別除三說餘有力无力者若種於彼
有能助力或不障导是增上緣有二一有力如業種子生第八識
二无力五根對第八等　八識更互為緣者頌云決定相隨故　思量成者獨
空閑審審思惟如其所聞究達諸法道理　又善思擇所觀審義者
五種一自相有法二共相有法三假相有法四因相有法五果相有法
物自相者約勝義世俗二種法中凡聖證知所行境界凡乃有相聖
无相相之相不可言說无　共相者有五種一種類共相謂五蘊等各別
[illegible]

難云樓實三緣亦是增上為頭四別除三說餘有力无力者名相
有餘助力或不障导是增上緣有二有力如業種子生第八識
无力五根對第八等 八識更互為緣者頌云決定相隨故 異果成者獨
空閑審諦思惟知其所聞究達諦法道理 又善思擇所觀審義者
五種一自相有法二共相有法三假相有法四因相有法五果相有法
物自相者約勝義世俗二種法中凡聖證知所行境界乃有相聖
无ㄅ相ㄅ之相不可言說无 共相者有五種一種類共相謂五蘊等各別
種類惣名為一二庚所作共相者謂有長漏法於感愛果由能成辦
所作共相 乃至菩提等不善之法當知亦然 三一切行共相者謂一切行共相者
謂一切行共无常相 四一切有漏其相者謂有漏行皆苦性相 五一切法共相
者謂一切法空无我性相知是总說為共相 假相者石之過地之堅水之濕
於眼之識等空之門舍之塵瓶之口咒之腹如瓶破瓶相雖无无相猶在金
難不認環釧現在此等假相妄有非其實有 因相有法者有三種一可愛
因謂善法二不愛因謂不善法 三長養因謂三性之法能令後ㄅ亦生展
轉增勝四流轉因 春由此種子熏習由此助伴彼洗流轉故
五果相有法 果相者有法者從彼五因若生
攝者若成若辦名果有法所觀无法一未生无二已滅无老三手相无
不和合說四勝義无五畢竟无 段食名曰段食亦名揣食以口此食能
續後有觸食者但有境見觸之時即名為食 思食者以思後有業故名食
識食者 隨其名體等者捨名所捨體 顯示向賴耶珠勝之藏識辦於
所取義說為真如 善十一義門 此十一善推善心時有餘心時无
謂於諸法實事理中者言實事者謂以方便為人說三業五乘八万四千法
二乘下根者是 實理者陵為上智之說第三時教非有非无中道之理是
忍者是勝解印持之義 三寶真淨德者真者顯不離義非是耶邪異見之所
為濫故曰真以說善名不雜故名淨三寶真田實真淨非雜
謂一切世出世善者世善者五戒十善是以信五戒十善故善有力故得人天之果
出世善者 謂六波羅蜜以波羅蜜有力故能成佛菓故名能成
證者世善乃能出世善乃證 无癡者於理於事明了為性善述正理
出五□故謂理雖修善行不能簡擇 故名事 不立无癡者彼論中有十一
大地法此无癡於彼慧中攝故論中說五 有說无癡別有自性非慧為體
因云善根攝故喻如无貪無嗔

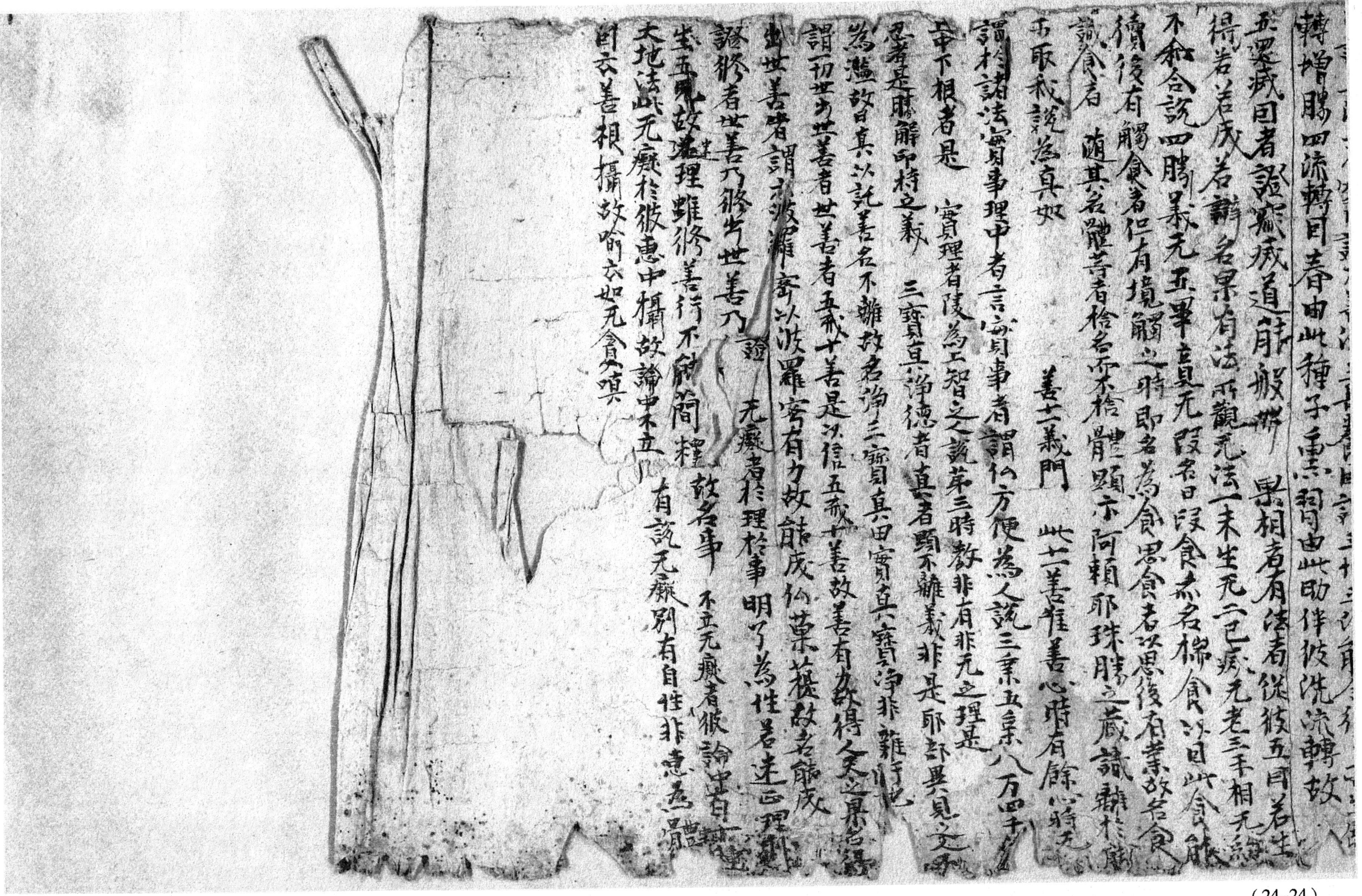

轉增勝四流轉曰春由此種子熏習由此助伴彼洗流轉故
五眾滅曰者諸煩惱道能般 果相者有法者從彼五因若生
得若若成若耕名果有法所觀无法一未生无二已滅无老三手相无
不和合說四勝義无五畢竟无 段名曰段食亦名觸食 以曰此食能
續後有觸食者但有境觸之時即名為食 思食者以思後有業故名食
識食者 随其名體音者捨名亦不捨體顯示阿賴耶珠勝之藏識轉於識
亦取栽說為真如 善十二義門 此十一善唯善心時有餘心時无
謂於諸法實事理中者言實事者謂仏方便為人說三乘五乘八万四千
乘下根者是 實理者隨為上智之說第三時教非有非无之理是
忍者是勝解印持之義 三寶真淨德者真者顯不離義非是邪部異見之
為濫故曰真以說善名不離故名論三寶 真田實真寶淨非雜
謂一切世出世善者世善者五戒十善是以信五戒十善故善有為得人天之果
出世善者謂六波羅蜜以波羅蜜有力故能成仏菓種故名能成
證 无癡者於理於事明了為性善達正理
謂修者世善乃修出世善乃 故名事 不立无癡者彼論中有
生五根故 理雖修善行不能簡擇 有說无癡別有自性非意為體
大地法此无癡於彼慧中攝故論中不立
目云善根攝故喻云如无貪嗔

（24–24）

BD01232號　百法明門論疏（擬）

BD01232號背　雜寫　（2–1）

BD01232號背　雜寫

（2–2）

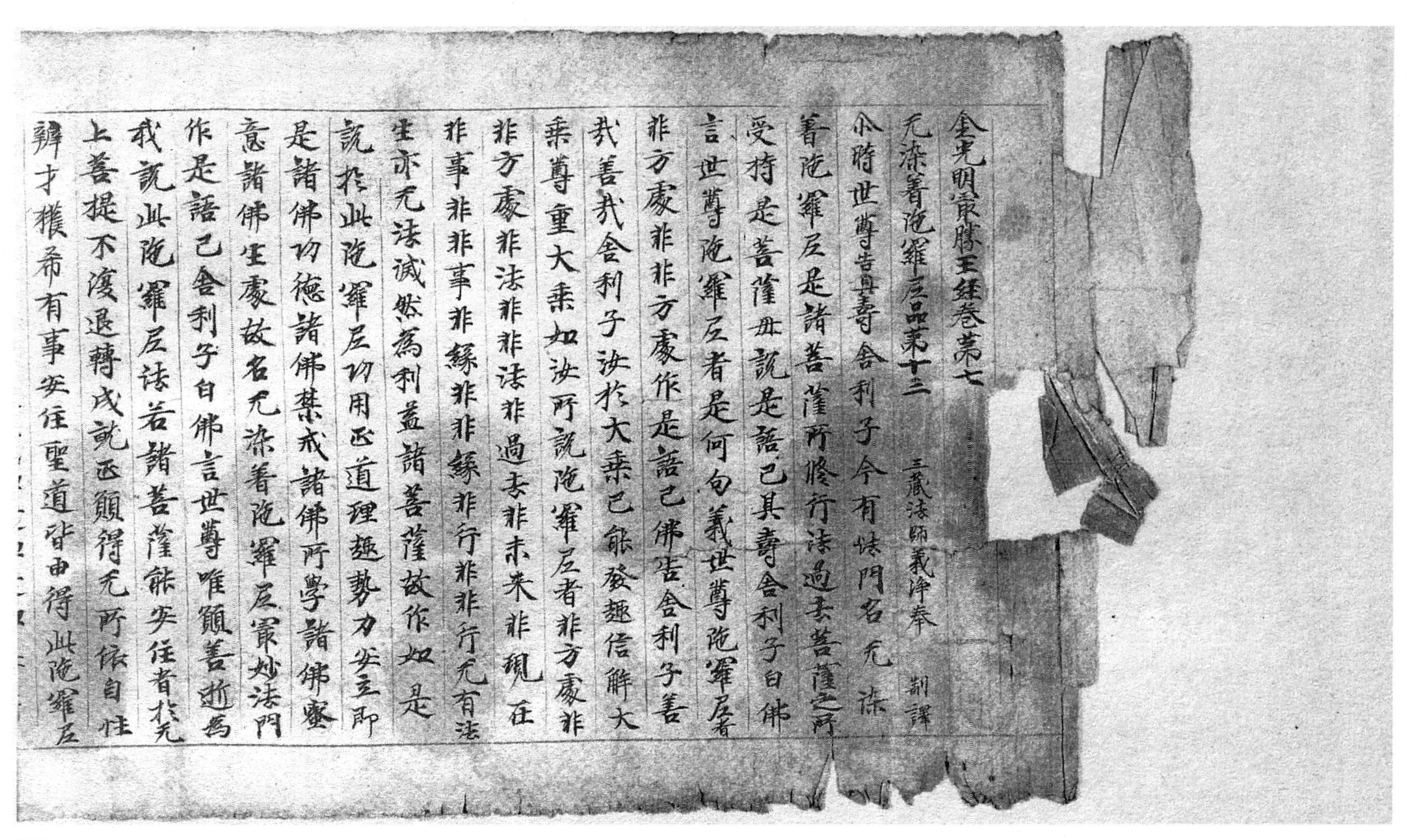
金光明最勝王經卷第七
无染著陀羅尼品第十三　三藏法師義淨奉　制譯
尒時世尊告具壽舍利子今有法門名无染
著陀羅尼是諸菩薩所修行法過去菩薩之所
受持是菩薩母說是語已具壽舍利子白佛
言世尊陀羅尼者是何句義世尊陀羅尼者
非方處非非方處作是語已佛告舍利子善
哉善哉舍利子汝於大乘已能發趣信解大
乘尊重大乘如汝所說陀羅尼者非方處非
非方處非法非非法非過去非未來非現在
非事非非事非緣非非緣非行非非行无有法
生亦无法滅然為利益諸菩薩故作如是
說於此陀羅尼功用正道理趣勢力安立即
是諸佛功德諸佛禁戒諸佛所學諸佛密
意諸佛生處故名无染著陀羅尼最妙法門
作是語已舍利子白佛言世尊唯願善逝為
我說此陀羅尼法若諸菩薩能安住者於无
上菩提不復退轉成就正願得无所依自性
辯才獲希有事安住聖道皆由得此陀羅尼

BD01233號　金光明最勝王經卷七　（8–1）

意諸佛生處故名无染著陀羅尼最妙法門
作是語已舍利子白佛言世尊唯願善逝為
我說此陀羅尼法若諸菩薩能安住者於无
上菩提不復退轉成就正願得无所依自性
辯才獲希有事安住聖道皆由得此陀羅尼
故佛告舍利子善哉善哉如是如是如汝所
說若有菩薩得此陀羅尼者應知是人與
佛无異若有供養尊重承事供給此菩薩者
應知即是供養於佛舍利子若有餘人聞此陀
羅尼受持讀誦生信解者亦應如是恭敬供
養與佛无異以是因緣獲无上果尒時世尊
即是演說陀羅尼曰
怛　姪　他　那伐喇你　嗢多喇你
蘇三鉢囉底瑟恥哆　蘇　那　麼
蘇鉢喇底瑟恥哆　鼻逝也跋　囉
薩底也鉢喇底慎若　蘇阿嚧　訶
慎若那未底　嗢波殫　你
阿伐那未　你　阿毗師殫　你
阿嚩毗耶　訶　囉　輸　婆　代　底
蘇尼室唎　多引　薄虎郡　社引
阿毗　婆　馱引　莎訶
佛告舍利子此无染著陀羅尼句若有菩薩
能善安住能正受持者當知是人若於一劫
若百劫若千劫若百千劫所發正願无有窮
盡身亦不被刀杖毒藥水火猛獸之所損害
何以故舍利子此无染著陀羅尼是過去諸
佛母未來諸佛母現在諸佛母舍利子若復

BD01233號　金光明最勝王經卷七　（8–2）

若百劫若千劫若百千劫所發正願无有窮
盡身亦不被刀杖毒藥水火猛獸之所損害
何以故舍利子此无染著陁羅尼是過去諸
佛母未來諸佛母現在諸佛母舍利子若復
有人以十阿僧企耶三千大千世界滿中七
寶奉施諸佛及以上妙衣服飲食種種供
養經无數劫若復有人於此陁羅尼乃至一句
能受持者所生之福倍多於彼何以故舍利
子此无染著陁羅尼甚深法門是諸佛母故
時具壽舍利子及諸大衆聞是說已皆大歡
喜咸願受持

金光明最勝王經如意寶珠品第十四

尒時世尊於大衆中告阿難陁曰汝等當知
有陁羅尼名如意寶珠遠離一切灾厄亦能
遮止諸惡雷電過去如來應正等覺所共宣
說我於今時於此經中亦為汝等大衆宣說
能於人天為大利益哀愍世間擁護一切令
得安樂時諸大衆及阿難陁聞佛語已各各
至誠瞻仰世尊聽受神呪佛言汝等諦聽於
此東方有光明電王名阿揭多南方有光明
電王名設羝嚕西方有光明電王名主多光
北方有光明電王名蘇多末尼若有善男子
善女人得聞如是電王名字及知方處者此
人即便遠離一切怖畏之事及諸灾橫悉皆
消殄若於住處書此四方電王名者於所住
處无雷電怖亦无灾厄及諸障惱非時枉死

BD01233號　金光明最勝王經卷七　（8–3）

善女人得聞如是電王名字及知方處者此
人即便遠離一切怖畏之事及諸灾橫悉皆
消殄若於住處書此四方電王名者於所住
處无雷電怖亦无灾厄及諸障惱非時枉死
悉皆遠離尒時世尊即說呪曰
怛　姪　他　你弭你弭你　弭
尼　民　遠　哩　室哩盧迦盧羯你
室哩輸攞　波　你　曷咯叉曷咯　叉
我某甲及此住處一切恐怖所有苦惱雷電
霹靂乃至枉死悉皆遠離莎訶
尒時觀自在菩薩摩訶薩在大衆中即從座
起偏袒右肩合掌恭敬白佛言世尊我今亦
於佛前略說如意寶珠神呪能於諸人天為大
利益哀愍世間擁護一切令得安樂有大威
力所求如願即說呪曰
怛姪他　喝　帝　毗喝帝你　喝　帝
鉢喇窒　體　雞　鉢喇底丁耶　蜜窒　囇
式提目羝毗末麗　鉢喇婆莎蘇活　囇
安荼誓入囇般荼囇　稅平聲　帝
般荼囉婆死　你　喝囇羯荼　引　囇
劫　畢　麗　水揭羅惡　綺
達　地　目　企　曷咯叉曷咯　叉
我某甲及此住處一切恐怖所有苦惱乃至
枉死悉皆遠離願我莫見罪惡之事常蒙
諸聖觀自在菩薩大悲威光之所護念莎訶
尒時執金剛秘密主菩薩即從座起合掌恭

BD01233號　金光明最勝王經卷七　（8–4）

枉死悉皆遠離願我莫見罪惡之事常蒙
諸聖觀自在菩薩大慈威光之所護念莎訶
尒時執金剛秘密主菩薩即從座起合掌恭
敬白佛言世尊我今亦說陀羅尼呪名曰无
勝於諸人天爲大利益哀愍世間擁護一切
有大威力所求如願即說呪曰
怛姪他毋你毋你　毋尼麗末底末底
蘇末底莫訶末底　呵呵呵磨婆以
那蘇底帝引波跛　跋折攞波你
惡鉗合大嫕嘌荼上　莎訶
世尊我此神呪名曰无勝擁護若有男女一
心受持書寫讀誦憶念不忘我於晝夜常
護是人於一切恐怖乃至枉死悉皆遠離尒
時索訶世界主梵天王即從座起合掌恭
敬白佛言世尊我亦有陀羅尼微妙法門於
諸人天爲大利益哀愍世間擁護一切有大
威力所求如願即說呪曰
怛　姪　他　醯里弭里弛里莎訶
跋羅鉗魔布孋　跋囉鉗末　謳
跋囉鉗麼獨鄧　補澀跛僧悉怛孋莎訶
世尊我此神呪名曰梵治悉能擁護持是呪
者令離憂惱及諸罪業乃至枉死悉皆遠離
尒時帝釋天主即從座起合掌恭敬白佛言
世尊我亦有陀羅尼名跋折羅扇你是大明
呪能除一切恐怖厄難乃至枉死悉皆遠離
拔苦與樂利益人天即說呪曰

BD01233 號　金光明最勝王經卷七　（8–5）

尒時帝釋天主即從座起合掌恭敬白佛言
世尊我亦有陀羅尼名跋折羅扇你是大明
呪能除一切恐怖厄難乃至枉死悉皆遠離
拔苦與樂利益人天即說呪曰
怛姪他毗你婆喇你　畔稚麿　彈　滯
麿藏你揭撇尒瞿哩　揵陀哩旃荼　哩
摩登耆上　卜羯死　薩羅跋喇鄧　去
呬娜末侄菩麼嘔多喇你　莫呼剌你達剌你計
斫羯囉婆枳　捨代哩奢代哩莎訶
尒時多聞天王持國天王增長天王廣目天
王俱從座起合掌恭敬白佛言世尊我今亦
有神呪名施一切衆生无畏於諸苦惱常爲
擁護令得安樂增益壽命无諸患苦乃至
枉死悉皆遠離即說呪曰
怛姪他補澀閉　蘇補澀閉
度麼鉢喇可麗　阿離耶鉢喇設悉帝
扇帝涅日帝　忙揭例窣覩帝
悉哆鼻帝　莎訶
尒時復有諸大龍王所謂末那斯龍王電光
龍王无熱池龍王電舌龍王妙光龍王俱從
座起合掌恭敬白佛言世尊我亦有如意寶
珠陀羅尼能遮惡電除諸恐怖能於人天爲
大利益哀愍世間擁護一切有大威力所求
如願乃至枉死悉皆遠離一切毒藥皆令止
白一切造作蠱道呪術不吉祥事悉令除滅
我今以此神呪奉獻世尊唯願哀愍慈悲

BD01233 號　金光明最勝王經卷七　（8–6）

大利益哀愍世間擁護一切有大威力所求
如願乃至枉死悉皆遠離一切毒藥皆令止
息一切造作蠱道呪術不吉祥事悉令除滅
我今以此神呪奉獻世尊唯願哀愍慈悲納
受當令我等離此龍趣永捨慳貪何以故
由此慳貪於生死中受諸苦惱我等願斷慳貪
種子即說呪曰
怛姪他 阿折羅 阿末羅 阿蜜㗚帝
惡叉裔阿裔 奔尼鉢剌耶 莎訶
薩婆波跛 鉢剌苫摩尼裔莎訶
阿離 裔 般豆蘇波尼裔莎訶
世尊若有善男子善女人口中說此陀羅尼
明呪或書經卷受持讀誦恭敬供養者終
無雷電霹靂及諸怨怖苦惱憂悲乃至枉死
悉皆遠離所有毒藥蠱魅厭禱害人虎狼
師子毒蛇之類乃至蚊虻悉不為害
尒時世尊普告大衆善哉善哉此等神呪
有大力能隨衆生心所求事悉令圓滿為大
利益除不至心汝等勿疑時諸大衆聞佛說
已歡喜信受
金光明最勝王經大辯才天女品第十五
尒時大辯才天女於大衆中即從座起頂禮
佛足白佛言世尊若有法師說是金光明最
勝王經者我當益其智慧具足莊嚴言說之
辯若彼法師於此經中文字句義所有忘失
皆令憶持能善開悟復與陀羅尼總持無礙

BD01233號　金光明最勝王經卷七　（8–7）

師子毒蛇之類乃至蚊虻悉不為害
尒時世尊普告大衆善哉善哉此等神呪
有大力能隨衆生心所求事悉令圓滿為大
利益除不至心汝等勿疑時諸大衆聞佛說
已歡喜信受
金光明最勝王經大辯才天女品第十五
尒時大辯才天女於大衆中即從座起頂禮
佛足白佛言世尊若有法師說是金光明最
勝王經者我當益其智慧具足莊嚴言說之
辯若彼法師於此經中文字句義所有忘失
皆令憶持能善開悟復與陀羅尼總持無礙
又此金光明最勝王經為彼有情已於百千
佛所種諸善根常受持者於贍部洲廣行流
布不速隱沒復令無量有情聞是經典皆得
不可思議捷利辯才無盡大慧善解衆論

BD01233號　金光明最勝王經卷七　（8–8）

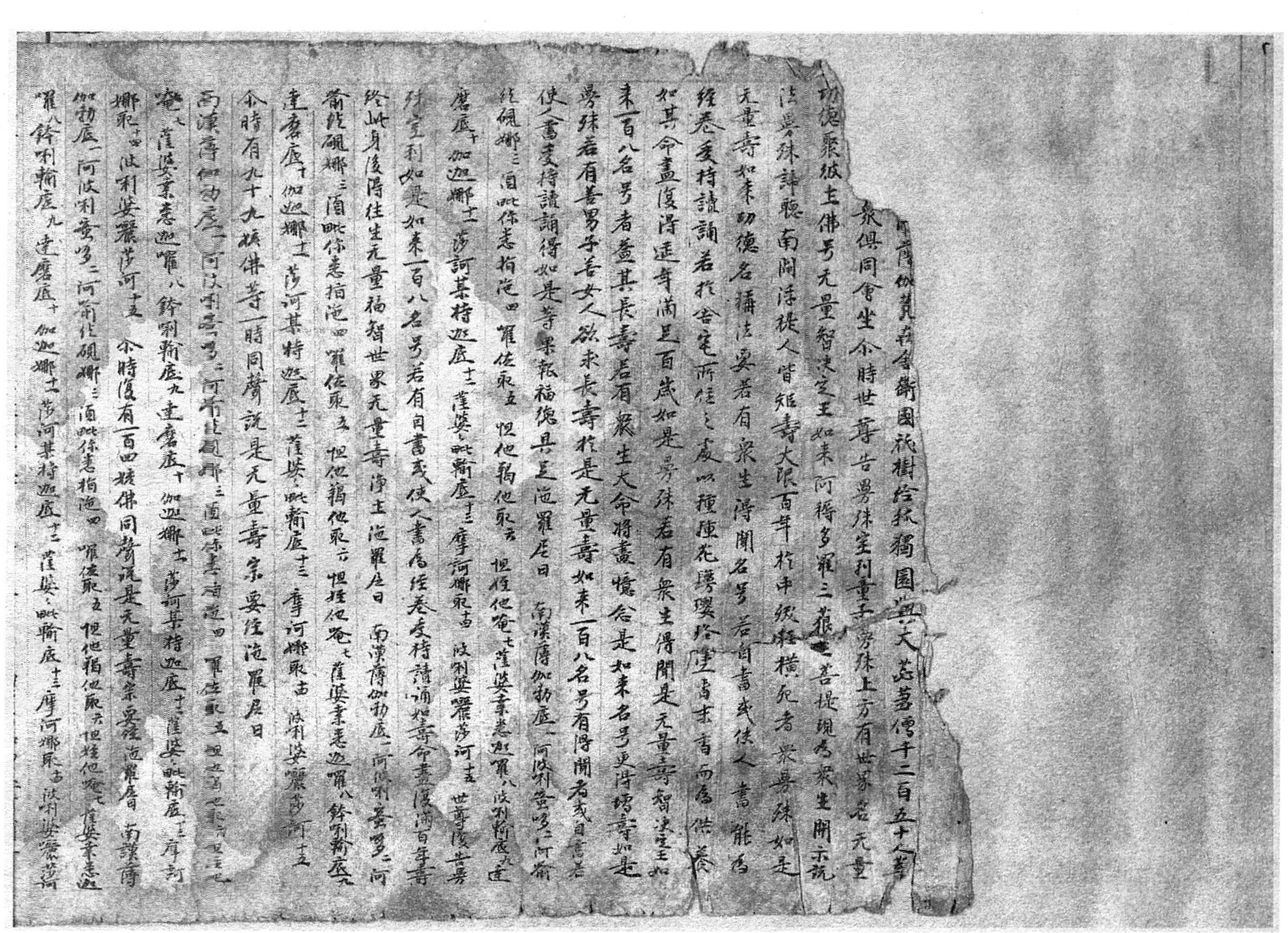

BD01234號　無量壽宗要經　（6–1）

BD01234號　無量壽宗要經　（6–2）

BD01234號　無量壽宗要經　（6–3）

BD01234號　無量壽宗要經　（6–4）

……於三千大千世界滿中七寶布施陁羅尼曰 南謨薄伽勃底一 阿波利蜜多
二 阿喻紇硯娜三 須毗你悉指陀四 羅佐耶五 怛他羯他耶六 怛姪他唵七 薩婆桑悉迦羅八 波利輸底九
達磨底十 伽伽娜十一 莎訶某持迦底十二 薩婆毗輸底十三 摩訶娜耶十四 波利婆羅莎訶十五 若有能
供養是經者則是供養一切諸經等無有異陁羅尼曰 南謨薄伽勃底一 阿波利蜜多二 阿喻紇
硯娜三 須毗你悉指陀四 羅佐耶五 怛他羯他耶六 怛姪他唵七 薩婆桑悉迦羅八 鉢利輸底九 達磨
底十 伽伽娜十一 莎訶某持迦底十二 薩婆毗輸底十三 摩訶娜耶十四 波利婆羅莎訶十五
如是毗婆佛 尸棄佛 毗舍浮佛 俱留孫佛 俱那含牟尼佛 迦葉佛 釋迦牟尼佛 若有
人以七寶供養如是七佛其福有限書寫受持是無量經典所有功德不可限量陁羅
尼曰 南謨薄伽勃底一 阿波利蜜多二 阿喻紇硯娜三 須毗你悉指陀四 羅佐耶五 怛他羯他
耶六 怛姪他唵七 薩婆桑悉迦羅八 鉢利輸底九 達磨底十 伽伽娜十一 莎訶某持迦底十二
薩婆毗輸底十三 摩訶娜耶十四 波利婆羅莎訶十五 若有七寶等於須彌以用布施其福上能知
其限量是無量壽經典其福不可知數量陁羅尼曰 南謨薄伽勃底一 阿波利蜜多二 阿喻
紇硯娜三 須毗你悉指陀四 羅佐耶五 怛他羯他耶六 怛姪他唵七 薩婆桑悉迦羅八 鉢利輸底
九 達磨底十 伽伽娜十一 莎訶某持迦底十二 薩婆毗輸底十三 摩訶娜耶十四 波利婆羅莎訶十五
如是四大海水可知滴數是無量壽經典所生果報不可數量陁羅尼曰 南謨薄伽勃底一
阿波利蜜多二 阿喻紇硯娜三 須毗你悉指陀四 羅佐耶五 怛他羯他耶六 怛姪他唵七 薩婆桑悉
迦羅八 鉢利輸底九 達磨底十 伽伽娜十一 莎訶某持迦底十二 薩婆毗輸底十三 摩訶娜耶十四
波利婆羅莎訶十五 若有自書使人書寫是無量壽經典又能護持供養即如來致供養一
切十方佛土如來無有別異陁羅尼曰 南謨薄伽勃底一 阿波利蜜多二 阿喻紇硯
娜三 須毗你悉指陀四 羅佐耶五 怛他羯他耶六 怛姪他唵七 薩婆桑悉迦羅八 鉢利輸底九
達磨底十 伽伽娜十一 莎訶某持迦底十二 薩婆毗輸底十三 摩訶娜耶十四 波利婆羅莎訶十五
布施力能成正覺 悟布施力人師子 布施力能聲普聞 慈悲消漸最能入
持戒力能成正覺 悟持戒力人師子 持戒力能聲普聞 慈悲消漸最能入
忍辱力能成正覺 悟忍辱力人師子 忍辱力能聲普聞 慈悲消漸最能入
精進力能成正覺 悟精進力人師子 精進力能聲普聞 慈悲消漸最能入
禪定力能成正覺 悟禪定力人師子 禪定力能聲普聞 慈悲消漸最能入
智慧力能成正覺 悟智慧力人師子 智慧力能聲普聞 慈悲消漸最能入
尒時如來說是經已一切世間天人阿脩羅揵闥婆等聞
佛所說皆大歡喜信受奉行
佛說無量壽宗要經

BD01234號　無量壽宗要經　（6–5）

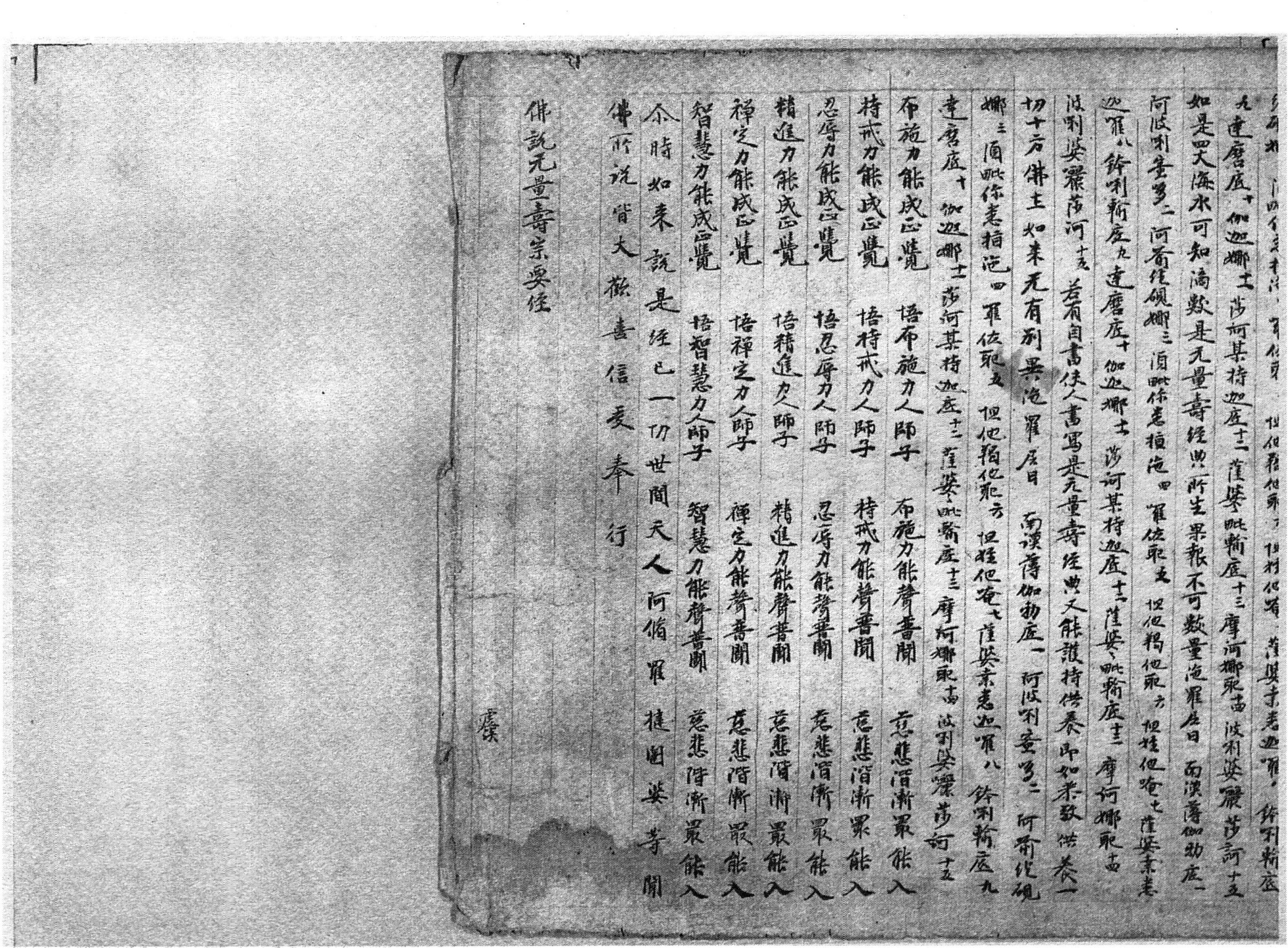
九 達磨底十 伽伽娜十一 莎訶某持迦底十二 薩婆毗輸底十三 摩訶娜耶十四 波利婆羅莎訶十五
如是四大海水可知滴數是無量壽經典所生果報不可數量陁羅尼曰 南謨薄伽勃底一
阿波利蜜多二 阿喻紇硯娜三 須毗你悉指陀四 羅佐耶五 怛他羯他耶六 怛姪他唵七 薩婆桑悉
迦羅八 鉢利輸底九 達磨底十 伽伽娜十一 莎訶某持迦底十二 薩婆毗輸底十三 摩訶娜耶十四
波利婆羅莎訶十五 若有自書使人書寫是無量壽經典又能護持供養即如來致供養一
切十方佛土如來無有別異陁羅尼曰 南謨薄伽勃底一 阿波利蜜多二 阿喻紇硯
娜三 須毗你悉指陀四 羅佐耶五 怛他羯他耶六 怛姪他唵七 薩婆桑悉迦羅八 鉢利輸底九
達磨底十 伽伽娜十一 莎訶某持迦底十二 薩婆毗輸底十三 摩訶娜耶十四 波利婆羅莎訶十五
布施力能成正覺 悟布施力人師子 布施力能聲普聞 慈悲消漸最能入
持戒力能成正覺 悟持戒力人師子 持戒力能聲普聞 慈悲消漸最能入
忍辱力能成正覺 悟忍辱力人師子 忍辱力能聲普聞 慈悲消漸最能入
精進力能成正覺 悟精進力人師子 精進力能聲普聞 慈悲消漸最能入
禪定力能成正覺 悟禪定力人師子 禪定力能聲普聞 慈悲消漸最能入
智慧力能成正覺 悟智慧力人師子 智慧力能聲普聞 慈悲消漸最能入
尒時如來說是經已一切世間天人阿脩羅揵闥婆等聞
佛所說皆大歡喜信受奉行
佛說無量壽宗要經

BD01234號　無量壽宗要經　（6–6）

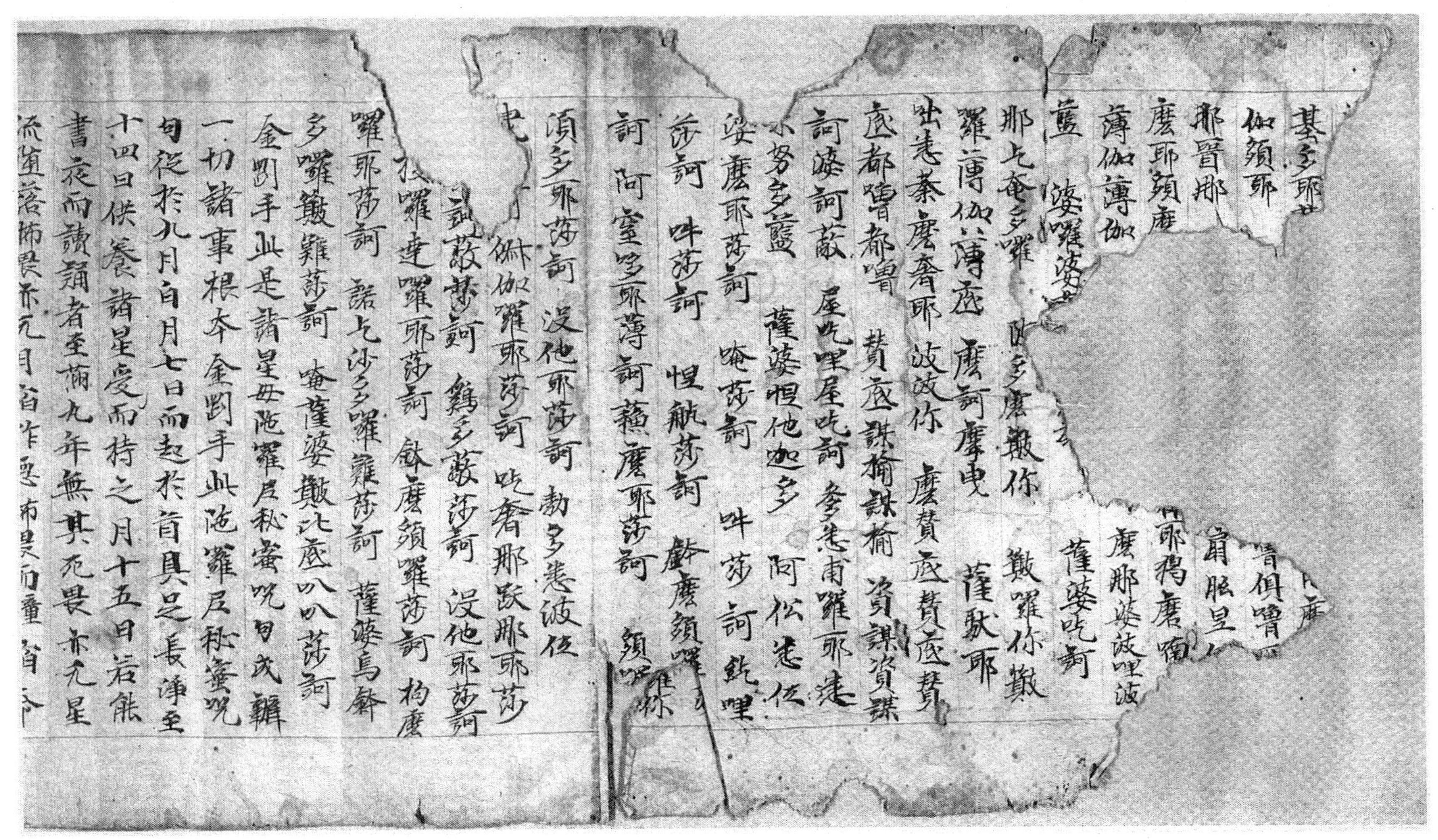

BD01235號　諸星母陀羅尼經　　（2–1）

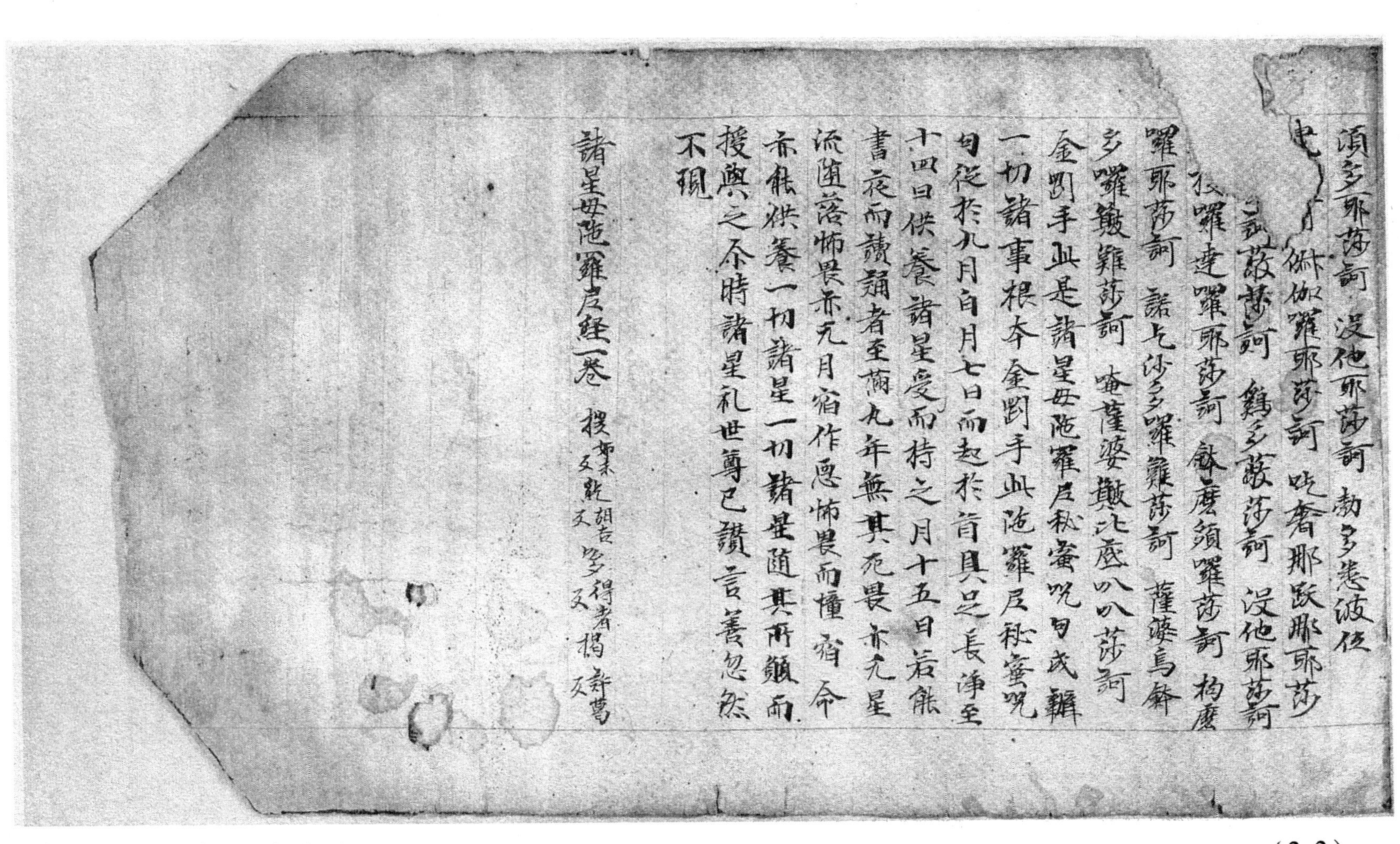

BD01235號　諸星母陀羅尼經　　（2–2）

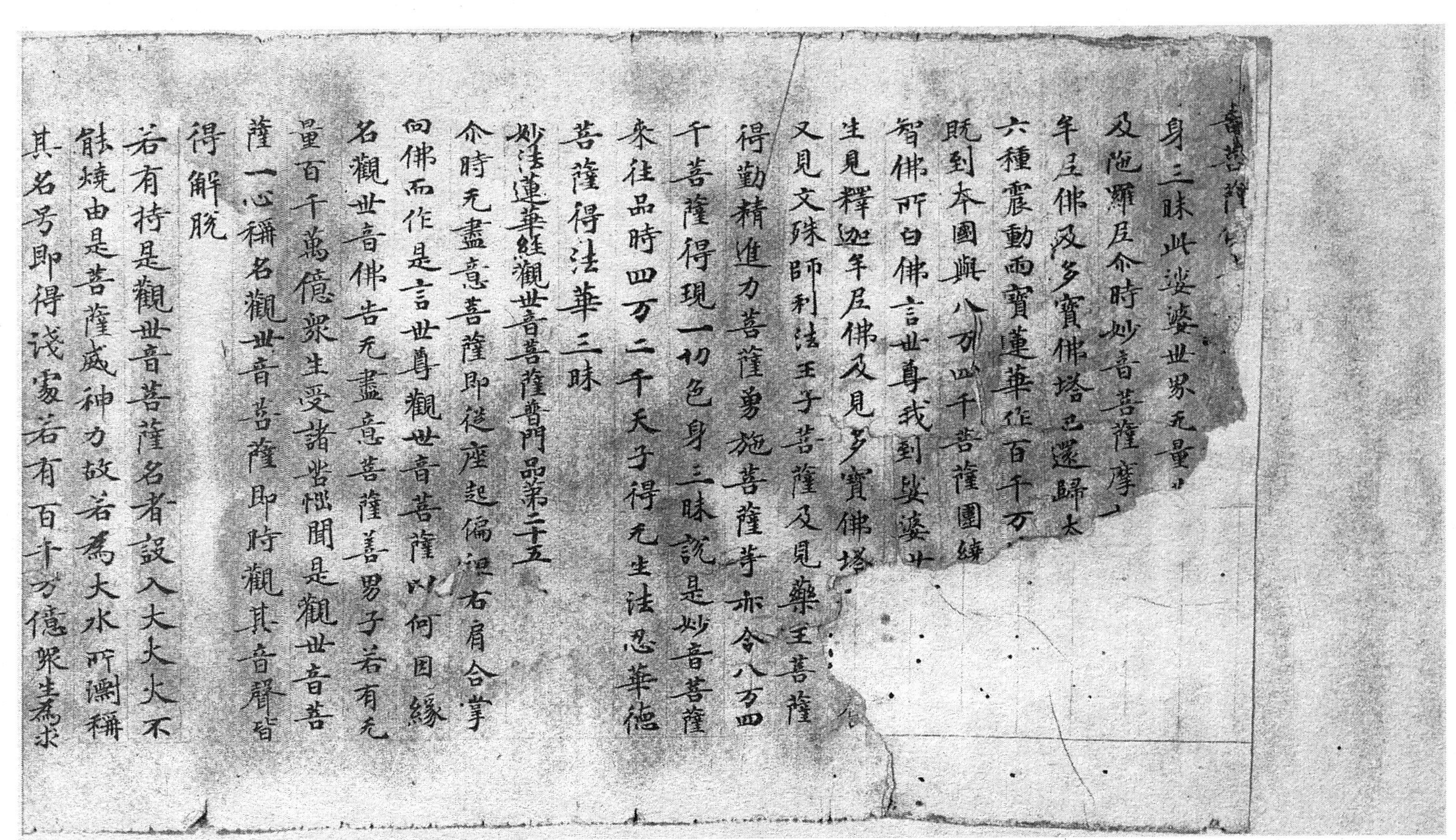
音菩薩…
身三昧此娑婆世界无量…
及陁羅尼介時妙音菩薩摩訶
牟尼佛及多寶佛塔已還歸本
六種震動雨寶蓮華作百千万
既到本國與八万四千菩薩圍繞
智佛所白佛言世尊我到娑婆世
生見釋迦牟尼佛及見多寶佛塔
又見文殊師利法王子菩薩及見藥王菩薩
得勤精進力菩薩勇施菩薩等亦令八万四
千菩薩得現一切色身三昧說是妙音菩薩
來往品時四万二千天子得无生法忍華德
菩薩得法華三昧
妙法蓮華經觀世音菩薩普門品第二十五
介時无盡意菩薩即從座起偏袒右肩合掌
向佛而作是言世尊觀世音菩薩以何因緣
名觀世音佛告无盡意菩薩善男子若有无
量百千万億眾生受諸苦惱聞是觀世音菩
薩一心稱名觀世音菩薩即時觀其音聲皆
得解脫
若有持是觀世音菩薩名者設入大火火不
能燒由是菩薩威神力故若為大水所漂稱
其名号即得淺處若有百千万億眾生為求

BD01236號　妙法蓮華經卷七　　（21–1）

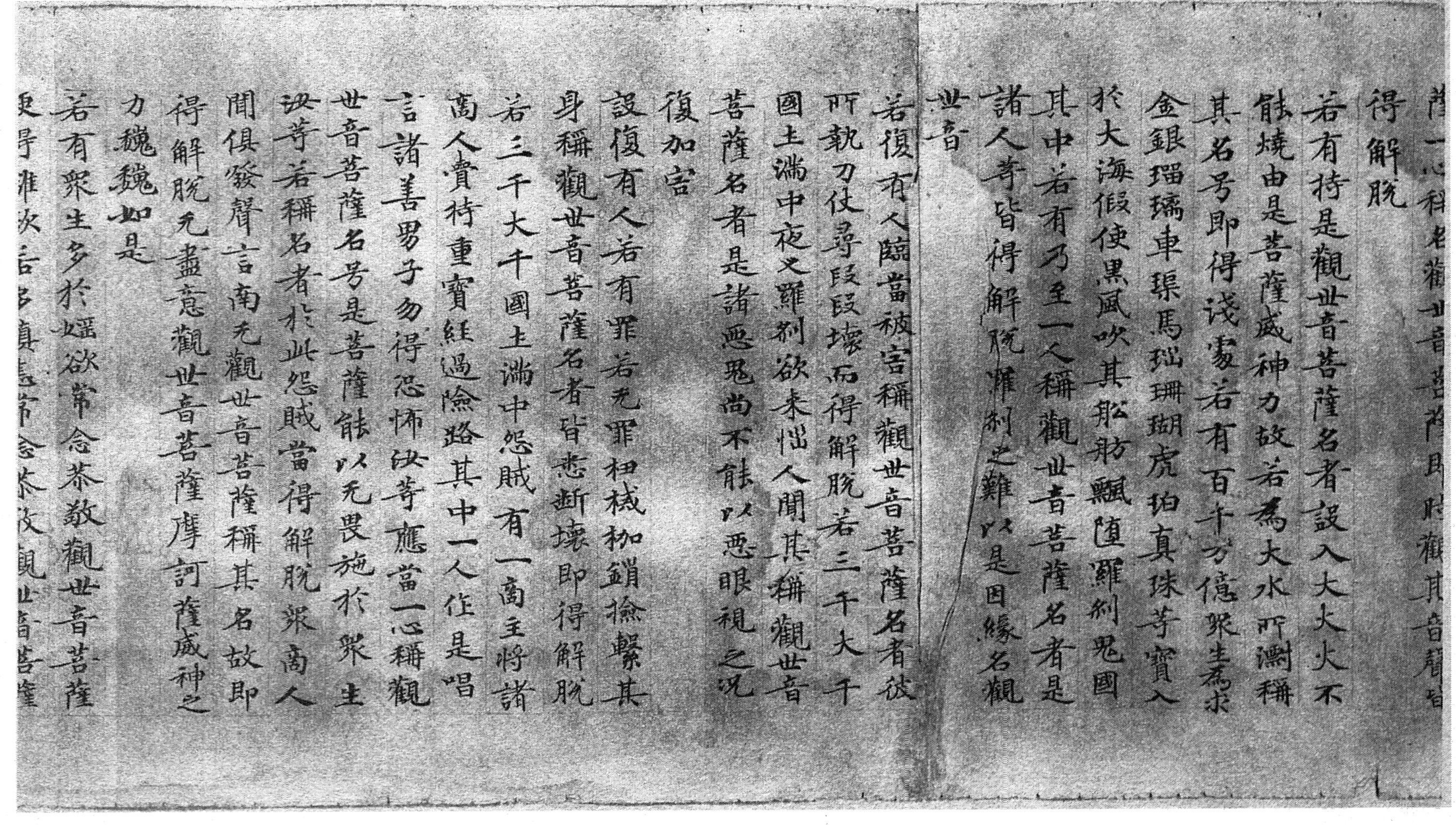
薩一心稱名觀世音菩薩即時觀其音聲皆
得解脫
若有持是觀世音菩薩名者設入大火火不
能燒由是菩薩威神力故若為大水所漂稱
其名号即得淺處若有百千万億眾生為求
金銀瑠璃車𤦲馬瑙珊瑚虎珀真珠等寶入
於大海假使黑風吹其船舫飄墮羅剎鬼國
其中若有乃至一人稱觀世音菩薩名者是
諸人等皆得解脫羅剎之難以是因緣名觀
世音
若復有人臨當被害稱觀世音菩薩名者彼
所執刀杖尋段段壞而得解脫若三千大千
國土滿中夜叉羅剎欲來惱人聞其稱觀世音
菩薩名者是諸惡鬼尚不能以惡眼視之況
復加害
設復有人若有罪若无罪杻械枷鎖檢繫其
身稱觀世音菩薩名者皆悉斷壞即得解脫
若三千大千國土滿中怨賊有一商主將諸
商人賫持重寶經過嶮路其中一人作是唱
言諸善男子勿得恐怖汝等應當一心稱觀
世音菩薩名号是菩薩能以无畏施於眾生
汝等若稱名者於此怨賊當得解脫眾商人
聞俱發聲言南无觀世音菩薩稱其名故即
得解脫无盡意觀世音菩薩摩訶薩威神之
力巍巍如是
若有眾生多於婬欲常念恭敬觀世音菩薩
便得離欲若多瞋恚常念恭敬觀世音菩薩

BD01236號　妙法蓮華經卷七　　（21–2）

聞俱發聲言南无觀世音菩薩稱其名故即
得解脫无盡意觀世音菩薩摩訶薩威神之
力巍巍如是
若有衆生多於婬欲常念恭敬觀世音菩薩
便得離欲若多瞋恚常念恭敬觀世音菩薩
便得離瞋若多愚癡常念恭敬觀世音菩薩
便得離癡无盡意觀世音菩薩有如是等大
威神力多所饒益是故衆生常應心念
若有女人設欲求男礼拜供養觀世音菩薩
便生福德智慧之男設欲求女便生端正有
相之女宿殖德本衆人愛敬无盡意觀世音
菩薩有如是力若有衆生恭敬礼拜觀世音
菩薩福不唐捐是故衆生皆應受持觀世音
菩薩名号无盡意若有人受持六十二億恒
河沙菩薩名字復盡形供養飲食衣服臥具
醫藥於汝意云何是善男子善女人功德多
不无盡意言甚多世尊佛言若復有人受持
觀世音菩薩名号乃至一時礼拜供養是二
人福正等无異於百千万億劫不可窮盡无
盡意受持觀世音菩薩名号得如是无量无
邊福德之利
无盡意菩薩白佛言世尊觀世音菩薩云何
遊此娑婆世界云何而為衆生說法方便之
力其事云何佛告无盡意菩薩善男子若有
國土衆生應以佛身得度者觀世音菩薩即

BD01236號　妙法蓮華經卷七　（21–3）

无盡意菩薩白佛言世尊觀世音菩薩云何
遊此娑婆世界云何而為衆生說法方便之
力其事云何佛告无盡意菩薩善男子若有
國土衆生應以佛身得度者觀世音菩薩即
現佛身而為說法應以辟支佛身得度者即
現辟支佛身而為說法應以聲聞身得度者
即現聲聞身而為說法應以梵王身得度者
即現梵王身而為說法應以帝釋身得度者
即現帝釋身而為說法應以自在天身得度
者即現自在天身而為說法應以大自在天
身得度者即現大自在天身而為說法應以
天大將軍身得度者即現天大將軍身而為
說法應以毗沙門身得度者即現毗沙門身
而為說法應以小王身得度者即現小王身
而為說法應以長者身得度者即現長者身
而為說法應以居士身得度者即現居士身
而為說法應以宰官身得度者即現宰官身
而為說法應以婆羅門身得度者即現婆羅
門身而為說法應以比丘比丘尼優婆塞優
婆夷身得度者即現比丘比丘尼優婆塞優
婆夷身而為說法應以長者居士宰官婆羅
門婦女身得度者即現婦女身而為說法應
以童男童女身得度者即現童男童女身而
為說法應以天龍夜叉乾闥婆阿脩羅迦樓
羅緊那羅摩睺羅伽人非人等身得度者即

BD01236號　妙法蓮華經卷七　（21–4）

門婦女身得度者即現婦女身而為說法應
以童男童女身得度者即現童男童女身而
為說法應以天龍夜叉乾闥婆阿脩羅迦樓
羅緊那羅摩睺羅伽人非人等身得度者即
皆現之而為說法應以執金剛神得度者即
現執金剛神而為說法无盡意是觀世音菩薩
成就如是功德以種種形遊諸國土度脫眾生
是故汝等應當一心供養觀世音菩薩是觀
世音菩薩摩訶薩於怖畏急難之中能施无
畏是故此娑婆世界皆号之為施无畏者无
盡意菩薩白佛言世尊我今當供養觀世
音菩薩即解頸眾寶珠瓔珞價直百千兩金
而以與之作是言仁者受此法施珎寶瓔珞時
觀世音菩薩不肯受之无盡意復白觀世音
菩薩言仁者愍我等故受此瓔珞
尒時佛告觀世音菩薩當愍此无盡意菩薩
及四眾天龍夜叉乾闥婆阿脩羅迦樓羅緊
那羅摩睺羅伽人非人等故受是瓔珞即時
觀世音菩薩愍諸四眾及於天龍人非人等
受其瓔珞分作二分一分奉釋迦牟尼佛一
分奉多寶佛塔无盡意觀世音菩薩有如是
自在神力遊於娑婆世界
尒時无盡意菩薩以偈問曰
世尊妙相具　我今重問彼　佛子何因緣　名為觀世音
具足妙相尊　偈荅无盡意　汝聽觀音行　善應諸方所
弘誓深如海　歷劫不思議　侍多千億佛　發大清淨願

BD01236號　妙法蓮華經卷七　（21-5）

尒時无盡意菩薩以偈問曰
世尊妙相具　我今重問彼　佛子何因緣　名為觀世音
具足妙相尊　偈荅无盡意　汝聽觀音行　善應諸方所
弘誓深如海　歷劫不思議　侍多千億佛　發大清淨願
我為汝略說　聞名及見身　心念不空過　能滅諸有苦
假使興害意　推落大火坑　念彼觀音力　火坑變成池
或漂流巨海　龍魚諸鬼難　念彼觀音力　波浪不能沒
或在須弥峯　為人所推墮　念彼觀音力　如日虛空住
或被惡人逐　墮落金剛山　念彼觀音力　不能損一毛
或值怨賊遶　各執刀加害　念彼觀音力　咸即起慈心
或遭王難苦　臨刑欲壽終　念彼觀音力　刀尋段段壞
或囚禁枷鎖　手足被杻械　念彼觀音力　釋然得解脫
呪詛諸毒藥　所欲害身者　念彼觀音力　還著於本人
或遇惡羅剎　毒龍諸鬼等　念彼觀音力　時悉不敢害
若惡獸圍遶　利牙爪可怖　念彼觀音力　疾走无邊方
蚖虵及蝮蝎　氣毒煙火然　念彼觀音力　尋聲自迴去
雲雷鼓掣電　降雹澍大雨　念彼觀音力　應時得消散
眾生被困厄　无量苦逼身　觀音妙智力　能救世間苦
具足神通力　廣脩智方便　十方諸國土　无刹不現身
種種諸惡趣　地獄鬼畜生　生老病死苦　以漸悉令滅
真觀清淨觀　廣大智慧觀　悲觀及慈觀　常願常瞻仰
无垢清淨光　慧日破諸闇　能伏災風火　普明照世間
悲體戒雷震　慈意妙大雲　澍甘露法雨　滅除煩惱焰
諍訟經官處　怖畏軍陣中　念彼觀音力　眾怨悉退散
妙音觀世音　梵音海潮音　勝彼世間音　是故須常念
念念勿生疑　觀世音淨聖　於苦惱死厄　能為作依怙

BD01236號　妙法蓮華經卷七　（21-6）

无垢清淨光　慧日破諸暗　能伏灾風火　普明照世間
悲體戒雷震　慈意妙大雲　澍甘露法雨　滅除煩惱焰
諍訟逕官處　怖畏軍陣中　念彼觀音力　衆怨悉退散
妙音觀世音　梵音海潮音　勝彼世間音　是故須常念
念念勿生疑　觀世音淨聖　於苦惱死厄　能爲作依怙
具一切功德　慈眼視衆生　福聚海无量　是故應頂礼
尒時持地菩薩即從座起前白佛言世尊若
有衆生聞是觀世音菩薩品自在之業普門
示現神通力者當知是人功德不少佛說是
普門品時衆中八万四千衆生皆發无等等
阿耨多羅三藐三菩提心
妙法蓮華經陁羅尼品第二十六
尒時藥王菩薩即從座起偏袒右肩合掌向
佛而白佛言世尊若善男子善女人有能受
持法華經者若讀誦通利若書寫經卷得幾
所福佛告藥王若有善男子善女人供養八百
萬億那由他恒河沙等諸佛於汝意云何其
所得福寧爲多不甚多世尊佛言若善男子
善女人能於是經乃至受持一四句偈讀誦
解義如說脩行功德甚多尒時藥王菩薩白
佛言世尊我今當與說法者陁羅尼呪以守
護之即說呪曰
安尒一　曼尒二　摩祢三　摩摩祢四　旨隸五　遮
梨第六　賒咩羊鳴音七　賒履四雉反　多瑋八　羶輸千反　帝
九　目帝十　目多履十一　娑履十二　阿瑋娑履十三　桑履
十四　娑履十五　叉裔十六　阿叉裔十七　阿耆膩十八　羶帝

BD01236號　妙法蓮華經卷七　（21–7）

護之即說呪曰
安尒一　曼尒二　摩祢三　摩摩祢四　旨隸五　遮
梨第六　賒咩羊鳴音七　賒履四雉反　多瑋八　羶輸千反　帝
九　目帝十　目多履十一　娑履十二　阿瑋娑履十三　桑履
十四　娑履十五　叉裔十六　阿叉裔十七　阿耆膩十八　羶帝
十九　賒履二十　陁羅尼廿一　阿盧伽婆娑蔌奈反　蔗毗
叉膩廿二　祢毗剃廿三　阿便哆郁餓反　邏祢履剃廿四
阿亶哆隸輸地途買反廿五　漚究隸廿六　牟究隸廿七　阿羅
隸廿八　波羅隸廿九　首迦差初几反三十　阿三磨三履卅一
佛馱毗吉利袠帝卅二　達磨波利差猜離反　帝卅三
僧伽涅瞿沙祢卅四　婆舍婆舍輸地卅五　曼哆邏卅六
曼哆邏叉夜多卅七　郵樓哆卅八　郵樓哆憍舍略木加反卅九
惡叉邏卌　惡叉冶多冶卌一　阿婆盧卌二　阿摩若
荏蔗反　那多夜卌三
世尊是陁羅尼神呪六十二恒河沙等諸佛
所說若有侵毀此法師者則爲侵毀是諸佛
已時釋迦牟尼佛讚藥王菩薩言善哉善哉
藥王汝愍念擁護此法師故說是陁羅尼於
諸衆生多所饒益
尒時勇施菩薩白佛言世尊我亦爲擁護讀
誦受持法華經者說陁羅尼此法師得是
陁羅尼若夜叉若羅刹若富單那若吉蔗若
鳩槃荼若餓鬼等伺求其短无能得便即於
佛前而說呪曰
痤指蟹反　隸一　摩訶痤隸二　郁枳三　目枳四　阿隸
五　阿羅婆第六　涅隸第七　涅隸多婆第八　伊

BD01236號　妙法蓮華經卷七　（21–8）

佛前而說呪曰
痤揩畔又隸一摩訶痤隸二郁枳三目枳四阿隸
五阿羅婆第六涅隸第七涅隸多婆第八伊
緻猪履反柅九韋緻柅十旨緻柅十一涅隸墀柅十二
涅犁墀婆底十三
世尊是陀羅尼神呪恒河沙等諸佛所說亦
皆隨喜若有侵毀此法師者則為侵毀是諸
佛已
尒時毗沙門天王護世者白佛言世尊我亦
為愍念衆生擁護此法師故說是陀羅尼即
說呪曰
阿梨一那梨二㝹那梨三阿那盧四那履五
拘那履六
世尊以是神呪擁護法師我亦自當擁護持
是經者令百由旬內无諸衰患
尒時持國天王在此會中與千萬億那由他
乾闥婆衆恭敬圍繞前詣佛所合掌白佛言
世尊我亦以陀羅尼神呪擁護持法華經者
即說呪曰
阿伽祢一伽祢二瞿利三乾陀利四旃陀利五
摩蹬耆六常求利七浮樓莎柅八頞底九
世尊是陀羅尼神呪四十二億諸佛所說若
有侵毀此法師者即為侵毀是諸佛已
尒時有羅刹女等一名藍婆二名毗藍婆三
名曲齒四名華齒五名黑齒六名多髮七名

BD01236號　妙法蓮華經卷七　（21-9）

世尊是陀羅尼神呪四十二億諸佛所說若
有侵毀此法師者即為侵毀是諸佛已
尒時有羅刹女等一名藍婆二名毗藍婆三
名曲齒四名華齒五名黑齒六名多髮七名
无猒足八名持瓔珞九名睪帝十名奪一切
衆生精氣是十羅刹女與鬼子母并其子及
眷屬俱詣佛所同聲白佛言世尊我等亦欲
擁護讀誦受持法華經者除其衰患若有伺
求法師短者令不得便即於佛前而說呪曰
伊提履一伊提泯二伊提履三阿提履四伊
提履五泥履六泥履七泥履八泥履九泥履
十樓醯十一樓醯十二樓醯十三樓醯十四多醯十五多醯
十六多醯十七兜醯十八㝹醯十九
寧上我頭上莫惱於法師若夜叉若羅刹若
餓鬼若富單那若吉蔗若毗陀羅若揵馱若
烏摩勒伽若阿跋摩羅若夜叉吉蔗若人吉
蔗若熱病若一日若二日若三日若四日若至
七日若常熱病若男形若女形若童男形
若童女形乃至夢中亦復莫惱即於佛前
而說偈言
若不順我呪　惱亂說法者　頭破作七分　如阿梨樹枝
如煞父母罪　亦如壓油殃　斗秤欺誑人　調達破僧罪
犯此法師者　當獲如是殃
諸羅刹女說此偈已白佛言世尊我等亦當
身自擁護受持讀誦脩行是經者令得安隱

BD01236號　妙法蓮華經卷七　（21-10）

[illegible]
犯此法師者　當獲如是殃
諸羅剎女說此偈已白佛言世尊我等亦當
身自擁護受持讀誦脩行是經者令得安隱
離諸衰患消衆毒藥佛告諸羅剎女善哉善
哉汝等但能擁護受持法華名者福不可量
何況擁護具足受持供養經卷華香瓔珞抹
香塗香燒香幡蓋伎樂然種種燈蘇燈油燈諸
香油燈蘇摩那華油燈瞻蔔華油燈婆師
迦華油燈優鉢羅華油燈如是等百千種供
養者睪帝汝等及眷屬應當擁護如是法師
說是陀羅尼品時六萬八千人得无生法忍
妙法蓮華經妙莊嚴王本事品第二十七
尒時佛告諸大衆乃往古世過无量无邊不可
思議阿僧祇劫有佛名雲雷音宿王華智多
陀阿伽度阿羅訶三藐三佛陀國名光明莊
嚴劫名憙見彼佛法中有王名妙莊嚴其王
夫人名曰淨德有二子一名淨藏二名淨眼
是二子有大神力福德智慧久脩菩薩所行
之道所謂檀波羅蜜尸羅波羅蜜羼提波羅
蜜毗梨耶波羅蜜禪波羅蜜般若波羅蜜方
便波羅蜜慈悲喜捨乃至三十七品助道
法皆悉明了通達又得菩薩淨三昧日星宿
三昧淨光三昧淨色三昧淨照明三昧長莊
嚴三昧大威德藏三昧於此三昧亦悉通達
尒時彼佛欲引導妙莊嚴王及愍念衆生故

BD01236號　妙法蓮華經卷七　（21–11）

三昧淨光三昧淨色三昧淨照明三昧長莊
嚴三昧大威德藏三昧於此三昧亦悉通達
尒時彼佛欲引導妙莊嚴王及愍念衆生故
說是法華經時淨藏淨眼二子到其母所合
十指爪掌白言願母往詣雲雷音宿王華智
佛所我等亦當侍從親近供養禮拜所以者
何此佛於一切天人衆中說法華經宜應聽
受母告子言汝父信受外道深著婆羅門法
汝等應往白父與共俱去淨藏淨眼合十指
爪掌白母我等是法王子而生此耶見家母
告子言汝等當憂念汝父為現神變若得見
者心必清淨或聽我等往至佛所於是二子
念其父故踊在虛空高七多羅樹現種種神
變於虛空中行住坐臥身上出水身下出火
身下出水身上出火或現大身滿虛空中而
復現小小復現大於空中滅忽然在地入地
如水履水如地現如是等種種神變令其父
王心淨信解時父見子神力如是心大歡喜
得未曾有合掌向子言汝等師為是誰誰之
弟子二子白言大王彼雲雷音宿王華智佛
今在七寶菩提樹下法座上坐於一切世間天
人衆中廣說法華經是我等師我是弟子
父語子言我今亦欲見汝等師可共俱往於
是二子從空中下到其母所合掌白母父王今
已信解堪任發阿耨多羅三藐三菩提心我
[illegible]

BD01236號　妙法蓮華經卷七　（21–12）

今在七寶菩提樹下法座上坐於一切世間天
人衆中廣説法華經是我等師我是弟子
父語子言我今亦欲見汝等師可共俱往於
是二子從空中下到其母所合掌白母父王今
已信解堪任發阿耨多羅三藐三菩提心我
等為父已作佛事願母見聽於彼佛所出家
脩道尒時二子欲重宣其意以偈白母
願母放我等　出家作沙門　諸佛甚難值　我等隨佛學
如優曇鉢羅　值佛復難是　脫諸難亦難　願聽我出家
母即告言聽汝出家所以者何佛難值故於
是二子白父母言善哉父母願時往詣雲雷音
宿王華智佛所親近供養所以者何佛難得
值如優曇鉢羅華又如一眼之龜值浮木孔
而我等宿福深厚生值佛法是故父母當聽
我等令得出家所以者何諸佛難值時亦難
遇彼時妙莊嚴王後宮八萬四千人皆悉堪
任受持是法華經淨眼菩薩於法華三昧久
已通達淨藏菩薩已於无量百千万億劫通
達離諸惡趣三昧欲令一切衆生離諸惡趣
故其王夫人得諸佛集三昧能知諸佛秘密
之藏二子如是以方便力善化其父令心信解
好樂佛法於是妙莊嚴王與羣臣眷屬俱
淨德夫人與後宮婇女眷屬俱其王二子與
四万二千人俱一時共詣佛所到已頭面礼
足遶佛三匝却住一面
尒時彼佛為王說法示教利喜王大歡悅尒時

BD01236號　妙法蓮華經卷七　（21-13）

四万二千人俱一時共詣佛所到已頭面礼
足遶佛三匝却住一面
尒時彼佛為王說法示教利喜王大歡悅尒時
妙莊嚴王及其夫人解頸真珠瓔珞價直百
千以散佛上於虛空中化成四柱寶臺臺
中有大寶牀敷百千萬天衣其上有佛結加
趺坐放大光明尒時妙莊嚴王作是念佛身
希有端嚴殊特成就第一微妙之色時雲雷
音宿王華智佛告四衆言汝等見是妙莊嚴
王於我前合掌立不此王於我法中作比丘
精懃脩習助佛道法當得作佛号娑羅樹王
國名大光劫名大高王其娑羅樹王佛有无
量菩薩衆及无量聲聞其國平正功德如是
其王即時以國付弟與夫人二子并諸眷屬
於佛法中出家脩道王出家已於八萬四千
歲常懃精進脩行妙法華經過是已後得一
切淨功德莊嚴三昧即昇虛空高七多羅樹
而白佛言世尊此我二子已作佛事以神通
變化轉我邪心令得安住於佛法中得見世
尊此二子者是我善知識為欲發起宿世善
根饒益我故來生我家
尒時雲雷音宿王華智佛告妙莊嚴王言如
是如是如汝所言若善男子善女人種善根
故世世得善知識其善知識能作佛事示教
利喜令入阿耨多羅三藐三菩提大王當知

BD01236號　妙法蓮華經卷七　（21-14）

尒時雲雷音宿王華智佛告妙莊嚴王言如
是如是如汝所言若善男子善女人種善根
故世世得善知識其善知識能作佛事示教
利喜令入阿耨多羅三藐三菩提大王當知
善知識者是大因緣所謂化導令得見佛發
阿耨多羅三藐三菩提心大王汝見此二子
不此二子已曾供養六十五百千萬億那由
他恒河沙諸佛親近恭敬於諸佛所受持法
華經愍念耶見衆生令住正見妙莊嚴王即
從虛空中下而白佛言世尊如来甚希有以
功德智慧故頂上肉髻光明顯照其眼長廣而
紺青色眉間豪相白如珂月齒白齊密常
有光明脣色赤好如頻婆菓尒時妙莊嚴王
讃嘆佛如是等无量百千萬億功德已於如
来前一心合掌復白佛言世尊未曾有也如
来之法具足成就不可思議微妙功德教戒
所行安隱快善我從今日不復自隨心行不
生耶見憍慢瞋恚諸惡之心說是語已礼佛
而出
佛告大衆於意云何妙莊嚴王豈異人乎今
華德菩薩是其淨德夫人今佛前光照莊嚴
相菩薩是哀愍妙莊嚴王及諸眷屬故於彼
中生其二子者今藥王菩薩藥上菩薩是是
藥王藥上菩薩成就如此諸大功德已於无量
百千萬億諸佛所殖衆德本成就不可思
議諸善功德若有人識是二菩薩名字者一

BD01236號　妙法蓮華經卷七　（21–15）

中生其二子者今藥王菩薩藥上菩薩是是
藥王藥上菩薩成就如此諸大功德已於无量
百千萬億諸佛所殖衆德本成就不可思
議諸善功德若有人識是二菩薩名字者一
切世間諸天人民亦應礼拜佛說是妙莊嚴
王本事品時八萬四千人遠塵離垢於諸法
中得法眼淨
妙法蓮華經普賢菩薩勸發品第二十八
尒時普賢菩薩以自在神通力威德名聞與大
菩薩无量无邊不可稱數從東方来所經
諸國普皆震動雨寶蓮華作无量百千萬億
種種伎樂又與无數諸天龍夜叉乹闥婆阿脩
羅迦樓羅緊那羅摩睺羅伽人非人等大衆
圍繞各現威德神通之力到娑婆世界耆闍
崛山中頭面礼釋迦牟尼佛右繞七迊白佛
言世尊我於寶威德上王佛國遥聞此娑婆
世界說法華經與无量无邊百千萬億諸
菩薩衆共来聽受唯願世尊當為說之若善
男子善女人於如来滅後云何能得是法華
經佛告普賢菩薩若善男子善女人成就四
法於如来滅後當得是法華經一者為諸佛護
念二者殖衆德本三者入正定聚四者發救
一切衆生之心善男子善女人如是成就四法
於如来滅後必得是經
尒時普賢菩薩白佛言世尊於後五百歳濁

BD01236號　妙法蓮華經卷七　（21–16）

念二者殖衆德本三者入正定聚四者發救
一切衆生之心善男子善女人如是成就四法
於如来滅後必得是經
尒時普賢菩薩白佛言世尊於後五百歲濁
惡世中其有受持是經典者我當守護除其
衰患令得安隱使无伺求得其便者若魔若
魔子若魔女若魔民若為魔所著者若夜叉
若羅刹若鳩槃荼若毗舍闍若吉蔗若富單
那若韋陁羅等諸惱人者皆不得便是人若
行若立讀誦此經我尒時乗六牙白象王與
大菩薩衆俱詣其所而自現身供養守護安
慰其心亦為供養法華經故是人若坐思惟
此經尒時我復乗白象王現其人前其人若於
法華經有所忘失一句一偈我當教之與共讀
誦還令通利尒時受持讀誦法華經者得見
我身甚大歡喜轉復精進以見我故即得
三昧及陁羅尼名為旋陁羅尼百千萬億
旋陁羅尼法音方便陁羅尼得如是等陁羅
尼世尊若後世後五百歲濁惡世中比丘比丘
尼優婆塞優婆夷求索者受持者讀誦者
書寫者欲脩習是法華經於三七日中應一
心精進滿三七日已我當乗六牙白象與无
量菩薩而自圍繞以一切衆生所憙見身現
其人前而為說法示敎利喜亦復與其陁羅
尼呪得是陁羅尼故无有非人能破壞者亦

量菩薩而自圍繞以一切衆生所憙見身現
其人前而為說法示敎利喜亦復與其陁羅
尼呪得是陁羅尼故无有非人能破壞者亦
不為女人之所惑亂我身亦自常護是人唯
願世尊聽我說此陁羅尼呪即於佛前而說
呪曰
阿檀地途賣反一 檀陁婆地二 檀陁婆帝三 檀陁鳩
舍隸四 檀陁脩陁隸五 脩陁隸六 脩陁羅婆
底七 佛駄波羶祢八 薩婆陁羅尼阿婆多尼
九 薩婆婆沙阿婆多尼十 脩阿婆多尼十一 僧
伽婆履叉尼十二 僧伽涅伽陁尼十三 阿僧祇十四
僧伽波伽地十五 帝隸阿惰僧伽兜略盧遮反 阿羅
帝波羅帝十六 薩婆僧伽三摩地伽蘭地十七 薩
婆達磨脩波利刹帝十八 薩婆薩埵樓駄憍舍
略阿㝹伽地十九 辛阿毗吉利地帝二十
世尊若有菩薩得聞是陁羅尼者當知普賢
神通之力若法華經行閻浮提有受持者應
作此念皆是普賢威神之力若有受持讀誦
正憶念解其義趣如說脩行當知是人行普
賢行於无量无邊諸佛所深種善根為諸如
来手摩其頭若但書寫是人命終當生忉利
天上是時八萬四千天女作衆伎樂而来迎之
其人即著七寶冠於婇女中娛樂快樂何況
受持讀誦正憶念解其義趣如說脩行若
有人受持讀誦解其義趣是人命終為千佛

天上是時八萬四千天女作衆伎樂而來迎之
其人即著七寶冠於婇女中娛樂快樂何況
受持讀誦正憶念解其義趣如說脩行若
有人受持讀誦解其義趣是人命終爲千佛
授手令不恐怖不墮惡趣即往兜率天上弥
勒菩薩所弥勒菩薩有三十二相大菩薩衆
所共圍繞有百千萬億天女眷屬而於中生
有如是等功德利益是故智者應當一心自
書若使人書受持讀誦正憶念如說脩行世
尊我今以神通力故守護是經於如來滅後
閻浮提内廣令流布使不斷絕尒時釋迦牟
尼佛讚言善哉善哉普賢汝能護助是經令
多所衆生安樂利益汝已成就不可思議功德
深大慈悲從久遠來發阿耨多羅三藐三菩
提意而能作是神通之願守護是經我當以神
通力守護能受持普賢菩薩名者普賢若
有受持讀誦正憶念脩習書寫是法華經者
當知是人則見釋迦牟尼佛如從佛口聞此經
典當知是人供養釋迦牟尼佛當知是人佛
讚善哉當知是人爲釋迦牟尼佛手摩其
頭當知是人爲釋迦牟尼佛衣之所覆如是
之人不復貪著世樂不好外道經書手筆亦
復不憙親近其人及諸惡者若屠兒若畜
猪羊雞狗若獵師若衒賣女色是人心意質
直有正憶念有福德力是人不爲三毒所惱

BD01236號　妙法蓮華經卷七　（21-19）

諸善哉當知是人爲釋迦牟尼佛手摩其
頭當知是人爲釋迦牟尼佛衣之所覆如是
之人不復貪著世樂不好外道經書手筆亦
復不憙親近其人及諸惡者若屠兒若畜
猪羊雞狗若獵師若衒賣女色是人心意質
直有正憶念有福德力是人不爲三毒所惱
亦不爲嫉妬我慢邪慢增上慢所惱是人少欲
知足能脩普賢之行普賢若如來滅後後五
百歲若有人見受持讀誦法華經者應作是
念此人不久當詣道場破諸魔衆得阿耨多
羅三藐三菩提轉法輪擊法鼓吹法螺雨法
雨當坐天人大衆中師子法座上普賢若於
後世受持讀誦是經典者是人不復貪著
衣服臥具飲食資生之物所願不虛亦於現
世得其福報若有人輕毀之言汝狂人耳空
作是行終无所獲如是罪報當世世无眼若
有供養讚歎之者當於今世得現果報若
復見受持是經者出其過惡若實若不實此
人現世得白癩病若輕笑之者當世世牙齒踈
缺醜脣平鼻手脚繚戾眼目角睞身體臭
穢惡瘡膿血水腹短氣諸惡重病是故普賢若
見受持是經典者當起遠迎當如敬佛說是
普賢勸發品時恒河沙等无量无邊菩薩得
百千萬億旋陀羅尼三千大千世界微塵
等諸菩薩具普賢道佛說是經時普賢等諸
菩薩舍利弗等諸聲聞及諸天龍人非人等

BD01236號　妙法蓮華經卷七　（21-20）

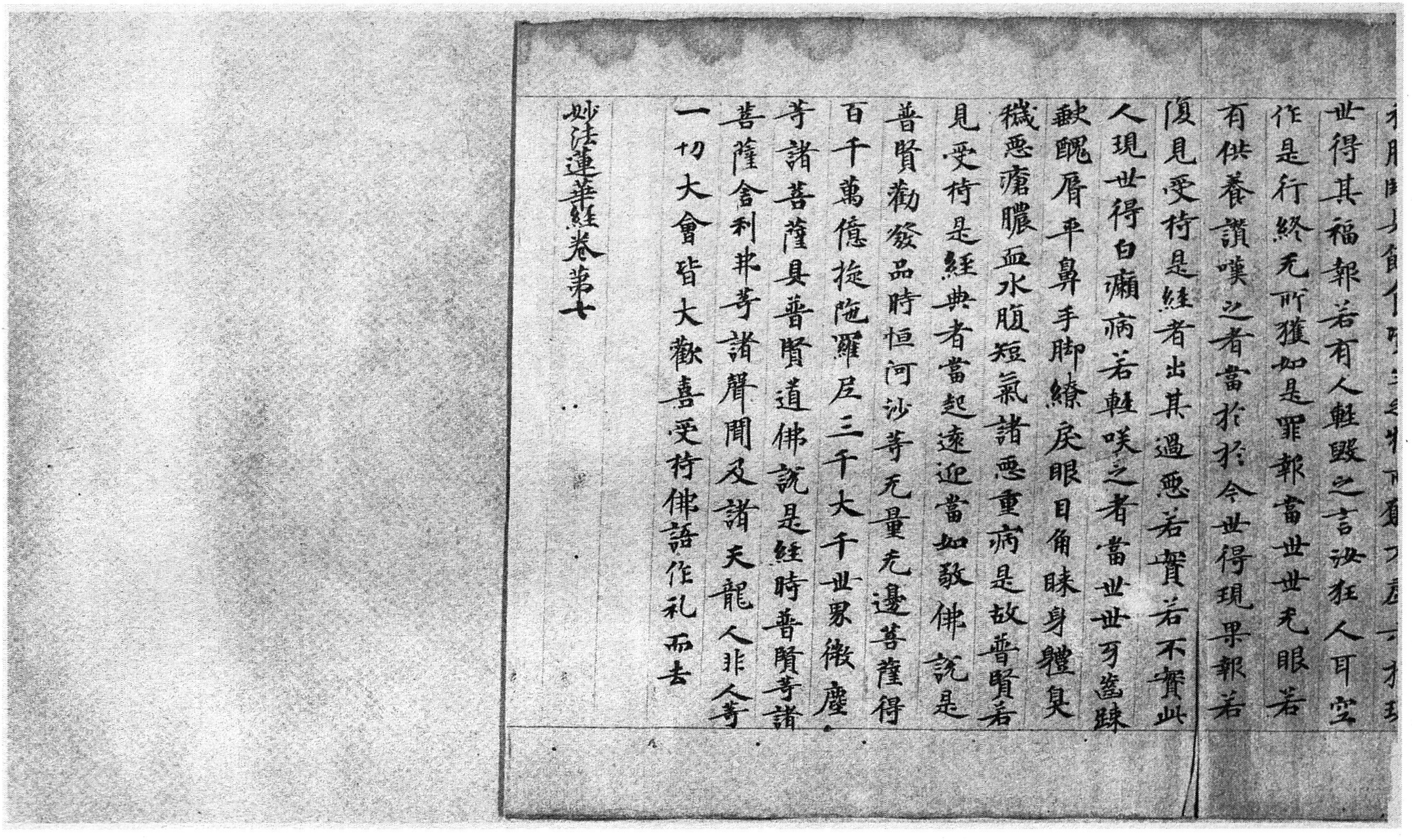
世得其福報若有人輕毀之言汝狂人耳空
作是行終无所獲如是罪報當世世无眼若
有供養讚歎之者當於今世得現果報若
復見受持是經者出其過惡若實若不實此
人現世得白癩病若輕笑之者當世世牙齒踈
缺醜脣平鼻手脚繚戾眼目角睞身體臭
穢惡瘡膿血水腹短氣諸惡重病是故普賢若
見受持是經典者當起遠迎當如敬佛說是
普賢勸發品時恒河沙等无量无邊菩薩得
百千萬億旋陁羅尼三千大千世界微塵
等諸菩薩具普賢道佛說是經時普賢等諸
菩薩舍利弗等諸聲聞及諸天龍人非人等
一切大會皆大歡喜受持佛語作礼而去

妙法蓮華經卷第七

BD01236號　妙法蓮華經卷七　　（21–21）

BD01236號背　雜寫　　（11–1）

BD01236號背　雜寫　（11–2）

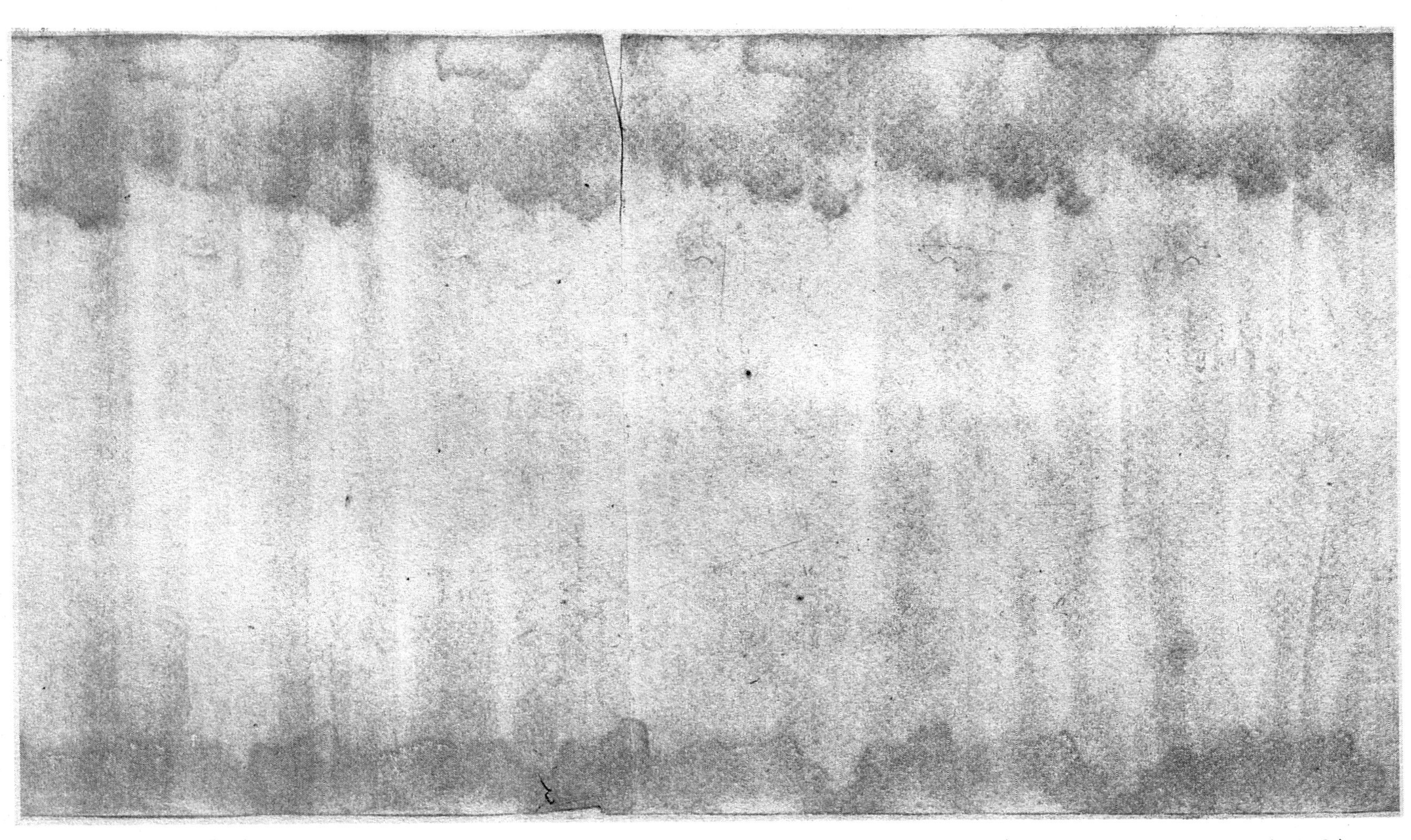

BD01236號背　雜寫　（11–3）

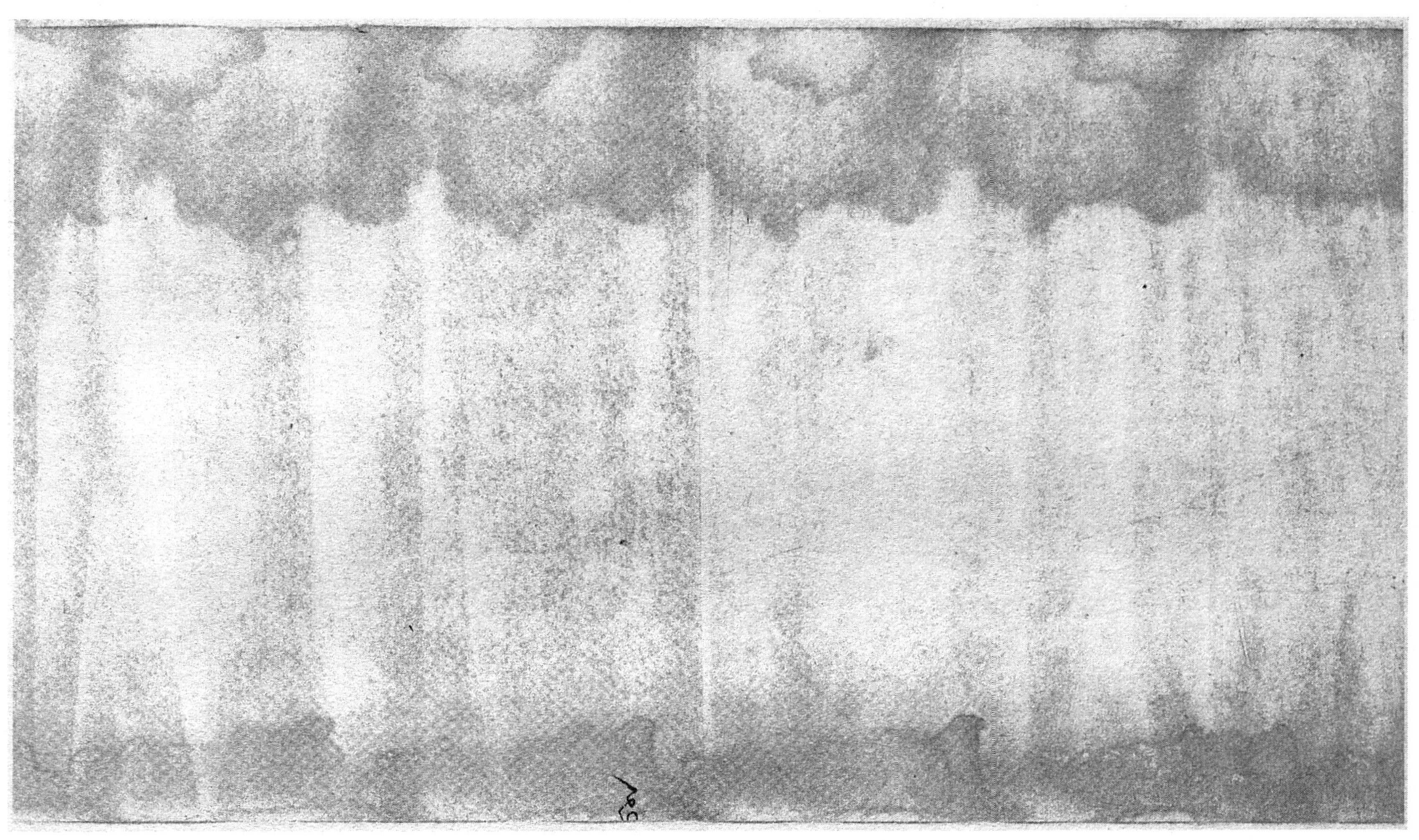

BD01236 號背　雜寫　（11–4）

BD01236 號背　雜寫　（11–5）

BD01236 號背　雜寫　（11–6）

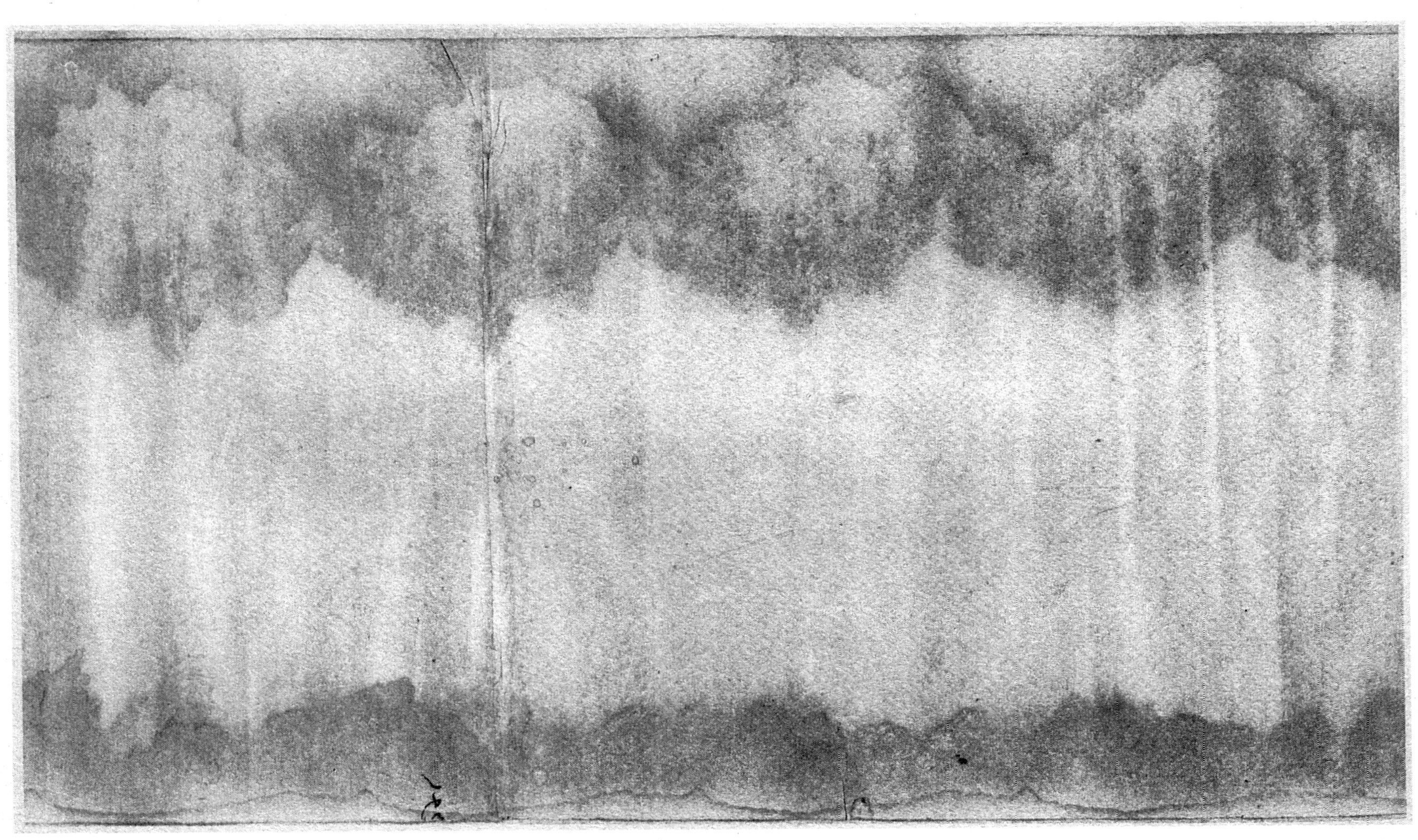

BD01236 號背　雜寫　（11–7）

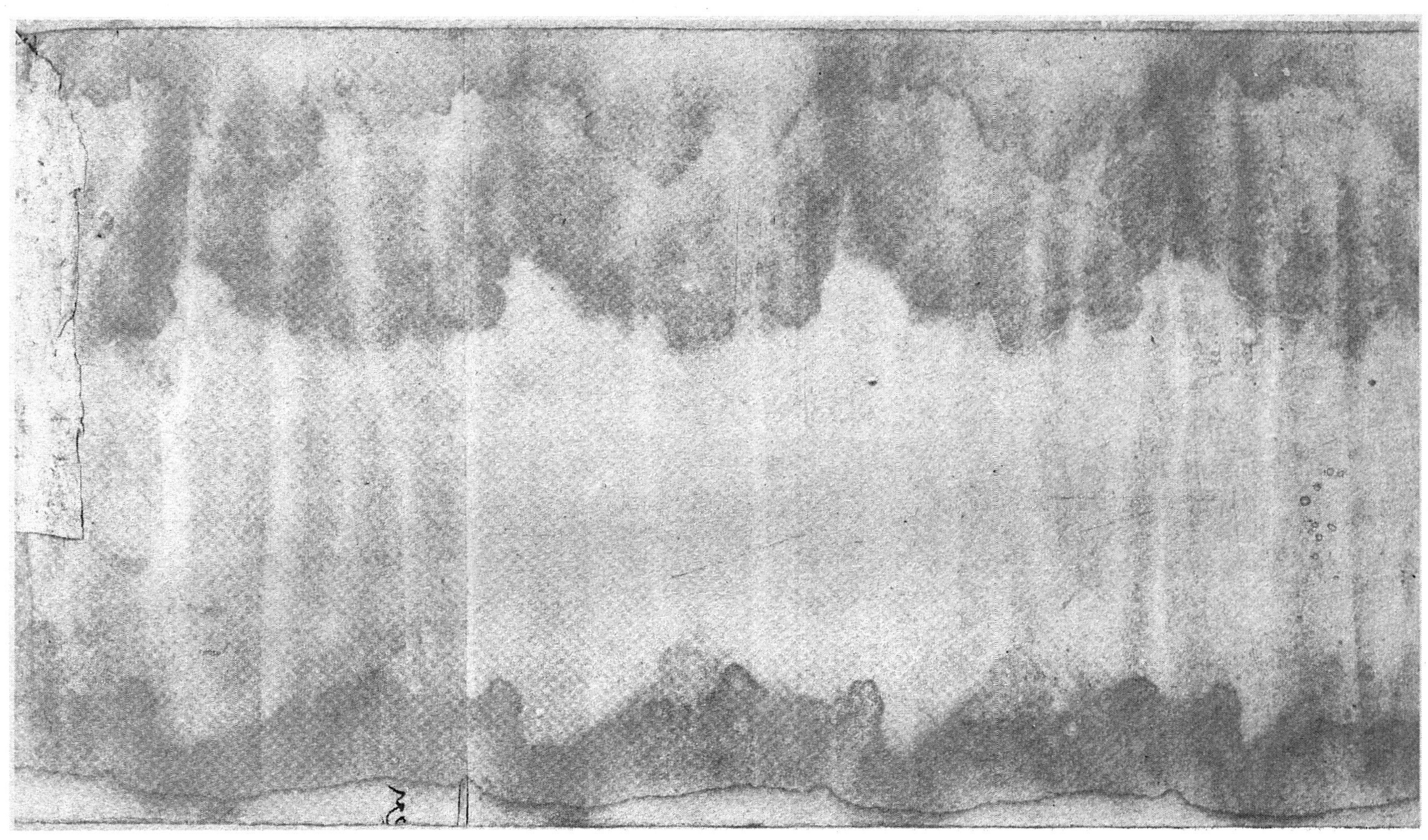

BD01236 號背　雜寫　（11–8）

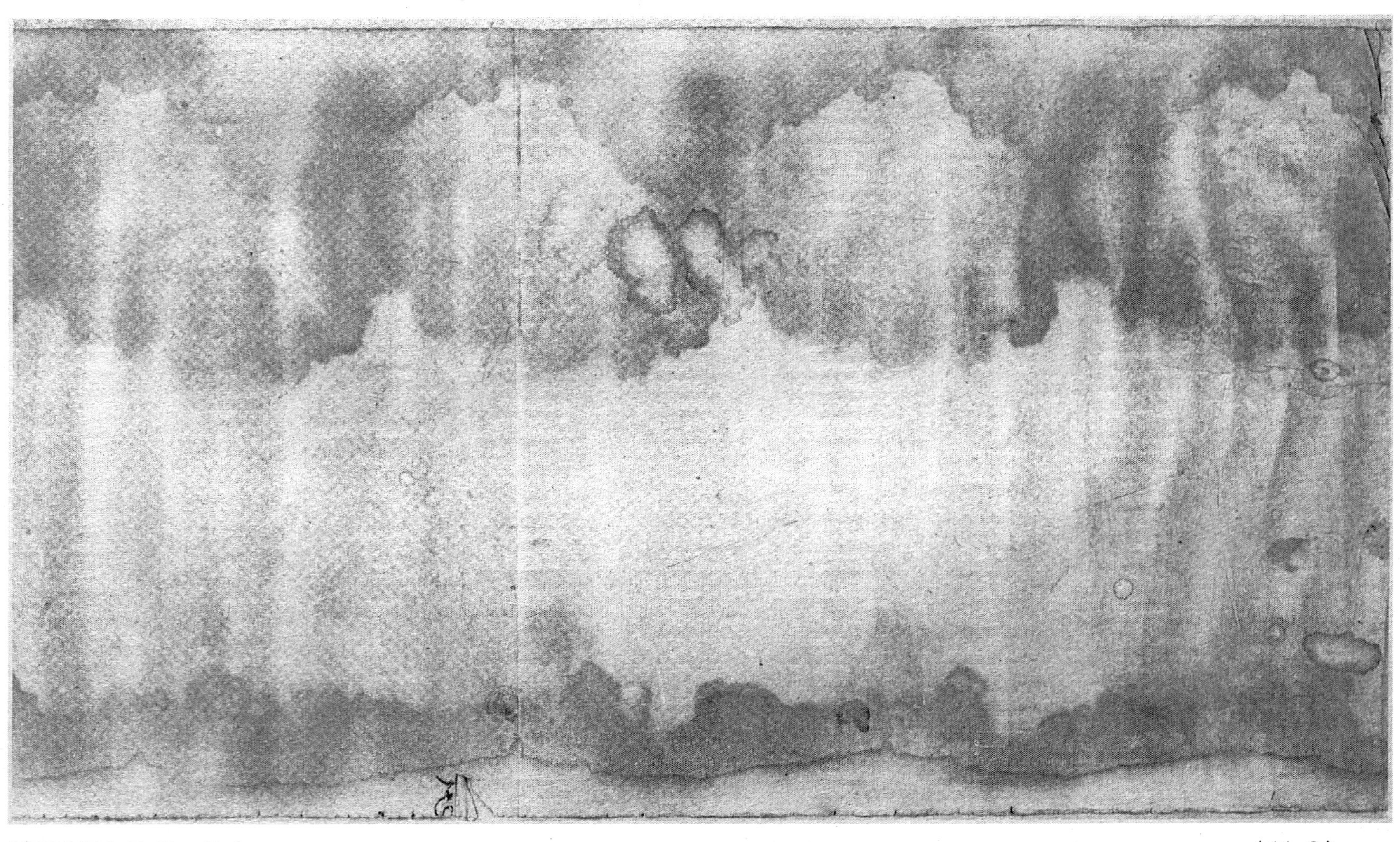

BD01236 號背　雜寫　（11–9）

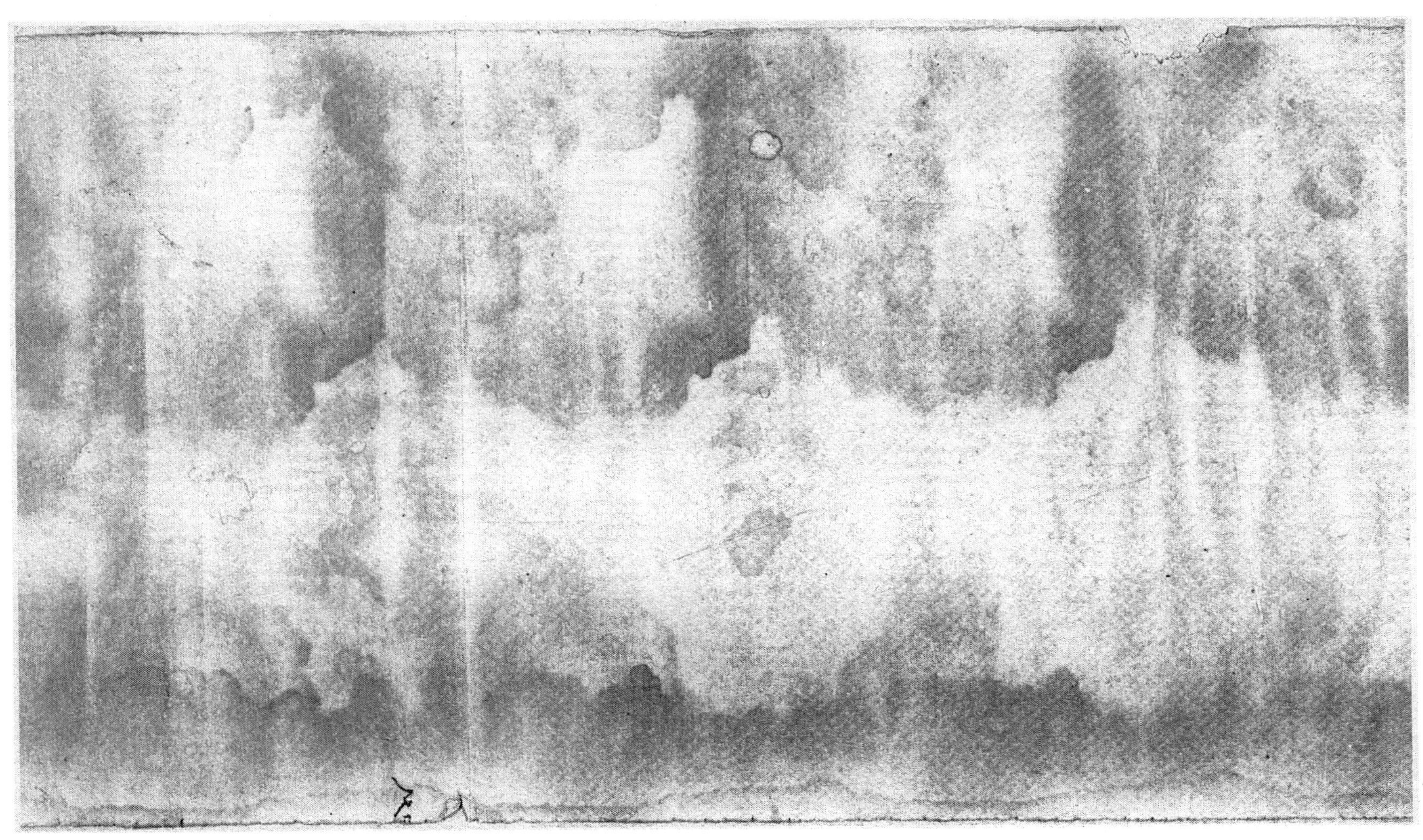

BD01236號背　雜寫　　（11–10）

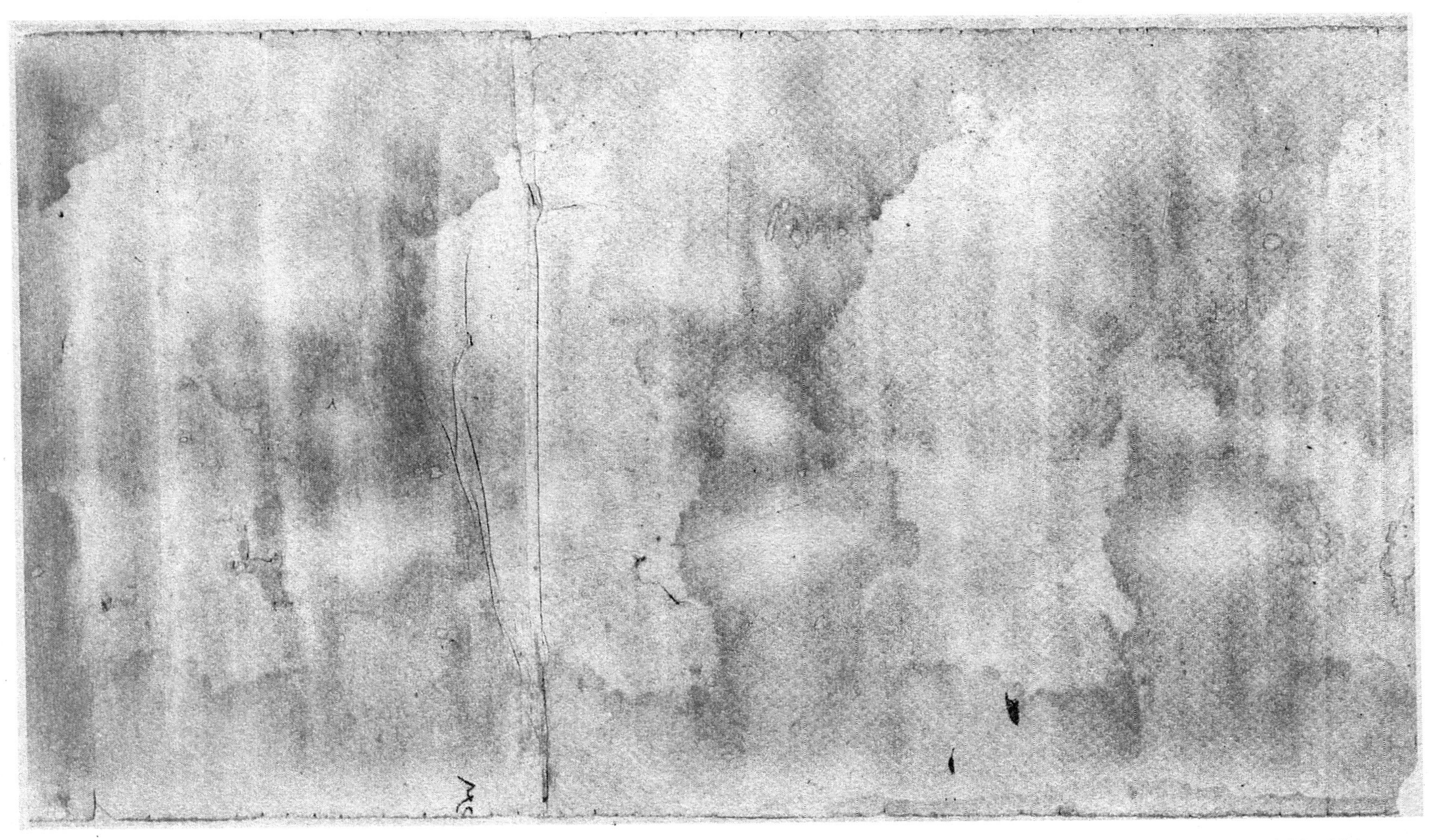

BD01236號背　雜寫　　（11–11）

摩身者波逸提　諸大姊我已說百七十八波逸提法今問
諸大姊是中清淨不 如是三說 諸大姊是中清淨嘿然故是事如是持
諸大姊是八波羅提提舍尼法半月半月戒經中說
諸比丘尼無病乞蘇而食者犯應懺悔可呵法應向餘比丘尼說言大
姊我犯可呵法所不應為我今向大姊懺悔是名悔過法
若比丘尼無病乞油而食者犯應懺悔可呵法應向餘比丘尼說言大
姊我犯可呵法所應為我今向大姊懺悔是名悔過法　若比丘尼無病
乞蜜而食者犯應懺悔可呵法應向餘比丘尼說言大姊我犯可呵法
所不應為我今向大姊懺悔是名悔過法　若比丘尼無病乞黑石蜜
而食者犯應懺悔可呵法應向餘比丘尼說言大姊我犯可呵法所不應
為我今向大姊懺悔是名悔過法　若比丘尼無病乞乳而食者犯
應懺悔可呵法應向餘比丘尼說言大姊我犯可呵法所不能應為
為我今向大姊懺悔是名悔過法　若比丘尼無病乞酪而食者犯應懺
悔可呵法應向餘比丘尼說言大姊我犯可呵法所不應為我今向大姊
懺悔是名悔過法　若比丘尼無病乞魚而食者犯應懺悔可呵
法應向餘比丘尼說言大姊我犯可呵
法所不應為我今向大姊懺悔是名悔過法　若比丘尼無病乞肉食者犯
應懺悔可呵法應向餘比丘尼言大姊我犯可呵法所不應為我今向
大姊懺悔是名悔過法　諸大姊我已說八波羅提提舍尼法今問
諸大姊是中清淨不 如是三說 諸大姊是中清淨嘿然故是事如是持

BD01237號　四分比丘尼戒本　（8–1）

法所不應為我今向大姊懺悔是名悔過法　若比丘尼無病乞肉而食者犯
應懺悔可呵法應向餘比丘尼言大姊我犯可呵法所不應為我今向
大姊懺悔是名悔過法　諸大姊我已說八波羅提提舍尼法今問
諸大姊是中清淨不 如是三說 諸大姊是中清淨嘿然故是事如是持
諸大姊是眾式叉迦羅尼法半月半月經戒中說　齊整著內衣式叉
迦羅尼　齊整著三衣式叉迦羅尼　不得反抄衣入白衣舍式叉迦
羅尼　不得反抄衣入白衣舍坐式叉迦羅尼　不得衣纏頸入白衣舍式叉迦羅尼　不得衣纏頸入白衣舍
坐式叉迦羅尼　不得覆頭入白衣舍式叉迦羅尼　不得覆頭入白
衣舍坐式叉迦羅尼　不得跳行入白衣舍式叉迦羅尼　不得跳行入白
衣舍坐式叉迦羅尼 十　不得白衣舍內蹲坐式叉迦羅尼　不得叉腰行入
白衣舍式叉迦羅尼　不得叉腰入白衣舍坐式叉迦羅尼　不得搖身行入
白衣舍式叉迦羅尼　不得搖身入白衣舍坐式叉迦羅尼　不得挑臂行
入白衣舍式叉迦羅尼　不得挑臂入白衣舍坐式叉迦羅尼　好覆身行入
白衣舍式叉迦羅尼　好覆身入白衣舍坐式叉迦羅尼　不得左右顧視
行入白衣舍式叉迦羅尼 廿　不得左右顧視入白衣舍坐式叉迦羅尼
靜嘿行入白衣舍式叉迦羅尼　靜嘿入白衣舍坐式叉迦羅尼　不得戲笑入
白衣舍式叉迦羅尼　不得戲笑入白衣舍坐式叉迦羅尼　用意受食
式叉迦羅尼　平鉢受食式叉迦羅尼　平鉢受羹式叉迦羅尼
羹飯等食式叉迦羅尼　以次第食式叉迦羅尼 卅　不得挑鉢中央食式
叉迦羅尼　無病不得為己索羹飯式叉迦羅尼　不得以飯覆羹更望
得式叉迦羅尼　不得視比坐鉢中起嫌心式叉迦羅尼　當繫鉢想食
式叉迦羅尼　不得大摶飯食式叉迦羅尼　不得大張口待飯式叉迦

BD01237號　四分比丘尼戒本　（8–2）

……式叉迦羅尼　不得挑鉢中央食式
叉迦羅尼　無病不得為己索羹飯式叉迦羅尼　不得以飯覆羹更望
得式叉迦羅尼　不得視比坐鉢中起嫌心式叉迦羅尼　當繫鉢想食
式叉迦羅尼　不得大摶飯食式叉迦羅尼　不得大張口待飯式叉迦
羅尼　不得含食語式叉迦羅尼　不得摶飯擲口中式叉迦羅尼
不得遺落飯食式叉迦羅尼　卌　不得頰飯食式叉迦羅尼
不得故嚼飯作聲食式叉迦羅尼　不得噏飯食式叉迦羅尼
不得舌舐食式叉迦羅尼　不得振手式叉迦羅尼　不得手把散飯
食式叉迦羅尼　不得汙手捉飲器式叉迦羅尼　不得洗鉢水棄白衣
舍內式叉迦羅尼　不得生草菜上大小便涕唾除病式叉迦羅尼
不得淨水中大小便涕唾除病式叉迦羅尼　五十　不得立大小便除病式叉迦羅尼
不得為反抄衣不恭敬人說法除病式叉迦羅尼　不得為衣纏頸人說法除
病式叉迦羅尼　不得為覆頭人說法除病式叉迦羅尼
不得為裹頭人說法除病式叉迦羅尼　不得為叉腰人說法除病式叉迦
羅尼　不得為著草屣人說法除病式叉迦羅尼　不得為著木屐人說法
除病式叉迦羅尼　不得為騎乘人說法除病式叉迦羅尼　不得在佛塔
內止宿除為守護故式叉迦羅尼　六十　不得佛塔內藏財物除為堅牢故式叉
迦羅尼　不得著草屣入佛塔內式叉迦羅尼　不得手捉草屣入佛塔裏
式叉迦羅尼　不得著富羅入佛塔裏式叉迦羅尼　不得手捉富羅入佛塔
裏式叉迦羅尼　不得著草屣遶佛塔行式叉迦羅尼　不得塔下坐留草
及食汙地式叉迦羅尼　不得擔死尸從塔下過式叉迦羅尼

式叉迦羅尼　不得著富羅入佛塔裏式叉迦羅尼　不得手捉富羅入佛塔
裏式叉迦羅尼　不得著草屣遶佛塔行式叉迦羅尼　不得塔下坐留草
及食汙地式叉迦羅尼　不得擔死尸從塔下過式叉迦羅尼
不得塔下埋死尸式叉迦羅尼　不得在塔下燒死尸式叉迦羅尼　七十
不得向塔燒死尸式叉迦羅尼　不得遶塔四邊燒死尸使臭氣來入式叉迦羅尼
不得持死人衣及床從塔下過除浣染香熏式叉迦羅尼　不得塔下大小便式
叉迦羅尼　不得向塔大小便式叉迦羅尼　不得遶佛塔四邊大小便使臭氣
來入式叉迦羅尼　不得持佛像至大小便處式叉迦羅尼　不得塔下嚼楊
枝式叉迦羅尼　不得向佛塔嚼楊枝式叉迦羅尼　不得遶佛塔四邊嚼楊枝式叉迦羅尼　八十　不得在佛塔下
涕唾式叉迦羅尼　不得向佛塔涕唾式叉迦羅尼　不得遶塔四邊涕唾式叉迦羅尼　不得向佛塔舒腳
坐式叉迦羅尼　不得安佛塔在下房己在上房住式叉迦羅尼
人坐己立不得為說法除病式叉迦羅尼　人臥己坐不得為說法除病式
叉迦羅尼　人在坐己在非坐不得為說法除病式叉迦羅尼　人在前行己在後不得
人在高坐己在下坐不得為說法除病式叉迦羅尼　人在高經行處己在下經行處不得為說
為說法除病式叉迦羅尼　九十　人在道己在非道不得為說法除病式叉迦羅
法除病式叉迦羅尼
尼　不得上樹過人除時因緣式叉迦羅尼　不得攜手在道
行式叉迦羅尼　不得絡囊盛鉢貫杖頭置肩上而行式叉迦羅尼
人持杖不恭敬不應為說法除病式叉迦羅尼　人持刀不應為說法除
病式叉迦羅尼　人持劍不應為說法除病式叉迦羅尼

尼　不得上樹過人除時因緣式叉迦羅尼　不得携手在道
行式叉迦羅尼　不得絡囊盛鉢貫杖頭置肩上而行式叉迦羅尼
人持杖不恭敬不應為說法除病式叉迦羅尼　人持刀不應為說法除
病式叉迦羅尼　人持劍不應為說法除病式叉迦羅尼
人持牟不應為說法除病式叉迦羅尼　人持蓋不應為說法除病式叉
迦羅尼　諸大姉我已說式叉迦羅尼法今問諸大姉是中清淨
不　如是三說　諸大姉是中清淨嘿然故是事如是持　諸大姉是七滅
諍法半月半月戒經中說若比丘尼有諍事起即應除滅
應與現前毗尼　當與現前毗尼
應與憶念毗尼　當與憶念毗尼
應與不癡毗尼　當與不癡毗尼
應與自言治　當與自言治
應與覓罪相　當與覓罪相
應與多人覓罪相　當與多人覓罪相
應與如草布地　當與如草布地
諸大姉我已說七滅諍法今問諸大姉是中清淨不　如是三說
諸大姉是中清淨嘿然故是事如是持
諸大姉我已說戒經序已說八波羅夷法已說十七僧伽婆
尸沙法已說卅尼薩耆波逸提法已說一百七十八波逸提法
已說八波羅提提舍尼法已說衆式叉迦羅尼法已說七滅諍

BD01237號　四分比丘尼戒本　（8–5）

諸大姉我已說戒經序已說八波羅夷法已說十七僧伽婆
尸沙法已說卅尼薩耆波逸提法已說一百七十八波逸提法
已說八波羅提提舍尼法已說衆式叉迦羅尼法已說七滅諍
法此是佛所說戒經半月半月說戒經中來若更有餘
佛法是中皆共和合式叉迦羅尼
忍辱第一道　佛說無為最　出家惱他人　不名為沙門
此是毗婆尸如來無所著等正覺說是戒經
譬如明眼人　能避險惡道　世有聰明人　能遠離諸惡
此是尸棄如來無所著等正覺說是戒經
不謗亦不嫉　當奉行於戒　飲食知止足　常樂在空閑
心定樂精進　是名諸佛教
此是毗葉羅如來無所著等正覺說是戒經
譬如蜂採華　不壞色與香　但取其味去　比丘入聚落
不違戾他事　不觀作不作　但自觀身行　若正若不正
此是拘樓孫如來無所著等正覺說是戒經
心莫作放逸　聖法當勤學　如是無憂愁　心定入涅槃
此是拘那含牟尼如來無所著等正覺說是戒經
一切惡莫作　當奉行諸善　自正其志意　是則諸佛教
此是迦葉如來無所著等正覺說是戒經
善護於口言　自淨其志意　身莫作諸惡　此三業道淨

BD01237號　四分比丘尼戒本　（8–6）

此是拘那含牟尼如来無所着等正覺說是戒經
一切惡莫作 當奉行諸善 自正其志意 是則諸佛教
此是迦葉如来無所着等正覺說是戒經
善護於口言 自淨其志意 身莫作諸惡 此三業道淨
能得如是行 是大仙人道
此是釋迦牟尼如来無所着等正覺於十二年中為無事
僧說是戒經從是已後廣分別說諸比丘尼自為樂法
樂沙門者有慙有愧樂學戒者當於中學
明人能護戒 能得三種樂 名譽及利養 死則生天上
當觀如是處 有智勤護戒 戒淨有智慧 便得第一道
如過去諸佛 及以未来者 現在諸世尊 能勝一切憂
皆共尊敬戒 此是諸佛法 若有自為身 欲求於佛道
當尊重正法 此是諸佛教 七佛為世尊 滅除諸結使
說是七戒經 諸縛得解脫 已入於涅槃 諸戲永滅盡
尊行大仙說 聖賢稱譽戒 弟子之所行 入寂滅涅槃
世尊涅槃時 興起於大悲 集諸比丘衆 與如是教戒
莫謂我涅槃 淨行者無護 我今說戒經 亦善說毗尼
我雖般涅槃 當視如世尊 此經久住世 佛法得熾盛
以是熾盛故 得入於涅槃 若不持此戒 如所應布薩
喻如日沒時 世界皆闇冥 當護持是戒 如犛牛愛尾

BD01237號　四分比丘尼戒本　（8–7）

我雖般涅槃 當視如世尊 此經久住世 佛法得熾盛
以是熾盛故 得入於涅槃 若不持此戒 如所應布薩
喻如日沒時 世界皆闇冥 當護持是戒 如犛牛愛尾
和合一處坐 如佛之所說 我已說戒經 衆僧布薩竟
我今說戒經 所說諸功德 施一切衆生 皆共成佛道
比丘尼四分戒

BD01237號　四分比丘尼戒本　（8–8）

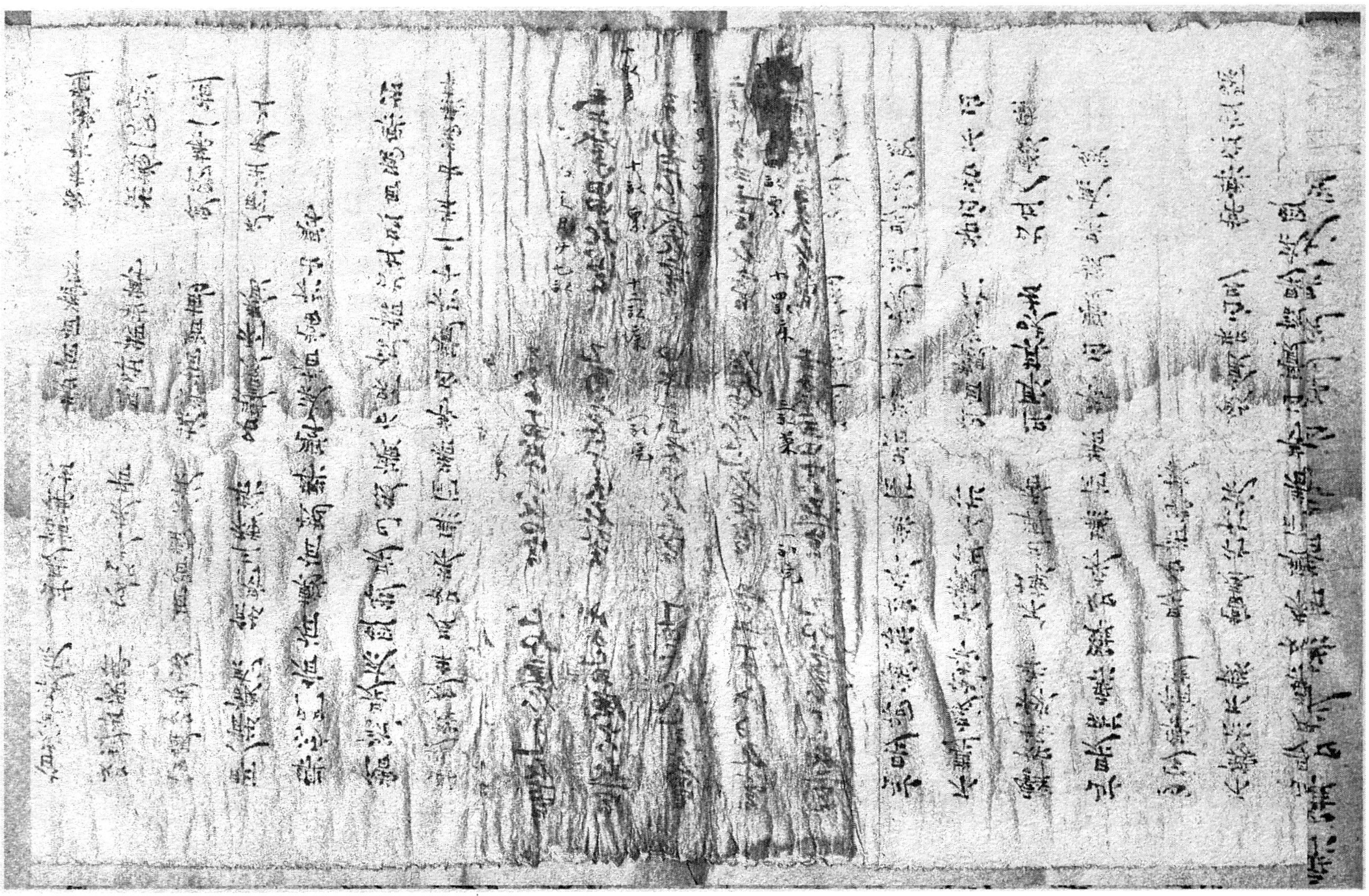

BD01237 號背 1　青苗簿（擬）　（1–1）
BD01237 號背 2　六十甲子配九宮表（擬）

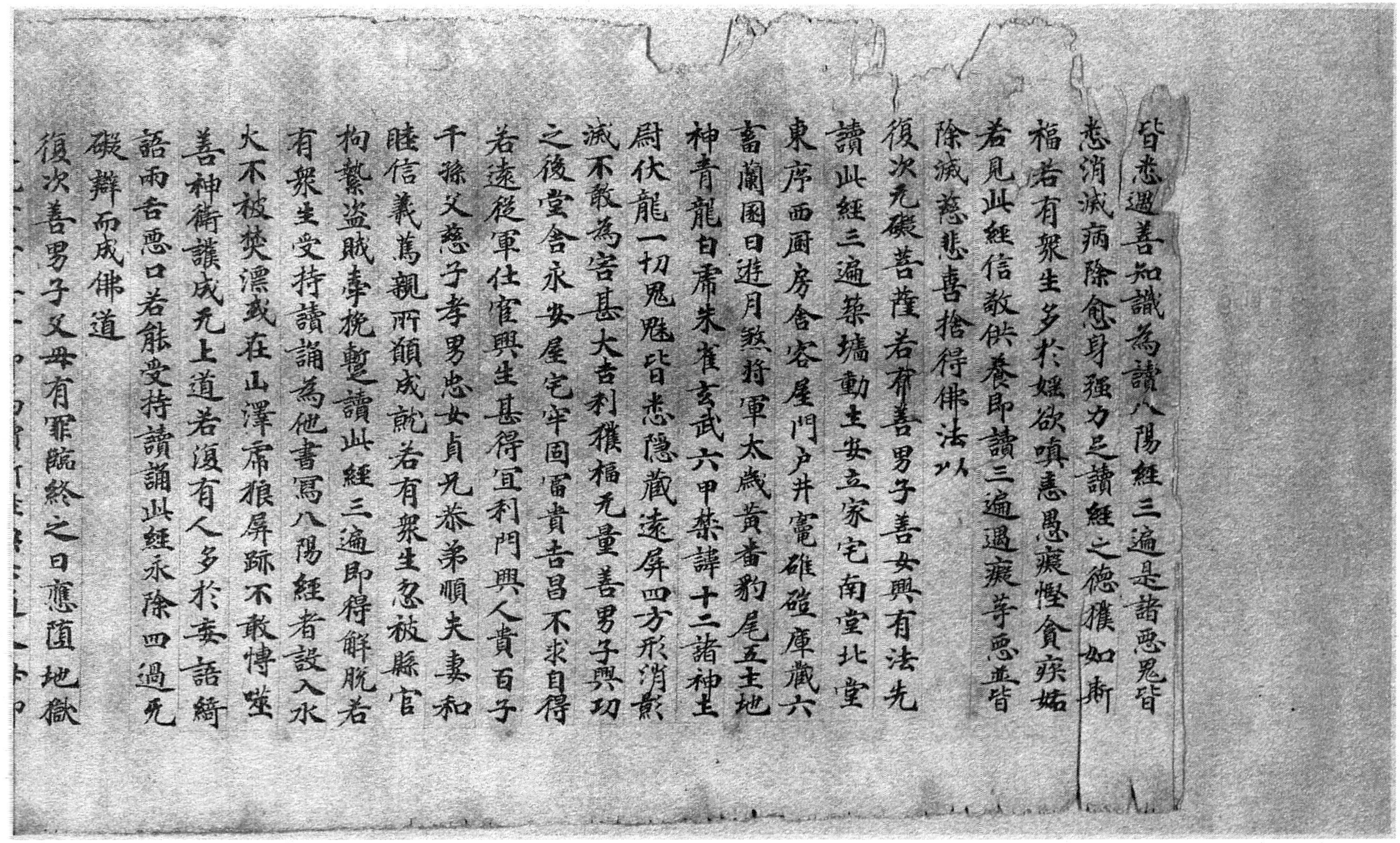
皆悉遇善知識為讀八陽經三遍是諸惡鬼皆
悉消滅病除愈身強力足讀經之德獲如斯
福若有衆生多於婬欲嗔恚愚癡慳貪嫉妬
若見此經信敬供養即讀三遍遇癡等惡並皆
除滅慈悲喜捨得佛法分
復次无礙菩薩若有善男子善女人興有法先
讀此經三遍築牆動土安立家宅南堂北堂
東序西廂房舍客屋門戶井竈碓磑庫藏六
畜蘭圂日遊月殺將軍太歲黃幡豹尾五土地
神青龍白虎朱雀玄武六甲禁諱十二諸神土
尉伏龍一切鬼魅皆悉隱藏遠屏四方形消影
滅不敢為害甚大吉利獲福无量善男子興功
之後堂舍永安屋宅牢固富貴吉昌不求自得
若遠從軍仕宦興生甚得宜利門興人貴百子
千孫父慈子孝男忠女貞兄恭弟順夫妻和
睦信義篤親所願成就若有衆生忽被縣官
拘繫盜賊牽挽暫讀此經三遍即得解脫若
有衆生受持讀誦為他書寫八陽經者設入水
火不被焚漂或在山澤虎狼屏跡不敢博噬
善神衛護成无上道若復有人多於妄語綺
語兩舌惡口若能受持讀誦此經永除四過无
礙辯而成佛道
復次善男子父母有罪臨終之日應墮地獄

BD01238 號　天地八陽神咒經　（4–1）

火不被焚漂在山澤虎狼屏跡不敢博噬
善神衛護成无上道若復有人多於妄語綺
語兩舌惡口若能受持讀誦此經永除四過无
礙辯而成佛道
復次善男子父母有罪臨終之日應墮地獄
受无量苦其子即為讀斯經典七遍父母即
離地獄而生天上見佛聞法悟无生忍而證菩
提佛告无礙菩薩毗婆尸佛時有優婆塞優
婆夷心不信邪敬崇佛法書寫此經受持讀誦
須作即作一无所問以正信故兼行布施平等
供養得无漏身成菩提道号曰普光如來應
正等覺劫名大滿國号无邊一切人民皆行菩
薩无上正法
復次善男子此八陽經行在閻浮提在在處處
有八菩薩諸梵天王一切明靈圍繞此經香華
供養如佛无異若善男子善女人等為諸眾生
講說此經深解實相得甚深理即知身心佛身
法心所以能知即知慧眼常見種種无盡色色
即是空色受想行識亦空即是妙色身如來
耳常聞種種无盡聲聲即是空空即是聲是
妙音聲如來鼻常嗅種種无盡香香即是空
空即是香是香積如來舌常了種種无盡味
味即是空空即是味是法如來身常覺種種
无盡觸觸即是空空即是觸是智明如來意
常思想分別種種无盡法法即是空空即是法
是法明如來善男子此六相顯現人皆口說其
善語法輪常轉即成聖道若說邪語惡法常
轉即隨惡趣善男子善惡之理不得不信无礙

无盡觸觸即是空空即是觸是智明如來意
常思想分別種種无盡法法即是空空即是法
是法明如來善男子此六相顯現人皆口說其
善語法輪常轉即成聖道若說邪語惡法常
轉即隨惡趣善男子善惡之理不得不信无礙
菩薩人之身心是佛法器亦是十二部大經卷
无始已來轉讀不盡不損豪毛如來藏經唯
識心見性者之所能知非諸聲聞凡夫所能知
也善男子讀誦此經深解真理即知身心是佛
法器若醉迷不醒不了自心是佛根本流浪諸
諸趣墮於惡道永沉苦海不聞佛法名字无礙
菩薩復白佛言世尊人之在世生死為重生不
擇日時至即生死不擇日時至即死何因殯
葬即問良辰吉日然始殯葬之後還有妨
害貧窮者多滅門者不少唯願世尊為諸
邪見无知眾生說其因緣令得正道除其
顛倒
佛言善哉善哉善男子汝實甚能問於眾
生生死之事殯葬之法汝等諦聽當為汝說
智慧之理大道之法夫天地廣大清日月廣長
明時年善善美實无有異善男子人王菩薩
甚大慈悲愍念眾生皆如赤子下為人主作
人父母順於俗民教於俗法造作曆日頒下
天下令知時節為有平滿成收開除之字執
危破煞之文愚人依字信用无不免於凶禍
又使邪師厭鎮說是道非温求神拜餓鬼却
招殃自受苦如斯人輩返天時逆地理背日月

人父母順於俗民教於俗法進住曆日須下
天下令知時節為有平滿成收開除之字執
危破煞之文愚人依字信用无不免於凶禍
又使邪師厭鎮說是道非温求神拜餓鬼却
招殃自受苦如斯人輩返天時逆地理背日月
之光常投闇室違正道之廣路恒尋邪徑顛倒
之甚也善男子生時讀此三遍兒則易生大利
聰明利智福德具足而无中夭死時讀三遍一
无妨害得福无量善男子日日好日月月好月
年年好年實无間隔但辦即須殯葬殯葬
之日讀此經七遍甚大吉利獲福无量門榮人
貴延年益壽命終之日並得成聖
善男子殯葬之地不問東西南北安隱之處人之
愛樂鬼神愛樂即讀經三遍便以脩營安置墓
田永无災障家富人興甚大吉利尒時世尊
欲重宣此義而說偈言
營生善善日　休殯好好時　生死讀誦經　甚得大利益
月月善明月　年年大好年　讀經即殯葬　榮華万代昌
尒時衆中七万千人聞佛所說心開意解捨邪
歸正得佛法分永斷疑惑皆得阿耨多羅三藐
三菩提无礙菩薩復白佛言世尊一切凡夫皆

BD01238號　天地八陽神咒經　（4–4）

相人相衆生相壽者相應生瞋恨須菩提又
念過去於五百世作忍辱仙人於尒所世无我
相无人相无衆生相无壽者相是故須菩提
菩薩應離一切相發阿耨多羅三藐三菩提
心不應住色生心不應住聲香味觸法生心
應生无所住心若心有住則為非住是故佛
說菩薩心不應住色布施須菩提菩薩為利
益一切衆生應如是布施如來說一切諸相
即是非相又說一切衆生則非衆生
須菩提如來是真語者實語者如語者不
誑語者不異語者須菩提如來所得法此法
无實无虛
須菩提若菩薩心住於法而行布施如人入
闇則无所見若菩薩心不住法而行布施如人
有目日光明照見種種色
須菩提當來之世若有善男子善女人能於
此經受持讀誦則為如來以佛智慧悉知是
人悉見是人皆得成就无量无邊功德
須菩提若有善男子善女人初日分以恒河
沙等身布施中日分復以恒河沙等身布施
後日分亦以恒河沙等身布施如是无量百

BD01239號　金剛般若波羅蜜經　（9–1）

此經受持讀誦則為如來以佛智慧悉知是
人悉見是人皆得成就无量无邊功德
須菩提若有善男子善女人初日分以恒河
沙等身布施中日分復以恒河沙等身布施
後日分亦以恒河沙等身布施如是无量百
千万億劫以身布施若復有人聞此經典信
心不逆其福勝彼何況書寫受持讀誦為
人解說
須菩提以要言之是經有不可思議不可稱
量无邊功德如來為發大乘者說為發最上
乘者說若有人能受持讀誦廣為人說如來
悉知是人悉見是人皆得成就不可量不稱
无有邊不可思議功德如是人等則為荷擔
如來阿耨多羅三藐三菩提何以故須菩提
若樂小法者著我見人見眾生見壽者見
則於此經不能聽受讀誦為人解說須菩
提在在處處若有此經一切世間天人阿脩羅
所應供養當知此處則為是塔皆應恭敬作
禮圍繞以諸華香而散其處
復次須菩提善男子善女人受持讀誦此經
若為人輕賤是人先世罪業應墮惡道以今
世人輕賤故先世罪業則為消滅當得阿耨
多羅三藐三菩提須菩提我念過去无量阿
僧祇劫於然燈佛前得值八百四千万億那

BD01239號　金剛般若波羅蜜經　（9–2）

復次須菩提善男子善女人受持讀誦此經
若為人輕賤是人先世罪業應墮惡道以今
世人輕賤故先世罪業則為消滅當得阿耨
多羅三藐三菩提須菩提我念過去无量阿
僧祇劫於然燈佛前得值八百四千万億那
由他諸佛悉皆供養承事无空過者若復有
人於後末世能受持讀誦此經所得功德於
我所供養諸佛功德百分不及一千万億分
乃至算數譬喻所不能及須菩提若善男
善子女人於後末世有受持讀誦此經所得功
德我若具說者或有人聞心則狂亂狐疑不
信須菩提當知是經義不可思議果報亦
不可思議
尒時須菩提白佛言世尊善男子善女人
發阿耨多羅三藐三菩提心云何應住云何降
伏其心佛告須菩提善男子善女人發阿耨
多羅三藐三菩提者當生如是心我應滅
度一切眾生滅度一切眾生已而无有一眾
生實滅度者何以故若菩薩有我相人相
眾生相壽者相則非菩薩所以者何須
菩提實无有法發阿耨多羅三藐三菩提者
須菩提於意云何如來於然燈佛所有法得
阿耨多羅三藐三菩提不不也世尊如我解
佛所說義佛於然燈佛所无有法得阿耨
多羅三藐三菩提佛言如是如是須菩提實

BD01239號　金剛般若波羅蜜經　（9–3）

菩提實无有法發阿耨多羅三藐三菩提者
須菩提於意云何如来於然燈佛所有法得
阿耨多羅三藐三菩提不不也世尊如我解
佛所說義佛於然燈佛所无有法得阿耨
多羅三藐三菩提佛言如是如是須菩提實
无有法如来得阿耨多羅三藐三菩提須菩
提若有法如来得阿耨多羅三藐三菩提者然
燈佛則不與我受記汝於来世當得作佛号
釋迦牟尼以實无有法得阿耨多羅三藐三
菩提是故然燈佛與我受記作是言汝於来
世當得作佛号釋迦牟尼何以故如来者即諸
法如義若有人言如来得阿耨多羅三藐三
菩提須菩提實无有法佛得阿耨多羅三藐
三菩提須菩提如来所得阿耨多羅三藐三
菩提於是中无實无虛是故如来說一切法
皆是佛法須菩提所言一切法者即非一切
法是故名一切法
須菩提譬如人身長大須菩提言世尊如来
說人身長大則為非大身是名大身
須菩提菩薩亦如是若作是言我當滅度无
量衆生則不名菩薩何以故須菩提實无有
法名為菩薩是故佛說一切法无我无人无
衆生无壽者須菩提若菩薩作是言我當莊
嚴佛土是不名菩薩何以故如来說莊嚴佛土

BD01239號　金剛般若波羅蜜經　（9–4）

量衆生則不名菩薩何以故須菩提實无有
法名為菩薩是故佛說一切法无我无人无
衆生无壽者須菩提若菩薩作是言我當莊
嚴佛土是不名菩薩何以故如来說莊嚴佛土
者即非莊嚴是名莊嚴須菩提若菩薩通
達无我法者如来說名真是菩薩
須菩提於意云何如来有肉眼不如是世尊
如来有肉眼須菩提於意云何如来有天眼
不如是世尊如来有天眼須菩提於意云何
如来有慧眼不如是世尊如来有慧眼須菩
提於意云何如来有法眼不如是世尊如来
有法眼須菩提於意云何如来有佛眼不如
是世尊如来有佛眼須菩提於意云何恒河
中所有沙佛說是沙不如是世尊如来說是
沙須菩提於意云何如一恒河中所有沙有
如是等恒河是諸恒河所有沙數佛世界如
是寧為多不甚多世尊佛告須菩提尒所國
土中所有衆生若干種心如来悉知何以故
如来說諸心皆為非心是名為心所以者何
須菩提過去心不可得現在心不可得未来
心不可得須菩提於意云何若有人滿三千
大千世界七寶以用布施是人以是因緣得
福多不如是世尊此人以是因緣得福甚多
須菩提若福德有實如来不說得福德多以
福德无故如来說得福德多

BD01239號　金剛般若波羅蜜經　（9–5）

大千世界七寶以用布施是人以是因緣得
福多不如是世尊此人以是因緣得福甚多
須菩提若福德有實如来不說得福德多以
福德无故如来說得福德多
須菩提於意云何佛可以具足色身見不不
也世尊如来不應以具足色身見何以故如
来說具足色身即非具足色身是名具足色
身須菩提於意云何如来可以具足諸相見
不不也世尊如来不應以具足諸相見何以
故如来說諸相具足即非具足是名諸相具足
須菩提汝勿謂如来作是念我當有所說法
莫作是念何以故若人言如来有所說法即
為謗佛不能解我所說故須菩提說法者
无法可說是名說法
須菩提白佛言世尊佛得阿耨多羅三藐
三菩提為无所得耶如是如是須菩提我於
阿耨多羅三藐三菩提乃至无有少法可得是
名阿耨多羅三藐三菩提復次須菩提是法
平等无有高下是名阿耨多羅三藐三菩提
以无我无人无眾生无壽者脩一切善法則
得阿耨多羅三藐三菩提須菩提所言善法
者如来說非善法是名善法
須菩提若三千大千世界中所有諸須弥山
王如是等七寶聚有人持用布施若人以此

BD01239號　金剛般若波羅蜜經　（9–6）

者如来說非善法是名善法
須菩提若三千大千世界中所有諸須弥山
王如是等七寶聚有人持用布施若人以此
般若波羅蜜經乃至四句偈等受持讀誦為
他人說於前福德百分不及一百千万億分
乃至筭數譬喻所不能及
須菩提於意云何汝等勿謂如来作是念我
當度眾生須菩提莫作是念何以故實无有
眾生如来度者若有眾生如来度者如来則有
我人眾生壽者須菩提如来說有我者則非
有我而凡夫之人以為有我須菩提凡夫者
如来說則非凡夫
須菩提於意云何可以三十二相觀如来不須
菩提言如是如是以三十二相觀如来佛言須
菩提若以三十二相觀如来者轉輪聖王則是
如来須菩提白佛言世尊如我解佛所說義
不應以三十二相觀如来尒時世尊而說偈言
若以色見我　以音聲求我　是人行邪道　不能見如来
須菩提汝若作是念如来不以具足相故得阿
耨多羅三藐三菩提須菩提莫作是念如来
不以具足相故得阿耨多羅三藐三菩提
須菩提汝若作是念發阿耨多羅三藐三菩
提者說諸法斷滅莫作是念何以故發阿耨
多羅三藐三菩提者於法不說斷滅相須菩

BD01239號　金剛般若波羅蜜經　（9–7）

須菩提汝若作是念發阿耨多羅三藐三菩
提者說諸法斷滅莫作是念何以故發阿耨
多羅三藐三菩提者於法不說斷滅相須菩
提若菩薩以滿恒河沙等世界七寶布
施若復有人知一切法无我得成於忍此菩
薩勝前菩薩所得功德須菩提以諸菩
薩不受福德故須菩提白佛言世尊云何
菩薩不受福德須菩提菩薩所作福德
不應貪著是故說不受福德須菩提若有人
言如來若來若去若坐若臥是人不解我所
說義何以故如來者无所從來亦无所去故
名如來須菩提若善男子善女人以三千大
千世界碎為微塵於意云何是微塵衆寧
為多不甚多世尊何以故若是微塵衆實有
者佛則不說是微塵衆所以者何佛說微塵衆
則非微塵衆是名微塵衆世尊如來所說三
千大千世界則非世界是名世界何以故若
世界實有者則是一合相如來說一合相則
非一合相是名一合相須菩提一合相者則
是不可說但凡夫之人貪著其事須菩提若
人言佛說我見人見衆生見壽者見須菩提
於意云何是人解我所說義不不也世尊是人
不解如來所說義何以故世尊說我見人見衆
生見壽者見即非我見人見衆生見壽者見

BD01239 號　金剛般若波羅蜜經　（9–8）

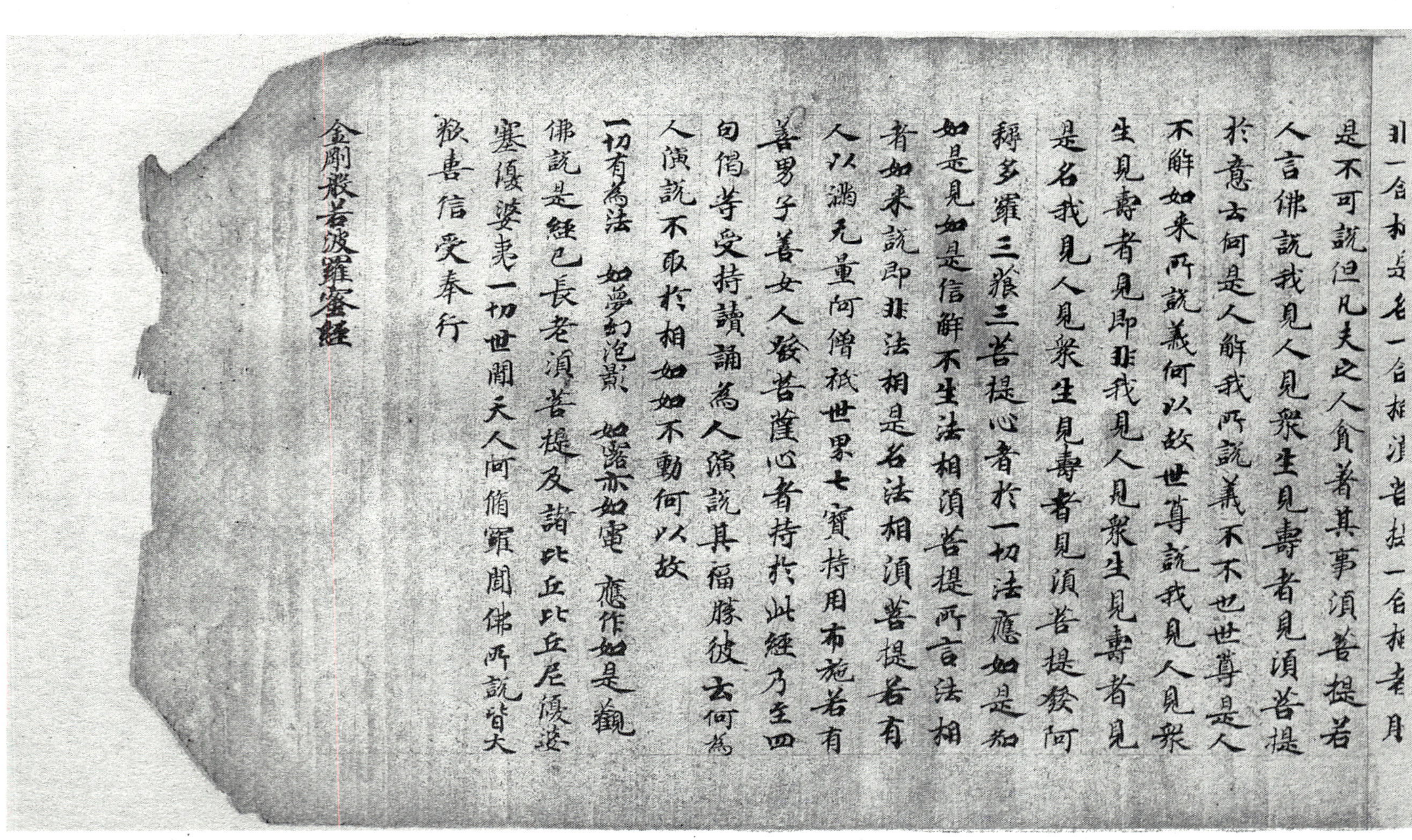
非一合相是名一合相須菩提一合相者則
是不可說但凡夫之人貪著其事須菩提若
人言佛說我見人見衆生見壽者見須菩提
於意云何是人解我所說義不不也世尊是人
不解如來所說義何以故世尊說我見人見衆
生見壽者見即非我見人見衆生見壽者見
是名我見人見衆生見壽者見須菩提發阿
耨多羅三藐三菩提心者於一切法應如是知
如是見如是信解不生法相須菩提所言法相
者如來說即非法相是名法相須菩提若有
人以滿无量阿僧祇世界七寶持用布施若有
善男子善女人發菩薩心者持於此經乃至四
句偈等受持讀誦為人演說其福勝彼云何為
人演說不取於相如如不動何以故
一切有為法　如夢幻泡影　如露亦如電　應作如是觀
佛說是經已長老須菩提及諸比丘比丘尼優婆
塞優婆夷一切世間天人阿脩羅聞佛所說皆大
歡喜信受奉行

金剛般若波羅蜜經

BD01239 號　金剛般若波羅蜜經　（9–9）

善男子譬如寶須彌山王饒益一切此菩提
心利衆生故是名第一[illegible]
子譬如大地持衆物故[illegible]
蜜因譬如師子有大威[illegible]獨步無畏離[illegible]
怖故是名第三忍辱波羅蜜因譬如風輪那
羅延力勇壯速疾心不退故是名第四勤策
波羅蜜因譬如七寶樓觀有四階道清涼之風
來吹四門受安隱樂靜慮法藏求滿足故是
名第五靜慮波羅蜜因譬如日輪光耀熾盛
此心速能破壞生死無明闇故是名第六智
慧波羅蜜因譬如商主能令一切心願滿足
此心能度生死險道獲功德寶故是名第七
方便勝智波羅蜜因譬如淨月圓滿無翳此
心能於一切境界清淨具足故是名第八願
波羅蜜因譬如轉輪聖王主兵寶臣隨意自
在此心善能莊嚴淨佛國土無量功德廣利
群生故是名第九力波羅蜜因譬如虛空及
轉輪聖王此心能於一切境界無有障礙於
一切處皆得自在至灌頂位故是名第十智
波羅蜜因善男子是名菩薩摩訶薩十種
菩提心因如是十因汝當修學

BD01240 號　金光明最勝王經卷四　（17–1）

轉輪聖王此心能於一切境界無有障礙於
一切處皆得自在至灌頂位故是名第十智
波羅蜜因善男子是名菩薩摩訶薩十種
菩提心因如是十因汝當修學
善男子依五種法菩薩摩訶薩成就布施波
羅蜜云何為五一者信根二者慈悲三者无
求欲心四者攝受一切衆生五者願求一切
智智善男子是名菩薩摩訶薩成就布施
波羅蜜善男子復依五法菩薩摩訶薩成就
持戒波羅蜜云何為五一者三業清淨二者不
為一切衆生作煩惱因緣三業閉諸惡道開
善趣門四者過於聲聞獨覺之地五者一切
功德皆悉滿足善男子是名菩薩摩訶薩成
就持戒波羅蜜善男子復依五法菩薩摩
訶薩成就忍辱波羅蜜云何為五一者能伏
貪瞋煩惱二者不惜身命不求安樂止息之
想三者思惟往業遭苦能忍四者發慈悲成
就衆生諸善根故五者為得甚深無生法忍
善男子是名菩薩摩訶薩成就忍辱波羅蜜
善男子復依五法菩薩摩訶薩成就勤策波
羅蜜云何為五一者與諸煩惱不樂共住二
者福德未具不受安樂三者於諸難行苦行
之事不生厭心四者以大慈悲攝受利益方
便成就一切衆生五者願求不退轉地善男
子是名菩薩摩訶薩成就勤策波羅蜜善男
[illegible]

BD01240 號　金光明最勝王經卷四　（17–2）

者福德未具不受安樂三者於諸難行苦行
之事不生厭心四者以大慈悲攝受利益方
便成就一切衆生五者願求不退轉地善男
子是名菩薩摩訶薩成就勤策波羅蜜善男
子復依五法菩薩摩訶薩成就靜慮波羅蜜
云何為五一者於諸善法攝令不散故二者
常願解脫不着二邊故三者願得神通成就
衆生諸善根故四者為淨法界蠲除心垢故
五者為斷衆生煩惱根本故善男子是名菩
薩摩訶薩成就靜慮波羅蜜善男子復依五
法菩薩摩訶薩成就智慧波羅蜜云何為
五一者常於一切諸佛菩薩及明智者供養親
近不生厭背二者諸佛如來說甚深法心常樂
聞無有厭足三者真俗勝智樂善分別四者
見脩煩惱咸速斷除五者世間伎術五明之法
皆悉通達善男子是名菩薩摩訶薩成就
智慧波羅蜜善男子復依五法菩薩摩訶
薩成就方便波羅蜜云何為五一者於一切
衆生意樂煩惱心行差別悉皆通達二者无
量諸法對治之門心皆曉了三者大慈悲定
出入自在四者於諸波羅蜜多皆願修行成
熟滿足五者一切佛法皆願了達攝受无遺
善男子是名菩薩摩訶薩成就方便勝智波
羅蜜善男子復依五法菩薩摩訶薩成就願
波羅蜜云何為五一者於一切法從本以來不

BD01240號　金光明最勝王經卷四　（17–3）

熟滿足五者一切佛法皆願了達攝受无遺
善男子是名菩薩摩訶薩成就方便勝智波
羅蜜善男子復依五法菩薩摩訶薩成就願
波羅蜜云何為五一者於一切法從本以來不
生不滅非有非無心得安住二者觀一切法
最妙理趣離垢清淨心得安住三者過一切
相心本真如無作無行不異不動心得安住
四者為欲利益諸衆生事於俗諦中心得
安住五者於奢摩他毗鉢舍那同時運行心
得安住善男子是名菩薩摩訶薩成就願波
羅蜜善男子復依五者菩薩摩訶薩成就力
波羅蜜云何為五一者以正智力能了一切衆
生心行善惡二者能令一切衆生入於甚深
微妙之法三者一切衆生輪迴生死隨其
緣業如實了知四者於諸衆生三種根性以
正智力能分別知五者於諸衆生如理為說
令種善根成熟度脫皆是智力故善男子
是名菩薩摩訶薩成就力波羅蜜善男子復
依五法菩薩摩訶薩成就智波羅蜜云何為五
一者能於諸法分別善惡二者於黑白法遠
離攝受三者能於生死涅槃不厭不喜四
者具福智行至究竟處五者受勝灌頂能
得諸佛不共法等及一切智智善男子是名菩
薩摩訶薩成就智波羅蜜善男子何者是波羅
蜜義所謂修習勝利是波羅蜜義滿足無
量大甚深智是波羅蜜義行非行法心不執

BD01240號　金光明最勝王經卷四　（17–4）

得諸佛不共法並及一切種智善男子是名菩
薩摩訶薩成就智波羅蜜善男子何者是波羅
蜜義所謂於智勝利是波羅蜜義滿足無
量大甚深智是波羅蜜義行非行法心不執
著是波羅蜜義生死過失涅槃功德正覺正
觀是波羅蜜義愚人智人皆悉攝受是波羅蜜
義能現種種珎妙法寶是波羅蜜義無礙解
脫智慧滿足是波羅蜜義法界衆生界正分
別智是波羅蜜義施等及智能令至不退轉
是波羅蜜義無生法忍能令滿足是波羅蜜
義一切衆生功德善根能令成熟是波羅
蜜義能於菩提成佛十力四无所畏不共法等皆
悉成就是波羅蜜義生死涅槃了無二相是
波羅蜜義濟度一切是波羅蜜義一切外
道來相詰難善能解釋令其降伏是波羅
蜜義能轉十二妙行法輪是波羅蜜義無所
著無所見無患累是波羅蜜多義

善男子初地菩薩是相先現三千大千世界
無量無邊種種寶藏無不盈滿菩薩悉見
善男子二地菩薩是相先現三千大千世界
地平如掌無量無邊種種妙色清淨珎寶
莊嚴之具菩薩悉見善男子三地菩薩是相先
現自身勇健甲仗莊嚴一切怨賊皆能摧伏菩
薩悉見善男子四地菩薩是相先現四方風
輪種種妙花悉皆散灑充布地上菩薩悉見
善男子五地菩薩是相先現有妙寶女衆寶

現自身勇健甲仗莊嚴一切怨賊皆能摧伏菩
薩悉見善男子四地菩薩是相先現四方風
輪種種妙花悉皆散灑充布地上菩薩悉見
善男子五地菩薩是相先現有妙寶女衆寶
瓔珞周遍嚴身首冠名花以為其飾菩薩悉
見善男子六地菩薩是相先現七寶花池有四
階道金砂遍布清淨無穢八功德水皆悉盈
滿嗢鉢羅花拘物頭花分陁利花隨處莊嚴
於花池所遊戲快樂清涼無比菩薩悉見
善男子七地菩薩是相先現於菩薩前有諸
衆生應墮地獄以菩薩力便得不墮無有損
傷亦無怨怖菩薩悉見善男子八地菩薩是
相先現於身兩邊有師子王以為衛護一切衆
獸悉皆怖畏菩薩悉見善男子九地菩薩
是相先現轉輪聖王無量億衆圍繞供養頂
上白蓋無量衆寶之所莊嚴菩薩悉見善
男子十地菩薩是相先現如來之身金色晃耀
無量淨光悉皆圓滿有無量億梵王圍繞恭
敬供養轉於无上微妙法輪菩薩悉見
善男子云何初地名為歡喜謂初證得出世
心昔所未得而今始得於大事用如其所願
悉皆成就生極喜樂是故最初名為歡喜諸
微細垢犯戒過失皆得清淨是故二地名為
無垢無量智慧三昧光明不可傾動無能
摧伏聞持陁羅尼以為根本是故三地名為
[illegible]

微細垢犯戒過失皆得清淨是故二地名爲無垢無量智慧三昧光明不可傾動無能摧伏聞持陁羅尼以爲根本是故三地名爲明地以智慧火燒諸煩惱增長光明修行覺品是故四地名爲燄地修行方便勝智自在極難得故見修煩惱難伏能伏是故五地名爲難勝行法相續了了顯現無相思惟皆悉現前是故六地名爲現前無漏無閒無相思惟解脫三昧遠修行故是地清淨無有障礙是故七地名爲遠行無相思惟修得自在諸煩惱行不能令動是故八地名爲不動說一切法種種差別皆得自在無患累增長智慧自在無礙是故九地名爲善慧法身如虛空智慧如大雲皆能遍滿覆一切故是故第十名爲法雲

善男子執著有相我法無明怖畏生死惡趣無明此二無明障於初地微細學處誤犯無明發起種種業行無明此二無明障於二地未得今得愛著無明能障殊勝總持無明此二無明障於三地味著等至喜悅無明微妙淨法愛樂無明此二無明障於四地欲背生死無明希趣涅槃無明此二無明障於五地觀行流轉無明麁相現前無明此二無明障於六地微細諸相現行無明作意欣樂無相無明此二無明障於七地於無相觀功用無

觀行流轉無明麁相現前無明此二無明障於六地微細諸相現行無明作意欣樂無相無明此二無明障於七地於無相觀功用無明執相自在無明此二無明障於八地於所說義及名句文此二無量未善巧無明於詞辯中不隨意無明此二無明障於九地於大神通未得自在變現無明微細秘密未能悟解事業無明此二無明障於十地於一切境微細所知障礙無明極細煩惱麁重無明此二無明障於佛地

善男子菩薩摩訶薩於初地中行施波羅蜜於第二地行戒波羅蜜於第三地行忍波羅蜜於第四地行勤波羅蜜於第五地行定波羅蜜於第六地行慧波羅蜜於第七地行方便勝智波羅蜜於第八地行願波羅蜜於第九地行力波羅蜜於第十地行智波羅蜜

善男子菩薩摩訶薩最初發心攝受能生妙寶三摩地第二發心攝受能生可愛樂三摩地第三發心攝受能生難動三摩地第四發心攝受能生不退轉三摩地第五發心攝受能生寶花三摩地第六發心攝受能生日圓光燄三摩地第七發心攝受能生一切願如意成就三摩地第八發心攝受能生現前證住三摩地第九發心攝受能生智藏三摩地第十發心攝受能生勇進三摩地善男子是名

餘三摩地第七發心攝受能生一切願如意
成就三摩地第八發心攝受能生現前證住
三摩地第九發心攝受能生智藏三摩地第
十發心攝受能生勇進三摩地善男子是名
菩薩摩訶薩十種發心善男子菩薩摩訶
薩於此初地得陁羅尼名依功德力尒時世
尊即說呪曰
怛 姪 他 晡唯你曷奴喇剃
獨虎獨虎獨虎 耶跋蘇利瑜
阿婆婆薩底 丁里反下皆同 耶跋旃達 囉
調 怛 底 多跋達路叉 湯
憚茶鉢喇 訶 嚧 矩 噌 莎 訶
善男子此陁羅尼是過一恒河沙數諸佛
所說爲護初地菩薩故若有誦持此陁羅尼
呪者得脫一切怖畏所謂虎狼師子惡獸之
類一切惡鬼人非人等怨賊災橫及諸苦惱
解脫五障不忘念初地
善男子菩薩摩訶薩於第二地得陁羅尼
名善安樂住
怛 姪 他 嘔 蔦 入聲下同 里
質 里 質 里 嘔蔦羅蔦羅 引 喃
繕覩繕覩嘔蔦里 虎噌虎噌 莎 訶
善男子此陁羅尼是過二恒河沙數諸佛所
說爲護二地菩薩故若有誦持此陁羅尼
呪者脫諸怖畏惡獸惡鬼人非人等怨賊災
橫及諸苦惱解脫五障不忘念二地

繕覩繕覩嘔蔦里 虎噌虎噌 莎 訶
善男子此陁羅尼是過二恒河沙數諸佛所
說爲護二地菩薩故若有誦持此陁羅尼
呪者脫諸怖畏惡獸惡鬼人非人等怨賊災
橫及諸苦惱解脫五障不忘念二地
善男子菩薩摩訶薩於第三地得陁羅尼
名難勝力
怛 姪 他 憚宅枳般 宅枳
羯喇檄高喇檄 雞由哩憚檄里莎訶
善男子此陁羅尼是過三恒河沙數諸佛所
說爲護三地菩薩故若有誦持此陁羅尼呪
者脫諸怖畏惡獸惡鬼人非人等怨賊災橫
及諸苦惱解脫五障不忘念三地
善男子菩薩摩訶薩於第四地得陁羅尼
名大利益
怛 姪 他 室 剃 室 剃
陁 須 你 陁 須 你 陁 哩 陁 哩 你
室 剃 室 唎 你 毗舍羅波世波始娜
畔陁須帝莎訶
善男子此陁羅尼是過四恒河沙數諸佛
所說爲護四地菩薩故若有誦持此陁羅尼
呪者脫諸怖畏惡獸惡鬼人非人等怨賊災
橫及諸苦惱解脫五障不忘念四地
善男子菩薩摩訶薩於第五地得陁羅尼
名種種功德莊嚴
怛 姪 他 訶 里 訶 里 你

善男子菩薩摩訶薩於第五地得陁羅尼

名種種功德莊嚴

怛姪他 訶哩訶哩你

瘟哩瘟哩你 羯喇摩引你

僧羯喇摩引你 三婆山你膽跋你

悉航婆你謨漢你 碎閣步陛莎訶

善男子此陁羅尼是過五恒河沙數諸佛所

說爲護五地菩薩摩訶薩故若有誦持此

陁羅尼呪者脫諸怖畏惡獸惡鬼人非人等

怨賊災橫及諸苦惱解脫五障不忘念五地

善男子菩薩摩訶薩於第六地得陁羅尼

名圓滿智

怛姪他 毗徒哩毗徒哩

摩哩你迦里迦里 毗庋漢底

嚕嚕嚕嚕 主嚕主嚕

杜嚕婆杜嚕婆 捨捨設者婆哩灑

莎入悉底薩婆薩埵喃 悉甸覩漫

曼怛囉鉢陁你莎訶

善男子此陁羅尼是過六恒河沙數諸佛所

說爲護六地菩薩摩訶薩故若有誦持此陁

羅尼呪者脫諸怖畏惡獸惡鬼人非人等怨

賊災橫及諸苦惱解脫五障不忘念六地

善男子菩薩摩訶薩於第七地得陁羅尼

名法勝行

怛姪他 勺訶上勺訶引嚕

BD01240號　金光明最勝王經卷四　（17–11）

賊災橫及諸苦惱解脫五障不忘念六地

善男子菩薩摩訶薩於第七地得陁羅尼

名法勝行

怛姪他 勺訶上勺訶引嚕

勺訶勺訶勺訶嚕 鞞陸枳鞞陸枳

阿蜜栗多烷漢你 勃里山你

鞞嚕勃枳婆嚕伐底 鞞提呬枳

頻陁鞞哩你 阿蜜哩底枳

薄虐主僉 薄虐主僉莎訶

善男子此陁羅尼是過七恒河沙數諸佛所

說爲護七地菩薩故若有誦持此陁羅尼呪

者脫諸怖畏惡獸惡鬼人非人等怨賊災橫

及諸苦惱解脫五障不忘念七地

善男子菩薩摩訶薩於第八地得陁羅尼

名無盡藏

怛姪他 室唎室唎室唎你

蜜底蜜底 羯哩羯哩醯嚕醯嚕

主嚕主嚕 畔陁須莎訶

善男子此陁羅尼過八恒河沙數諸佛所說

爲護八地菩薩故若有誦持此陁羅尼呪者

脫諸怖畏惡獸惡鬼人非人等怨賊災橫及

諸苦惱解脫五障不忘念八地

善男子菩薩摩訶薩於第九地得陁羅尼

名無量門

怛姪他 訶哩旃茶哩枳

BD01240號　金光明最勝王經卷四　（17–12）

善男子菩薩摩訶薩於第九地得陀羅尼
名無量門
怛　姪　他　訶哩　旃荼哩　枳
俱藍婆喇　體（天里反）　都　剌　死
杖吒杖吒死室喇室喇　迦室哩迦室　室喇
莎（蘇活反）悉　底　薩婆薩埵喃　莎訶
善男子此陀羅尼是過九恒河沙數諸佛所
說為護九地菩薩故若有誦持此陀羅尼呪
者脫諸怖畏惡獸惡鬼人非人等怨賊災橫
及諸苦惱解脫五障不忘念九地
善男子菩薩摩訶薩於第十地得陀羅尼
名破金剛山
怛　姪　他　悉提（去）　蘇悉提（去）
謨折你木察你　毗木底菴末　麗
毗末麗涅末麗　忙　揭　麗
呬喇若　揭　鞞　曷喇怛娜　揭　鞞
三曼多跋姪　囇　薩婆頞他娑憚　你
摩捺斯莫訶摩捺斯　頞　步　底
頞　室　步　底　阿頞　揩毗　剌　揩
頞主底菴蜜栗　底　阿頞　揩毗　喇　揩
跋　囇　誰　跋羅鉗（火含反）盧（入）　囇
䏶頓　你　䏶　喇　娜　曷奴喇剃　莎　訶
善男子此陀羅尼灌頂吉祥句是過十恒河
沙數諸佛所說為護十地菩薩故若有誦持
此陀羅尼呪者脫諸怖畏惡獸惡鬼人非人

䏶頓你䏶喇娜　曷奴喇剃　莎訶
善男子此陀羅尼灌頂吉祥句是過十恒河
沙數諸佛所說為護十地菩薩故若有誦持
此陀羅尼呪者脫諸怖畏惡獸惡鬼人非人
等怨賊災橫一切毒害皆悉除滅解脫五
障不忘念十地
尒時師子相無礙光燄菩薩聞佛說此不可
思議陀羅尼已即從座起偏袒右肩右膝著
地合掌恭敬頂禮佛足以頌讚佛
敬禮無譬喻　甚深無相法　衆生失正知　唯佛能濟度
如來朗慧眼　不見一法相　復以正法眼　普照不思議
不生於一法　亦不滅一法　由斯平等見　得至無上處
不壞於生死　亦不住涅槃　不著於二邊　是故證圓寂
於淨不淨品　世尊知一味　由不分別故　獲得最清淨
世尊無邊身　不說於一字　令諸弟子衆　法雨皆充滿
佛觀衆生相　一切種皆無　然於苦惱者　常興於救護
苦樂常無常　有我無我等　不一亦不異　不生亦不滅
如是衆多義　隨說有差別　譬如空谷響　唯佛能了知
法界無分別　是故無異乘　為度衆生故　分別說有三
尒時大自在梵天王亦從座起偏袒右肩右膝
著地合掌恭敬頂禮佛足而白佛言世尊此金
光明最勝王經希有難量初中後善文義究
竟皆能成就一切佛法若受持者是人則為
報諸佛恩佛言善男子如是如是如汝所說
善男子若得聽聞是經典者皆不退於阿耨

竟皆能成就一切佛法若受持者是人則爲
報諸佛恩佛言善男子如是如是如汝所說
善男子若得聽聞是經典者皆不退於阿耨
多羅三藐三菩提何以故善男子是能成熟
不退地菩薩殊勝善根是第一法印是衆
經王故應聽聞受持讀誦何以故善男子
若一切衆生未種善根未成熟善根未親近
諸佛者不能聽聞是微妙法若善男子善
女人能聽受者一切罪障皆悉除滅得最清
淨常得見佛不離諸佛及善知識勝行之人
恒聞妙法住不退地獲得如是勝陁羅尼門所
謂無盡無減海印出妙功德陁羅尼無盡無
減通達衆生意行言語陁羅尼無盡無減日
圓無垢相光陁羅尼無盡無減滿月相光陁
羅尼無盡無減能伏諸惑演功德流陁羅尼
無盡無減破金剛山陁羅尼無盡無減說不
可說義因緣藏陁羅尼無盡無減通達實語
法則音聲陁羅尼無盡無減虛空無垢心行
印陁羅尼無盡無減無邊佛身皆能顯現陁
羅尼無盡無減
善男子如是等無盡無減諸陁羅尼門得成
就故是菩薩摩訶薩能於十方一切佛土化
作佛身演說無上種種正法於法真如不動
不住不來不去善能成熟一切衆生善根亦
不見一衆生可成熟者雖說種種諸法於言
詞中不動不住不去不來能於生滅證無生
滅以何因緣說諸行法無有去來由一切法

BD01240號　金光明最勝王經卷四　（17–15）

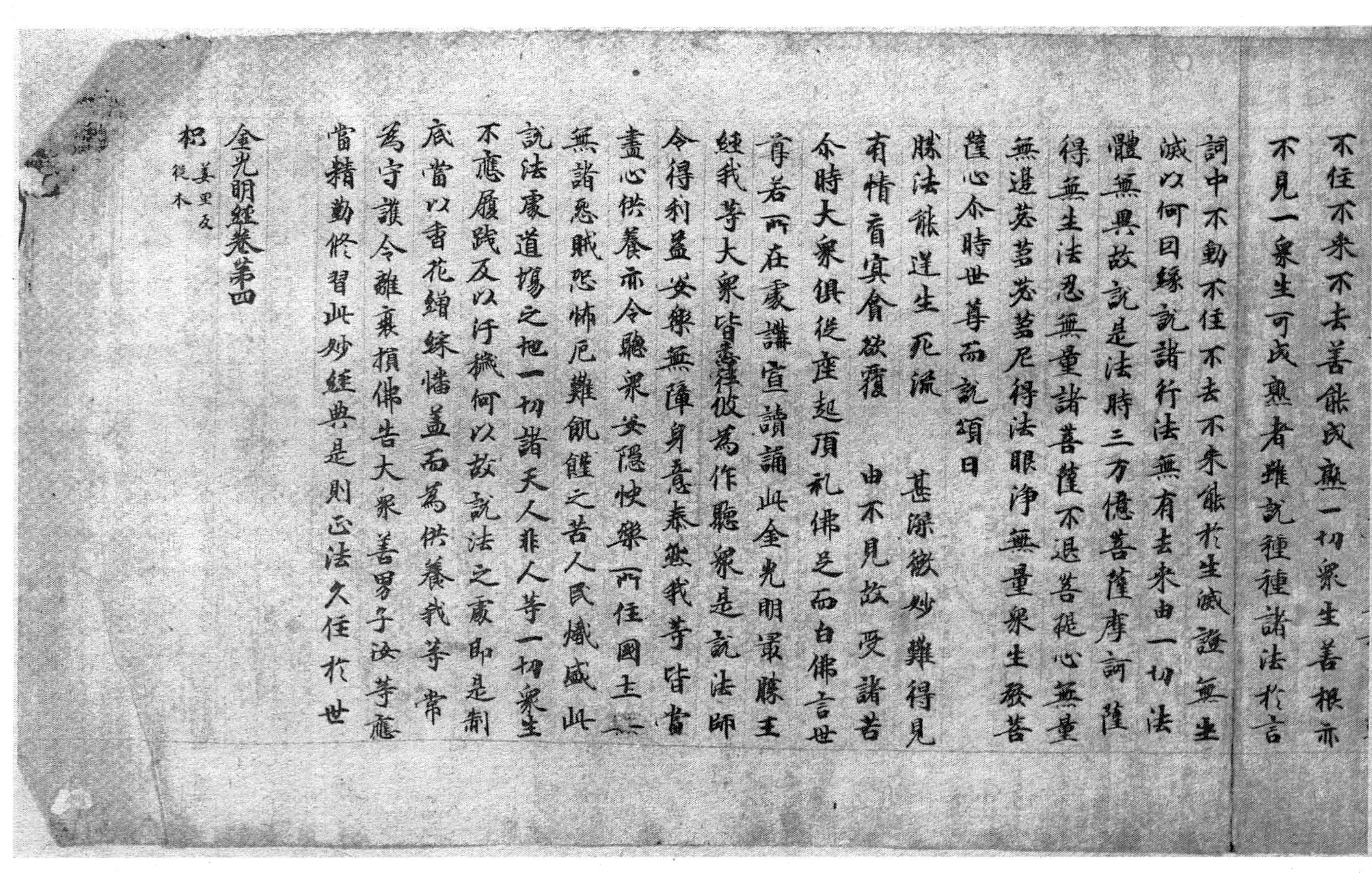
不住不來不去善能成熟一切衆生善根亦
不見一衆生可成熟者雖說種種諸法於言
詞中不動不住不去不來能於生滅證無生
滅以何因緣說諸行法無有去來由一切法
體無異故說是法時三万億菩薩摩訶薩
得無生法忍無量諸菩薩不退菩提心無量
無邊苾芻苾芻尼得法眼淨無量衆生發菩
提心尒時世尊而說頌曰
勝法能逆生死流　甚深微妙難得見
有情盲冥貪欲覆　由不見故受諸苦
尒時大衆俱從座起頂礼佛足而白佛言世
尊若所在處講宣讀誦此金光明最勝王
經我等大衆皆悉往彼爲作聽衆是說法師
令得利益安樂無障身意泰然我等皆當
盡心供養亦令聽衆安隱快樂所住國土無
諸惡賊恐怖尼難飢饉之苦人民熾盛此
說法處道場之地一切諸天人非人等一切衆生
不應履踐及以汙穢何以故說法之處即是制
底當以香花繒綵幡蓋而爲供養我等常
爲守護令離衰損佛告大衆善男子汝等應
當精勤修習此妙經典是則正法久住於世
金光明經卷第四
枳 美里反 從木

BD01240號　金光明最勝王經卷四　（17–16）

令得利益安樂無障身意泰然我等皆當
盡心供養亦令聽衆安隱快樂所住國土無
無諸惡賊恐怖厄難飢饉之苦人民熾盛此
說法處道場之地一切諸天人非人等一切衆生
不應履踐及以污穢何以故說法之處即是制
底當以香花繒綵幡蓋而為供養我等常
為守護令離衰損佛告大衆善男子汝等應
當精勤修習此妙經典是則正法久住於世

金光明經卷第四

枳 姜里反 從本

BD01240號　金光明最勝王經卷四　（17–17）

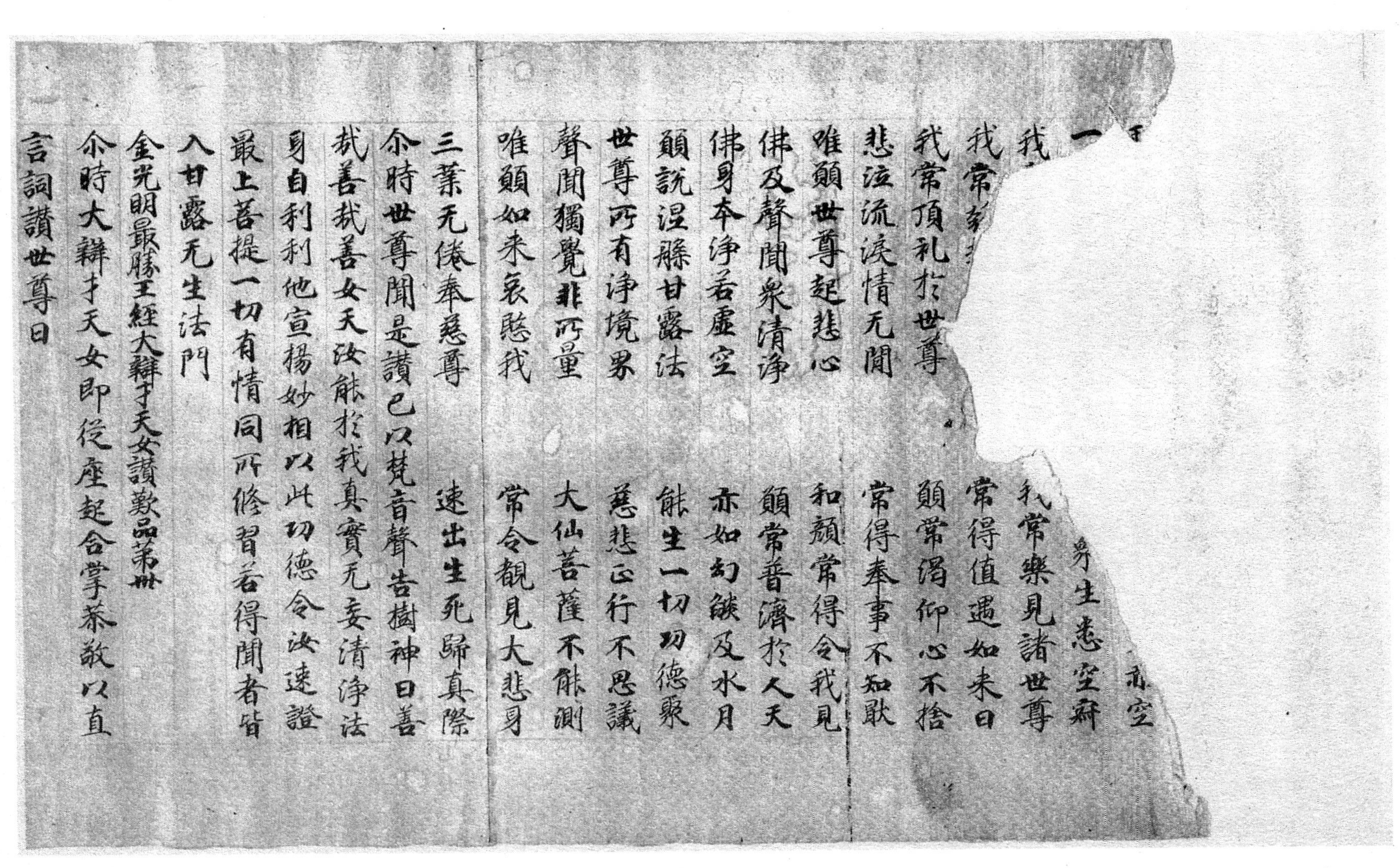

一　　　　　　亦空
我　　　　　身生悲空寂
我常敬　　　我常樂見諸世尊
我常頂礼於世尊　常得值遇如來日
悲泣流淚情无間　願常渴仰心不捨
唯願世尊起悲心　常得奉事不知猒
佛及聲聞衆清淨　和顏常得令我見
佛身本淨若虛空　願常普濟於人天
願說涅槃甘露法　亦如幻燄及水月
世尊所有淨境界　能生一切功德聚
聲聞獨覺非所量　慈悲正行不思議
唯願如來哀愍我　大仙菩薩不能測
　　　　　　　　常令覩見大悲身
三業无倦奉慈尊　速出生死歸真際
尒時世尊聞是讚已以梵音聲告樹神曰善
哉善哉善女天汝能於我真實无妄清淨法
身自利利他宣揚妙相以此功德令汝速證
最上菩提一切有情同所修習若得聞者皆
入甘露无生法門

金光明最勝王經大辯才天女讚歎品第卅

尒時大辯才天女即從座起合掌恭敬以直
言詞讚世尊曰

BD01241號　金光明最勝王經卷一〇　（4–1）

身自利利他宣揚妙相以此功德令汝速證
最上菩提一切有情同所修習若得聞者皆
入甘露无生法門
金光明最勝王經大辯才天女讚歎品第卅
尒時大辯才天女即從座起合掌恭敬以直
言詞讚世尊曰
南謨釋迦牟尼如來應正等覺身真金色咽
如螺貝面如滿月目類青蓮脣口赤好如頗
黎色鼻高脩直如截金鋌齒白齊密如拘物
頭花身光普照如百千日光彩暎徹如贍部
金所有言詞皆无謬失示三解脫門開三菩
提路心常清淨意樂亦然佛所住處及所行
境亦常清淨離非威儀進止无謬六年苦行
三轉法輪度苦衆生令歸彼岸身相圓滿如
拘陁樹六度薰修三業无失具一切智自他
利滿所有宣說常為衆生言不虛設於釋種
中為大師子堅固勇猛具八解脫我今隨力
稱讚如來少分功德猶如蚊子飲大海水願
以此福廣及有情永離生死成无上道
尒時世尊告大辯天曰善哉善哉汝久修習
具大辯才今復於我廣陳讚歎令汝速證无
上法門相好圓明普利一切
金光明最勝王經付囑品第卅一
尒時世尊普告无量菩薩及諸人天一切大
衆汝等當知我於无量无數大劫勤修苦行
獲甚深法菩提正因已為汝說汝等誰能發

BD01241號　金光明最勝王經卷一〇　（4–2）

具大辯才今復於我廣陳讚歎令汝速證无
上法門相好圓明普利一切
金光明最勝王經付囑品第卅一
尒時世尊普告无量菩薩及諸人天一切大
衆汝等當知我於无量无數大劫勤修苦行
獲甚深法菩提正因已為汝說汝等誰能發
勇猛心恭敬守護我涅槃後於此法門廣宣
流布能令正法久住世間尒時衆中有六十
俱胝諸大菩薩六十俱胝諸天大衆異口同
音作如是語世尊我等咸有欣樂之心於佛
世尊无量大劫勤修苦行所獲甚深微妙之
法菩提正因恭敬護持不惜身命佛涅槃後
於此法門廣宣流布當令正法久住世間尒
時諸大菩薩即於佛前說伽他曰
世尊真實語　安住於實法　由彼真實故　護持於此經
大悲為甲冑　安住於大慈　由彼慈悲力　護持於此經
福資粮圓滿　生起智資粮　由資粮滿故　護持於此經
降伏一切魔　破滅諸邪論　斷除惡見故　護持於此經
護世幷釋梵　乃至阿蘇羅　龍神藥叉等　護持於此經
地上及虛空　久住於斯者　奉持佛教故　護持於此經
四梵住相應　四聖諦嚴飾　降伏四魔故　護持於此經
虛空成質礙　質礙成虛空　諸佛所護持　无能傾動者
尒時四大天王聞佛說此護持妙法各生隨
喜護正法心一時同聲說伽他曰
我今於此經　及男女眷屬　皆一心擁護　令得廣流通
若有持經者　能作菩提因　我常於四方　擁護而承事

BD01241號　金光明最勝王經卷一〇　（4–3）

福資粮圓滿　生起智資粮　由資粮滿故　護持於此經
降伏一切魔　破滅諸邪論　斷除惡見故　護持於此經
護世并釋梵　乃至阿蘇羅　龍神藥叉等　護持於此經
地上及虛空　久住於斯者　奉持佛教故　護持於此經
四梵住相應　四聖諦嚴飾　降伏四魔故　護持於此經
虛空成質礙　質礙成虛空　諸佛所護持　无能傾動者
尒時四大天王聞佛說此護持妙法各生隨
喜護正法心一時同聲說伽他曰
我今於此經　及男女眷屬　皆一心擁護　令得廣流通
若有持經者　能作菩提因　我常於四方　擁護而承事
尒時天帝釋合掌恭敬說伽他曰
諸佛證此法　為欲報恩故　饒益菩薩衆　出世演斯經
我於彼諸佛　報恩常供養　護持如是經　及以持經者
尒時覩史多天子合掌恭敬說伽他曰
佛說如是經　若有能持者　當住菩提位　來生覩史天
世尊我慶悅　捨天殊勝報　住於贍部洲　宣揚是經典
時索訶世界主梵天王合掌恭敬說伽他曰
諸靜慮无量　諸乘及解脫　皆從此經出　是故演斯經

BD01241號　金光明最勝王經卷一〇　（4–4）

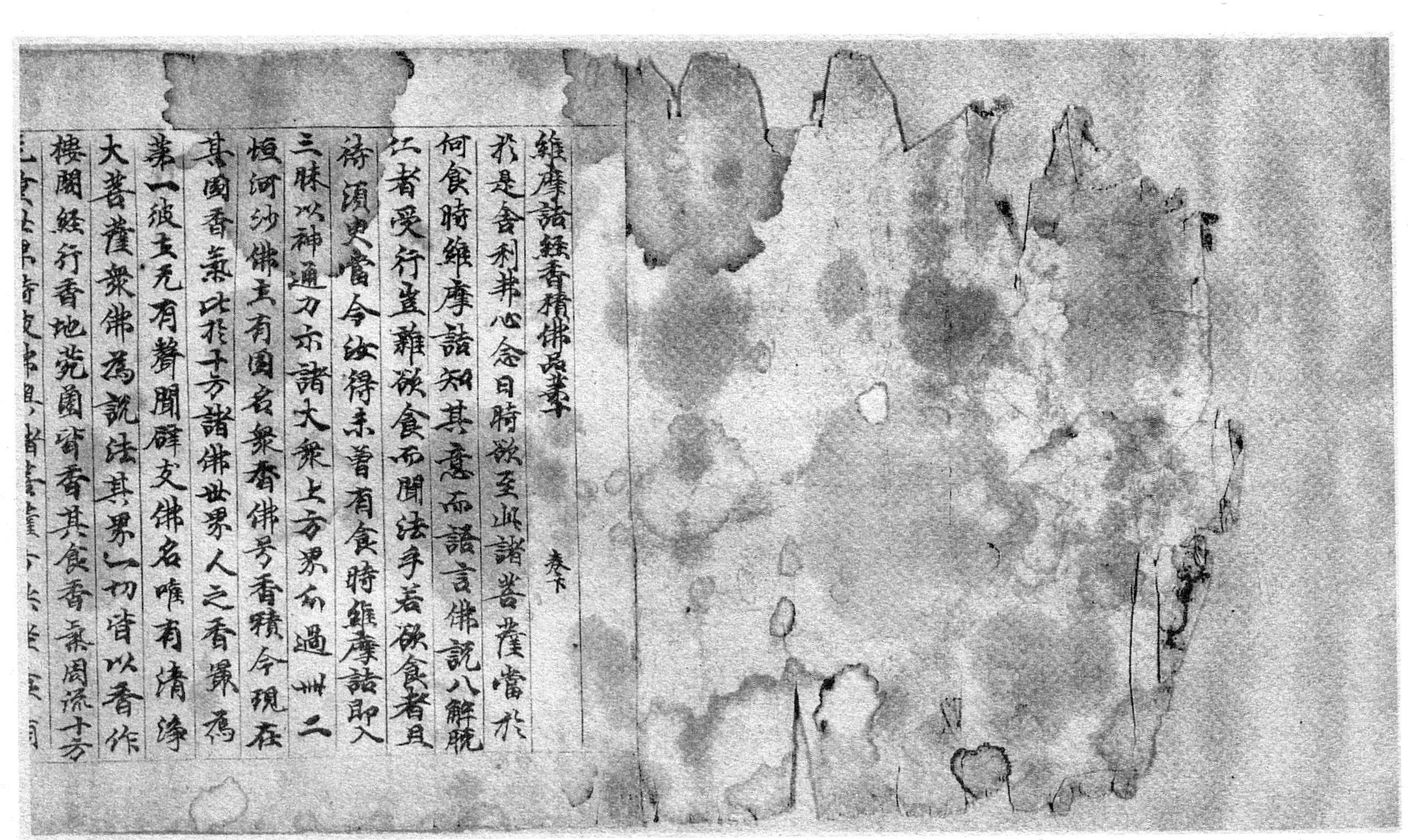
維摩詰經香積佛品第十　卷下
於是舍利弗心念日時欲至此諸菩薩當於
何食時維摩詰知其意而語言佛說八解脫
仁者受行豈雜欲食而聞法乎若欲食者且
待須臾當令汝得未曾有食時維摩詰即入
三昧以神通力示諸大衆上方界分過卌二
恒河沙佛土有國名衆香佛号香積今現在
其國香氣比於十方諸佛世界人之香最為
第一彼土无有聲聞辟支佛名唯有清淨
大菩薩衆佛為說法其界一切皆以香作
樓閣經行香地苑園皆香其食香氣周流十方

BD01242號　維摩詰所說經卷下　（22–1）

第一彼土无有聲聞辟支佛名唯有清淨
大菩薩衆佛為說法其界一切皆以香作
樓閣經行香地苑園皆香其食香氣周流十方
无量世界時彼佛與諸菩薩方共坐食有
諸天子皆号香嚴悉發阿耨多羅三藐三菩提
心供養彼佛及諸菩薩此諸大衆莫不目
見時維摩詰問衆菩薩諸仁者誰能致彼佛
飯以文殊師利威神力故咸皆嘿然維摩詰言
仁者此諸大衆无乃可耻文殊師利曰如佛所言
勿輕未學於是維摩詰不起于座居衆會前
化作菩薩相好光明威德殊勝蔽於衆會而
告之曰汝往上方界分度如卌二恒河沙佛土
有國名衆香佛号香積與諸菩薩方共坐
食汝往到彼如我辞曰維摩詰稽首世尊足
下致敬无量問訊起居少病少惱起力安不
願得世尊所食之餘當於娑婆世界施作佛
事令此樂小法者得弘大道亦使如來名聲
普聞特化菩薩即於會前昇于上方舉衆皆
見其去到衆香界礼彼佛足又聞其言維摩
詰稽首世尊足下致敬无量問訊起居少病少
惱氣力安不願得世尊所食之餘欲於娑婆
世界施作佛事使此樂小法者得弘大道亦
使如來名聲普聞彼諸大士見化菩薩歎未
曾有今此上人從何所來娑婆世界為在何
許云何名為樂小法者即以問佛佛告之曰
下方度如卌二恒河沙佛土有世界名娑婆佛

BD01242號　維摩詰所說經卷下　(22–2)

見其去到衆香界礼彼佛足又聞其言維摩
詰稽首世尊足下致敬无量問訊起居少病少
惱氣力安不願得世尊所食之餘欲於娑婆
世界施作佛事使此樂小法者得弘大道亦
使如來名聲普聞彼諸大士見化菩薩歎未
曾有今此上人從何所來娑婆世界為在何
許云何名為樂小法者即以問佛佛告之曰
下方度如卌二恒河沙佛土有世界名娑婆佛
号釋迦牟尼今現在於五濁世為樂小法衆生
敷演道教彼有菩薩名維摩詰住不可思議解
脫為諸菩薩說法故遣化來稱揚我名并讚此
土令彼菩薩增益功德彼菩薩言其人何如乃
作是化德力无畏神足若斯佛言甚大一切
十方皆遣化往施作佛事饒益衆生於是香
積如來以衆香鉢盛滿香飯與化菩薩時彼
九百万菩薩俱發聲言我欲詣娑婆世界供
養釋迦牟尼佛并欲見維摩詰等諸菩薩衆
佛言可往攝汝身香无令彼諸衆生起惑著心
又當捨汝本形勿使彼國求菩薩者而自鄙
耻又汝於彼莫懷輕賤而作礙想所以者何
十方國土皆如虛空又諸佛為欲化諸樂小
法者不盡現其清淨土耳時化菩薩既受鉢
飯與彼九百万菩薩俱承佛威神及維摩詰
力於彼世界忽然不現須臾之間至維摩詰
舍維摩詰即化作九百万師子之座嚴好如前

BD01242號　維摩詰所說經卷下　(22–3)

汝不盡現其[illegible]化菩薩即受鉢
飯與彼九百万菩薩俱承佛威神及維摩詰
力於彼世界忽然不現須臾之閒至維摩詰
舍維摩詰即化作九百万師子之座嚴好如前
諸菩薩皆坐其上化菩薩以滿鉢香飯與維摩
詰飯香普薰毗耶離城及三千大千世界時毗
耶離婆羅門居士等聞是香氣身意快然歎未
曾有於是長者主月蓋從八万四千人來入
維摩詰舍見其室中菩薩甚多諸師子座高
廣嚴好皆大歡喜礼衆菩薩及大弟子却住
一面諸地神虛空神及欲色界諸天聞此香
氣亦皆來入維摩詰舍時維摩詰語舍利弗
等諸大聲聞仁者可食如來甘露味飯大悲
所薰无以限意食之使不消也有異聲聞念
是飯少而此大衆人人當食化菩薩曰勿以聲
聞小德小智稱量如來无量福慧四海有竭
此飯无盡使一切人食揣若須弥乃至一劫猶
不能盡所以者何无盡戒定智慧解脫解脫知
見功德具足者所食之餘終不可盡於是鉢飯
悉飽衆會猶故不賜其諸菩薩聲聞天人食此
飯者身安快樂譬如一切樂莊嚴國諸菩薩也
又諸毛孔皆出妙香亦如衆香國土諸樹之
香尒時維摩詰問衆香菩薩香積如來以何
說法彼菩薩曰我土如來无文字說但以衆
香令諸天人得入律行菩薩各各坐香樹下
聞斯妙香即獲一切德藏三昧得是三昧者

香尒時維摩詰問衆香菩薩香積如來以何
說法彼菩薩曰我土如來无文字說但以衆
香令諸天人得入律行菩薩各各坐香樹下
聞斯妙香即獲一切德藏三昧得是三昧者
菩薩所有功德皆悉具足彼諸菩薩問維摩
詰今世尊釋迦牟尼以何說法維摩詰言此
土衆生剛強難化故佛為說剛強之語以調伏
之言是地獄是畜生是餓鬼是諸難處是愚
人生處是身邪行是身邪行報是口邪行是
口邪行報是意邪行是意邪行報是煞生是
煞生報是不與取是不與取報是邪婬是邪
婬報是妄語是妄語報是兩舌是兩舌報是
惡口是惡口報是无義語是无義語報是貪
嫉是貪嫉報是瞋惱是瞋惱報是邪見是邪
見報是慳悋是慳悋報是毀戒是毀戒報是
瞋恚是瞋恚報是懈怠是懈怠報是亂意是
亂意報是愚癡是愚癡報是結戒是持戒是
犯戒是應作是不應作是鄣礙是不鄣礙是
得罪是離罪是淨是垢是有漏是无漏是邪
道是正道是有為是无為是世閒是涅槃以
難化之人心如猨猴故以若干種法制御其
心乃可調伏譬如象馬儱悷不調加諸楚毒
乃至徹骨然後調伏如是剛強難化衆生故
以一切苦切之言乃可入律彼諸菩薩聞說
是已皆曰未曾有也如世尊釋迦牟尼佛隱

以一切苦切之言乃可入律彼諸菩薩聞說
是已皆曰未曾有也如世尊釋迦牟尼佛隱
其无量自在之力乃以貧所樂法度脫衆生
斯諸菩薩亦能勞謙以无量大悲生是佛土
維摩詰言此土菩薩於諸衆生大悲堅固誠
如所言然其一世饒益衆生多於彼國百千
劫行所以者何此娑婆世界有十事善法諸
餘淨土之所无有何等為十以布施攝貧窮
以淨戒攝毀禁以忍辱攝瞋恚以精進攝懈
怠以禪定攝亂意以智慧攝愚癡以除難
法度八難者以大乘法度樂小乘者以諸善
根濟无德者常以四攝成就衆生是為十彼
菩薩曰菩薩成就幾法於此世界行无創疣
生于淨土維摩詰言菩薩成就八法於此世
界行无創疣生于淨土何等為八饒益衆生
而不望報代一切衆生受諸苦惱所作功德
盡以施之等心衆生謙下无礙於諸菩薩視
之如佛所未聞經聞之不疑不與聲聞而相
違背不嫉彼供不高己利而於其中調伏其
心常省己過不訟彼短恒以一心求諸功德
是為八維摩詰文殊師利於大衆中說是法
時百千天人皆發阿耨多羅三藐三菩提心
十千菩薩得无生法忍
維摩詰經菩薩行品第十一
是時佛說法於菴羅樹園其地忽然廣博嚴

BD01242 號　維摩詰所說經卷下　（22–6）

時百千天人皆發阿耨多羅三藐三菩提心
十千菩薩得无生法忍
維摩詰經菩薩行品第十一
是時佛說法於菴羅樹園其地忽然廣博嚴
事一切衆會皆作金色阿難白佛言世尊以
何因緣有此瑞應是處忽然廣博嚴事一切
衆會皆作金色佛告阿難是維摩詰文殊師
利與諸大衆恭敬圍繞發意欲來故先為此
瑞應於是維摩詰語文殊師利可共見佛與
諸菩薩礼事供養文殊師利言善哉行矣今
正是時維摩詰即以神力持諸大衆并師子
座置於右掌往詣佛所到已著地稽首佛足
右繞七币一心合掌在一面立其諸菩薩即
皆避座稽首佛足亦繞七币於一面立諸大
弟子釋梵四天王等亦皆避座稽首佛足在
一面立於是世尊如法慰問諸菩薩已各令
復坐即皆受教衆坐已定佛語舍利弗汝見
菩薩大士自在神力之所為乎唯然已見汝意
云何世尊我覩其為不可思議非意所圖非
度所測尒時阿難白佛言世尊今所聞香自
昔未有是為何香佛告阿難是彼菩薩毛孔
之香於是舍利弗語阿難言我等毛孔亦出
是香阿難言此所從來曰是長者維摩詰從
衆香國取佛餘飯於舍食者一切毛孔皆香
若此阿難問維摩詰是香氣住當久如維摩

BD01242 號　維摩詰所說經卷下　（22–7）

是香阿難言此所從來曰是長者維摩詰從
衆香國取佛餘飯於舍食者一切毛孔皆香
若此阿難問維摩詰是香氣住當久如維摩
詰言至此飯消曰此飯久如當消曰此飯勢
力至于七日然後乃消又阿難若聲聞人未
入正位食此飯者得入正位然後乃消已入正
位食此飯者得心解脫然後乃消若未發大乘
意食此飯者至發意乃消已發意食此飯者
得无生忍然後乃消已得无生忍食此飯者至
一生補處然後乃消譬如有藥名曰上味其
有服者身諸毒滅然後乃消此飯如是滅除
一切諸煩惱毒然後乃消阿難白佛言未曾有
也世尊如此香飯能作佛事佛言如是如是阿
難或有佛土以佛光明而作佛事有以諸菩薩
而作佛事有以佛所化人而作佛事有以菩
提樹而作佛事有以佛衣服卧具而作佛事
有以飯食而作佛事有以園林臺觀而作佛事
有以卅二相八十隨形好而作佛事有以佛身
而作佛事有以虛空而作佛事衆生應以此緣
得入律行有以夢幻影響鏡中像水中月熱時
炎如是等喻而作佛事有以音聲語言文字而
作佛事或有清淨佛土寂漠无言无說无示无
識无作无爲而作佛事如是阿難諸佛威儀進
止諸所施爲无非佛事阿難有此四魔八万四
千諸煩惱門而諸衆生爲之疲勞諸佛即以此

BD01242號　維摩詰所說經卷下　（22–8）

識无作无爲而作佛事如是阿難諸佛威儀進
止諸所施爲无非佛事阿難有此四魔八万四
千諸煩惱門而諸衆生爲之疲勞諸佛即以此
法而作佛事是名入一切諸佛法門菩薩入此
門者若見一切淨妙佛土不以爲喜不貪不高
若見一切不淨佛土不以爲憂不礙不沒但於
諸佛生清淨心歡喜恭敬未曾有也諸佛如來
功德平等爲教化衆生故而現佛土不同阿難
汝見諸佛國土地有若干而虛空无若干也如
是見諸佛色身有若干耳其无礙慧无若干
也阿難諸佛色身威相種姓戒定智慧解脫
解脫知見力无所畏不共之法大慈大悲威
儀所行及其壽命說法教化成就衆生淨佛
國土具諸佛法悉皆同等是故名爲三藐三
佛陁名爲多陁阿伽度名爲佛陁阿難若我
廣說此三句義汝以劫壽不能盡受正使三
千大千世界滿中衆生皆如阿難多聞第一
得念總持此諸人等以劫之壽亦不能受如是
阿難諸佛阿耨多羅三藐三菩提无有限量
智慧辯才不可思議阿難白佛我從今已往
不敢自謂以爲多聞佛告阿難勿起退意所
以者何我說汝於聲聞中爲最多聞非謂菩
薩且止阿難其有智者不應限度諸菩薩也
一切海淵尚可測量菩薩禪定智慧總持辯
才一切功德不可量也阿難汝等捨置菩薩

BD01242號　維摩詰所說經卷下　（22–9）

薩且止阿難其有智者不應限度諸菩薩也
一切海淵尚可測量菩薩禪定智慧揔持辯
才一切功德不可量也阿難汝等捨置菩薩
所行是維摩詰一時所現神通之力一切聲
聞辟支佛於百千劫盡力變化所不能作
尒時衆香世界菩薩來者合掌白佛言世尊
我等初見此土生下劣想今自悔責捨離是
心所以者何諸佛方便不可思議爲度衆生
故隨其所應現佛國異唯然世尊願賜少法
還於彼土當念如來佛告諸菩薩有盡无盡
解脫法門汝等當學何謂爲盡謂有爲法何
謂无盡謂无爲法如菩薩者不盡有爲不住
无爲何謂不盡有爲謂不離大慈不捨大悲
深發一切智心而不忽忘教化衆生終不猒
惓於四攝法常念順行護持正法不惜軀命
種諸善根无有疲猒志常安住方便迴向求
法不懈說法无悋勤供諸佛故入生死而无
所畏於諸榮辱心无憂喜不輕未學敬學如
佛墮煩惱者令發正念於遠離樂不以爲貴
不著己樂慶於彼樂在諸禪定如地獄想於
生死中如園觀想見來求者爲善師想捨諸
所有具一切智想見毀戒人起救護想諸波
羅蜜爲父母想道品之法爲眷屬想發行善
根无有齊限以諸淨國嚴飾之事成己佛土
行不限施具足相好除一切惡身口意淨故

BD01242 號　維摩詰所說經卷下　　(22–10)

所有具一切智想見毀戒人起救護想諸波
羅蜜爲父母想道品之法爲眷屬想發行善
根无有齊限以諸淨國嚴飾之事成己佛土
行不限施具足相好除一切惡身口意淨故
生死无數劫意而有勇聞佛无量德志而不
惓以智慧劍破煩惱賊出陰界入荷負衆生
永使解脫以大精進摧伏魔軍常求无念實
相之慧於世間法少欲知足於出世間法求
之无猒不壞威儀而能隨俗起神通慧引導
衆生得念揔持所聞不忘善別諸根斷衆生
疑以樂說辯演法无礙淨十善道受天人福
脩四无量開梵天道勸請說法隨喜讚善得
佛音聲身口意善得佛威儀深行善法所生
轉勝以大乘教成菩薩僧心无放逸不失衆
善行如此法是名菩薩不盡有爲何謂菩薩
不住无爲謂脩學空不以空爲證脩學无相
无作不以无相无作爲證脩學无起不以无
起爲證觀於无常而不猒善本觀世間苦而
不惡生死觀於无我而誨人不惓觀於寂滅
而不永寂滅觀於遠離而身心脩善觀无所
歸而歸趣善法觀於无生而以生法荷負一切
觀於无漏而不斷諸漏觀无所行而以行法
教化衆生觀於空无而不捨大悲觀正法位而
不隨小乘觀諸法虛妄无牢无人无主无相
本願未滿而不虛福德禪定智慧脩如此法
是名菩薩不住无爲又見福德故不住无爲

BD01242 號　維摩詰所說經卷下　　(22–11)

教化衆生觀於空无而不捨大悲觀正法位而
不隨小乘觀諸法虛妄无牢无人无主无相
本願未滿而不虛福德禪定智慧脩如此法
是名菩薩不住无爲又見福德故不住无爲
具智慧故不盡有爲大慈悲故不住无爲滿
本願故不盡有爲集法藥故不住无爲隨授
藥故不盡有爲知衆生病故不住无爲滅衆
生病故不盡有爲諸正士菩薩已脩此法不
盡有爲不住无爲是名盡无盡解脫法門汝
等當學尒時彼諸菩薩聞說是法皆大歡喜
以衆妙華若干種色若干種香散遍三千大
千世界供養於佛及此經法并諸菩薩已稽
首佛足歎未曾有言釋迦牟尼佛乃能於此
善行方便言已忽然不現還到彼國

維摩詰經見阿閦佛品第十二

尒時世尊問維摩詰汝欲見如來爲以何等
觀如來乎維摩詰言如自觀身實相觀佛亦
然我觀如來前際不來後際不去今則不住
不觀色不觀色如不觀色性不觀受想行識
不觀識如不觀識性非四大起同於虛空六
入无積眼耳鼻舌身心已過不在三界三垢
已離順三脫門三明與无明等不一相不異相
不自相不他相非无相非取相不此岸不彼
岸不中流而化衆生觀於寂滅亦不永滅不
此不彼不以此不以彼不可以智知不可以
識識无晦无明无名无相无強无弱非淨非

BD01242號　維摩詰所說經卷下　（22–12）

岸不中流而化衆生觀於寂滅亦不永滅不
此不彼不以此不以彼不可以智知不可以
識識无晦无明无名无相无強无弱非淨非
穢不在方不離方非有爲非无爲无示无說不
施不慳不戒不犯不忍不恚不進不怠不定不
亂不智不愚不誠不欺不來不去不出不入一
切言語道斷非福田非不福田非應供養非
不應供養非取非捨非有相非无相同真際等
法性不可稱不可量過諸稱量非大非小非
見非聞非覺非知離衆結縛等諸智同衆生
於諸法无分別一切无失无濁无惱无作无
起无生无滅无畏无憂无喜无猒无著无已
有无當有无今有不可以一切言說分別顯
示世尊如來身爲若此作如是觀以斯觀者
名爲正觀若他觀者名爲邪觀尒時舍利弗
問維摩詰汝於何沒而來生此維摩詰言汝
所得法有沒生乎舍利弗言无沒生也若諸法
无沒生相云何問言汝於何沒而來生此於
意云何譬如幻師幻作男女寧沒生邪舍利
弗言无沒生也汝豈不聞佛說諸法如幻相
乎荅曰如是若一切法如幻相者云何問言
汝於何沒而來生此舍利弗沒者爲虛誑法
壞敗之相生者爲虛誑法相續之相菩薩雖
沒不盡善本雖生不長諸惡
是時佛告舍利弗有國名妙喜佛号无動是

BD01242號　維摩詰所說經卷下　（22–13）

汝於何沒而來生此舍利弗沒者為虛誑法
壞敗之相生者為虛誑法相續之相菩薩雖
沒不盡善本雖生不長諸惡
是時佛告舍利弗有國名妙喜佛號无動是
維摩詰於彼國沒而來生此舍利弗言未曾
有也世尊是人乃能捨清淨佛土而來樂此
多怒害處維摩詰語舍利弗於意云何日光
出時與冥合乎答曰不也日光出時則无衆
冥維摩詰言夫日何故行閻浮提答曰欲以明
照為之除冥維摩詰言菩薩如是雖生不淨佛
土為化衆生不與愚闇而共合也但滅衆生
煩惱闇耳
是時大衆渴仰欲見妙喜世界不動如來及
其菩薩聲聞之衆佛知一切衆會所念告維
摩詰言善男子為此衆會現妙喜國不動如
來及諸菩薩聲聞之衆衆皆欲見於是維摩詰
心念吾當不起于座接妙喜國鐵圍山川溪谷
江河大海泉源須弥諸山及日月星宿天龍
鬼神梵天等宮并諸菩薩聲聞之衆城邑聚
落男女大小乃至无動如來及菩提樹諸妙
蓮華能於十方作佛事者三道寶階從閻浮
提至忉利天以此寶階諸天來下悉為礼敬
无動如來聽受經法閻浮提人亦登其階上
昇忉利見彼諸天妙喜世界成就如是无量
功德上至阿迦貳吒天下至水際以右手斷
取如陶家輪入此世界猶持華鬘示一切衆

BD01242號　維摩詰所說經卷下　（22–14）

昇忉利見彼諸天妙喜世界成就如是无量
功德上至阿迦貳吒天下至水際以右手斷
取如陶家輪入此世界猶持華鬘示一切衆
作是念已入於三昧現神通力以其右手斷
取妙喜世界置於此土彼得神通菩薩及聲
聞衆并餘天人俱發聲言唯然世尊誰取我
去願見救護无動佛言非我所為是維摩詰
神力所作其餘未得神通力者不覺不知已
之所往妙喜世界雖入此土而不增減於是
世界亦不迫隘如本无異
尒時釋迦牟尼佛告諸大衆汝等且觀妙喜
世界无動如來其國嚴飾菩薩行淨弟子清
白皆曰唯然已見佛告若菩薩欲得如是清
淨佛土當學无動如來所行之道現此妙喜
國時娑婆世界十四那由他人發阿耨多羅
三藐三菩提心皆願生於妙喜佛土釋迦牟
尼佛即記之曰當生彼國時妙喜世界於此
國土所應饒益其事訖已還復本處舉衆皆見
佛告舍利弗汝見此妙喜世界及无動佛不
唯然已見世尊願使一切衆生得清淨土如无
動佛獲神通力如維摩詰世尊我等快得善
利得見是人親近供養其諸衆生若今現在
若佛滅後聞此經者亦得善利況得聞已信
解受持讀誦解說如法脩行若有手得是經
典者便為已得法寶之藏若有讀誦解釋其
義如說脩行則為諸佛之所護念其有供養如

BD01242號　維摩詰所說經卷下　（22–15）

解受持讀誦解說如法脩行若有手得是經
典者便為已得法寶之藏若有讀誦解釋其
義如說脩行則為諸佛之所護念其有供養如
是人者當知則為供養於佛其有書持此經卷
者當知其室則有如來若聞是經能隨喜者斯
人則為取一切智若能信解此經乃至一四
句偈為他說者當知此人即是受阿耨多羅
三藐三菩提記

維摩詰經法供養品第十三

尒時釋提桓因於大衆中白佛言世尊我雖
從佛及文殊師利聞百千經未曾聞此不可
思議自在神通決定實相經典如我解佛所
說義趣若有衆生聞是經法信解受持讀誦
之者必得是法不疑何況如說脩行斯人則
為閉衆惡趣開諸善門常為諸佛之所護念
降伏外學摧滅魔怨脩治菩提安處道場履
踐如來所行之跡世尊若有受持讀誦如說
行者我當與諸眷屬供養給事所在衆落城
邑山林曠野有是經處我亦與諸眷屬聽受
法故共到其所其未信者當令生信其已信
者當為作護佛言善哉善哉天帝如汝所說
吾助尒喜此經廣說過去未來現在諸佛不
可思議阿耨多羅三藐三菩提是故天帝若
善男子善女人受持讀誦供養是經者則為
供養去來今佛天帝正使三千大千世界如

BD01242 號　維摩詰所說經卷下　（22–16）

善男子善女人受持讀誦供養是經者則為
供養去來今佛天帝正使三千大千世界如
來滿中譬如甘蔗竹葦稻麻叢林若有善男
子善女人或一劫或減一劫恭敬尊重讚歎
供養奉諸所安至諸佛滅後以一一全身舍
利起七寶塔縱廣一四天下高至梵天表剎
莊嚴以一切華香瓔珞幢幡伎樂微妙第一
若一劫若減一劫而供養之於天帝意云何
其人植福寧為多不釋提桓因言多矣世尊
彼之福德若以百千億劫說不能盡佛告天
帝當知是善男子善女人聞是不可思議解
脫經典信解受持讀誦脩行福多於彼所以
者何諸佛菩提皆從是生菩提之相不可限
量以是因緣福不可量
佛告天帝過去无量阿僧祇劫時世有佛號
曰藥王如來應正遍知明行足善逝世間解
无上士調御丈夫天人師佛世尊世界曰大
莊嚴劫曰莊嚴佛壽廿小劫其聲聞僧卅六
億那由他菩薩僧有十二億天帝是時有轉
輪聖王名曰寶蓋七寶具足主四天下王有
千子端正勇健能伏怨敵尒時寶蓋與其眷
屬供養藥王如來施諸所安至滿五劫過五
劫已告其千子汝等亦當如我以深心供養
於佛於是千子受父王命供養藥王如來復
滿五劫一切施安其王一子名曰月蓋獨坐思
惟寧有供養殊過此者以佛神力空中有天曰

BD01242 號　維摩詰所說經卷下　（22–17）

劫已告其千子汝等亦當如我以深心供養
於佛於是千子受父王命供養藥王如来復
滿五劫一切施安其王一子名曰月盖獨坐思
惟寧有供養殊過此者以佛神力空中有天曰
善男子法之供養勝諸供養即問何謂法之
供養天曰汝可往問藥王如来當廣為汝說
法之供養即時月盖王子行詣藥王如来稽
首佛足却住一面白佛言世尊諸供養中法
供養勝云何為法供養佛言善男子法供養
者謂諸佛所說深經一切世間難信難受微
妙難見清淨无染非分別思惟之所能得菩
薩法藏所攝陁羅尼印印之至不退轉成就
六度善分別義順菩提法衆經之上入大慈
悲離衆魔事及諸邪見順因緣法无我无人
无衆生无壽命空无相无作无起能令衆生
坐於道場而轉法輪諸天龍神乾闥婆等所
共歎譽能令衆生入佛法藏攝諸賢聖一切
智慧說衆菩薩所行之道依於諸法實相之
義明宣无常苦空无我寂滅能救一切毀禁
衆生諸魔外道及貪著者能使怖畏諸佛賢
聖所共稱歎背生死苦示涅槃樂十方三世
諸佛所說若聞如是等經信解受持讀誦以
方便力為諸衆生分別解說顯示分明守護
法故是名法之供養又於諸法如說修行隨順
十二因緣離諸邪見得无生忍決定无我无有

方便力為諸衆生分別解說顯示分明守護
法故是名法之供養又於諸法如說修行隨順
十二因緣離諸邪見得无生忍決定无我无有
衆生而於因緣果報无違无諍離諸我所依
於義不依語依於智不依識依了義經不依
不了義經依於法不依人隨順法相无所入无
所歸无明畢竟滅故諸行亦畢竟滅乃至生畢
竟滅故老死亦畢竟滅作如是觀十二因緣
无有盡相不復起見是名最上法之供養
佛告天帝王子月盖從藥王佛聞如是法得
柔順忍即解寶衣嚴身之具以供養佛白佛
言世尊如来滅後我當行法供養守護正法
願以威神加哀建立令我得降魔怨修菩薩
行佛知其深心所念而記之曰汝於末後守
護法城天帝時王子月盖見法清淨聞佛受
記以信出家修集善法精進不久得五神通
通菩薩道得陁羅尼无斷辯才於佛滅後以
其所得神通總持辯才之力滿十小劫藥王
如来所轉法輪隨而分布月盖比丘以守護法
勤行精進即於此身化百万億人於阿耨多羅
三藐三菩提立不退轉十四那由他人深發聲
聞辟支佛心无量衆生得生天上天帝時王寶
盖豈異人乎今現得佛号寶炎如来其王千
子即賢劫中千佛是也從迦羅鳩孫大為始
得佛最後如来号曰樓至月盖比丘則我身

蓋豈異人乎今現得佛号寶炎如来其王千
子即賢劫中千佛是也從迦羅鳩孫大為始
得佛最後如来号曰樓至月盖比丘則我身
是如是天帝當知此要以法供養於諸供養
為上為最第一无比是故天帝當以法之供
養供養於佛

維摩詰經囑累品第十四

於是佛告弥勒菩薩言弥勒我今以是无量
億阿僧祇劫所集阿耨多羅三藐三菩提法
付囑於汝如是輩經於佛滅後末世之中汝
等當以神力廣宣流布於閻浮提无令斷絶
所以者何未来世中當有善男子善女人及
天龍鬼神乹闥婆羅剎等發阿耨多羅三藐
三菩提心樂于大法若使不聞如是等經則失
善利如此輩人聞是等經必多信樂發希有
心當以頂受隨諸衆生所應得利而為廣說
弥勒當知菩薩有二相何謂為二一者好於
雜句文飾之事二者不畏深義如實能入若
好雜句文飾事者當知是為新學菩薩若於
如是无染无著甚深經典无有恐畏能入其
中聞已心淨受持讀誦如說脩行當知是為久
脩道行弥勒復有二法名新學者不能決定
於甚深法何等為二一者所未聞深經聞之
驚怖生疑不能隨順毀謗不信而作是言我
初不聞從何所来二者若有護持解說如是

BD01242號　維摩詰所說經卷下　（22–20）

驚怖生疑不能隨順毀謗不信而作是言我
初不聞從何所来二者若有護持解說如是
深經者不能親近供養恭敬或時於中說其
過惡有此二法當知是新學菩薩為自毀傷
不能於深法中調伏其心弥勒復有二法菩
薩雖信解深法猶自毀傷而不能得无生法
忍何等為二一者輕慢新學菩薩而不教誨
二者雖解深法而取相分別是為二法弥勒菩
薩聞說是已白佛言世尊未曾有也如佛所
說我當遠離如斯之惡奉持如来无數阿僧
祇劫所集阿耨多羅三藐三菩提法若未来
世善男子善女人求大乘者當令手得如是
等經與其念力使受持讀誦為他廣說世尊
若後末世有能受持讀誦為他說者當知是
弥勒神力之所建立佛言善哉善哉弥勒如
汝所說佛助尒喜於是一切菩薩合掌白佛我
等亦於如来滅後十方國土廣宣流布阿耨多
羅三藐三菩提復當開導諸說法者令得是
經尒時四天王白佛言世尊在在處處城邑
聚落山林曠野有是經卷讀誦解說者我當
率諸官屬為聽法故往詣其所擁護其人面百
由旬令无伺求得其便者是時佛告阿難受
持是經廣宣流布阿難言唯我已受持要者
世尊當何名斯經佛告阿難是經名為維摩
詰所說亦名不可思議解脫法門如是受持

BD01242號　維摩詰所說經卷下　（22–21）

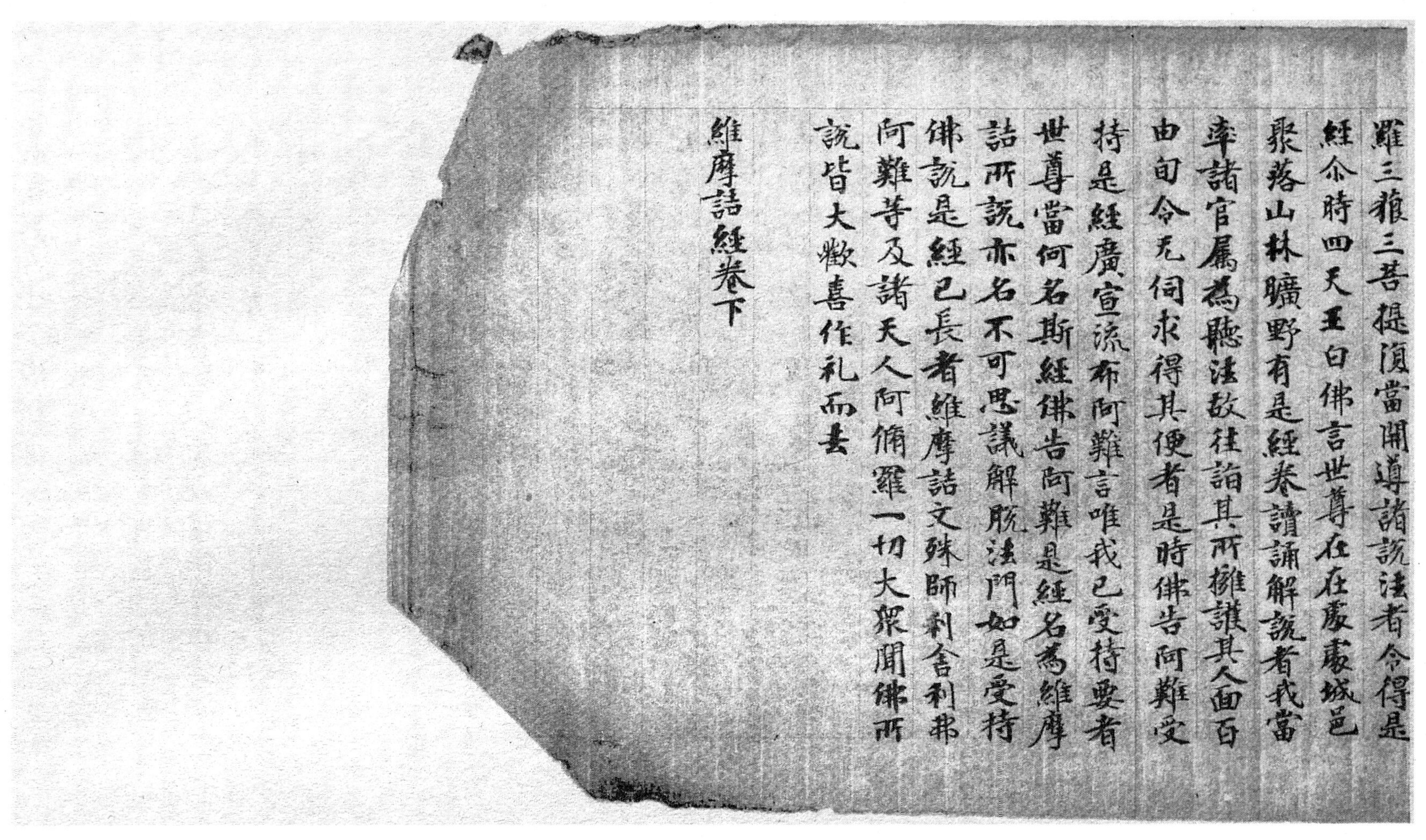

羅三藐三菩提復當開導諸說法者令得是
經尒時四天王白佛言世尊在在處處城邑
聚落山林曠野有是經卷讀誦解說者我當
率諸官屬為聽法故往詣其所擁護其人面百
由旬令无伺求得其便者是時佛告阿難受
持是經廣宣流布阿難言唯我已受持要者
世尊當何名斯經佛告阿難是經名為維摩
詰所說亦名不可思議解脫法門如是受持
佛說是經已長者維摩詰文殊師利舍利弗
阿難等及諸天人阿脩羅一切大眾聞佛所
說皆大歡喜作礼而去

維摩詰經卷下

BD01242號　維摩詰所說經卷下　（22–22）

BD01242號背　雜寫　（1–1）

諸藥叉神妙辯才　十方諸王妙辯才
所有勝業資助我　令得无窮妙辯才
敬礼无欺誑　敬礼解脫者　敬礼離欲人　敬礼捨纏蓋
敬礼心清淨　敬礼光明者　敬礼真實語　敬礼无塵習
敬礼住勝義　敬礼大衆主　敬礼辯才天　令我詞无礙
願我所求事　皆悉速成就　无病常安隱　壽命得延長
善解諸明呪　勤修菩提道　廣饒益群生　求心願早遂
我說真實語　我說无誑語　天女妙辯才　令我得成就
唯願天女來　令我語无滯　速入身口內　聰明足辯才
願令我舌根　皆得如來辯　由彼語威力　調伏諸衆生
若我求辯才　事不成就者　天女之實語　皆悉成虛妄
我所出語時　隨事皆成就　聞者生恭敬　所住不唐捐
有住无間罪　佛語令調伏　及以阿羅漢　所有報恩語
舍利子目連　世尊衆第一　斯等真實語　願我皆成就
我今皆召請　佛之聲聞衆　皆願速來至　成就我求心
所求真實語　皆願无虛誑　上從色究竟　及以淨居天
大梵及梵輔　一切梵王衆　乃至遍三千　索訶世界主
并及諸眷屬　我今皆請召　唯願降慈悲　哀憐同攝受
他化自在天　及以樂變化　覩史多天衆　慈氏當成佛
夜摩諸天衆　及三十三天　四大王衆天　一切諸天衆
地水火風神　依妙高山住　七海山神衆　所有諸眷屬
滿財及五頂　日月諸星辰　如是諸天衆　令世間安隱

BD01243號　金光明最勝王經卷八　（16–1）

他化自在天　及以樂變化　覩史多天衆　慈氏當成佛
夜摩諸天衆　及三十三天　四大王衆天　一切諸天衆
地水火風神　依妙高山住　七海山神衆　所有諸眷屬
滿財及五頂　日月諸星辰　如是諸天衆　令世間安隱
斯等諸天神　不樂作罪業　敬佛鬼子母　及最小愛兒
天龍藥叉衆　健闥阿蘇羅　及以緊那羅　莫呼洛伽等
我以世尊力　悉皆申請召　願降慈悲心　與我无礙辯
一切人天衆　能了他心者　皆願加神力　與我妙辯才
乃至盡虛空　周遍於法界　所有含生類　與我妙辯才
尒時辯才天女聞是請已告婆羅門言善哉
大士若有男子女人能依如是呪及呪讚如前
所說受持法式歸敬三寶虔心正念於所求
事皆不唐捐兼復受持讀誦此金光明微妙
經典所願求者无不果遂速得成就除不至
心時婆羅門深心歡喜合掌頂受
尒時佛告辯才天女善哉善哉善女天汝能
流布是妙經王擁護所有受持經者及能利
益一切衆生令得安樂說如是法施與辯才
不可思議得福无量諸發心者速趣菩提
金光明最勝王經大吉祥天女品第十六
尒時大吉祥天女即從座起前礼佛足合掌
恭敬白佛言世尊我若見有苾芻苾芻尼鄔
波索迦鄔波斯迦受持讀誦為人解說是金
光明最勝王經者我當專心恭敬供養此等
法師所謂飲食衣服臥具醫藥及餘一切所
須資具皆令圓滿无有乏少若晝若夜於此
經王所有句義觀察思量安樂而住令此經
典於贍部洲廣行流布為欲有情已於无量
百千佛所種善根者常使得聞不速隱沒復

BD01243號　金光明最勝王經卷八　（16–2）

法師所謂飲食衣服卧具醫藥及餘一切所
須資具皆令圓滿无有乏少若晝若夜於此
經王所有句義觀察思量安樂而住令此經
典於贍部洲廣行流布為彼有情已於无量
百千佛所種善根者常使得聞不速隱沒復
於无量百千億劫當受人天種種勝樂常得
豐稔永除飢饉一切有情恒受安樂亦得值
遇諸佛世尊於未來世速證无上大菩提果
永絕三塗輪迴苦難世尊我念過去有瑠璃
金山寶花光照吉祥功德海如來應正等覺
十号具足我於彼所種諸善根由彼如來慈
悲憐念威神力故令我今日隨所念處隨所
視方隨所至國能令无量百千万億衆生受
諸快樂乃至所須衣服飲食資生之具金銀
瑠璃硨磲碼碯珊瑚虎珀真珠等寶悉令充
足若復有人至心讀誦是金光明最勝王經
亦當日日燒衆名香及諸妙花為我供養彼
瑠璃金山寶花光照吉祥功德海如來應正
等覺復當每日於三時中稱念我名別以香
花及諸美食供養於我亦常聽受此妙經王
得如是福而說頌曰

由能如是持經故　自身眷屬離諸衰
所須衣食无乏時　威光壽命難窮盡
能使地味常增長　諸天降雨隨時節
令彼天衆咸歡悅　及以園林穀果神
叢林果樹並滋榮　所有苗稼咸成就
欲求珍財皆滿願　隨所念者遂其心

佛告大吉祥天女善哉善哉汝能如是憶念
昔因報恩供養利益安樂无邊衆生流布是

BD01243號　金光明最勝王經卷八　（16–3）

令彼天衆咸歡悅　及以園林穀果神
叢林果樹並滋榮　所有苗稼咸成就
欲求珍財皆滿願　隨所念者遂其心

佛告大吉祥天女善哉善哉汝能如是憶念
昔因報恩供養利益安樂无邊衆生流布是
經功德无盡

金光明最勝王經大吉祥天女增長財物品第十七

尒時大吉祥天女復白佛言世尊北方薜室
羅末拏天王城名有財去城不遠有園名曰
妙花福光中有勝殿七寶所成世尊我常住
彼若復有人欲求五穀日日增多倉庫盈溢
者應當發起敬信之心淨治一室瞿摩塗地
應畫我像種種瓔珞周帀莊嚴當洗浴身著
淨衣服塗以名香入淨室內發心為我每日
三時稱彼佛名及此經名号而申礼敬南謨
瑠璃金山寶花光照吉祥功德海如來持諸
香花及以種種甘美飲食至心奉獻亦以香
花及諸飲食供養我像復持飲食散擲餘方
施諸神等實言邀請大吉祥天發所求願若
如所言是不虛者於我所請勿令空尒于時
吉祥天女知是事已便生愍念令其宅中財
穀增長即當誦呪請召於我先稱佛名及菩
薩名字一心敬礼

南謨一切十方三世諸佛　南謨寶髻佛
南謨无垢光明寶幢佛　南謨金幢光佛
南謨百金光藏佛　南謨金蓋寶積佛
南謨金花光幢佛　南謨大燈光佛
南謨大寶幢佛　南謨東方不動佛
南謨南方寶幢佛　南謨西方无量壽佛

BD01243號　金光明最勝王經卷八　（16–4）

南謨百金光藏佛　南謨金蓋寶積佛
南謨金花光幢佛　南謨大燈光佛
南謨大寶幢佛　南謨東方不動佛
南謨南方寶幢佛　南謨西方无量壽佛
南謨北方天鼓音佛　南謨妙幢菩薩
南謨金光菩薩　南謨金藏菩薩
南謨常啼菩薩　南謨法上菩薩
南謨善安菩薩
敬礼如是佛菩薩已次當誦呪請召我大吉
祥天女由此呪力所求之事皆得成就即說
呪曰
南謨室唎莫訶天女　怛姪他
鉢唎脯囉拏折囇　三曼頞
達唎設泥（去聲下皆同尔）　莫訶毗訶囉揭帝
三曼哆毗曇末泥　莫訶迦里也
鉢刺底瑟侘鉢泥　薩婆頞他娑彈泥
蘇鉢唎底脯囇　痾耶娜達摩多
莫訶毗俱比帝　莫訶迷咄嚕
鄔波僧四呬　莫訶頡唎使
蘇僧近（入）里呬呬　三曼多頞他
阿奴波刺泥　莎訶
世尊若人誦持如是神呪請召我時我聞請
已即至其所令願得遂世尊是灌頂法句定
成就句真實之句无虛誑句是平等行於諸
衆生是正善根若有受持讀誦呪者應七日
七夜受八支戒於晨朝時先嚼齒木淨漱
已及於晡後香花供養一切諸佛自陳其罪
當爲已身及諸含識迴向發願令所希求速
得成就淨治一室或在空閑阿蘭若處瞿摩

七夜受八支戒於晨朝時先嚼齒木淨漱
已及於晡後香花供養一切諸佛自陳其罪
當爲已身及諸含識迴向發願令所希求速
得成就淨治一室或在空閑阿蘭若處瞿摩
爲壇燒旃檀香而爲供養置一勝座幡蓋莊
嚴以諸名花布列壇内應當至心誦持前呪
希望我至我於尒時即便護念觀察是人來
入其室就座而坐受其供養從是以後當令
彼人於睡夢中得見於我隨所求事以實告
知若聚落空澤及僧住處隨所求者皆令圓
滿金銀財寶牛羊穀麦飲食衣服皆得隨心
受諸快樂既得如是勝妙果報當以上分供
養三寶及施於我廣修法會設諸飲食布列
香花既供養已所有供食貨之取直復爲供
養我當終身常住於此擁護是人令无闕乏
隨所希求悉皆稱意亦當時時給濟貧乏不
應慳惜獨爲已身常讀是經供養不絶當以
此福普施一切迴向菩提願出生死速得解
脫尒時世尊讚言善哉吉祥天女汝能如是
流布此經不可思議自他俱益
金光明最勝王經堅牢地神品第十八
尒時堅牢地神即於衆中從座而起合掌恭
敬而白佛言世尊是金光明最勝王經若現
在世若未來世若在城邑聚落王宮樓觀及
阿蘭若山澤空林有此經王流布之處世尊
我當往詣其所供養恭敬擁護流通若有方
處爲說法師敷置高座演說經者我以神力
不現本身在於座所頂戴其足我得聞法深
心歡喜得飡法味增益威光慶悅无量自身
既得如是利益亦令大地深十六万八千俞善

我當往詣其所供養恭敬擁護流通若有方
處爲說法師敷置高座演說經者我以神力
不現本身在於座所頂戴其足我得聞法深
心歡喜得飡法味增益威光慶悅无量自身
既得如是利益亦令大地深十六万八千踰繕
那至金剛輪際令其地味悉皆增益乃至四
海所有土地亦使肥濃田疇沃壤倍勝常日
亦復令此贍部洲中江河池沼所有諸樹藥
草叢林種種花果根莖枝葉及諸苗稼形相
可愛衆所樂觀色香具足皆堪受用若諸有
情受用如是勝飲食已長命色力諸根安隱
增益光輝无諸痛惱心慧勇健无不堪能又
此大地凡有所須百千事業悉皆周備 世尊
以是因緣諸贍部洲安隱豐樂人民熾盛
无諸衰惱所有衆生皆受安樂既受如是身
心快樂於此經王深加愛敬所在之處皆願
受持供養恭敬尊重讚歎又復於彼說法大
師法座之處悉皆往彼爲諸衆生勸請說是
最勝經王何以故世尊由說此經我之自身
并諸眷屬咸蒙利益光輝氣力勇猛威勢顏
容端正倍勝於常世尊我堅牢地神蒙法味
已令贍部洲縱廣七千踰繕那地皆沃壤乃
至如前所有衆生皆受安樂是故世尊時彼
衆生爲報我恩應作是念我當必定聽受是
經恭敬供養尊重讚歎作是念已即從住處
城邑聚落舍宅空地詣法會所頂礼法師聽
受是經既聽受已各還本處心生慶喜共作
是言我等今者得聞甚深无上妙法即是攝
受不可思議功德之聚由經力故我等當值

BD01243號　金光明最勝王經卷八　（16–7）

經恭敬供養尊重讚歎作是念已即從住處
城邑聚落舍宅空地詣法會所頂礼法師聽
受是經既聽受已各還本處心生慶喜共作
是言我等今者得聞甚深无上妙法即是攝
受不可思議功德之聚由經力故我等當值
无量无邊百千俱胝那庾多佛承事供養永
離三塗極苦之處復於未來世百千生中常生
天上及在人間受諸勝樂時彼諸人各還本
處爲諸人衆說是經王若一品一首 因緣
一如來名一菩薩名一四句頌或復一句爲諸
衆生說是經典乃至首題名字世尊隨諸
衆生所住之處其地悉皆沃壤肥濃過於餘
處凡是土地所生之物悉得增長滋茂廣大
令諸衆生受於快樂多饒財貨好行惠施心
常堅固深信三寶作是語已尒時世尊告堅
牢地神曰若有衆生聞是金光明最勝經王
乃至一句命終之後當得往生三十三天及餘
天處若有衆生爲欲供養是經王故莊嚴宅
宇乃至張一傘蓋懸一繒幡由是因緣六天之
上如念受生七寶妙宮隨意受用各各自然
有七千天女共相娛樂日夜常受不可思議
殊勝之樂作是語已尒時堅牢地神白佛言
世尊以是因緣若有四衆昇於法座說是法
時我當晝夜擁護是人自隱其身在於座所
頂戴其足世尊如是經典爲彼衆生已於百
千佛所種善根者於贍部洲流布不滅是諸
衆生聽斯經者於未來世无量百千俱胝那
庾多劫天上人中常受勝樂得遇諸佛速成
阿耨多羅三藐三菩提不歷三塗生死之苦
尒時堅牢地神白佛言世尊我

BD01243號　金光明最勝王經卷八　（16–8）

衆生聽斯經者於未來世无量百千俱胝那
庾多劫天上人中常受勝樂得遇諸佛速成
阿耨多羅三藐三菩提不歷三塗生死之苦
尒時堅牢地神白佛言世尊我有心呪能利
人天安樂一切若有男子女人及諸四衆欲
得親見我真身者應當至心持此陁羅尼隨
其所願皆悉遂心所謂資財珎寶伏藏及求
神通長年妙藥并療衆病降伏怨敵制諸異
論當持淨室安置道場洗浴身已著鮮潔衣
踞草座上於有舍利尊像之前或有舍利制
底之所燒香散花飲食供養於白月八日布
灑星合即可誦此請召之呪
怛姪他 只里 只里 主嚕 主嚕 句嚕 句嚕
拘柱 句柱 覩柱 覩柱 縛訶 上 縛 訶
代 捨 代 捨 薩 訶
世尊此之神呪若有四衆誦一百八遍請召
於我我為是人即來赴請又復世尊若有衆
生欲得見我現身共語者亦應如前安置法
式誦此神呪
怛姪他 頞折 㵂 去 頞力剎 㵂 室尸 達里
訶 訶 四 四 區 嚕 代 瀾 薩訶
世尊若人持此呪時應一百八遍并誦前呪
我必現身隨其所願悉得成就終不虛然若
欲誦此呪時先誦護身呪曰
怛姪他 你 室里 末捨 羯機 㭘機 矩機
勃地 上 勃地 瀾 底機 婢機 矩 句機
佉 婆 上 只 里 薩 訶
世尊誦此呪時取五色線誦呪二十一遍作

BD01243 號　金光明最勝王經卷八　（16–9）

勃地 上 勃地 瀾 底機 婢機 矩 句機
佉 婆 上 只 里 薩 訶
世尊誦此呪時取五色線誦呪二十一遍作
二十一結繫在左臂肘後即便護身无有所
懼若有至心誦此呪者所求必遂我不妄語
我以佛法僧寶而為要契證知是實
尒時世尊告地神曰善哉善哉汝能以是實
語神呪護此經王及說法者以是因緣令汝
獲得无量福報
金光明最勝王經僧慎尒耶藥叉大將品第十九
尒時僧慎尒耶藥叉大將并與二十八部藥
叉諸神於大衆中皆從座起偏袒右肩右膝
著地合掌向佛白言世尊此金光明最勝經
王若現在世及未來世所在宣揚流布之處
若於城邑聚落山澤空林或王宮殿或僧住
處世尊我僧慎尒耶藥叉大將并與二十八
部藥叉諸神俱詣其所各自隱形隨處擁護
彼說法師令離衰惱常受安樂及聽法者若
男若女童男童女於此經中乃至受持一四
句頌或持一句或此經王首題名号及此經
中一如來名一菩薩名發心稱念恭敬供養
者我當救護攝受令无災横離苦得樂世尊
何故我名正了知此之因緣是佛親證我知
諸法我曉一切法隨所有一切法如所有一
切諸法種類體性差別世尊如是諸法我能
了知我有難思智光我有難思智炬我有難
思智行我有難思智聚我於難思智境而能
通達世尊如我於一切法正知正曉正覺能正
觀察世尊以是因緣我藥叉大將名正了

BD01243 號　金光明最勝王經卷八　（16–10）

切諸法種類體性差別世尊如是諸法我能
了知我有難思智光我有難思智炬我有難
思智行我有難思智聚我於難思智境而能
通達世尊如我於一切法正知正曉正覺能正
觀察世尊以是因緣我藥叉大將名正了
知以是義故我能令彼說法之師言詞辯了
具足莊嚴亦令精氣從毛孔入身力充足威
光勇健難思智光皆得成就得正憶念无有
退屈增益彼身令无衰減諸根安樂常生歡
喜以是因緣為彼有情已於百千佛所殖諸
善根修福業者於贍部洲廣宣流布不速隱
沒彼諸有情聞是經已得不可思議大智光
明及以无量福智之聚於未來世當受无量
俱胝那庾多劫不可思量人天勝樂常與諸
佛共相值遇速證无上正等菩提閻羅之界
三塗極苦不復經過
尒時正了知藥叉大將白佛言世尊我有陁
羅尼今對佛前親自陳說為欲饒益憐愍諸
有情故即說呪曰
南謨佛陁引也　南謨達摩引也
南謨僧伽引也　南謨跋羅甜大舍摩也
南謨因達囉也　南謨折咄喃
莫曷囉闍喃　怛姪他　呬里呬里
弭里弭里瞿里　莫訶瞿里健陁里
莫訶健陁里　達羅弭雉
莫訶達羅弭雉　單荼曲勸駐問蕭去
訶訶訶訶訶　呬呬呬呬呬
呼呼呼呼呼　漢魯曇謎瞿曇謎
者者者者者　只只只只　主主主主主

BD01243 號　金光明最勝王經卷八　（16–11）

莫訶達羅弭雉　單荼曲勸駐問蕭去
訶訶訶訶訶　呬呬呬呬呬
呼呼呼呼呼　漢魯曇謎瞿曇謎
者者者者者　只只只只　主主主主主
旃荼禰涉之鉢攞　尸揭羅上　尸揭囉
嗢蒫悉侘呬　薄伽梵僧慎尒耶
莎訶
若復有人於此明呪能受持者我當給與資
生樂具飲食衣服花果珎異或求男女童男
童女金銀珎寶諸瓔珞具我皆供給隨所願
求令无闕乏此之明呪有大威力若誦呪時
我當速至其所令无障礙隨意成就若持此
呪時應知其法先畫一鋪僧慎尒耶藥叉形
像高四五尺手執鉾鑞於此像前作四方壇
安四滿瓶蜜水或沙糖水塗香抹香燒香及
諸花鬘又於壇前作地火爐中安炭火以蘇
摩芥子燒於爐中口誦前呪一百八遍一遍
一燒乃至我藥叉大將自來現身問呪人曰
尒何所須意所求者即以事荅我即隨言於
所求事皆令滿足或須金銀及諸伏藏或欲
神仙乘空而去或求天眼通或知他心事於
一切有情隨意自在令斷煩惱速得解脫皆
得成就
尒時世尊告正了知藥叉大將曰善哉善哉
汝能如是利益一切衆生說此神呪擁護正
法福利无邊

金光明最勝王經王法正論品第廿

尒時此大地神女名曰堅牢於大衆中從座
而起頂礼佛足合掌恭敬白佛言世尊於諸

BD01243 號　金光明最勝王經卷八　（16–12）

法福利无邊
金光明最勝王經王法正論品第廿
尒時此大地神女名曰堅牢於大眾中從座
而起頂礼佛足合掌恭敬白佛言世尊於諸
國中為人王者若无正法不能治國安養眾
生及以自身長居勝位唯願世尊慈悲哀愍
當為我說王法正論治國之要令諸人王得
聞法已如說修行正化於世能令勝位永保
安寧國內人民咸蒙利益
尒時世尊於大眾中告堅牢地神曰汝當諦
聽過去有王名力尊幢其王有子名曰妙幢
受灌頂位未久之頃尒時父王告妙幢言有
王法正論名天主教法我於昔時受灌頂位
而為國主我之父王名智力尊幢為我說是
王法正論我依此論於二万歲善治國土我
不曾憶起一念心行於非法汝於今日亦應
如是勿以非法而治於國云何名為王法正
論汝今善聽當為汝說尒時力尊幢王即為
其子以妙伽他說正論曰
我說王法論　利安諸有情　為斷世間疑　滅除眾過失
一切諸天主　及以人中王　當生歡喜心　合掌聽我說
往昔諸天眾　集在金剛山　四王從座起　請問於大梵
梵王最勝尊　天中大自在　願哀愍我等　為斷諸疑惑
云何處人世　而得名為天　復以何因緣　号名曰天子
云何生人間　獨得為人主　云何在天上　復得作天王
如是護世間　問彼梵王已　尒時梵天王　即便為彼說
護世汝當知　為利有情故　問我治國法　我說應善聽
由先善業力　生天得作王　若在於人中　統領為人主
諸天共加護　然後入母胎　既至母胎中　諸天復守護

BD01243 號　金光明最勝王經卷八　（16–13）

如是護世間　問彼梵王已　尒時梵天王　即便為彼說
護世汝當知　為利有情故　問我治國法　我說應善聽
由先善業力　生天得作王　若在於人中　統領為人主
諸天共加護　然後入母胎　既至母胎中　諸天復守護
雖生在人世　尊勝故名天　由諸天護持　亦得名天子
三十三天主　分力助人王　及一切諸天　亦資自在力
除滅諸非法　惡業令不生　教有情修善　使得生天上
人及蘇羅眾　并揵闥婆等　羅剎旃荼羅　悉皆資半力
父母資半力　令捨惡修善　諸天共護持　示其善惡報
若造善惡業　令於現世中　諸天共護持　示其善惡報
國人造惡業　王捨不禁制　斯非順正理　治擯當如法
若見惡不遮　非法便滋長　遂令王國內　姧詐日增多
王見國中人　造惡不遮止　三十三天眾　咸生忿怒心
因此損國政　諂偽行世間　被他怨敵侵　破壞其國土
居家及資具　積財皆散失　種種諂誑生　更互相侵奪
由正法得王　而不行其法　國人皆破散　如象踏蓮池
惡風起无恒　暴雨非時下　妖星多變怪　日月蝕无光
五穀眾花果　菓實皆不成　國土遭飢饉　由王捨正法
若王捨正法　以惡法化人　諸天處本宮　見已生憂惱
彼諸天王眾　共作如是言　此王作非法　惡黨相親附
王位不久安　諸天皆忿恨　由彼懷忿故　其國當敗亡
以非法教人　流行於國內　鬪諍多姧偽　疾疫生眾苦
天主不護念　餘天咸捨棄　國土當滅亡　王身受苦厄
父母及妻子　兄弟并姊妹　俱遭愛別離　乃至身亡歿
變怪流星墮　二日俱時出　他方怨賊來　國人遭喪亂
國所重大臣　枉橫而身死　所愛象馬等　亦復皆散失
處處有兵戈　人多非法死　惡鬼來入國　疾疫遍流行
國中最大臣　及以諸輔相　其心懷諂佞　並悉行非法
見行非法者　而生於愛敬　於行善法人　苦楚而治罰

BD01243 號　金光明最勝王經卷八　（16–14）

[illegible] 二日俱時出 他方怨賊來 國人遭喪亂
國所重大臣 枉橫而身死 所愛象馬等 亦復皆散失
處處有兵戈 人多非法死 惡鬼來入國 疾疫遍流行
國中最大臣 及以諸輔相 其心懷諂佞 並悉行非法
見行非法者 而生於愛敬 於行善法人 苦楚而治罰
由愛敬惡人 治罰善人故 星宿及風雨 皆不以時行
有三種過生 正法當隱沒 衆生无光色 地肥皆下沉
由敬惡輕善 復有三種過 非時降霜雹 飢疫苦流行
穀稼諸果實 滋味皆損減 於其國土中 衆生多疾病
國中諸樹林 先生甘美果 由斯皆損減 苦澀无滋味
先有妙園林 可愛遊戲處 忽然皆枯悴 見者生憂惱
稻麥諸果實 美味漸消亡 食時心不喜 何能長諸大
衆生光色減 勢力盡衰微 食噉雖復多 不能令飽足
於其國界中 所有衆生類 少力无勇勢 所作不堪能
國人多疾患 衆苦逼其身 鬼魅遍流行 隨處生羅刹
若王作非法 親近於惡人 令三種世間 因斯受衰損
如是无邊過 出在於國中 皆由見惡人 棄捨不治擯
由諸天加護 得作於國王 而不以正法 守護於國界
若人脩善行 當得生天上 若造惡業者 死必墮三塗
若王見國人 縱其造過失 三十三天衆 皆生熱惱心
不順諸天教 及以父母言 此是非法人 非王非孝子
若於自國中 見行非法者 如法當治罰 不應生捨棄
是故諸天衆 皆護持此王 以滅諸惡法 能脩善根故
王於此世中 必招於現報 由於善惡業 行捨勸衆生
爲示善惡報 故得作人王 諸天共護持 一切咸隨喜
由自利利他 治國以正法 見有諂佞者 應當如法治
假使失王位 及以害命緣 終不行惡法 見惡而捨棄
害中極重者 无過失國位 皆因諂佞人 爲此當治罰
若有諂誑人 當失於國位 由斯損王政 如象入花園

BD01243號　金光明最勝王經卷八　（16–15）

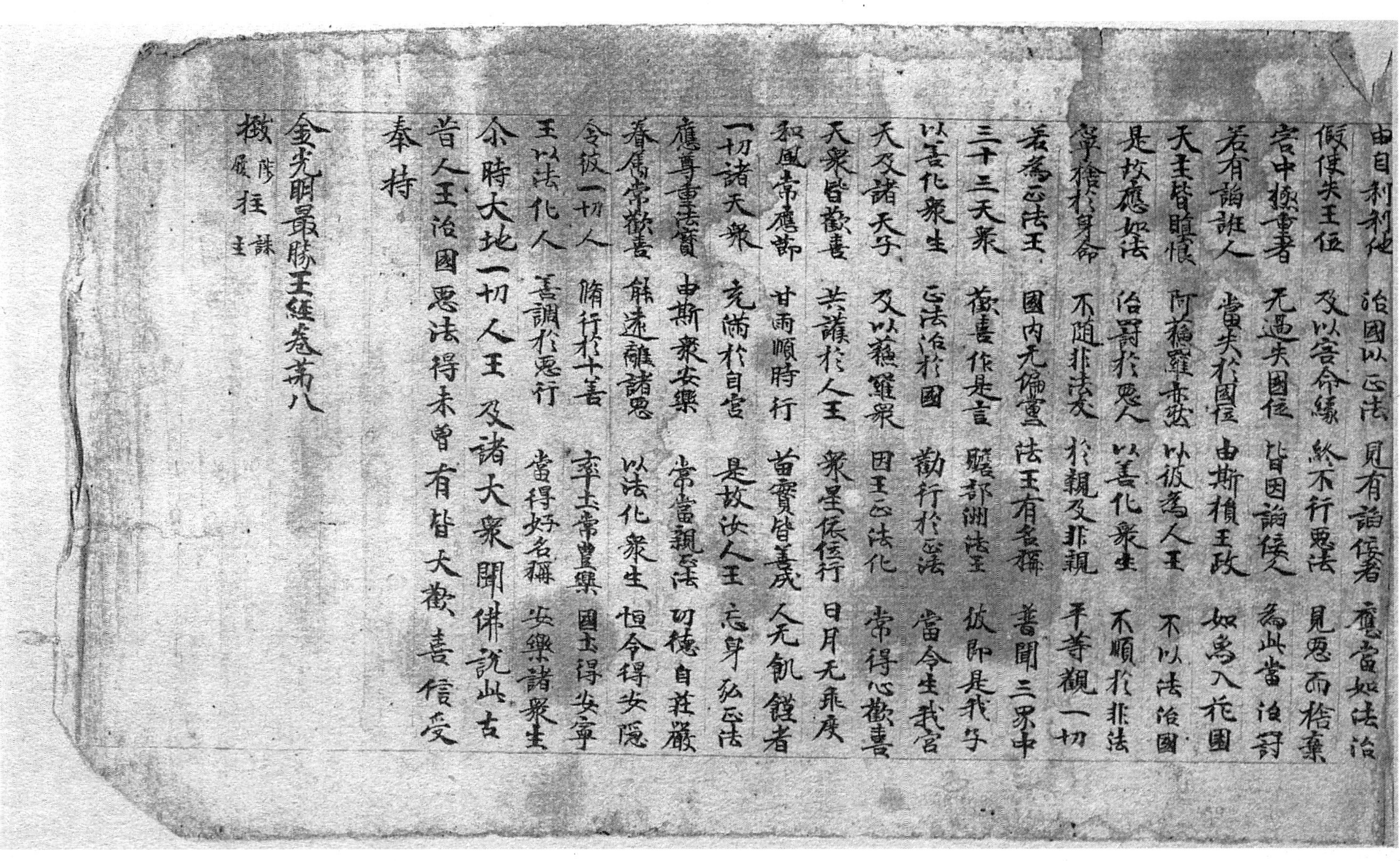
由自利利他 治國以正法 見有諂佞者 應當如法治
假使失王位 及以害命緣 終不行惡法 見惡而捨棄
害中極重者 无過失國位 皆因諂佞人 爲此當治罰
若有諂誑人 當失於國位 由斯損王政 如象入花園
天主皆瞋恨 阿蘇羅亦然 以彼爲人王 不以法治國
是故應如法 治罰於惡人 以善化衆生 不順於非法
寧捨於身命 不隨非法友 於親及非親 平等觀一切
若爲正法王 國內无偏黨 法王有名稱 普聞三界中
三十三天衆 歡喜作是言 贍部洲法王 彼即是我子
以善化衆生 正法治於國 勸行於正法 當令生我宮
天及諸天子 及以蘇羅衆 因王正法化 常得心歡喜
天衆皆歡喜 共護於人王 衆星依位行 日月无乖度
和風常應節 甘雨順時行 苗實皆善成 人无飢饉者
一切諸天衆 充滿於自宮 是故汝人王 忘身弘正法
應尊重法寶 由斯衆安樂 常當親正法 功德自莊嚴
眷屬常歡喜 能遠離諸惡 以法化衆生 恒令得安隱
令彼一切人 脩行於十善 率土常豐樂 國土得安寧
王以法化人 善調於惡行 當得好名稱 安樂諸衆生
尒時大地一切人王 及諸大衆 聞佛說此古昔人王治國惡法 得未曾有 皆大歡喜 信受奉持
金光明最勝王經卷第八
擮 廖 履 狂 誅 王

BD01243號　金光明最勝王經卷八　（16–16）

須菩提於意云何如來
菩提耶如來有所說法耶
佛所說義无有定法名阿
提亦无有定法如來可說何以故
法皆不可取不可說非法非非法所以者　何
一切賢聖皆以无為法而有差別
須菩提於意云何若人滿三千大千世界七
寶以用布施是人所得福寧為多不須菩
提言甚多世尊何以故是福得即非福德性
是故如來說福德多若復有人於此經中受
持乃至四句偈等為他人說其福勝彼何以
故須菩提一切諸佛及諸佛阿耨多羅三藐
三菩提法皆從此經出須菩提所謂佛法者
即非佛法
須菩提於意云何須陀洹能作是念我得須
陀洹果不須菩提言不也世尊何以故須陀
洹名為入流而无所入不入色聲香味觸法是
名須陀洹須菩提於意云何斯陀含能作
是念我得斯陀含果不須菩提言不也世尊
何以故斯陀含名一往來而實无往來是名
斯陀含須菩提於意云何阿那含能作是念
我得阿那含果不須菩提言不也世尊何以
故阿那含名為不來而實无來是故名阿那

BD01244號　金剛般若波羅蜜經　（8–1）

是念我得斯陀含果不須菩提言不也世尊
何以故斯陀含名一往來而實无往來是名
斯陀含須菩提於意云何阿那含能作是念
我得阿那含果不須菩提言不也世尊何以
故阿那含名為不來而實无來是故名阿那
含須菩提於意云何阿羅漢能作是念我得
阿羅漢道不須菩提言不也世尊何以故實
无有法名阿羅漢世尊若阿羅漢作是念我
得阿羅漢道即為著我人衆生壽者世尊佛
說我得无諍三昧人中最為第一是第一離欲
阿羅漢我不作是念我是離欲阿羅漢世尊
我若作是念我得阿羅漢道世尊則不說
須菩提是樂阿蘭那行者以須菩提實无
所行而名須菩提是樂阿蘭那行
佛告須菩提於意云何如來昔在然燈佛所
於法有所得不世尊如來在然燈佛所於法
實无所得須菩提於意云何菩薩莊嚴佛土
不不也世尊何以故莊嚴佛土者即非莊嚴
是名莊嚴是故須菩提諸菩薩摩訶薩應如
是生清淨心不應住色生心不應住聲香味
觸法生心應无所住而生其心須菩提譬如
有人身如須弥山王於意云何是身為大不
須菩提言甚大世尊何以故佛說非身是名
大身
須菩提如恒河中所有沙數如是沙等恒河
於意云何是諸恒河沙寧為多不須菩提言

BD01244號　金剛般若波羅蜜經　（8–2）

須菩提言甚大世尊何以故佛說非身是名
大身
須菩提如恒河中所有沙數如是沙等恒河
於意云何是諸恒河沙寧為多不須菩提言
甚多世尊但諸恒河尚多无數何況其沙須
菩提我今實言告汝若有善男子善女人以
七寶滿爾所恒河沙數三千大千世界以用布
施得福多不須菩提言甚多世尊佛告須
菩提若善男子善女人於此經中乃至受持
四句偈等為他人說而此福德勝前福德復
次須菩提隨說是經乃至四句偈等當知此
處一切世間天人阿脩羅皆應供養如佛塔廟
何況有人盡能受持讀誦須菩提當知是人
成就最上第一希有之法若是經典所在之
處則為有佛若尊重弟子
爾時須菩提白佛言世尊當何名此經我等
云何奉持佛告須菩提是經名為金剛般若
波羅蜜以是名字汝當奉持所以者何須菩
提佛說般若波羅蜜則非般若波羅蜜須菩
提於意云何如來有所說法不須菩提白佛
言世尊如來无所說須菩提於意云何三千
大千世界所有微塵是為多不須菩提言甚
多世尊須菩提諸微塵如來說非微塵是名
微塵如來說世界非世界是名世界須菩提
於意云何可以三十二相見如來不不也世尊
不可以三十二相得見如來何以故如來說三

多世尊須菩提諸微塵如來說非微塵是名
微塵如來說世界非世界是名世界須菩提
於意云何可以三十二相見如來不不也世尊
不可以三十二相得見如來何以故如來說三
十二相即是非相是名三十二相
須菩提若有善男子善女人以恒河沙等身
命布施若復有人於此經中乃至受持四句
偈等為他人說其福甚多
爾時須菩提聞說是經深解義趣涕淚悲泣
而白佛言希有世尊佛說如是甚深經典我
從昔來所得慧眼未曾得聞如是之經世尊
若復有人得聞是經信心清淨則生實相當
知是人成就第一希有功德世尊是實相者
則是非相是故如來說名實相世尊我今得
聞如是經典信解受持不足為難若當來世
後五百歲其有眾生得聞是經信解受持是
人則為第一希有何以故此人无我相人相眾生
相壽者相所以者何我相即是非相人相
眾生相壽者相即是非相何以故離一切諸
相則名諸佛
佛告須菩提如是如是若復有人得聞是經
不驚不怖不畏當知是人甚為希有何以故
須菩提如來說第一波羅蜜非第一波羅蜜
是名第一波羅蜜須菩提忍辱波羅蜜如來
說非忍辱波羅蜜何以故須菩提如我昔為
歌利王割截身體我於爾時无我相无人相

不驚不怖不畏當知是人甚爲希有何以故
須菩提如來說第一波羅蜜非第一波羅蜜
是名第一波羅蜜須菩提忍辱波羅蜜如來
說非忍辱波羅蜜何以故須菩提如我昔爲
歌利王割截身體我於尒時无我相无人相
无衆生相无壽者相何以故我於往昔節節
支解時若有我相人相衆生相壽者相應生
瞋恨須菩提又念過去於五百世作忍辱仙
人於尒所世无我相无人相无衆生相无壽
者相是故須菩提菩薩應離一切相發阿耨
多羅三藐三菩提心不應住色生心不應住聲
香味觸法生心應生无所住心若心有住則
爲非住是故佛說菩薩心不應住色布施須
菩提菩薩爲利益一切衆生應如是布施如
來說一切諸相即是非相又說一切衆生則非
衆生須菩提如來是真語者實語者如語
者不誑語者不異語者須菩提如來所得法
此法无實无虛須菩提若菩薩心住於法而
行布施如人入闇則无所見若菩薩心不住
法而行布施如人有目日光明照見種種色
須菩提當來之世若有善男子善女人能
於此經受持讀誦則爲如來以佛智慧悉知
是人悉見是人皆得成就无量无邊功德
須菩提若有善男子善女人初日分以恒河
沙等身布施中日分復以恒河沙等身布施
後日分亦以恒河沙等身布施如是无量百
万千億劫以身布施若復有人聞此經典信

BD01244 號　金剛般若波羅蜜經 （8–5）

須菩提若有善男子善女人初日分以恒河
沙等身布施中日分復以恒河沙等身布施
後日分亦以恒河沙等身布施如是无量百
万千億劫以身布施若復有人聞此經典信
心不逆其福勝彼何況書寫受持讀誦爲人
解說須菩提以要言之是經有不可思議不
可稱量无邊功德如來爲發大乘者說爲發
最上乘者說若有人能受持讀誦廣爲人說
如來悉知是人悉見是人皆得成就不可量不
可稱无有邊不可思議功德如是人等則爲
荷擔如來阿耨多羅三藐三菩提何以故須
菩提若樂小法者著我見人見衆生見壽者
見則於此經不能聽受讀誦爲人解說須菩
提在在處處若有此經一切世間天人阿脩
羅所應供養當知此處則爲是塔皆應恭
敬作礼圍繞以諸華香而散其處
復次須菩提善男子善女人受持讀誦此經
若爲人輕賤是人先世罪業應墮惡道以今世
人輕賤故先世罪業則爲消滅當得阿耨
多羅三藐三菩提須菩提我念過去无量阿
僧祇劫於然燈佛前得值八百四千万億那由
他諸佛悉皆供養承事无空過者若復有
人於後末世能受持讀誦此經所得功德於
我所供養諸佛功德百分不及一千万億分
乃至筭數譬喻所不能及須菩提若善男
子善女人於後末世有受持讀誦此經所得功

BD01244 號　金剛般若波羅蜜經 （8–6）

人於後末世能受持讀誦此經所得功德於
我所供養諸佛功德百分不及一千万億分
乃至筭數譬喻所不能及須菩提若善男
子善女人於後末世有受持讀誦此經所得功
德我若具說者或有人聞心則狂亂狐疑不
信須菩提當知是經義不可思議果報亦不
可思議
尒時須菩提白佛言世尊善男子善女人發
阿耨多羅三藐三菩提心云何應住云何降
伏其心佛告須菩提善男子善女人發阿耨
多羅三藐三菩提者當生如是心我應滅度
一切衆生滅度一切衆生已而无有一衆生
實滅度者何以故若菩薩有我相人相衆生
相壽者相則非菩薩所以者何須菩提實无
有法發阿耨多羅三藐三菩提者須菩提於
意云何如來於然燈佛所有法得阿耨多羅
三藐三菩提不不也世尊如我解佛所說義
佛於然燈佛所无有法得阿耨多羅三藐三
菩提佛言如是如是須菩提實无有法如來
得阿耨多羅三藐三菩提須菩提若有法如
來得阿耨多羅三藐三菩提然燈佛則不與
我受記汝於來世當得作佛号釋迦牟尼以
實无有法得阿耨多羅三藐三菩提是故然
燈佛與我受記作是言汝於來世當得作佛
号釋迦牟尼何以故如來者即諸法如義若
有人言如來得阿耨多羅三藐三菩提須菩
提實无有法佛得阿耨多羅三藐三菩提[illegible]

BD01244號　金剛般若波羅蜜經　（8–7）

我受記汝於來世當得作佛号釋迦牟尼以
實无有法得阿耨多羅三藐三菩提是故然
燈佛與我受記作是言汝於來世當得作佛
号釋迦牟尼何以故如來者即諸法如義若
有人言如來得阿耨多羅三藐三菩提須菩
提實无有法佛得阿耨多羅三藐三菩提須
菩提如來所得阿耨多羅三藐三菩提於是
中无實无虗故是如來說一切法皆是佛法
須菩提所言一切法者即非一切法是故名一
切法須菩提譬如人身長大須菩提言世
尊如來說人身長大則爲非大身是名大身
須菩提菩薩亦如是若作是言我當滅度无
量衆生則不名菩薩何以故須菩提實无有
[illegible]爲菩薩是故佛說一切法无我无人无衆
[illegible]須菩提若菩薩作是言我當莊
嚴佛土是[illegible]菩薩何以故如來說莊嚴佛
土者即非莊[illegible]嚴須菩提若菩薩通
達无我法者如來說名真是菩薩
須菩提於意云何如來有肉眼不如是世尊
如來有肉眼須菩提於意云何如來有天眼
[illegible]有天眼須菩提於意云何
[illegible]尊如來有慧眼須菩
[illegible]世尊如來

BD01244號　金剛般若波羅蜜經　（8–8）

[illegible]陀洹斯陀含阿那含阿
[illegible]漢辟支佛菩薩若无是諸賢聖云何有法
分別說是凡夫人須陀洹斯陀含阿那含阿
羅漢辟支佛菩薩舍利弗白佛言世尊若諸
法无性无實无根本云何知是凡夫人乃至
是佛告舍利弗凡夫人所著處色有性有實
不不也世尊但以顛倒心故受想行識乃至
十八不共法亦如是舍利弗菩薩摩訶薩行
般若波羅時以方便力故見諸法无性无相
本故能教阿耨多羅三藐三菩提心舍利弗
白佛言云何菩薩摩訶薩行般若波羅蜜時
以方便力故見諸法无性无根本故教阿耨
多羅三藐三菩提心佛告舍利弗菩薩摩訶
薩行般若波羅蜜時不見諸法根本住中退
沒生懈怠舍利弗諸根本實无我无所有性
常空但顛倒愚癡故眾生著音陰入界是為
菩薩摩訶薩見諸法无所有性常空自相空
時行般若波羅蜜自立如幻師為眾生說法
慳者說布施法破戒者為說持戒法瞋者為
說忍辱法懈怠者為說精進乱者為說禪定
法愚癡者為智慧法令眾生住布施乃至智
慧復為說聖法能出若用是法故得須陀洹

BD01245號　大智度論卷九一　（10–1）

慳者說布施法破戒者為說持戒法瞋者為
說忍辱法懈怠者為說精進乱者為說禪定
法愚癡者為智慧法令眾生住布施乃至智
慧復為說聖法能出若用是法故得須陀洹
果乃至阿羅漢果辟支佛道乃至阿耨多羅
三藐三菩提舍利弗白佛言世尊菩薩摩訶
薩得是眾生无所有教令布施持戒乃至智
慧然後為說聖法能出苦以是法故得須陀
洹果乃至阿耨多羅三藐三菩提佛告舍利
弗菩薩摩訶薩行般若波羅蜜時无有所得
退罪何以故舍利弗言菩薩摩訶薩行般若
波羅蜜時不得眾生但空法相續故名為眾
生舍利弗菩薩摩訶薩住二諦中為眾生說
法世諦第一義諦舍利弗第二諦眾生雖不
可得菩薩摩訶薩行般若波羅蜜以方便力
故為眾生說法眾生聞是法令世吾我尚不
可得何況當得阿耨多羅三藐三菩提及所
用法如是舍利弗菩薩摩訶薩行般若波羅
蜜時以方便力故為眾生說法舍利弗白佛
言世尊是菩薩摩訶薩心廣大无有法可得
若一相若異相若別相而能如是大莊嚴曰
是莊嚴故不生欲界不生色界不生无色界
不見有為性不見无為性而於三界中度脫
眾生亦不可得眾生何以故眾生不縛不解
眾生不縛不解故无垢无淨无垢无淨故无
分別五道无分別五道故无業无煩惱无業

BD01245號　大智度論卷九一　（10–2）

者一相者異相者別相而能如是大莊嚴曰
是莊嚴故不生欲界不生色界不生无色界
不見有為性不見无為性而於三界中度脫
衆生亦不可得衆生何以故衆生不縛不解
衆生不縛不解故无垢无淨无垢无淨故无
分別五道无分別五道故无業无煩惱无業
无煩惱故亦不應有果報以是果報故生三
界中佛告舍利弗如是如是如汝所言若衆
生先有後无諸佛菩薩有過罪諸法五道生
死亦如是若先有後无諸佛菩薩則有過罪
舍利弗今有佛无佛諸法相常住不異是法
相中尚无我无衆生无壽命乃至无知者无
見者何况當有色受想行識若无是法云何
當有五道往來拔出衆生處舍利弗是法諸
法性常空以是故諸菩薩摩訶薩從過去佛
法相發阿耨多羅三藐三菩提意是中无有
法我當得亦无有衆生者處法不可出但以
衆生顛倒故著以是故菩薩摩訶薩發大莊
嚴常退阿耨多羅三藐三菩提是菩薩不疑
我當不得阿耨多羅三藐三菩提我當得阿
耨多羅三藐三菩提得阿耨多羅三藐三菩
提已用實法利益衆生令出顛倒舍利弗辟
如幻師幻作百千億万人與種種飲食令飽
滿歡喜唱言我大得福我大得福於汝意云
何是中有人食飲飽滿不不也世尊佛言如
是舍利弗菩薩摩訶薩從初發意以來行六
波羅蜜四禪四无量心四无色定四念處乃

BD01245號　大智度論卷九一　（10-3）

如幻師幻作百千億万人與種種飲食令飽
滿歡喜唱言我大得福我大得福於汝意云
何是中有人食飲飽滿不不也世尊佛言如
是舍利弗菩薩摩訶薩從初發意以來行六
波羅蜜四禪四无量心四无色定四念處乃
至八聖道分十四空三解脫門八解脫九次
第定佛十力乃至十八不共法具足菩薩道
成就衆生淨佛國土无衆生法可度須菩提
白佛言世尊何等是菩薩摩訶薩道菩薩法
是道能成就衆生淨佛國土佛告須菩提菩
薩摩訶薩從初發意以來行檀波羅蜜行尸
波羅蜜羼提波羅蜜毗梨耶禪波羅蜜般若
波羅蜜乃至行十八不共法成就衆生淨佛
國土須菩提白佛言世尊云何菩薩摩訶薩
行檀波羅蜜成就衆生佛告須菩提有菩薩
摩訶薩行檀波羅蜜時自布施作是言諸善
男子汝著布施故當更受身受身故多受衆
苦諸善男子諸法相中无所布施者是三者
性皆空是性空法不可不可取相相是性空
如是須菩提菩薩摩訶薩行檀波羅蜜時布
施衆生是中不得布施不得施者得受者何
以故无所得波羅蜜是名為檀波羅蜜是菩
薩不得是三法故能教衆生令須陁洹果乃
至令得阿羅漢果辟支佛道阿耨多羅三藐
三菩提如是菩薩摩訶薩行檀波羅蜜時成
就衆生是菩薩自行布施亦教他人行布施

BD01245號　大智度論卷九一　（10-4）

至令得阿羅漢果辟支佛道阿耨多羅三藐
三菩提如是菩薩摩訶薩行檀波羅蜜時成
就衆生是菩薩自行布施亦教他人行布施
讚歎布施法歡喜讚歎行布施者是言自如
是布施已生刹利大姓婆羅門姓居士大家
若作小王若轉輪聖王是時以事攝取衆生
何等四布施愛語利行同事是四事攝衆生
已衆生漸漸住於戒四禪四无量心四无色
定四念處八聖道分空无相无作三昧得入
正位中得須陁洹果乃至阿羅漢果若得辟
支佛道若教令得阿耨多羅三藐三菩提作
是言善男子汝等當發阿耨多羅三藐三菩
提心發阿耨多羅三藐三菩提心阿耨多羅
三藐三菩提易得取何以故无有定法衆生
所著處但顛倒故衆生著是故汝等自離生
死亦當他離生死汝等當發心自利益亦當
得利益他人須菩提菩薩摩訶薩應如是行
檀波羅蜜行檀波羅蜜因緣故從初發意以
来終不墮惡道常作轉輪王何以隨其所種
得大果報是菩薩作轉輪王時見有乞者不
作是念我為餘事故受轉輪聖王果但為利
益一切衆生故是時作是言此是汝物汝自
取之莫有所難我无所惜我為衆生故受生
死憐愍如等故具足大悲行是大悲饒益衆
生亦不得實定衆生相但有假名故可說是
衆生是名字亦空如嚮聲實不可說相須菩

BD01245號　大智度論卷九一　（10–5）

死憐愍如等故具足大悲行是大悲饒益衆
生亦不得實定衆生相但有假名故可說是
衆生是名字亦空如嚮聲實不可說相須菩
提菩薩摩訶薩如是行檀波羅蜜於衆生中
无所惜乃至不惜自身肌肉死外時以是法
故能出衆生生死何等是所謂檀波羅蜜尸
波羅蜜羼提波羅蜜毗梨耶波羅蜜禪波羅
蜜般若波羅蜜乃至十八不共法令衆生從
生死中得脫復次須菩提菩薩摩訶薩住檀
波羅蜜中布施作是言諸善男子汝等未持
戒我當供給汝等令无少短衣服卧具乃至
資生所須盡當給汝汝等之少故破戒我當
給汝所須令无所乏若飲食乃至七寶汝等
作是戒法義中漸漸當得盡苦成於三乘而
得度既若聲聞乘辟支佛佛乘乘復次須菩
提菩薩摩訶薩住檀波羅蜜中若見衆生瞋
惱作是言諸善男子汝等以何因緣故瞋惱
我當与汝所須汝等所欲從我取之悉當給
汝令无所乏若飲食衣服乃至資生所須是
菩薩住檀波羅蜜中教衆生忍辱作是言一
切法中无有堅實汝等所瞋是內緣空无堅
實皆從虛空憶想生汝无有根本瞋恚壞心
惡口罵詈刀杖相加以至害命汝等莫以是
虛妄法起瞋故墮地獄畜生餓鬼中及餘惡
道受无量苦汝等莫以是虛妄无實諸法故
而得罪業以是業故尚不得人身何況得生

BD01245號　大智度論卷九一　（10–6）

惡口罵詈刀杖相加以至問命汝等莫以是
虛妄法起瞋故墮地獄畜生餓鬼中及餘惡
道受无量苦汝等莫以是虛妄无實諸法故
而得罪業以是業故尚不得人身何况得生
佛世諸人佛世難值人身難得汝等莫失好
時若失好時則不可救是菩薩摩訶薩如是
教化衆生自行忍辱亦教他人令行忍辱讚
嘆忍辱法歡喜讚嘆行忍辱者是菩薩令衆
生住忍辱中漸漸以三乘得盡衆苦如是須
菩提菩薩摩訶薩住檀波羅蜜令衆生住忍
辱須菩提云何菩薩摩訶薩住檀波羅蜜令
衆生精進須菩提菩薩見衆生懈怠如是言
汝等何以懈怠衆生言因緣少故是菩薩行
檀波羅蜜時語諸人言我因緣令汝具足是
衆生得菩薩利益因緣故身精進口精進心
精進身精進口精進心精進故一切善法具
足脩聖无漏法脩聖无漏法故當得須陁洹
果乃至阿羅漢果辟支佛道若得阿耨多羅
三藐三菩提如是須菩提菩薩摩訶薩行檀
波羅蜜時作精進攝取衆生須菩提善法具
足脩聖无漏法脩聖无漏法故當得須陁洹
果乃至阿羅漢果辟支佛道若得阿耨多羅
三藐三菩提如是須菩提菩薩摩訶薩行檀
波羅蜜時作精進波羅蜜攝取衆生須菩提
云何菩薩摩訶薩行檀波羅蜜時教化衆生
令脩禪波羅蜜佛告須菩提菩薩見衆生亂

BD01245號　大智度論卷九一　（10–7）

三藐三菩提如是須菩提菩薩摩訶薩行檀
波羅蜜時作精進波羅蜜攝取衆生須菩提
云何菩薩摩訶薩行檀波羅蜜時教化衆生
令脩禪波羅蜜佛告須菩提菩薩見衆生亂
心作是言汝等脩禪定衆生言我等因緣不
具足故菩薩言我當与汝等作因緣以是因
緣故令汝不墮覺觀心不馳散衆生以是因
緣故斷覺觀入初禪二禪三禪四禪行慈悲
喜捨心衆生以是禪无量心因緣故能脩四
念處乃至八聖道分脩卅七助道法時漸入
三乘而　涅槃終不失道如是須菩提菩薩
摩訶薩行波羅蜜時以禪波羅蜜攝取衆生
令行禪波羅蜜須菩提云何菩薩摩訶薩行
檀波羅蜜禪波羅蜜行般若波羅蜜攝取衆
生須菩提菩薩見衆生愚癡无有智慧作是
言汝等行少故不脩智慧衆生言因緣未具
故菩薩住檀波羅蜜中作是言如等所須得
智慧具從我取所謂布施持戒忍辱精進入
禪定是因緣具足已汝等如是思惟思惟般
若波羅蜜時有法可得不若我衆生若壽命
乃至知者見者可得不若色受想行識若欲
界色界无色界若六波羅蜜若卅七助道法若
須陁洹果若斯陁含果阿羅漢果辟支佛道
若阿耨多羅三藐三菩提可得不是衆生如
是思惟時於般若波羅蜜中无有法可得可
著處若不著諸法是時不見法有生有滅有

BD01245號　大智度論卷九一　（10–8）

須陁洹果若斯陁含果阿羅漢果辟支佛道
若阿耨多羅三藐三菩提可得不是衆生如
是思惟時於般若波羅蜜中无有法可得可
著處若不著諸法是時不見法有生有滅有
垢有淨不分別是地獄是畜生是餓鬼是阿
脩羅衆是天是人是持戒是破戒是須陁洹
是斯陁含是阿　含是阿羅漢是辟支佛是
佛如是須菩提菩薩摩訶薩行檀波羅蜜時
以般若波羅蜜攝取衆生須菩提云何菩薩
摩訶薩住檀波羅蜜中以尸波羅蜜羼提
波羅蜜毗梨耶波羅蜜禪波羅蜜般若波羅
蜜乃至卅七助道法攝取衆生須菩提菩薩
摩訶薩住檀波羅蜜中以供養具利益衆生
以是利益因緣故衆生能脩四念處四政懃
四如意足五根五力七覺分八聖道分衆生
行卅七助道法於生死中得解脫如是須菩
提菩薩摩訶薩以无漏聖法攝取衆生復次
須菩提菩薩摩訶薩教化衆生時如是言諸
善男子汝等從我取所須物若飲食衣服臥
具花香乃至七寶等種種等資生所須汝當
以是攝取衆生汝等長夜利益安樂莫作是
念是物非我所有我長夜為衆生故集此法
物汝等當取是物如己物无異教化衆生令
行布施持戒忍辱精進禪定智慧乃至令得
卅七助道法佛十力乃至十八不共法乚令

以是攝取衆生汝等長夜利益安樂莫作是
念是物非我所有我長夜為衆生故集此法
物汝等當取是物如己物无異教化衆生令
行布施持戒忍辱精進禪定智慧乃至令得
卅七助道法佛十力乃至十八不共法乚令
无漏法所謂須陁洹乃至阿羅漢果辟支佛
道阿耨多羅三藐三菩提如是須菩提菩薩
摩訶薩行檀波羅蜜時如是教化衆生令得
離三惡道及一切生死往來苦復次須菩提
菩薩摩訶薩住尸波羅蜜教化衆生作是言
衆生汝　少何因緣故破戒我當与如具足
曰緣若布施乃至智慧及種種資生所須是
菩薩尸波羅蜜利益衆生令行十善遠離十
不善道是諸衆生持諸戒不破戒不缺戒不
濁戒不雜戒不取戒漸以三乘而得盡苦尸
波羅蜜為首如檀波羅蜜說餘四波羅蜜亦
如是
問曰先說菩薩行六波羅蜜等諸助道法不
具足菩薩道則不能得阿耨多羅三藐三
提令自

中
嶮路其中一人作是唱言諸
怖汝等應當一心稱觀世音菩薩名号是善
薩能以無畏施於衆生汝等若稱名者於此
怨賊當得解脫衆商人聞俱發聲言南无觀
世音菩薩稱其名故即得解脫無盡意觀世
音菩薩摩訶薩威神之力巍巍如是若有
生多於婬欲常念恭敬觀世音菩薩
離欲若多瞋恚常念恭敬觀世音菩薩便得
離瞋若多愚癡常念恭敬觀世音菩薩便得離
癡無盡意觀世音菩薩有如是等大威神力
多所饒益是故衆生常應心念若有女人設
欲求男礼拜供養觀世音菩薩便生福德
慧之男設欲求女便生端正有相之女
德本衆人愛敬無盡意觀世音菩薩有如是
力若有衆生恭敬礼拜觀世音菩薩福不唐
捐是故衆生皆應受持觀世音菩薩名号無
盡意若有人受持六十二億恒河沙菩薩名
字復盡形供養飲食衣服臥具醫藥於汝意
云何是善男子善女人功德多不無盡意
甚多世尊佛言若復有人受持觀世音菩薩
名号乃至一時礼拜供養是二人福正等無

BD01246 號　妙法蓮華經卷七　（11–1）

盡意若有人受持六十二億恒河沙菩薩名
字復盡形供養飲食衣服臥具醫藥於汝意
云何是善男子善女人功德多不無盡意
甚多世尊佛言若復有人受持觀世音菩薩
名号乃至一時礼拜供養是二人福正等無
異於百千万億劫不可窮盡無盡意受持觀
世音菩薩名号得如是無量無邊福德之利
無盡意菩薩白佛言世尊觀世音菩薩云何
遊此娑婆世界云何而為衆生說法方便之
力其事云何佛告無盡意菩薩善男子若有
國土衆生應以佛身得度者觀世音菩薩即
現佛身而為說法應以辟支佛身得度者
即現辟支佛身而為說法應以聲聞身得度
者即現聲聞身而為說法應以梵王身得度
者即現梵王身而為說法應以帝釋身得
者即現帝釋身而為說法應以自在天身得
度者即現自在天身而為說法應以大自在
天身得度者即現大自在天身而為說法應以
天大將軍身得度者即現天大將軍身而為
說法應以毗沙門身得度者即現毗沙門身
而為說法應以小王身得度者即現小王身
而為說法應以長者身得度者即現長者身
而為說法應以居士身得度者即現居士身
而為說法應以宰官身得度者即現宰官身
而為說法應以婆羅門身得度者即現婆羅
門身而為說法應以比丘比丘尼優婆塞優

BD01246 號　妙法蓮華經卷七　（11–2）

而為說法應以居士身得度者即現居士身

而為說法應以宰官身得度者即現宰官身

而為說法應以婆羅門身得度者即現婆羅

門身而為說法應以比丘比丘尼優婆塞優

婆夷身得度者即現比丘比丘尼優婆塞優

婆夷身而為說法應以長者居士宰官婆羅

門婦女身得度者即現婦女身而為說法應

以童男童女身得度者即現童男童女身

而為說法應以天龍夜叉乾闥婆阿脩羅迦

樓羅緊那羅摩睺羅伽人非人等身得度者

即皆現之而為說法應以執金剛神得度者

即現執金剛神而為說法無盡意是觀世音

菩薩成就如是功德以種種形遊諸國土度脫衆

生是故汝等應當一心供養觀世音菩薩是

觀世音菩薩摩訶薩於怖畏急難之中能施

無畏是故此娑婆世界皆號之為施無畏者

無盡意菩薩白佛言世尊我今當供養觀

音菩薩即解頸衆寶珠瓔珞價直百千兩

金而以与之作是言仁者受此法施珎寶瓔珞

時觀世音菩薩不肯受之無盡意復白觀世

音菩薩言仁者愍我等故受此瓔珞尒時佛

告觀世音菩薩當愍此無盡意菩薩及四衆

天龍夜叉乾闥婆阿脩羅迦樓羅緊那羅

睺羅伽人非人等故受是瓔珞即時觀世音

菩薩愍諸四衆及於天龍人非人等受其瓔

珞分作二分一分奉釋迦牟尼佛一分奉多

BD01246號　妙法蓮華經卷七　（11-3）

天龍夜叉乾闥婆阿脩羅迦樓羅緊那羅摩

睺羅伽人非人等故受是瓔珞即時觀世音

菩薩愍諸四衆及於天龍人非人等受其瓔

珞分作二分一分奉釋迦牟尼佛一分奉多

寶佛塔無盡意觀世音菩薩有如是自在神

力遊於娑婆世界尒時無盡意菩薩以偈問

曰

世尊妙相具　我今重問彼　佛子何因緣　名為觀世音

具足妙相尊　偈答無盡意　汝聽觀音行　善應諸方所

弘誓深如海　歷劫不思議　侍多千億佛　發大清淨願

我為汝略說　聞名及見身　心念不空過　能滅諸有苦

假使興害意　推落大火坑　念彼觀音力　火坑變成池

或漂流巨海　龍魚諸鬼難　念彼觀音力　波浪不能沒

或在須弥峯　為人所推墮　念彼觀音力　如日虛空住

或被惡人逐　墮落金剛山　念彼觀音力　不能損一毛

或值怨賊遶　各執刀加害　念彼觀音力　咸即起慈心

或遭王難苦　臨刑欲壽終　念彼觀音力　刀尋段段壞

或囚禁枷鎖　手足被杻械　念彼觀音力　釋然得解脫

呪詛諸毒藥　所欲害身者　念彼觀音力　還著於本人

或遇惡羅刹　毒龍諸鬼等　念彼觀音力　時悉不敢害

若惡獸圍遶　利牙爪可怖　念彼觀音力　疾走無邊方

蚖蛇及蝮蝎　氣毒烟火燃　念彼觀音力　尋聲自迴去

雲雷鼓掣電　降雹澍大雨　念彼觀音力　應時得消散

衆生被困厄　無量苦逼身　觀音妙智力　能救世間苦

具足神通力　廣修智方便　十方諸國土　無刹不現身

種種諸惡趣　地獄鬼畜生　生老病死苦　以漸悉令滅

BD01246號　妙法蓮華經卷七　（11-4）

衆生被困厄　無量苦逼身　觀音妙智力　能救世間苦
具足神通力　廣修智方便　十方諸國土　無刹不現身
種種諸惡趣　地獄鬼畜生　生老病死苦　以漸悉令滅
真觀清淨觀　廣大智慧觀　悲觀及慈觀　常願常瞻仰
無垢清淨光　慧日破諸闇　能伏灾風火　普明照世間
悲體戒雷震　慈意妙大雲　澍甘露法雨　滅除煩惱焰
諍訟經官處　怖畏軍陣中　念彼觀音力　衆怨悉退散
妙音觀世音　梵音海潮音　勝彼世間音　是故須常念
念念勿生疑　觀世音淨聖　於苦惱死厄　能為作依怙
具一切功德　慈眼視衆生　福聚海無量　是故應頂禮
尒時持地菩薩即從座起前白佛言世尊若
有衆生聞是觀世音菩薩品自在之業普門
示現神通力者當知是人功德不少佛說是
普門品時衆中八万四千衆生皆發無等等
阿耨多羅三藐三菩提心

妙法蓮華經陀羅尼品第廿六

尒時藥王菩薩即從座起偏袒右肩合掌向
佛而白佛言世尊若善男子善女人有能受
持法華經者若讀誦通利若書寫經卷得幾
所福佛告藥王若有善男子善女人供養八
百万億那由他恒河沙等諸佛於汝意云何
其所得福寧為多不甚多世尊佛言若善
男子善女人能於是經乃至受持一四句偈讀
誦解義如說修行功德甚多尒時藥王菩薩
白佛言世尊我今當與說法者陀羅尼呪以

BD01246號　妙法蓮華經卷七　（11–5）

其所得福寧為多不甚多世尊佛言若善
男子善女人能於是經乃至受持一四句偈讀
誦解義如說修行功德甚多尒時藥王菩薩
白佛言世尊我今當與說法者陀羅尼呪以
守護之即說呪曰
安尒一曼尒二摩祢三摩摩祢四旨隸五遮梨苐六
賖咩(羊鳴音)七賖履(罔雉反)多瑋八羶(輸千反)帝九目帝十目多
履十一娑履十二阿瑋娑履十三桑履十四娑履十五叉裔十六
阿叉裔十七阿耆膩十八羶帝十九賖履二十陀羅尼廿一阿
盧伽婆娑(蘇奈反)簸蔗毗叉膩廿二祢毗剃廿三阿便哆(都餓反)
邏祢履剃廿四阿亶哆波隸輸地(途賣反)廿五漚究隸廿六牟究
隸廿七阿羅隸廿八波羅隸廿九首迦差(初几反)卅阿三磨三履
卅一佛駄毗吉利袠帝卅二達磨波利差(猜離反)帝卅三僧
伽涅瞿沙祢卅四婆舍婆舍輸地卅五曼哆邏卅六曼哆
邏叉夜多卅七郵樓哆卅八郵樓哆憍舍略卅九惡叉邏卌
惡叉冶多冶卌一阿婆盧卌二阿摩若(荏蔗反)那多夜卌三
世尊是陀羅尼神呪六十二億恒河沙等諸佛
所說若有侵毀此法師者則為侵毀是諸
佛已時釋迦牟尼佛讚藥王菩薩言善哉善
哉藥王汝愍念擁護此法師故說是陀羅尼
於諸衆生多所饒益尒時勇施菩薩白佛言
世尊我亦為擁護讀誦受持法華經者說陀
羅尼若此法師得是陀羅尼若夜叉若羅刹
若富單那若吉蔗若鳩槃荼若餓鬼等伺求
其短無能得便即於佛前而說呪曰

BD01246號　妙法蓮華經卷七　（11–6）

羅尼若此法師得是陁羅尼若夜叉若羅剎
若富單那若吉蔗若鳩槃茶若餓鬼等伺求
其短無能得便即於佛前而說呪曰
座又蹔螺隸一 摩訶座隸二 郁枳三 目枳四 阿隸五 阿羅
婆第六 涅隸第七 涅隸多婆第八 伊緻又猪履柅九 韋
緻柅十 旨緻柅十一 涅隸墀柅十二 涅犁墀婆底十三
世尊是陁羅尼神呪恒河沙等諸佛所說亦
皆隨喜若有侵毀此法師者則為侵毀是諸
佛已尒時毗沙門天王護世者白佛言世尊
我亦為愍念衆生擁護此法師故說是陁羅
尼即說呪曰
阿梨一 那梨二 㝹那梨三 阿那盧四 那履五 拘那
履六
世尊以是神呪擁護法師我亦自當擁護持
是經者令百由旬內無諸衰患尒時持國天
王在此會中与千万億那由他乹闥婆衆恭
敬圍繞前詣佛所合掌白佛言世尊我亦以
陁羅尼神呪擁護持法華經者即說呪曰
阿伽祢一 伽祢二 瞿利三 乹陁利四 旃陁利五 摩蹬
耆六 常求利七 浮樓莎柅八 頞底九
世尊是陁羅尼神呪四十二億諸佛所說若
有侵毀此法師者則為侵毀是諸佛已尒時
有羅剎女等一名藍婆二名毗藍婆三名曲
齒四名華齒五名黒齒六名多髮七名無猒
足八名持瓔珞九名睪帝十名奪一切衆生

BD01246號　妙法蓮華經卷七　（11–7）

有侵毀此法師者則為侵毀是諸佛已尒時
有羅剎女等一名藍婆二名毗藍婆三名曲
齒四名華齒五名黒齒六名多髮七名無猒
足八名持瓔珞九名睪帝十名奪一切衆生
精氣是十羅剎女与鬼子母并其子及眷屬
俱詣佛所同聲白佛言世尊我等亦欲擁護
讀誦受持法華經者除其衰患若有伺求法
師短者令不得便即於佛前而說呪曰
伊提履一 伊提泯二 伊提履三 阿提履四 伊提履五
泥履六 泥履七 泥履八 泥履九 泥履十 樓醯十一 樓醯十二
樓醯十三 樓醯十四 多醯十五 多醯十六 多醯十七 兜醯十八
㝹醯十九
寧上我頭上莫惱於法師若夜叉若羅剎若
餓鬼若冨單那若吉蔗若毗陁羅若揵馱若
烏摩勒伽若阿跋摩羅若夜叉吉蔗若人吉
蔗若熱病若一日若二日若三日若四日若至
七日若常熱病若男形若女形若童男形
若童女形乃至夢中亦復莫惱即於佛前而
說偈言
若不順我呪　惱亂說法者　頭破作七分　如阿梨樹枝
如煞父母罪　亦如壓油殃　斗秤欺誑人　調達破僧罪
犯此法師者　當獲如是殃
諸羅剎女說此偈已白佛言世尊我等亦當
身自擁護受持讀誦脩行是經者令得安隱
離諸衰患消衆毒藥佛告諸羅剎女善哉善
哉汝等但能擁護受持法華名者福不可量

BD01246號　妙法蓮華經卷七　（11–8）

諸羅刹女說此偈已白佛言世尊我等亦當
身自擁護受持讀誦脩行是經者令得安隱
離諸衰患消衆毒藥佛告諸羅刹女善哉善
哉汝等但能擁護受持法華名者福不可量
何況擁護具足受持供養經卷華香瓔珞末
香塗香燒香幡蓋伎樂然種種燈蘇燈油燈
諸香油燈蘇摩那華油燈瞻蔔華油燈婆師
迦華油燈優鉢羅華油燈如是等百千種供
養者睪帝汝等及眷屬應當擁護如是法師
說是陁羅尼品時六万八千人得無生法忍
妙法蓮華經妙莊嚴王本事品第廿七
尒時佛告諸大衆乃往古世過無量無邊不
可思議阿僧祇劫有佛名雲雷音宿王華智
多陁阿伽度阿羅訶三藐三佛陁國名光明
莊嚴劫名喜見彼佛法中有王名妙莊嚴其
王夫人名曰淨德有二子一名淨藏二名淨
眼是二子有大神力福德智慧久脩菩薩所
行之道所謂檀波羅蜜尸波羅蜜羼提波
羅蜜毗梨耶波羅蜜禪波羅蜜般若波羅蜜
方便波羅蜜慈悲喜捨乃至三十七助道法
皆悉明了通達又得菩薩淨三昧日星宿三
昧淨光三昧淨色三昧淨照明三昧長莊嚴
三昧大威德藏三昧於此三昧亦悉通達
尒時彼佛欲引導妙莊嚴王及愍念衆生故
說是法華經時淨藏淨眼二子到其母所合

BD01246號　妙法蓮華經卷七　（11–9）

昧淨光三昧淨色三昧淨照明三昧長莊嚴
三昧大威德藏三昧於此三昧亦悉通達
尒時彼佛欲引導妙莊嚴王及愍念衆生故
說是法華經時淨藏淨眼二子到其母所合
十指爪掌白言願母往詣雲雷音宿王華智
佛所我等亦當侍從親近供養礼拜所以者
何此佛於一切天人衆中說法華經宜應聽
受母告子言汝父信受外道深著婆羅門法
汝等應往白父与共俱去淨藏淨眼合十指
爪掌白母我等是法王子而生此邪見家母
告子言汝等當憂念汝父為現神變若得見
者心必清淨或聽我等往至佛所於是二子
念其父故踊在虛空高七多羅樹現種種神
變於虛空中行住坐卧身上出水身下出火
身下出水身上出火或現大身滿虛空中而
復現小小復現大於空中滅忽然在地入地
如水履水如地現如是等種種神變令其父
王心淨信解時父見子神力如是心大歡喜
得未曾有合掌向子言汝等師為是誰誰之
弟子二子白言大王彼雲雷音宿王華智佛
今在七寶菩提樹下法座上坐於一切世間
天人衆中廣說法華經是我等師我是弟子
父語子言我今亦欲見汝等師可俱共往於
是二子從空中下到其母所合掌白母父王
今已信解堪任發阿耨多羅三藐三菩提心
我等為父已作佛事願母見聽於彼佛所出

BD01246號　妙法蓮華經卷七　（11–10）

今已信解堪任發阿耨多羅三藐三菩提心
我等為父已作佛事願母見聽於彼佛所出
家修道尒時二子欲重宣其意以偈白母
願母放我等 出家作沙門 諸佛甚難值 我等隨佛學
如優曇波羅 值佛復難是 脫諸難亦難 願聽我出家
母即告言聽汝出家所以者何佛難值故於
是二子白父母言善哉父母願時往詣雲雷
音宿王華智佛所親近供養所以者何佛難
得值如優曇波羅華又如一眼之龜值浮木
孔而我等宿福深厚生值佛法是故父母當
聽我等令得出家所以者何諸佛難值時亦
難遇彼時妙莊嚴王後宮八万四千人皆悉
堪任受持是法華經淨眼菩薩於法華三昧
久已通達淨藏菩薩已於無量百千万億劫
通達離諸惡趣三昧欲令一切衆生離諸惡
趣故其王夫人得諸佛集三昧能知諸佛秘
密之藏二子如是以方便力善化其父令心
信解好樂佛法於是妙莊嚴王与群臣眷屬
俱淨德夫人与後宮婇女眷屬俱其王二子
与四万二千人俱一時共詣佛所到已頭面
礼足繞佛三匝却住一面尒時彼佛為王

BD01246號　妙法蓮華經卷七　（11–11）

道佛告阿
無未來世一切衆生
說佛神通境界若失此事則
佛說菩提種持是法者見魅不著恒爲
諸佛之所護助
佛告阿難去何名如來到那乾訶羅國古仙
山瞻蔔華林毒龍池側青蓮華泉北羅刹穴
中阿那斯山巖南尒時彼穴有五羅刹化作
龍女與毒龍通龍復降雹羅刹亂行饑饉疾
疫已歷四年時王驚懼禱祠神祇於事無益
古諸呪師令呪毒龍羅刹㸑盛呪術不行王
作是念得一神人駈此羅刹降此毒龍唯除我
身其餘无惜時有梵志聡明多智白言大王
迦毗羅城淨飯王子其生之日万神侍衛七
寳降瑞阿私陁相處國當爲轉輪聖王若不
樂天下成自然佛今者道成号釋迦牟尼臣
身丈六卅二相八十種好足蹈蓮華項佩日
光身相端嚴如真金山王聞是語心大歡喜
向佛生地自歸作礼若梵志語審實不虛有
佛出世名釋迦文然我相法却後九劫乃當

BD01247號　觀佛三昧海經卷七　（15–1）

尊天下成自然佛今者道成号釋迦牟尼臣
身丈六卅二相八十種好足蹋蓮華項佩日
光身相端嚴如真金山王聞是語心大歡喜
問佛生地自歸作礼若梵志語審實不虛有
佛出世名釋迦文然我相法却後九劫乃當
有佛名釋迦文去何今日佛日已興去何不
喪至此國界空中有聲告言大王汝莫疑佛
釋迦牟尼精進勇猛超越九劫聞是語已復
更長跪合掌讚嘆佛通明慧應知我心願屈
慈悲光臨此國尒時香烟至佛精舍如白流
離雲遶佛七迊化作金蓋其蓋有鈴出妙音
聲其聲請佛請比丘僧尒時如來勅諸比丘
諸得六通者隨從佛後乘那乾訶羅王諸弟
已浮提請摩訶迦葉從衆五百化作瑠璃山
山上皆有流泉浴池七寶行樹樹下皆有金
床銀光光化為窟摩訶迦葉坐此窟中常坐
不卧勅諸弟子行十二頭陀其山如雲疾於
猛風詣古仙山
大目揵連從衆五百化百千龍勝身為坐龍
口吐火化成金臺七寶林坐寶帳寶蓋及諸
幢幡皆悉備足目連處中如流離人表裏清
徹詣那乾訶羅
舍利弗以神通力化作雪山白玉為窟均提
等五百沙弥坐七寶窟圍遶雪山時舍利弗
坐白玉窟如黃金人放金色光其光雜色映
耀雪山敷揚大法沙弥聽乘往詣彼國

等五百沙弥坐七寶窟圍遶雪山時舍利弗
坐白玉窟如黃金人放金色光其光雜色映
耀雪山敷揚大法沙弥聽乘往詣彼國
摩訶迦旃延與其眷屬五百比丘化作蓮華
猶如金臺比丘處上身下出水化為流泉流
諸華間水不濡地上有金蓋弥覆比丘亦往
彼國如是千二百五十大弟子各有五百比
丘作諸神通如舍利弗目揵連等踊身虛空
如鴈王翔往詣彼國尒時世尊著衣持鉢勅
語阿難持尼師檀尒時世尊足步虛空佛舉
足時四天王釋提桓因梵天王无數天子百
千天女遶佛七迊為佛作礼侍從佛後
尒時世尊放頂金光化作一万八千諸大化
佛一一化佛復放光明如此頂光亦復化作
一万八千諸大化佛佛佛相次滿虛空中如
鴈王翔往至彼國始到國界王出奉迎為佛
作礼尒時龍王見世尊來父子徒黨十六大
龍興大雷雲震吼而雹眼中出火口亦吐火
鱗甲身毛俱出烟焰五羅剎女現醜惡形眼
如掣電住立佛前時龍王子見虛空中滿中
有佛化白其父言父王吐火欲害一佛試看
空中有无數佛時龍吐毒心意猛盛訶責其子
有一佛可何處有多時金剛神手把大杵化
身无數杵頭火燃如旋火輪輪輪相次從空
中下火爛熱熾猶如融銅燒惡龍身龍王驚

有一佛手何處有多時金剛神手把大杵化
身无數杵頭火燄如旋火輪輪輪相次從空
中下火爛熱熾猶如融銅燒惡龍身龍王驚
怖无走避處走入佛影佛影清涼如甘露灑
龍得除熱仰頭視空滿空中佛一一如來放
无數光一一光中无量化佛一一化佛亦放
无數百千光明時諸光中一切皆是執金剛
神舊金剛杵龍見諸佛極大歡喜見諸金剛
極大惶怖合掌恭敬為佛作礼五羅刹女亦
礼如來時諸天子雨曼陀羅華摩訶曼陀羅
華曼殊沙華摩訶曼殊沙華而以供養天鼓
自鳴諸天叉手空中立侍時彼國王眷屬五
千燒眾名香頭面礼佛請佛就坐時彼龍王
從龍池出獻七寶林手擎鋪置白佛言世尊
唯願救我莫使力士傷害我身尒時如來以
梵音聲猶如慈父極恤嬰兒令彼龍王及羅
刹女受法王化請佛就坐尒時國王復鋪高
床氍毹毾㲪極細軟者張白疊縵真珠羅網
弥覆其上請佛世尊令處縵中
尒時世尊舉足欲行佛鹿王蹄蹄出五光光
有五色遶佛七匝如天妙華化成華帳眾華
葉間百千无數諸化菩薩合掌讃偈有万億
音空中化佛放蹄光明亦復如是十六小龍手
執山石礔礰起火來至佛所大眾驚怖入佛
光中尒時世尊出金色臂張合曼掌指網曼

BD01247號　觀佛三昧海經卷七　（15–4）

葉間百千无數諸化菩薩合掌讃偈有万億
音空中化佛放蹄光明亦復如是十六小龍手
執山石礔礰起火來至佛所大眾驚怖入佛
光中尒時世尊出金色臂張合曼掌指網曼
間雨大寶華大眾皆見化成化佛唯諸龍見
是金翅鳥欲搏噬龍畏金翅走入佛影為
佛作礼叩頭求救佛至窟前勑阿難言鋪尼
師檀是時阿難即入窟中光舉右手從左肩
上取尼師檀時尼師檀即復化成五百億金
臺七寶校飾欲鋪之時即復化成五百億金
蓮華七寶莊嚴政四角時一一角生五百億七
寶蓮華行行相次遍滿窟内
尒時世尊就七寶床結跏趺坐諸蓮華上皆
有佛坐時諸比丘見佛坐已為佛作礼右遶
七匝各鋪坐具比丘坐具皆悉化成瑠璃之
坐比丘就坐時瑠璃坐放瑠璃光作瑠璃窟
諸比丘等入火光三昧身作金色時彼國王
見佛神變歡喜合掌遶佛七匝為佛作礼觀
佛神化應時即發阿耨多羅三藐三菩提心
勑諸臣下皆使發心尒時龍王怖畏金剛大
力士故亦發阿耨多羅三藐三菩提心五羅
刹女亦發菩提心尒時大王為佛及僧欲設
中饍佛告大王但辦食器餘无所須王受佛
勑具諸寶器佛神力故令諸器内天須陁味
自然盈滿時諸大眾食是食已自然得入念
佛三昧見十方佛身量无邊復聞說法微妙

BD01247號　觀佛三昧海經卷七　（15–5）

中饌佛告大王但辦食器餘无所須王受佛
勑具諸寶器佛神力故令諸器內天須陁味
自然盈滿時諸大衆食是食已自然得入念
佛三昧見十方佛身量无邊復聞說法微妙
音聲其音純讚念佛念法念比丘僧亦有廣
說六波羅蜜卅七品助菩提法聞是語已倍
更歡喜遶佛千匝
尒時國王請佛入城龍王怒曰汝奪我利吾
滅汝國佛告大王檀越先歸佛自知時尒時
國王為佛作礼遶巡而退尒時龍王及羅刹
女五體投地求佛受戒佛即如法為說三歸
五戒之法龍王聞已心大歡喜龍王眷屬百
千諸龍從池而出為佛作礼如來應時隨龍
音類為其說法聞法歡喜佛勑目連為其受
戒尒時目連入如意定即自化身作百千億
金翅鳥王一一鳥王足躡五龍住在虛空時
諸小龍而作是言佛勑和上為我受戒和上
云何作恐怖像目連告曰汝於多劫不恐怖
中橫生怖想於无瞋恚中生瞋恚想於无害
所橫生害想我實是人汝惡心故見我是鳥
尒時諸龍以恐怖故自懺不敢不惱眾生以
發善心目連即時還復本身為說五戒尒時
龍王長跪合掌勸請世尊唯願如來常住此
間佛若不在我發惡心无由得成阿耨多羅
三藐三菩提唯願如來留神垂念常在於此
慇懃三請如是不止時梵天王復來礼佛合

BD01247號　觀佛三昧海經卷七　(15-6)

間佛若不在我發惡心无由得成阿耨多羅
三藐三菩提唯願如來留神垂念常在於此
慇懃三請如是不止時梵天王復來礼佛合
掌勸請願婆伽婆願為未來世諸眾生故莫
獨偏為此一小龍百千梵王異口同音皆作
是請尒時如來即便微笑口出无量百千光
明一一光中无量化佛一一化佛万億菩薩
以為侍者時彼龍王於其池中出七寶臺奉
上如來唯願天尊受我此臺尒時世尊告龍王
曰不須此臺汝今但以羅刹石窟持以施我
時梵天王无數天子先入窟中時彼龍王以諸
雜寶以莊校窟佛告阿難汝敕龍王淨掃石
窟諸天聞已各脫寶衣覓拂掃窟尒時如來
還攝身光勸請化佛來入佛頂尒時如來勑
諸比丘皆在窟外唯佛獨入自鋪坐具鋪坐
具時令此石山轄為七寶時羅刹女及以龍
王為四大弟子尊者阿難造五百石窟尒時
世尊坐龍王窟不移坐處亦受王請入那乾
訶城耆闍崛山舍衛國迦毗羅城及諸住處
皆見有佛時虛空中蓮華坐上无量化佛一切
世界滿中化佛龍王歡喜發大誓願我來
世得佛如此佛受王請逕七日已王遣一人乘
八千里象持諸供具遍一切國供養眾僧到
處皆見釋迦文佛信返白言如來世尊不但
此國餘國亦有餘國諸佛皆說苦空无常无

BD01247號　觀佛三昧海經卷七　(15-7)

世得佛如此佛受王請逕七日已王遣一人乘
八千里象持諸供具遍一切國供養衆僧到
處皆見釋迦文佛信返白言如來世尊不但
此國餘國亦有餘國諸佛皆說苦空无常无
我六波羅蜜王聞此語廓然意解得无生忍
尒時世尊還攝神足徒石窟出與諸比丘遊
顧先世爲菩薩時兩兒布施處投身餓虎處
以頭布施處剜身千燈處挑目布施處割肉
代鴿處如是諸處龍皆隨徒是時龍王聞佛
還國啼哭雨淚白佛言世尊諸佛常住云何
捨我我不見佛當作惡事墜墮惡道尒時世
尊安慰龍王我受汝請坐汝窟中經千五百
歲時諸小龍合掌叉手勸請世尊還入窟中
諸龍見佛坐已窟中身上出水身下出火作
十八變小龍見已復更增進堅固道心釋迦
文佛踊身入石猶如明鏡人見面像諸龍皆
見佛在石內映現於外尒時諸龍合掌歡喜
不出其池常見佛日尒時世尊結加趺坐在
石壁內衆生見時遠望則見近則不現諸天
百千供養佛影影亦說法時梵天王合掌恭
敬以偈頌曰
如來處石窟　踊身入石裏　如日无鄣㝵　金光相具足
我今頭面礼　牟尼救世尊
尒時世尊化五百寶車佛處車中分身五百
尒時寶車住虛空中迴旋自在車聲輞間百
千光明一一光明无數化佛不動不轉到迦

尒時世尊化五百寶車佛處車中分身五百
尒時寶車住虛空中迴旋自在車聲輞間百
千光明一一光明无數化佛不動不轉到迦
毗羅城坐師子坐如入三昧一毛孔中有一佛
出一毛孔中一佛還入如是出入滿虛空中
无量化佛結加趺坐是名如來坐時境界佛
滅度後佛諸弟子若欲知佛行者如向所說
若欲知佛坐者當觀佛影觀佛影者先觀佛
像作丈六想結加趺坐敷草爲坐請像令坐
見坐了了復當作想作一石窟高一丈八尺
深廿四步清白石想此想成已見坐佛像住
虛空中足下雨華復見行想入石窟中入已
復令石窟作七寶山想此想成已復見佛像
踊入石壁石壁无㝵猶如明鏡此想成已如
前還想卅二相相相觀之極令明了此想成
已見諸化佛坐大寶華結加趺坐放身光明
普照一切一一坐佛身毛孔中雨阿僧祇諸七
寶幢一一幢頭百千寶幡幡極小者縱廣正
等如須弥山此寶幡中復有无數百千化佛
一一化佛踊身皆入此石窟中佛影臍裏此
相現時如佛心說如是觀者名爲正觀若異
觀者名爲邪觀佛滅度後如我所說觀佛影
者是名真觀如來坐觀如來坐者如見佛身
等无有異除百千劫生死之罪若不能見當
入塔觀一切坐像見坐像已懺悔鄣罪此人
見像[illegible]

[illegible]如我所說觀佛最
者是名真觀如來坐觀如來坐者如見佛身
等无有異除百千劫生死之罪若不能見當
入塔觀一切坐像見坐像已懺悔鄣罪此人
觀像因緣功德弥勒出世見弥勒佛初始坐
於龍華樹下結跏趺坐見已歡喜三種菩提
隨願覺了
云何名觀如來行詣拘尸那時降諸力士佛
告父王如來不久當於彼國入般涅槃尒時
五百力士除坊路石盡力士不力能令去尒
時世尊化作沙門以手桃石石飛住空力士
驚怖此石設墮是碎无所仰看空石皆成化
佛猶如金山諸佛圓遶力士見已心大歡喜
時化沙門倚卧樹下如人晝眠有日光明從
左脇出如百億日入右脇中一一日中有二
寶樹有大寶床諸佛卧上如是光明遍照十
方无量世界一一世界无量諸佛倚卧樹下
皆有光明從右脇入左脇而出如是光明變
成寶臺行者悉見十方世界有一寶臺此寶
臺上有一大佛身量巨小與十方等倚卧臺
側尒時彼佛右脇流水如流離珠一一寶珠
如須弥山一一山內百千卧佛一一卧佛出
大光明亦如上說右脇復出万億乳河流注
于下滴滴化成百千化花花有化佛卧蓮華
上各以右手灑甘露雨令一切衆皆得服食飲
見衆生見此相時自然飽滿尒時空中有妙

BD01247號　觀佛三昧海經卷七　（15–10）

[illegible]
于下滴滴化成百千化花花有化佛卧蓮華
上各以右手灑甘露雨令一切衆皆得服食飲
見衆生見此相時自然飽滿尒時空中有妙
音聲讚四无量心然後分別空无境界无心
心想寂滅境界作是觀者名觀如來卧觀如
來卧者當先觀卧像見卧像已當作是念佛
在世時所以現卧諸佛如來體无疲惓但為
降伏剛強力士及諸耶見不善衆生戒復慈
愍諸比丘故現右脇卧如來卧者是大悲卧
欲觀佛卧當行慈心行慈心者緣一切衆生見
受苦時不惜身分成熟安樂受苦衆生令得
无患大悲心者見諸衆生受苦惱時如己父
母師長善友生悲哀心憐如猛雨如是等心
名為大悲見他受樂心生歡喜譬如比丘得
第三禪是名為喜捨者一切衆生无衆生相
作是觀時先觀自身地大是衆生耶水火風
大是衆生耶色是衆生耶受想行識是衆生耶
空是衆生耶非空是衆生耶如是衆生耶非
如是衆生耶實際是衆生耶非實際是衆生
耶有為空是衆生耶无為空是衆生耶如是
分別解析時不見衆生不得衆生无衆生想
心无所著志无所求解如是等清淨法者名
為行捨
佛告阿難若有衆生樂觀佛卧者是則真觀清
淨慈定若有衆生聞佛卧法及諸比丘隨

BD01247號　觀佛三昧海經卷七　（15–11）

心无所著志无所求解如是等清淨法者名
為行捨
佛告阿難若有衆生樂觀佛卧者是則真觀清
淨慧定若有衆生聞佛卧法及諸比丘隨
順佛語不壞威儀右脇卧者當知是人著慙
愧衣服忍辱鎧如此比丘現世坐禪見十方
佛為說大法若不坐禪不壞威故於未來世
見十方佛十方諸佛為說大法聞法易悟猶
如疾士屈申臂頃應時即得阿羅漢道三明
六通具八解脫如來卧者饒益衆生以饒益
故名慈悲喜捨此四法者出生諸佛諸菩薩
所說是語已佛於衆中舉身放光前八万四
千左八万四千右八万四千後八万四千頂
八万四千是諸毛孔一一孔一毛旋生一一
毛端有百万億塵數蓮華一蓮華上无量无數
微塵化佛諸化佛身高顯疾嚴如千万億諸
須弥山一一佛齊中有五百万億師子一一
師子吐五百万億諸供養具一一供具有五
百万億七寶華雲一一寶華雲有五百万億
諸偈頌雲聲聲相次猶如雨渧
尒時如來復更明顯八十種好金色光明從
白毫出一一光明遍照十方化成諸佛是諸
世尊行者无數住者无數坐者无數卧者无
數是諸化佛說大慈悲說卅七品助菩提法
說六波羅蜜說佛如來十力无畏十八不共示

白毫出一一光明遍照十方化成諸佛是諸
世尊行者无數住者无數坐者无數卧者无
數是諸化佛說大慈悲說卅七品助菩提法
說六波羅蜜說佛如來十力无畏十八不共示
現此相時一億諸釋心无所著悟无生忍佛
為授記於未來世過筭數劫當得作佛号三
昧勝幢如來應供正遍知十号具足次第作
佛凡有一億彼佛出時娑婆世界清淨莊嚴
猶如聖伏幢世界光明佛剎等无有異是諸
菩薩得佛道時國土无有毀禁破意不善之
名就是菩薩雖有聲聞不誹大乘時諸釋子
聞佛授記心大歡喜各脫瓔珞以散佛上是
諸瓔珞當佛上住化成華樹一一華樹有恒沙
華一一華上有恒沙寶樓一一樓中有恒沙
化佛一一化佛演說八万四千諸波羅蜜復
有化佛教諸聲聞數息安般流光白骨白骨流
光心淨想心不淨想起結使想滅結使想斷
使支想斷使根想如是諸想九百億塵數如
數息安般說是名聲聞法菩薩法者唯有
四法何等為四一者晝夜六時說罪懺悔二者
常脩念佛不誑衆生三者脩六和敬心不恚
慢四者脩行六念如救頭燃佛告父王如是
等名未來世觀佛三昧亦名念佛三昧亦名
知佛色相亦名念佛三昧亦名諸佛光明覆
護衆生說是語時天龍夜叉八部鬼神十二
億衆發阿耨多羅三藐三菩提心自發權願

等名未來世觀佛三昧亦名分別佛身亦名
知佛色相亦名念佛三昧亦名諸佛光明覆
護衆生說是語時天龍夜叉八部鬼神十二
億衆發阿耨多羅三藐三菩提心自發誓願
願於來世常入三昧見佛色身如金无異時
梵天王釋提桓因无數天子為佛作礼長跪
合掌白佛言世尊我等今者得見如來色中
上色願當來世濁惡衆生繫念思惟見佛色
身此願不虛我今所說及我所見真實不虛
願令我等及諸天衆猶如佛身作是語時自
見心中百万光出一一光明化成无量百千
化佛自見己身身真金色猶如難陀等无有
異時諸梵天白佛言如來世雄出現於世必
當利益一切衆生昔弘誓願今已滿不捨
衆生此語不虛故我自見心想境界未來衆
生亦當如是想佛真身佛告梵天如汝所說
真實不虛未來衆生但發是念得无量福身
相具足何況憶想佛說是語時淨飯王及諸
釋子比丘尼優婆夷同時俱起礼佛而退尒
時父王還至宮中為諸婇女說佛相好千二
百五十婇女聞佛白毫相心生歡喜除百万
億那由他生死之罪空中有聲告諸女言汝
聞佛相除諸罪咎應發无上三菩提心聞是
語已即見空中无量諸佛見諸佛已亦皆同
時得念佛定時諸比丘即從坐起敬礼佛足

BD01247號　觀佛三昧海經卷七　（15–14）

見心中百万光出一一光明化成无量百千
化佛自見己身身真金色猶如難陀等无有
異時諸梵天白佛言如來世雄出現於世必
當利益一切衆生昔弘誓願今已滿不捨
衆生此語不虛故我自見心想境界未來衆
生亦當如是想佛真身佛告梵天如汝所說
真實不虛未來衆生但發是念得无量福身
相具足何況憶想佛說是語時淨飯王及諸
釋子比丘尼優婆夷同時俱起礼佛而退尒
時父王還至宮中為諸婇女說佛相好千二
百五十婇女聞佛白毫相心生歡喜除百万
億那由他生死之罪空中有聲告諸女言汝
聞佛相除諸罪咎應發无上三菩提心聞是
語已即見空中无量諸佛見諸佛已亦皆同
時得念佛定時諸比丘即從坐起敬礼佛足
遶佛七迊却住一面
尒時阿難偏袒右肩合掌長跪白佛言世尊

BD01247號　觀佛三昧海經卷七　（15–15）

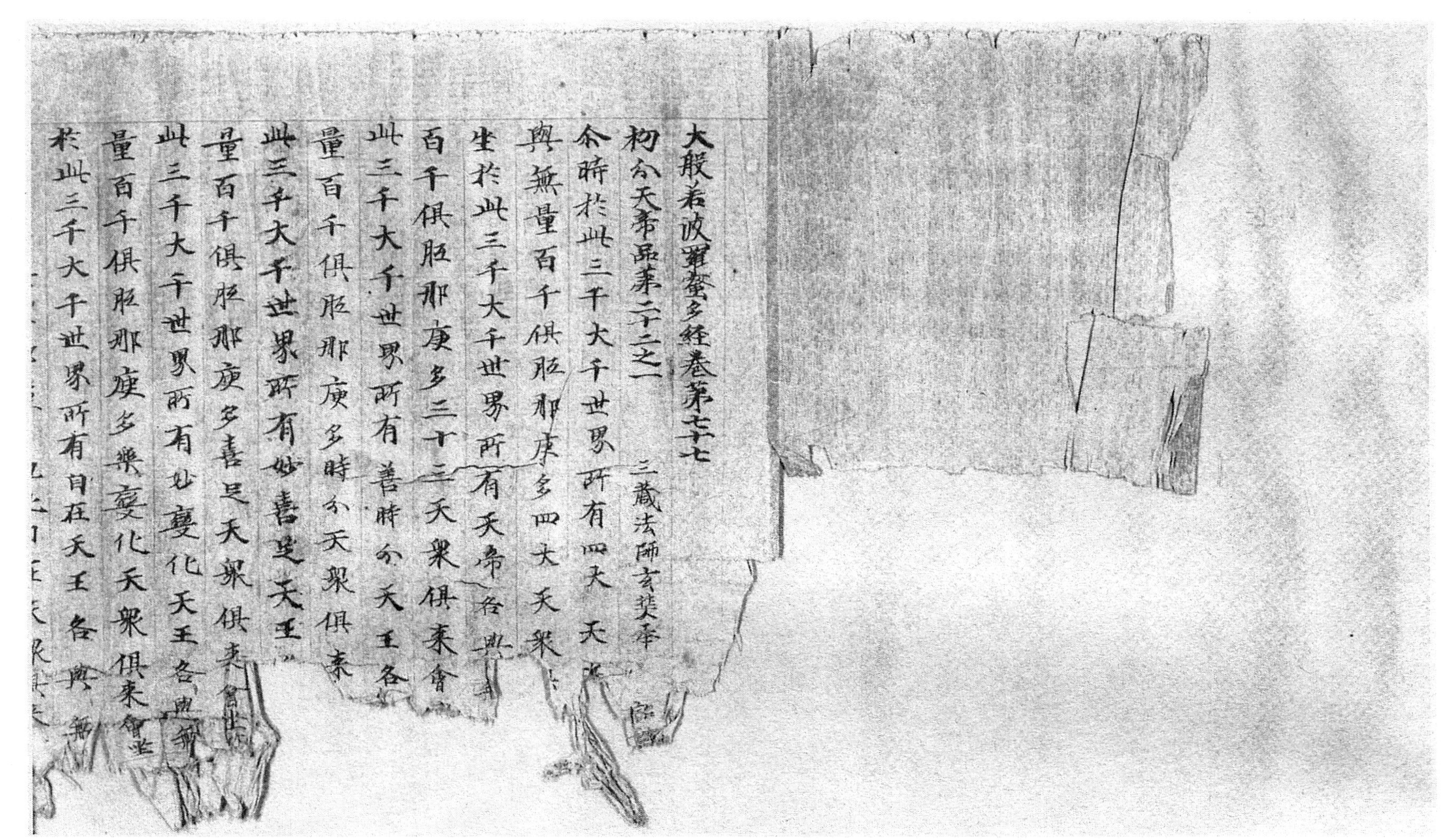

BD01248 號　大般若波羅蜜多經卷七七　（2–1）

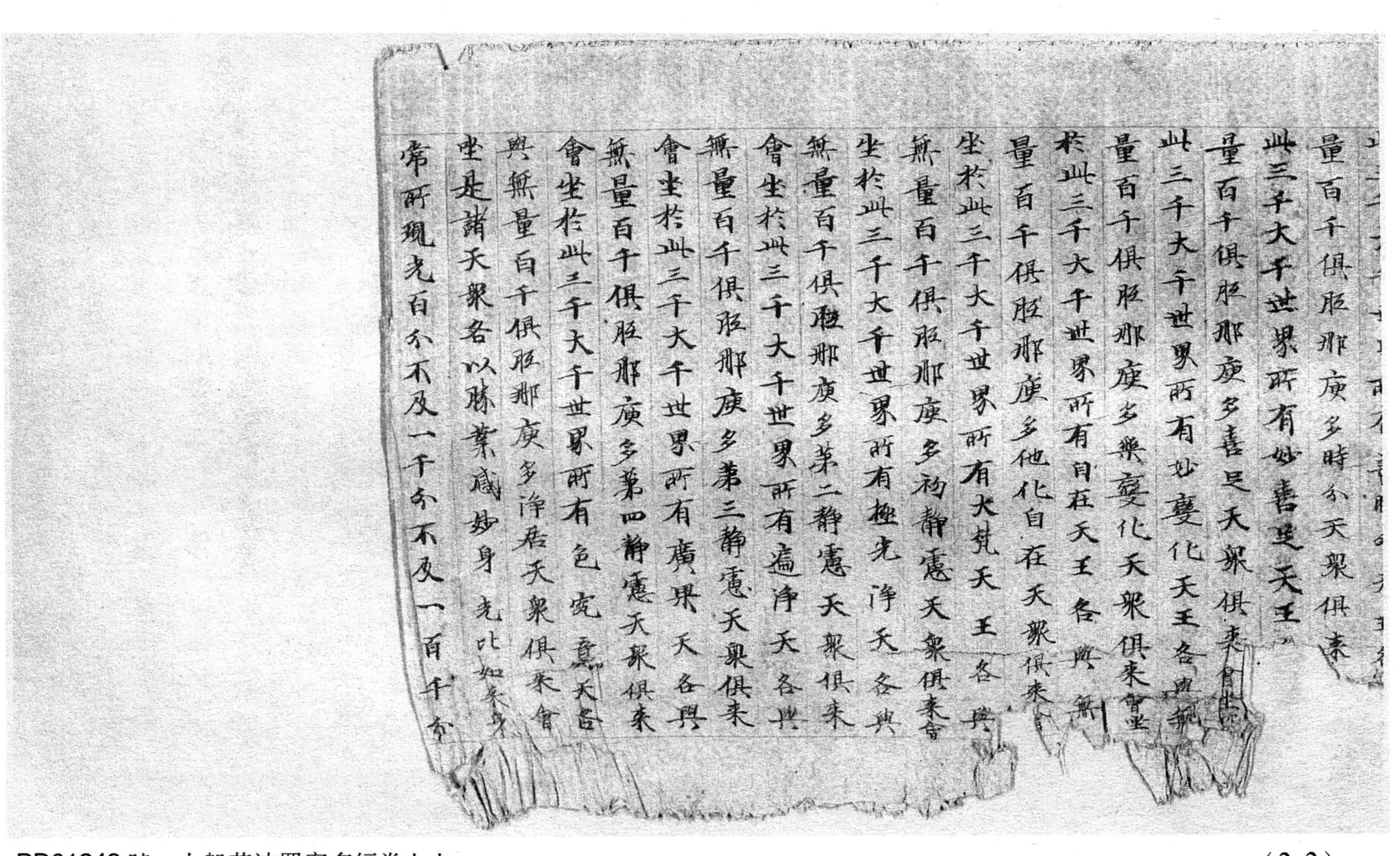

BD01248 號　大般若波羅蜜多經卷七七　（2–2）

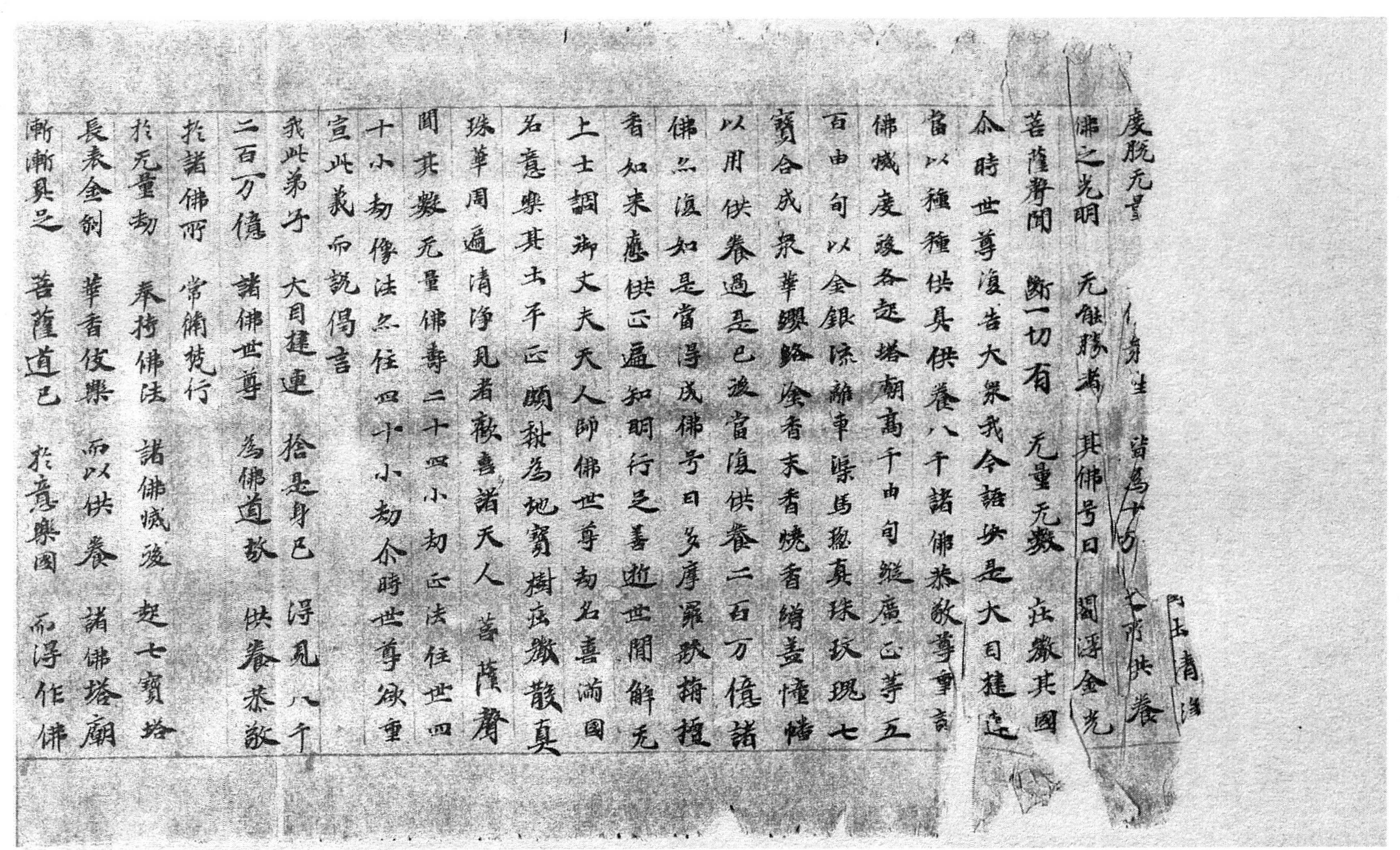

BD01249號　妙法蓮華經卷三　（17–1）

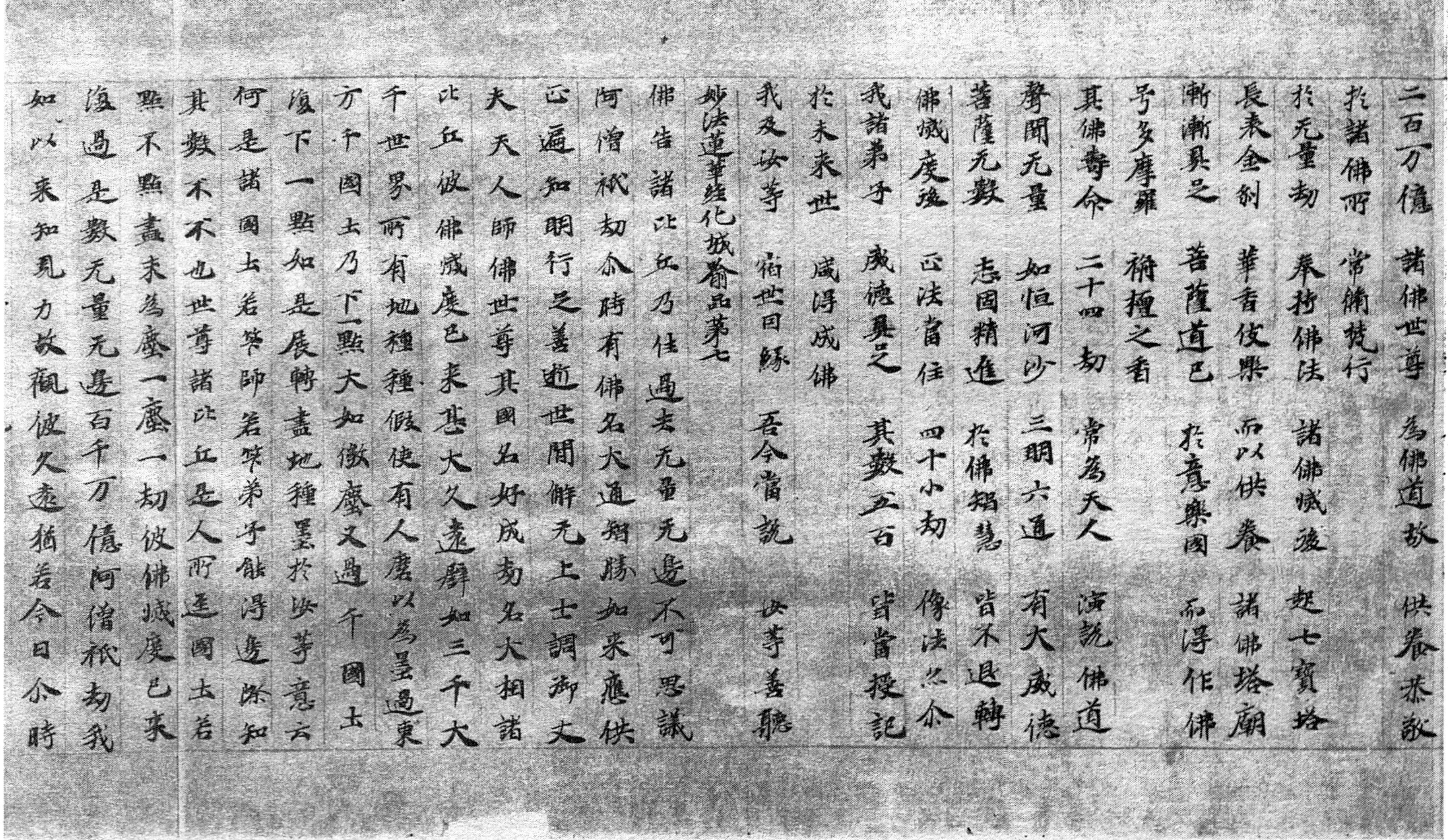

BD01249號　妙法蓮華經卷三　（17–2）

何是諸國土若筭師若筭弟子能得邊際知
其數不不也世尊諸比丘是人所經國土若
點不點盡末為塵一塵一劫彼佛滅度已來
復過是數无量无邊百千万億阿僧祇劫我
如以來知見力故觀彼久遠猶若今日尒時
世尊欲重宣此義而說偈言
我念過去世　无量无邊劫　有佛兩足尊　名大通智勝
如人以力磨　三千大千土　盡此諸地種　皆悉以為墨
過於千國土　乃下一塵點　如是展轉點　盡此諸塵墨
如是諸國土　點與不點等　復盡末為塵　一塵為一劫
此諸微塵數　其劫復過是　彼佛滅度來　如是无量劫
如來无㝵智　知彼佛滅度　及聲聞菩薩　如見今滅度
諸比丘當知　佛智淨微妙　无漏无所㝵　通達无量劫
佛告諸比丘大通智勝佛壽五百四十万億
那由他劫其佛本坐道場破魔軍已垂得阿
耨多羅三藐三菩提而諸佛法不現在前如
是一小劫乃至十小劫結加趺坐身心不動
而諸佛法猶不在前尒時忉利諸天先為彼
佛於菩提樹下敷師子坐高一由旬佛於此
坐當得阿耨多羅三藐三菩提適坐此坐時
諸梵天王雨衆天華面百由旬香風時來吹
去萎華更雨新者如是不絕滿十小劫供養
於佛乃至滅度常雨此華四王諸天為供養
佛常擊天鼓其餘諸天作天伎樂滿十小劫
至于滅度亦復如是諸比丘大通智勝佛過
十小劫諸佛之法乃現在前成阿耨多羅三
藐三菩提其佛未出家時有十六子其第一

BD01249號　妙法蓮華經卷三　（17–3）

於佛乃至滅度常雨此華四王諸天為供養
佛常擊天鼓其餘諸天作天伎樂滿十小劫
至于滅度亦復如是諸比丘大通智勝佛過
十小劫諸佛之法乃現在前成阿耨多羅三
藐三菩提其佛未出家時有十六子其第一
者名曰智積諸子各有種種珎異翫好之具
聞父得成阿耨多羅三藐三菩提皆捨所珎
往詣佛所諸母涕泣而隨送之其祖轉輪聖
王與一百大臣及餘百千万億人民皆共圍
繞隨至道場咸欲親近大通智勝如來供養
恭敬尊重讚歎到已頭面礼足遶佛畢已一心
合掌瞻仰世尊以偈頌曰
大威德世尊　為度衆生故　於无量億歲　尒乃得成佛
諸願已具足　善哉吉无上
世尊甚希有　一坐十小劫　身體及手足　靜然安不動
其心常憺怕　未曾有散亂　究竟永寂滅　安住无漏法
今者見世尊　安隱成佛道　我等得善利　稱慶大歡喜
衆生常苦惱　盲瞑无導師　不識苦盡道　不知求解脫
長夜增惡趣　減損諸天衆　從冥入於冥　永不聞佛名
今佛得最上　安隱无漏道　我等及天人　為得最大利
是故咸稽首　歸命无上尊
尒時十六王子偈讚佛已勸請世尊轉於法
輪咸作是言世尊說法多所安隱憐愍饒益
諸天人民重說偈言
世雄无等倫　百福自莊嚴　得无上智慧　願為世間說
度脫於我等　及諸衆生類　為分別顯示　令得是智慧
若我等得佛　衆生亦復然
世尊知衆生　深心之所念　亦知所行道　又知智慧力

BD01249號　妙法蓮華經卷三　（17–4）

諸天人民重說偈言
世雄无等倫　百福自莊嚴　得无上智慧　願為世間說
度脫於我等　及諸眾生類　為分別顯示　令得是智慧
若我等得佛　眾生亦復然
世尊知眾生　深心之所念　亦知所行道　又知智慧力
欲樂及修福　宿命所行業　世尊悉知已　當轉无上輪
佛告諸比丘大通智勝佛得阿耨多羅三藐
三菩提時十方各五百万億諸佛世界六種
震動其國中間幽冥之處日月威光所不能
照而皆大明其中眾生各得相見咸作是言
此中云何忽生眾生又其國界諸天宮殿乃
至梵宮六種震動大光普照遍滿世界勝諸
天光尒時東方五百万億諸國土中梵天宮
殿光明照耀倍於常明諸梵天王各作是念
今者宮殿光明昔所未有以何因緣而現此
相是時諸梵天王即各相詣共議此事而彼
眾中有一大梵天王名救一切為諸梵眾而
說偈言
我等諸宮殿　光明昔未有　此是何因緣　宜各共求之
為大德天生　為佛出世間　而此大光明　遍照於十方
尒時五百万億國土諸梵天王與宮殿俱各
以衣裓盛諸天華共詣西方推尋是相見大
通智勝如來處于道場菩提樹下坐師子座
諸天龍王乾闥婆緊那羅摩睺羅伽人非人
等恭敬圍遶及見十六王子請佛轉法輪即
時諸梵天王頭面禮佛遶百千匝即以天華
而散佛上其所散華如須弥山并以供養佛
菩提樹其菩提樹高十由旬華供養已各以

BD01249號　妙法蓮華經卷三　（17–5）

諸天龍王乾闥婆緊那羅摩睺羅伽人非人
等恭敬圍遶及見十六王子請佛轉法輪即
時諸梵天王頭面禮佛遶百千匝即以天華
而散佛上其所散華如須弥山并以供養佛
菩提樹其菩提樹高十由旬華供養已各以
宮殿奉上彼佛而作是言唯見哀愍饒益我
等所獻宮殿願垂納處時諸梵天王即於佛
前一心同聲以偈頌曰
世尊甚希有　難可得值遇　具无量功德　能救護一切
天人之大師　哀愍於世間　十方諸眾生　普皆蒙饒益
我等所從來　五百万億國　捨深禪定樂　為供養佛故
我等先世福　宮殿甚嚴飾　今以奉世尊　唯願哀納受
尒時諸梵天王偈讚佛已各作是言唯願世
尊轉於法輪度脫眾生開涅槃道時諸梵天
王一心同聲而說偈言
世雄兩足尊　唯願演說法　以大慈悲力　度苦惱眾生
尒時大通智勝如來默然許之又諸比丘東
南方五百万億國土諸大梵王各自見宮殿
光明照曜昔所未有歡喜踊躍生希有心即
各相詣共議此事而彼眾中有一大梵天王
名曰大悲為諸梵眾而說偈言
是事何因緣　而現如此相　我等諸宮殿　光明昔未有
為大德天生　為佛出世間　未曾見此相　當共一心求
過千万億土　尋光共推之　多是佛出世　度脫苦眾生
尒時五百万億諸梵天王與宮殿俱各以衣
裓盛諸天華共詣西北方推尋是相見大通
智勝如來處于道場菩提樹下坐師子座諸
天龍王乾闥婆緊那羅摩睺羅伽人非人等

BD01249號　妙法蓮華經卷三　（17–6）

迴千万億土　尋光共推之　多是佛出世　度脫苦衆生
尒時五百万億諸梵天王與宮殿俱各以衣
裓盛諸天華共詣西北方推尋是相見大通
智勝如來處于道場菩提樹下坐師子坐諸
天龍王乾闥婆緊那羅摩睺羅伽人非人等
恭敬圍遶及見十六王子請佛轉法輪時諸
梵天王頭面礼佛遶百千匝即以天華而散
佛上所散之華如須弥山并以供養佛菩提
樹華供養已各以宮殿奉上彼佛而作是言
唯見哀愍饒益我等所獻宮殿願垂納處尒
時諸梵天王即於佛前一心同聲以偈頌曰
聖主天中王　迦陵頻伽聲　哀愍衆生者　我等今敬礼
世尊甚希有　久遠乃一現　一百八十劫　空過无有佛
三惡道充滿　諸天衆減少　今佛出於世　為衆生作眼
世間所歸趣　救護於一切　為衆生之父　哀愍饒益者
我等宿福慶　今得值世尊
尒時諸梵天王偈讚佛已各作是言唯願世
尊哀愍一切轉於法輪度脫衆生時諸梵天
王一心同聲而說偈言
大聖轉法輪　顯示諸法相　度苦惱衆生　令得大歡喜
衆生聞是法　得道若生天　諸惡道減少　忍善者增益
尒時大通智勝如來默然許之又諸比丘南
方五百万億國土諸大梵王各自見宮殿光
明照耀昔所未有歡喜踊躍生希有心即各
相詣共議此事以何因緣我等宮殿有此光
耀而彼衆中有一大梵天王名曰妙法為諸
梵衆而說偈言
我等諸宮殿　光明甚威曜　此非无因緣　是相宜求之

BD01249號　妙法蓮華經卷三　（17–7）

明照耀昔所未有歡喜踊躍生希有心即各
相詣共議此事以何因緣我等宮殿有此光
耀而彼衆中有一大梵天王名曰妙法為諸
梵衆而說偈言
我等諸宮殿　光明甚威曜　此非无因緣　是相宜求之
過於百千劫　未曾見是相　為大德天生　為佛出世間
尒時五百万億諸梵天王與宮殿俱各以衣
裓盛諸天華共詣北方推尋是相見大通智
勝如來處于道場菩提樹下坐師子坐諸天
龍王乾闥婆緊那羅摩睺羅伽人非人等恭
敬圍遶及見十六王子請佛轉法輪時諸梵
天王頭面礼佛遶百千匝即以天華而散佛
上所散之華如須弥山并以供養佛菩提樹
華供養已各以宮殿奉上彼佛而作是言唯
見哀愍饒益我等所獻宮殿願垂納處尒時
諸梵天王即於佛前一心同聲以偈頌曰
世尊甚難見　破諸煩惱者　過百三十劫　今乃得一見
諸飢渴衆生　以法雨充滿　昔所未曾覩　无量智慧者
如優曇鉢羅　今日乃值遇
我等諸宮殿　蒙光故嚴飾　世尊大慈悲　唯願垂納受
尒時諸梵天王偈讚佛已各作是言唯願世
尊轉於法輪令一切世間諸天魔梵沙門婆
羅門皆獲安隱而得度脫時諸梵天王一心
同聲以偈頌曰
唯願天人尊　轉无上法輪　擊于大法鼓　而吹大法螺
普雨大法雨　度无量衆生　我等咸歸請　當演深遠音
尒時大通智勝如來默然許之西南方乃至
下方亦復如是

BD01249號　妙法蓮華經卷三　（17–8）

同聲以偈頌曰
惟願天人尊　轉無上法輪　擊于大法鼓　而吹大法螺
普雨大法雨　度無量衆生　我等咸歸請　當演深遠音
尒時大通智勝如來黙然許之西南方乃至
下方亦復如是
尒時上方五百万億國土諸大梵王皆悉自
覩所止宮殿光明威曜昔所未有歡喜踊躍
生希有心即各相詣共議此事以何因緣我
等宮殿有斯光明而彼衆中有一大梵天王
名曰尸棄為諸梵衆而說偈言
今以何因緣　我等諸宮殿　威德光明曜　嚴飾未曾有
如是之妙相　昔所未聞見　為大德天生　為佛出世間
尒時五百万億諸梵天王與宮殿俱各以衣
裓盛諸天華共詣下方推尋是相見大通智
勝如來處于道場菩提樹下坐師子座諸天
龍王乾闥婆緊那羅摩睺羅伽人非人等恭
敬圍遶及見十六王子請佛轉法輪時諸梵
天王頭面礼佛遶百千帀即以天華而散佛
上所散之華如須彌山并以供養佛菩提樹
華供養已各以宮殿奉上彼佛而作是言惟
見哀愍饒益我等所獻宮殿願垂納處時諸
梵天王即於佛前一心同聲以偈頌曰
善哉見諸佛　救世之聖尊　能於三界獄　勉出諸衆生
普智天人尊　愍哀羣萠類　能開甘露門　廣度於一切
於昔無量劫　空過無有佛　世尊未出時　十方常闇冥
三惡道增長　阿脩羅亦盛　諸天衆轉減　死多墮惡道
不從佛聞法　常行不善事　色力及智慧　斯等皆減少

BD01249號　妙法蓮華經卷三　（17-9）

普智天人尊　愍哀羣萠類　能開甘露門　廣度於一切
於昔無量劫　空過無有佛　世尊未出時　十方常闇冥
三惡道增長　阿脩羅亦盛　諸天衆轉減　死多墮惡道
不從佛聞法　常行不善事　色力及智慧　斯等皆減少
罪業因緣故　失樂及樂想
住於邪見法　不識善儀則　不蒙佛所化　常墮於惡道
佛為世間眼　久遠時乃出　哀愍諸衆生　故現於世間
超出成正覺　我等甚欣慶　及餘一切衆　喜歎未曾有
我等諸宮殿　蒙光故嚴飾　今以奉世尊　唯垂哀納受
願以此功德　普及於一切　我等與衆生　皆共成佛道
尒時五百万億諸梵天王偈讚佛已各白佛
言惟願世尊轉於法輪多所安隱多所度脫
時諸梵天王而說偈言
世尊轉法輪　擊甘露法鼓　度苦惱衆生　開示涅槃道
惟願受我請　以大微妙音　哀愍而敷演　無量劫集法
尒時大通智勝如來受十方諸梵天王及十
六王子請即時三轉十二行法輪若沙門婆
羅門若天魔梵及餘世間所不能轉謂是苦
是苦集是苦滅是苦滅道及廣說十二因緣
法無明緣行行緣識識緣名色名色緣六入
六入緣觸觸緣受受緣愛愛緣取取緣有有
緣生生緣老死憂悲苦惱無明滅則行滅行
滅則識滅識滅則名色滅名色滅則六入滅
六入滅則觸滅觸滅則受滅受滅則愛滅愛
滅則取滅取滅則有滅有滅則生滅生滅則
老死憂悲苦惱滅佛於天人大衆之中說是
法時六百万億那由他人以不受一切法故
而於諸漏心得解脫皆得深妙禪定三明六

BD01249號　妙法蓮華經卷三　（17-10）

六入滅則觸滅觸滅則受滅受滅則愛滅愛
滅則取滅取滅則有滅有滅則生滅生滅則
老死憂悲苦惱滅佛於天人大眾之中說是
法時六百万億那由他人以不受一切法故
而於諸漏心得解脫皆得深妙禪定三明六
通具八解脫第二第三第四說法時千万億
恒河沙那由他等眾生亦以不受一切法故
而於諸漏心得解脫從是已後諸聲聞眾无
量无邊不可稱數尒時十六王子皆以童子
出家而為沙弥諸根通利智慧明了已曾供
養百千万億諸佛淨脩梵行求阿耨多羅三
藐三菩提俱白佛言世尊是諸无量千万億
大德聲聞皆已成就世尊亦當為我等說阿
耨多羅三藐三菩提法我等聞已皆共脩學
世尊我等志願如來知見深心所念佛自證
知尒時轉輪聖王所將眾中八万億人見十
六王子出家亦求出家王即聽許尒時彼佛
受沙弥請過二万劫已乃於四眾之中說是
大乘經名妙法蓮華教菩薩法佛所護念說
是經已十六沙弥為阿耨多羅三藐三菩提
故皆共受持諷誦通利說是經時十六菩薩
沙弥皆悉信受聲聞眾中亦有信解其餘眾
生千万億種皆生疑惑佛說是經於八千劫
未曾休廢說此經已即入靜室住於禪定八
万四千劫是時十六菩薩沙弥知佛入室寂
然禪定各昇法坐亦於八万四千劫為四部
眾廣說分別妙法華經一一皆度六百万億
那由他恒河沙等眾生示教利喜令發阿耨

BD01249號　妙法蓮華經卷三　（17–11）

未曾休廢說此經已即入靜室住於禪定八
万四千劫是時十六菩薩沙弥知佛入室寂
然禪定各昇法坐亦於八万四千劫為四部
眾廣說分別妙法華經一一皆度六百万億
那由他恒河沙等眾生示教利喜令發阿耨
多羅三藐三菩提大通智勝佛過八万四千
劫已從三昧起往詣法坐安詳而坐普告大
眾是十六菩薩沙弥甚為希有諸根通利智
慧明了已曾供養无量千万億數諸佛於諸
佛所常脩梵行受持佛智開示眾生令入其
中汝等皆當數數親近而供養之所以者何
若聲聞辟支佛及諸菩薩能信是十六菩薩
所說經法受持不毀者是人皆當得阿耨多
羅三藐三菩提如來之慧佛告諸比丘是十
六菩薩常樂說是妙法蓮華經一一菩薩所
化六百万億那由他恒河沙等眾生世世所
生與菩薩俱從其聞法悉皆信解以此因緣
得值四万億諸佛世尊于今不盡諸比丘我
今語汝彼佛弟子十六沙弥今皆得阿耨多
羅三藐三菩提於十方國土現在說法有无
量百千万億菩薩聲聞以為眷屬其二沙弥
東方作佛一名阿閦在歡喜國二名須弥頂
東南方二佛一名師子音二名師子相南方
二佛一名虛空住二名常滅西南方二佛一
名帝相二名梵相西方二佛一名阿弥陀二
名度一切世間苦惱西北方二佛一名多摩
羅跋栴檀香神通二名須弥相北方二佛一
名雲自在二名雲自在王東北方佛名壞一

BD01249號　妙法蓮華經卷三　（17–12）

二佛一名虛空住二名常滅西南方二佛一
名帝相二名梵相西方二佛一名阿弥陁二
名度一切世間苦惱西北方二佛一名多摩
羅跋栴檀香神通二名須弥相北方二佛一
名雲自在二名雲自在王東北方佛名壞一
切世間怖畏第十六我釋迦牟尼佛於娑婆
國土成阿耨多羅三藐三菩提諸比丘我等
為沙弥時各各教化无量百千万億恒河沙
等衆生從我聞法為阿耨多羅三藐三菩提
此諸衆生于今有住聲聞地者我常教化阿
耨多羅三藐三菩提是諸人等應以是法漸
入佛道所以者何如來智慧難信難解尒時
所化无量恒河沙等衆生者汝等諸比丘及
我滅度後未來世中聲聞弟子是也我滅度
後復有弟子不聞是經不知不覺菩薩所行
自於所得功德生滅度想當入涅槃我於餘
國作佛更有異名是人雖生滅度之想入於
涅槃而於彼土求佛智慧得聞是經唯以佛
乘而得滅度更无餘乘除諸如來方便說法
諸比丘若如來自知涅槃時到衆又清淨信
解堅固了達空法深入禪定便集諸菩薩及
聲聞衆為說是經世間无有二乘而得滅度
唯一佛乘得滅度耳比丘當知如來方便深
入衆生之性知其志樂小法深著五欲為是
等故說於涅槃是人若聞則便信受譬如五
百由旬險難惡道曠絕无人怖畏之處若有
多衆欲過此道至珎寶處有一導師聰慧明
達善知險道通塞之相將導衆人欲過此難

BD01249號　妙法蓮華經卷三　（17–13）

入衆生之性知其志樂小法深著五欲為是
等故說於涅槃是人若聞則便信受譬如五
百由旬險難惡道曠絕无人怖畏之處若有
多衆欲過此道至珎寶處有一導師聰慧明
達善知險道通塞之相將導衆人欲過此難
所將人衆中路懈退白導師言我等疲極而
復怖畏不能復進前路猶遠今欲退還導師
多諸方便而作是念此等可愍云何捨大珎
寶而欲退還作是念已以方便力於險道中
過三百由旬化作一城告衆人言汝等勿怖
莫得退還今此大城可於中止隨意所作若
入是城快得安隱若能前至寶所亦可得去
是時疲極之衆心大歡喜歎未曾有我等今
者免斯惡道快得安隱於是衆人前入化城
生已度想生安隱想尒時導師知此人衆既
得止息无復疲惓即滅化城語衆人言汝等
去來寶處在近向者大城我所化作為止息
耳諸比丘如來亦復如是今為汝等作大導
師知諸生死煩惱惡道險難長遠應去應度
若衆生但聞一佛乘者則不欲見佛不欲親
近便作是念佛道長遠久受懃苦乃可得成
佛知是心怯弱下劣以方便力而於中道為
止息故說二涅槃若衆生住於二地如來尒
時即便為說汝等所作未辦汝所住地近於
佛慧當觀察籌量所得涅槃非真實也但是
如來方便之力於一佛乘分別說三如彼導
師為止息故化作大城既知息已而告之言
寶處在近此城非實我化作耳尒時世尊

BD01249號　妙法蓮華經卷三　（17–14）

佛慧當觀察籌量所得涅槃非真實也但是

如來方便之力於一佛乘分別說三 如彼導

師為止息故化作大城 既知息已而告之言

寶處在近此城非實我化作耳 尒時世尊

欲重宣此義而說偈言

大通智勝佛 十劫坐道場 佛法不現前 不得成佛道

諸天神龍王 阿修羅眾等 常雨於天華 以供養彼佛

諸天轉天鼓 并作眾伎樂 香風吹萎華 更雨新好者

過十小劫已 乃得成佛道 諸天及世人 心皆懷踊躍

彼佛十六子 皆與其眷屬 千万億圍遶 俱行至佛所

頭面禮佛足 而請轉法輪 聖師子法雨 充我及一切

世尊甚難值 久遠時一現 為覺悟群生 震動於一切

東方諸世界 五百万億國 梵宮殿光曜 昔所未曾有

諸梵見此相 尋來至佛所 散華以供養 并奉上宮殿

請佛轉法輪 以偈而讚歎 佛知時未至 受請嘿然坐

三方及四維 上下亦復尒 散華奉宮殿 請佛轉法輪

世尊甚難值 願以本慈悲 廣開甘露門 轉无上法輪

无量慧世尊 受彼眾人請 為宣種種法 四諦十二緣

无明至老死 皆從生緣有 如是眾過患 汝等應當知

宣暢是法時 六百万億姟 得盡諸苦際 皆成阿羅漢

第二說法時 千万恒沙眾 於諸法不受 亦得阿羅漢

從是後得道 其數无有量 万億劫筭數 不能得其邊

時十六王子 出家作沙弥 皆共請彼佛 演說大乘法

我等及營從 皆當成佛道 願得如世尊 慧眼第一淨

佛知童子心 宿世之所行 以无量因緣 種種諸譬喻

說六波羅蜜 及諸神通事 分別真實法 菩薩所行道

說是法華經 如恒河沙偈 彼佛說經已 靜室入禪定

一心一處坐 八万四千劫

BD01249號　妙法蓮華經卷三　（17–15）

佛知童子心 宿世之所行 以无量因緣 種種諸譬喻

說六波羅蜜 及諸神通事 分別真實法 菩薩所行道

說是法華經 如恒河沙偈 彼佛說經已 靜室入禪定

一心一處坐 八万四千劫 是諸沙弥等 知佛禪未出

為无量億眾 說佛无上慧 各各坐法座 說是大乘經

於佛宴寂後 宣揚助法化 一一沙弥等 所度諸眾生

有六百万億 恒河沙等眾 彼佛滅度後 是諸聞法者

在在諸佛土 常與師俱生 是十六沙弥 具足行佛道

今現在十方 各得成正覺 尒時聞法者 各在諸佛所

其有住聲聞 漸教以佛道 我在十六數 曾亦為汝說

是故以方便 引汝趣佛慧 以是本因緣 今說法華經

令汝入佛道 慎勿懷驚懼 譬如險惡道 迥絕多毒獸

又復无水草 人所怖畏處 无數千万眾 欲過此險道

其路甚曠遠 逕五百由旬 時有一導師 強識有智慧

明了心決定 在險濟眾難 眾人皆疲惓 而白導師言

我等今頓乏 於此欲退還 導師作是念 此輩甚可愍

如何欲退還 而失大珍寶 尋時思方便 當設神通力

化作大城郭 莊嚴諸舍宅 周匝有園林 渠流及浴池

重門高樓閣 男女皆充滿 即作是化已 慰眾言勿懼

汝等入此城 各可隨所樂 諸人既入城 心皆大歡喜

皆生安隱想 自謂已得度 導師知息已 集眾而告言

汝等當前進 此是化城耳 我見汝疲極 中路欲退還

故以方便力 權化作此城 汝今勤精進 當共至寶所

我亦復如是 為一切導師 見諸求道者 中路而懈廢

不能度生死 煩惱諸險道 故以方便力 為息說涅槃

言汝等苦滅 所作皆已辦 既知到涅槃 皆得阿羅漢

尒乃集大眾 為說真實法 諸佛方便力 分別說三乘

BD01249號　妙法蓮華經卷三　（17–16）

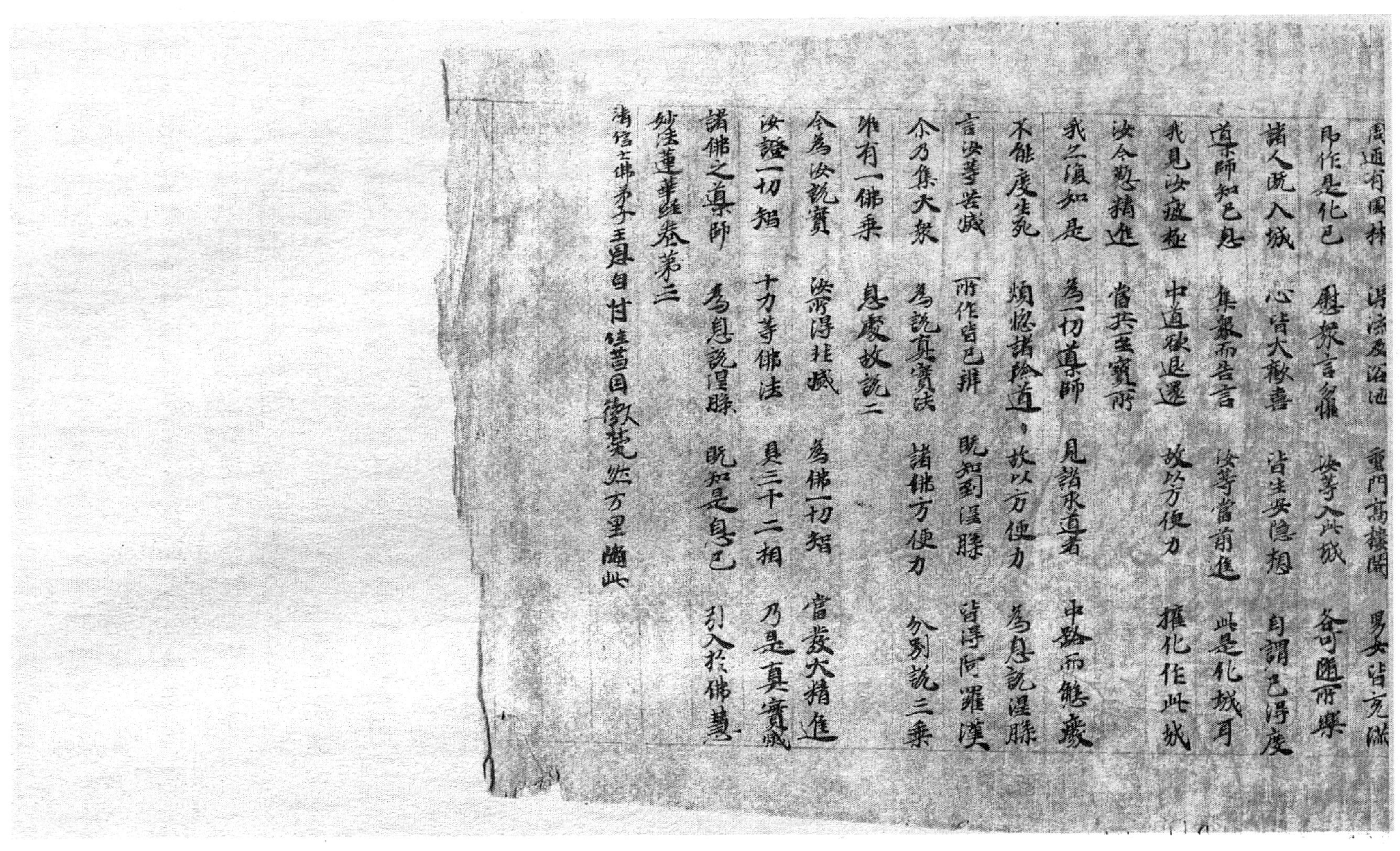
周匝有園林　渠流及浴池　重門高樓閣　男女皆充滿
即作是化已　慰眾言勿懼　汝等入此城　各可隨所樂
諸人既入城　心皆大歡喜　皆生安隱想　自謂已得度
導師知息已　集眾而告言　汝等當前進　此是化城耳
我見汝疲極　中路欲退還　故以方便力　權化作此城
汝今勤精進　當共至寶所
我亦復如是　為一切導師　見諸求道者　中路而懈廢
不能度生死　煩惱諸險道　故以方便力　為息說涅槃
言汝等苦滅　所作皆已辦　既知到涅槃　皆得阿羅漢
尒乃集大眾　為說真實法　諸佛方便力　分別說三乘
唯有一佛乘　息處故說二
今為汝說實　汝所得非滅　為佛一切智　當發大精進
汝證一切智　十力等佛法　具三十二相　乃是真實滅
諸佛之導師　為息說涅槃　既知是息已　引入於佛慧
妙法蓮華經卷第三
清信士佛弟子王恩自甘[illegible]普因[illegible]焚然万里隨此

BD01249號　妙法蓮華經卷三　（17–17）

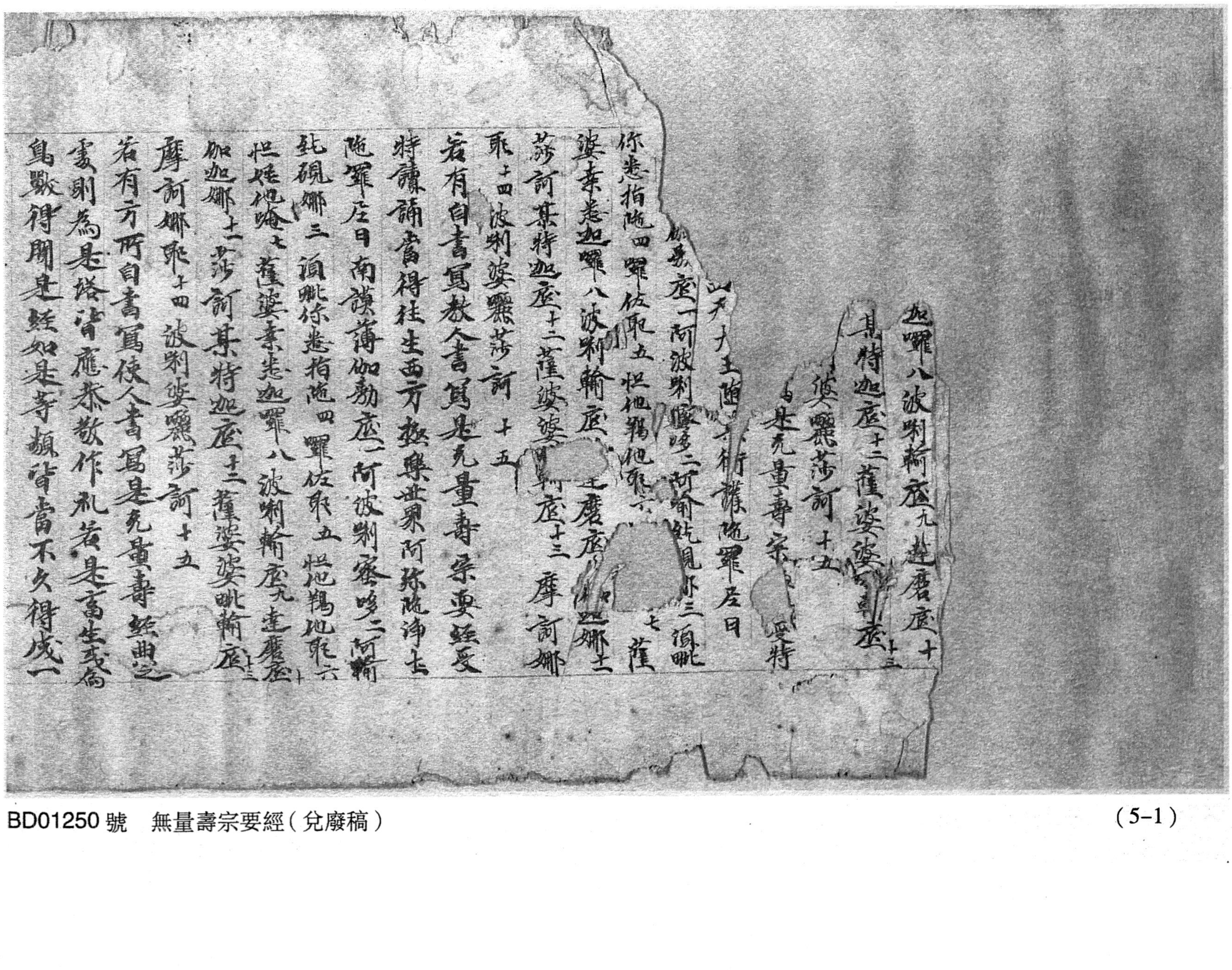

伽囉八波唎輸底九達磨底十
[illegible]特伽底十二薩婆婆[illegible]
婆囉莎訶十五
[illegible]是無量壽宗[illegible]特
[illegible]大王[illegible]陁囉尼曰
薄伽底一阿波唎蜜哆二阿喻紇硯那三須毗
你悉指陁四囉佐耶五怛他羯他耶六[illegible]薩
婆桑悉迦囉八波唎輸底九達磨底[illegible]娜十一
莎訶莫特伽底十二薩婆婆[illegible]輸底十三摩訶娜
耶十四波唎婆囉莎訶十五
若有自書寫教人書寫是無量壽宗要經受
持讀誦當得往生西方極樂世界阿彌陀淨土
陁囉尼曰南謨薄伽勃底一阿波唎蜜哆二阿喻
紇硯那三須毗你悉指陁四囉佐耶五怛他羯他耶六
怛姪他唵七薩婆桑悉迦囉八波唎輸底九達磨底十
伽伽娜十一莎訶莫特伽底十二薩婆婆毗輸底十三
摩訶娜耶十四波唎婆囉莎訶十五
若有方所自書寫使人書寫是無量壽經典之
處則為是塔皆應恭敬作禮若是畜生或為
鳥獸得聞是經如是等類皆當不久得成一

BD01250號　無量壽宗要經（兌廢稿）　（5–1）

伽迦娜十一 莎訶某特迦底十二 薩婆婆毗輸底十三
摩訶娜耶十四 波唎婆羅莎訶十五
若有方所自書寫使人書寫是无量壽經典之
處則爲是塔皆應恭敬作禮若是畜生或爲
鳥獸得聞是經如是等類皆當不久得成一
切種智陁羅尼曰
南謨薄伽勃底一 阿波唎密哆二 阿喻紇硯娜
三 須毗你悉指陁四 囉佐耶五 怛他羯他耶六 怛姪他
唵七 薩婆桑悉迦羅八 波唎輸底九 達磨底十
伽迦娜十一 莎訶某特迦底十二 薩婆婆毗輸底十三
摩訶娜耶十四 波唎婆羅莎訶十五
若有於是无量壽經自書寫若使人書畢竟
不受女人之身陁羅尼曰
南謨薄伽勃底一 阿波唎密哆二 阿喻紇硯娜三
須毗你悉指陁四 囉佐耶五 怛他羯他耶六 怛姪他唵七
薩婆桑悉迦羅八 波唎輸底九 達磨底十
伽迦娜十一 莎訶某特迦底十二 薩婆婆毗輸底十三
摩訶娜耶十四 波唎婆羅莎訶十五
若有能於是經少分能惠施者等於[illegible]
千世界滿中七寶布施陁羅尼曰
南謨薄伽勃底一 阿波唎密哆二 阿喻紇硯[illegible]
須毗你悉指陁四 囉佐耶五 怛他羯他耶六 怛[illegible]
唵七 薩婆桑悉迦羅八 波唎輸底九 達磨底十
伽迦娜十一 莎訶某特迦底十二 薩婆婆毗輸底十三
摩訶娜耶十四 波唎婆羅莎訶十五
若有能供養是經者則是供養一切諸經等

BD01250 號　無量壽宗要經（兑廢稿）　（5–2）

唵七 薩婆桑悉迦羅八 波唎輸底九 達磨底十
伽迦娜十一 莎訶某特迦底十二 薩婆婆毗輸底十三
摩訶娜耶十四 波唎婆羅莎訶十五
若有能供養是經者則是供養一切諸經等
无有異陁羅尼曰
南謨薄伽勃底一 阿波唎密哆二 阿喻紇硯娜三
須毗你悉指陁四 囉佐耶五 怛他羯他耶六 怛姪他
唵七 薩婆桑悉迦羅八 波唎輸底九 達磨底十
伽迦娜十一 莎訶某特迦底十二 薩婆婆毗輸底
十三 摩訶娜耶十四 波唎婆羅莎訶十五
如是毗婆尸佛尸弃佛毗舍浮佛俱留孫佛
俱那含牟尼佛迦葉佛釋迦牟尼佛
若有人以七寶供養如是七佛其福有限書寫
受持是无量壽經典所有功德不可限量陁
羅尼曰
南謨薄伽勃底一 阿波唎密哆二 阿喻紇硯娜三
須毗你悉指陁四 囉佐耶五 怛他羯他耶六 怛姪他
唵七 薩婆桑悉迦羅八 波唎輸底九 達磨底十
伽迦娜十一 莎訶某特迦底十二 薩婆婆毗輸底十三
摩訶娜耶十四 波唎婆羅莎訶十五
若有七寶等於須弥以用布施其福上能知其
限量是无量壽經典其福不可知數陁羅尼曰
南謨薄伽勃底一 阿波唎密哆二 阿喻紇硯娜三
須毗你悉指陁四 囉佐耶五 怛他羯他耶六 怛姪他唵
七 薩婆桑悉迦羅八 波唎輸底九 達磨底十

BD01250 號　無量壽宗要經（兑廢稿）　（5–3）

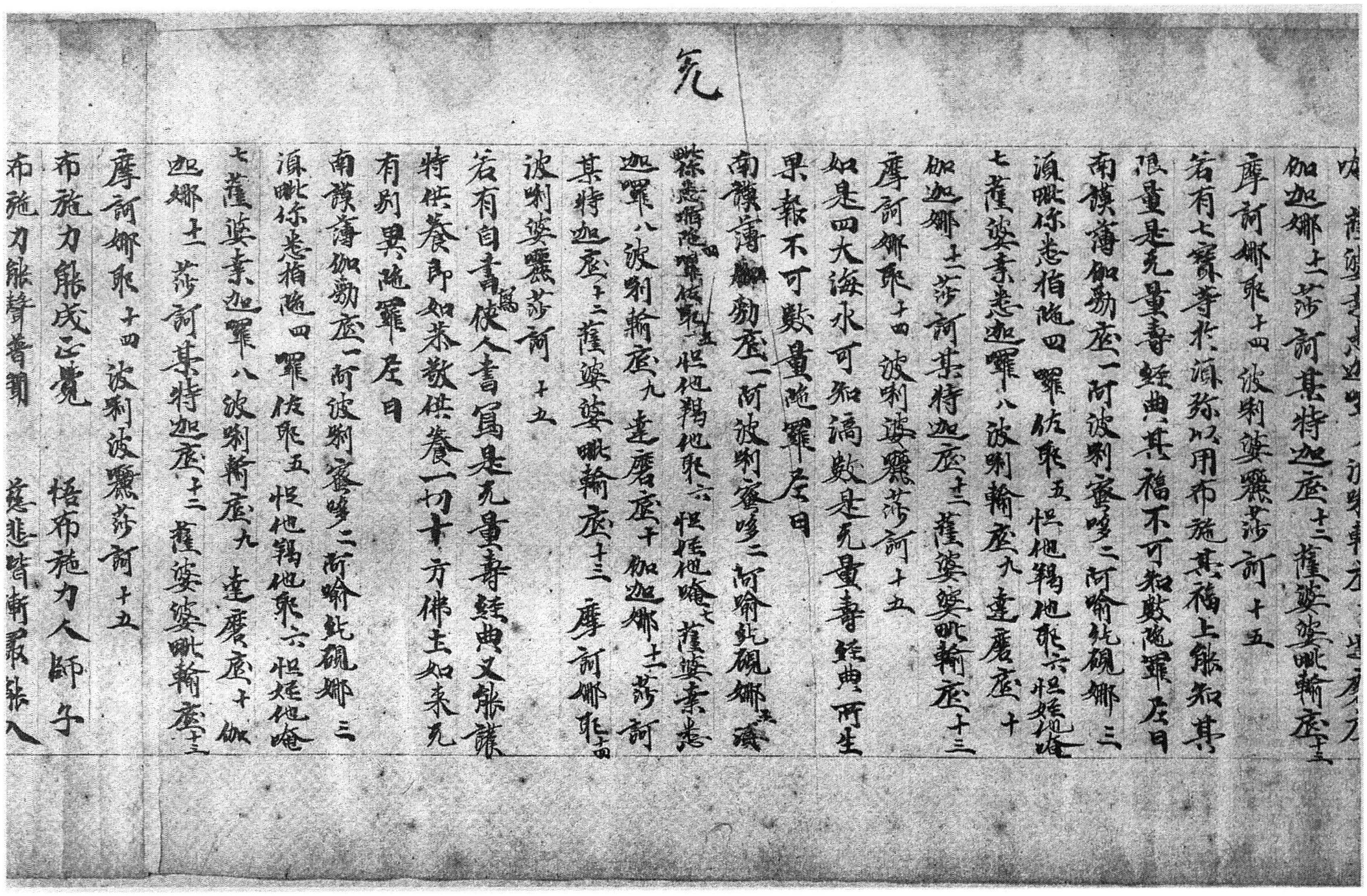

兌

伽迦娜十一 莎訶其特迦底十二 薩婆婆毗輸底十三
摩訶娜耶十四 波唎婆羅莎訶十五
若有七寶等於須弥以用布施其福上能知其
限量是无量壽經典其福不可知數陀羅尼曰
南謨薄伽勃底一 阿波唎蜜哆二 阿喻紇硯娜三
須毗你悉指陀四 囉佐耶五 怛他羯他耶六 怛姪他唵
七 薩婆桑悉迦囉八 波唎輸底九 達磨底十
伽迦娜十一 莎訶其特迦底十二 薩婆婆毗輸底十三
摩訶娜耶十四 波唎婆羅莎訶十五
如是四大海水可知滴數是无量壽經典所生
果報不可數量陀羅尼曰
南謨薄伽勃底一 阿波唎蜜哆二 阿喻紇硯娜三 須
毗你悉指陀囉佐耶四五 怛他羯他耶六 怛姪他唵七 薩婆桑悉
迦囉八 波唎輸底九 達磨底十 伽迦娜十一 莎訶
其特迦底十二 薩婆婆毗輸底十三 摩訶娜耶十四
波唎婆羅莎訶十五
若有自書使人書寫是无量壽經典又能護
特供養即如恭敬供養一切十方佛土如來无
有別異陀羅尼曰
南謨薄伽勃底一 阿波唎蜜哆二 阿喻紇硯娜三
須毗你悉指陀四 囉佐耶五 怛他羯他耶六 怛姪他唵
七 薩婆桑悉迦囉八 波唎輸底九 達磨底十 伽
迦娜十一 莎訶其特迦底十二 薩婆婆毗輸底十三
摩訶娜耶十四 波唎婆羅莎訶十五
布施力能成正覺　悟布施力人師子
布施力能聲普聞　慈悲階衛眾能入

BD01250 號　無量壽宗要經（兌廢稿）　（5–4）

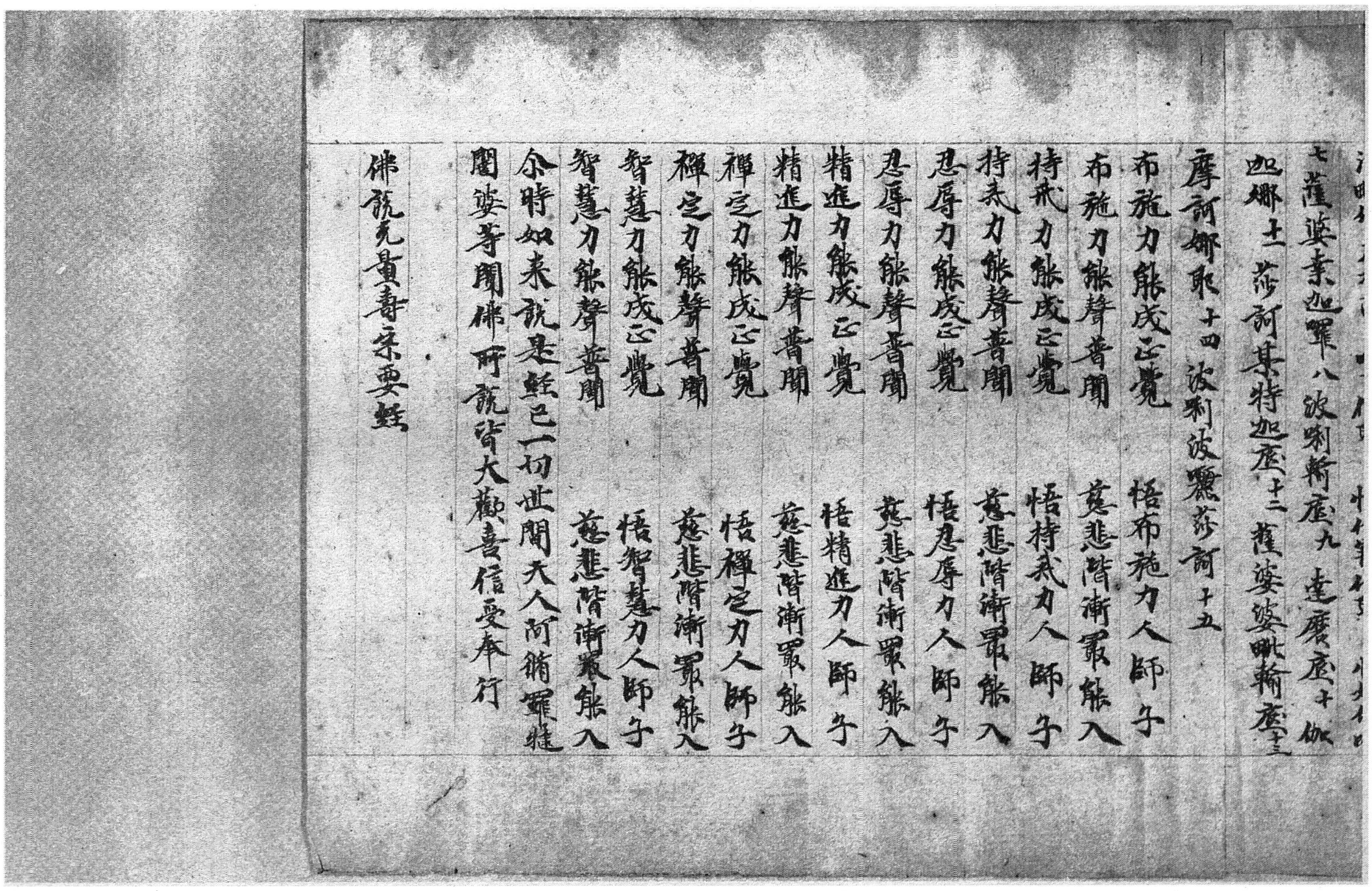

七 薩婆桑悉迦囉八 波唎輸底九 達磨底十 伽
迦娜十一 莎訶其特迦底十二 薩婆婆毗輸底十三
摩訶娜耶十四 波唎婆羅莎訶十五
布施力能成正覺　悟布施力人師子
布施力能聲普聞　慈悲階衛眾能入
持戒力能成正覺　悟持戒力人師子
持戒力能聲普聞　慈悲階衛眾能入
忍辱力能成正覺　悟忍辱力人師子
忍辱力能聲普聞　慈悲階衛眾能入
精進力能成正覺　悟精進力人師子
精進力能聲普聞　慈悲階衛眾能入
禪定力能成正覺　悟禪定力人師子
禪定力能聲普聞　慈悲階衛眾能入
智慧力能成正覺　悟智慧力人師子
智慧力能聲普聞　慈悲階衛眾能入
尒時如來說是經已一切世間天人阿脩羅揵
闥婆等聞佛所說皆大歡喜信受奉行

佛說无量壽宗要經

BD01250 號　無量壽宗要經（兌廢稿）　（5–5）

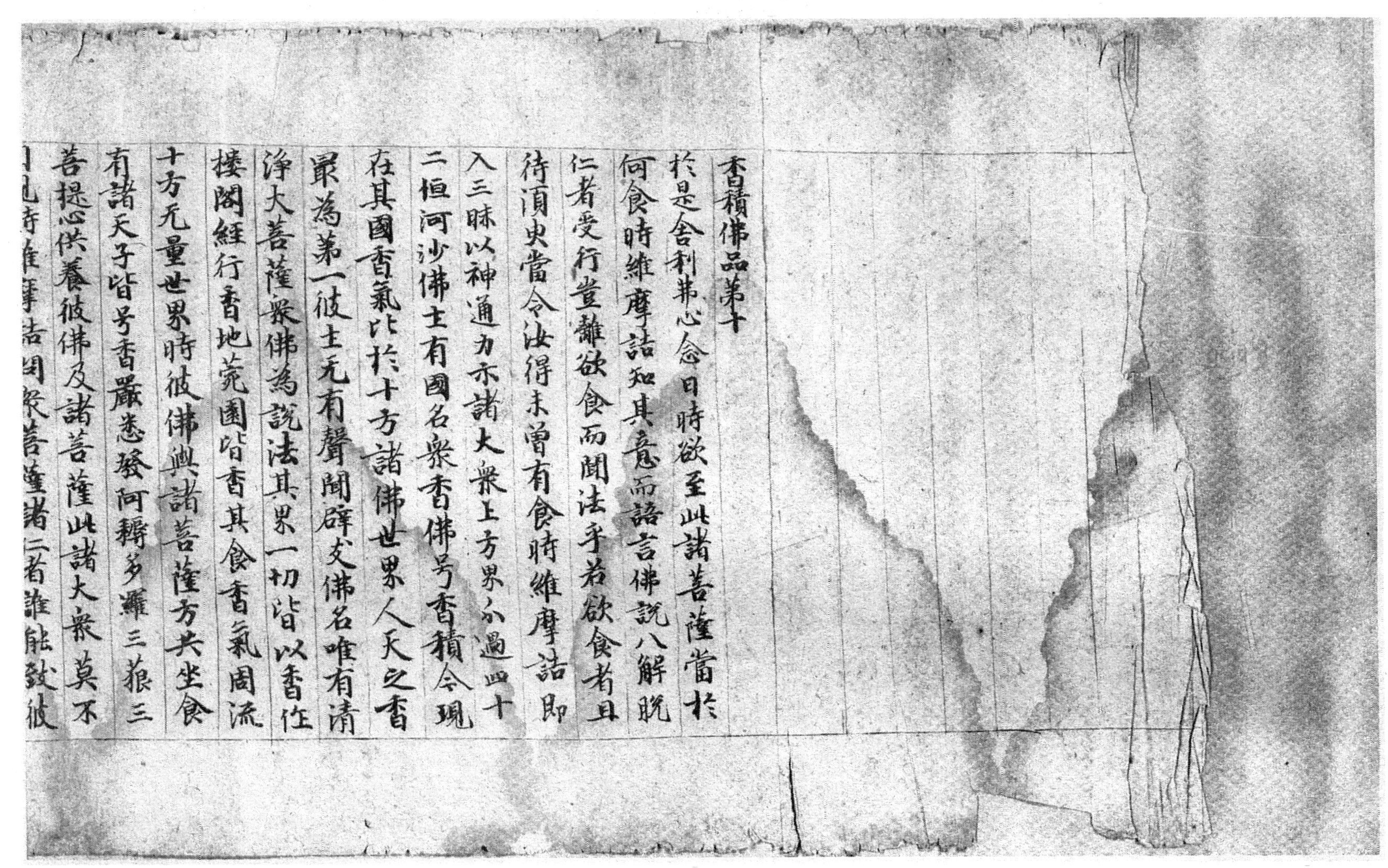
香積佛品第十
於是舍利弗心念日時欲至此諸菩薩當於
何食時維摩詰知其意而語言佛說八解脫
仁者受行豈雜欲食而聞法乎若欲食者且
待須臾當令汝得未曾有食時維摩詰即
入三昧以神通力示諸大衆上方界分過四十
二恒河沙佛土有國名衆香佛号香積今現
在其國香氣比於十方諸佛世界人天之香
最為第一彼土无有聲聞辟支佛名唯有清
淨大菩薩衆佛為說法其界一切皆以香作
樓閣經行香地苑園皆香其食香氣周流
十方无量世界時彼佛與諸菩薩方共坐食
有諸天子皆号香嚴悉發阿耨多羅三藐三
菩提心供養彼佛及諸菩薩此諸大衆莫不
目見時維摩詰問衆菩薩諸仁者誰能致彼

BD01251號　維摩詰所說經卷下　（22–1）

十方无量世界時彼佛與諸菩薩方共坐食
有諸天子皆号香嚴悉發阿耨多羅三藐三
菩提心供養彼佛及諸菩薩此諸大衆莫不
目見時維摩詰問衆菩薩諸仁者誰能致彼
佛飯以文殊師利威神力故咸皆默然時維摩
詰言仁者此諸大衆无乃可恥文殊師利曰如佛
所言勿輕未學於是維摩詰不起于座居
衆會前化作菩薩相好光明威德殊勝蔽於
衆會而告之曰汝往上方界分度如四十二恒
河沙佛土有國名衆香佛号香積與諸菩薩
方共坐食汝往到彼如我辭曰維摩詰稽首
世尊足下致敬无量問訊起居少病少惱氣
力安不願得世尊所食之餘當於娑婆世界
施作佛事令此樂小法者得弘大道亦使如
來名聲普聞時化菩薩即於會前昇于上
方舉衆皆見其去到衆香界分礼彼佛足又聞
其言維摩詰稽首世尊足下致敬无量問訊
起居少病少惱氣力安不願得世尊所食之餘
欲於娑婆世界施作佛事使此樂小法者得
弘大道亦使如來名聲普聞彼諸大士見化
菩薩嘆未曾有今此上人從何所來娑婆世
界為在何許云何名為樂小法者即以問佛
佛告之曰下方度如四十二恒河沙佛土有世界
名娑婆佛号釋迦牟尼今現在於五濁惡世為
樂小法衆生敷演道教彼有菩薩名維摩詰
住不可思議解脫法門為諸菩薩說法故遣化

BD01251號　維摩詰所說經卷下　（22–2）

名娑婆佛号釋迦牟尼今現在於五濁惡世
樂小法衆生敷演道教彼有菩薩名維摩詰
住不可思議解脫法門為諸菩薩說法故遣化
来稱揚我名并讃此土令彼菩薩增益功德彼
菩薩言其人何如乃作是化德力无畏神足若
斯佛言甚大一切十方皆遣化往施作佛事
饒益衆生於是香積如来以衆香鉢盛滿香飯
與化菩薩時彼九百万菩薩俱發聲言我欲
詣娑婆世界供養釋迦牟尼佛并欲見維摩
詰等諸菩薩衆佛言可往攝汝身香无令
彼諸衆生起惑著心又當捨汝本形勿使彼
國求菩薩者而自鄙恥又汝於彼莫懐輕賤
而作礙想所以者何十方國土皆如虛空又
諸佛為欲化諸樂小法者不盡現其清淨土
可時化菩薩既受鉢飯與彼九百万菩薩俱
承佛威神及維摩詰力於彼世界忽然不現
須臾之間至維摩詰舍時維摩詰即化作九百
万師子之座嚴好如前諸菩薩皆坐其上化
菩薩以滿鉢香飯與維摩詰飯香普薰毗
耶離城及三千大千世界時毗耶離婆羅門居
士聞是香氣
士等聞是香氣身意快然歎未曾有於是長
者主月蓋從八万四千人来入維摩詰舍見其
室中菩薩甚多諸師子座高廣嚴好皆大歡
喜礼衆菩薩及大弟子却住一面諸地神虛
空神及欲色界諸天聞此香氣亦皆来入維

BD01251 號　維摩詰所說經卷下　（22–3）

士等聞是香氣身意快然歎未曾有於是長
者主月蓋從八万四千人来入維摩詰舍見其
室中菩薩甚多諸師子座高廣嚴好皆大歡
喜礼衆菩薩及大弟子却住一面諸地神虛
空神及欲色界諸天聞此香氣亦皆来入維
摩詰舍時維摩詰語舍利弗等諸大聲聞仁
者可食如来甘露味飯大悲所薰无以限意
食之使不消也有異聲聞念是飯少而此大衆
人人當食化菩薩曰勿以聲聞小德小智稱
量如来无量福慧四海有竭此飯无盡使
一切人食揣若須弥乃至一劫猶不能盡所
以者何无盡戒定智慧解脫解脫知見功德
具足者所食之餘終不可盡於是鉢飯悉飽
衆會猶故不賜其諸菩薩聲聞天人食此
飯者身安快樂譬如一切樂莊嚴國諸菩薩也
又諸毛孔皆出妙香亦如衆香國土諸樹之
香尒時維摩詰問衆香菩薩香積如来以
何說法彼菩薩曰我土如来无文字說但以衆
香令諸天人得入律行菩薩各各坐香樹下
聞斯妙香即獲一切德藏三昧得是三昧者
菩薩所有功德皆悉具足彼諸菩薩問維
摩詰今世尊釋迦牟尼以何說法維摩詰言
此土衆生剛強難化故佛為說剛強之語以調
伏之言是地獄是畜生是餓鬼是諸難處是
愚人生處是身邪行是身邪行報是口邪行是
口邪行報是意邪行是意邪行報是煞生

BD01251 號　維摩詰所說經卷下　（22–4）

此土衆生剛强難化故佛為説剛强之語以調
伏之言是地獄是畜生是餓鬼是諸難處是
愚人生處是身耶行是身耶行報是口耶行是
口耶行報是意耶行是意耶行報是煞生
是煞生報是不與取是不與取報是耶婬是
耶婬報是妄語是妄語報是兩舌是兩舌報
是惡口是惡口報是无義語是无義語報是
貪嫉是貪嫉報是瞋惱是瞋惱報是耶見是耶
見報是慳悋是慳悋報是毁戒是毁戒報
是瞋恚是瞋恚報是懈怠是懈怠報是亂意
是亂意報是愚癡是愚癡報是結戒是持戒
是犯戒是應作是不應作是鄣礙是不鄣礙
是得罪是離罪是淨是垢是有漏是无漏是
耶道是正道是有為是无為是世間是涅槃
以難化之人心如猨猴故以若干種法制御其
心乃可調伏譬如象馬憴悷不調加諸楚毒
乃至徹骨然後調伏如是剛强難化衆生
故以一切苦切之言乃可入律彼諸菩薩聞説
是已皆曰未曾有也如世尊釋迦牟尼佛隱
其无量自在之力乃以貧所樂法度脱衆生
斯諸菩薩亦能勞謙以无量大悲生是佛
土維摩詰言此土菩薩於諸衆生大悲堅
固誠如所言然以一世饒益衆生多於彼國
百千劫行所以者何此娑婆世界有十事善
法諸餘淨土之所无有何等為十以布施攝
貧窮以淨戒攝毁禁以忍辱攝瞋恚以精

國誠如所言然以一世饒益
百千劫行所以者何此娑婆世界有十事善
法諸餘淨土之所无有何等為十以布施攝
貧窮以淨戒攝毁禁以忍辱攝瞋恚以精
進攝懈怠以禪定攝亂意以智慧攝愚癡説
除難法度八難者以大乘法度樂小乘者以諸
善根濟无德者常以四攝成就衆生是為十
彼菩薩曰菩薩成就幾法於此世界行无瘡
疣生于淨土維摩詰言菩薩成就八法於此
世界行无瘡疣生于淨土何等為八饒益衆
生而不望報代一切衆生受諸苦惱所作功
德盡以施之等心衆生謙下无礙於諸菩薩
視之如佛所未聞經聞之不疑不與聲聞而
相違背不嫉彼供不高己利而於其中調伏
其心常省己過不訟彼短恒以一心求諸功
德是為八維摩詰文殊師利於大衆中説是
法時百千天人皆發阿耨多羅三藐三菩提
心十千菩薩得无生法忍

菩薩行品第十一

是時佛説法於菴羅樹園其地忽然廣博嚴
事一切衆會皆作金色阿難白佛言世尊以何
因緣有此瑞應是處忽然廣博嚴事一切
衆會皆作金色佛告阿難是維摩詰文殊師
利與諸大衆恭敬圍遶發意欲來故先為作此
瑞於是維摩詰語文殊師利可共見佛與諸
菩薩礼事供養文殊師利言善哉行矣今
正是時維摩詰即以神力持諸大衆并師子

利與諸大衆恭敬圍遶發意欲来故先爲作此
瑞於是維摩詰語文殊師利可共見佛與諸
菩薩礼事供養文殊師利言善哉行矣今
正是時維摩詰即以神力持諸大衆并師子
座置於右掌往詣佛所到已著地稽首佛
足右繞七匝一心合掌在一面立其諸菩薩即皆
避座稽首佛足亦繞七匝於一面立諸大弟子
釋梵四天王等亦皆避座稽首佛足在一面
立於是世尊如法慰問諸菩薩已各令復座
即皆受教衆坐已定佛語舍利弗汝見菩
薩大士自在神力之所爲乎唯然已見汝意
云何世尊我覩其爲不可思議非意所圖
非度所測尒時阿難白佛言世尊今所聞香
自昔未有是爲何香佛告阿難是彼菩薩毛
孔之香於是舍利弗語阿難言我等毛孔亦
出是香阿難言此所從来曰是長者維摩詰
從衆香國取佛餘飯於舍食者一切毛孔皆香
若此阿難問維摩詰是香氣住當久如維摩
詰言至此飯消曰此飯久如當消曰此飯勢
力至于七日然後乃消又阿難若聲聞人未
入正位食此飯者得入正位然後乃消已入
正位食此飯者得心解脫然後乃消若未發
大乘意食此飯者至發大乘意然後乃消已發
意食此飯者得无生忍然後乃消已得无生忍
食此飯者至一生補處然後乃消譬如有藥名
曰上味其有服者身諸毒滅然後乃消此飯

大乘意食此食者至發大乘意然後乃消已發
意食此飯者得无生忍然後乃消已得无生忍
食此飯者至一生補處然後乃消譬如有藥名
曰上味其有服者身諸毒滅然後乃消此飯
如是滅除一切諸煩惱毒然後乃消阿難白佛
言未曾有也世尊如此香飯能作佛事佛言
如是如是阿難或有佛土以佛光明而作佛
事有以諸菩薩而作佛事有以佛所化人
而作佛事有以菩提樹而作佛事有以佛衣
服卧具而作佛事有以飯食而作佛事有以
園林臺觀而作佛事有以三十二相八十隨
形好而作佛事有以佛身而作佛事有以虛
空而作佛事衆生應以此緣得入律行有以
夢幻影響鏡中像水中月熱時焰如是等喻
而作佛事又以音聲語言文字而作佛事或
有清淨佛土寂漠无言无說亦无識无作无
爲而作佛事如是阿難諸佛威儀進止諸所施
爲无非佛事阿難有此四魔八万四千諸煩惱門
而諸衆生爲之疲勞諸佛即以此法而作佛事
是名入一切諸佛法門菩薩入此門者若見一
切淨妙佛土不以爲喜不貪不高若見一切不
淨佛土不以爲憂不礙不沒但於諸佛生清淨
心歡喜恭敬未曾有也諸佛如來功德平等爲
教化衆生故而現佛土不同阿難汝見諸佛國土
地有若干而虛空无若干也如是見諸佛色
身有若干耳其无礙慧无若干也阿難諸佛
色身威相種姓戒定智慧解脫解脫知見力无

教化衆生故而現佛土不同阿難汝見諸佛國土
地有若干而虛空无若干也如是見諸佛色
身有若干耳其无礙慧无若干也阿難諸佛
色身威德種姓戒定智慧解脫解脫知見力无
所畏不共之法大慈大悲威儀所行及其壽命說
法教化成就衆生淨佛國土具諸佛法悉皆同等
是故名為三藐三佛陁名為多陁阿伽度名為
佛陁阿難若我廣說此三句義汝以劫壽不
能盡受正使三千大千世界滿中衆生皆如阿
難多聞第一得念揔持此諸人等以劫之壽
亦不能受如是阿難諸佛阿耨多羅三藐三
菩提无有限量智慧辯才不可思議阿難
白佛言我從今已往不敢自謂以為多聞佛告阿
難勿起退意所以者何我說汝於聲聞中為
最多聞非謂菩薩且止阿難其有智者不
應限度諸菩薩也一切海淵尚可測量菩薩
禪定智慧揔持辯才一切功德不可量也阿
難汝等且置菩薩所行是維摩詰一時所現
神通之力一切聲聞辟支佛於百千劫盡力
變化所不能作
尒時衆香世界菩薩來者合掌白佛言世尊
我等初見此土生下劣想今自悔責捨離是
心所以者何諸佛方便不可思議為度衆生故
隨其所應現佛國異唯然世尊願賜少法
還於彼土當念如來佛告諸菩薩有盡无盡
解脫法門汝等當學何謂為盡謂有為法何

BD01251號　維摩詰所說經卷下　（22–9）

心所以者何諸佛方便不可思議為度衆生故
隨其所應現佛國異唯然世尊願賜少法
還於彼土當念如來佛告諸菩薩有盡无盡
解脫法門汝等當學何謂為盡謂有為法何
謂无盡謂无為法如菩薩者不盡有為不住
无為何謂不盡有為謂不離大慈不捨大悲
深發一切智心而不忽忘教化衆生終不猒倦
於四攝法常念順行護持正法不惜軀命
種諸善根无有疲猒志常安住方便迴向求
法不懈說法无悋勤供諸佛故入生死而无
所畏於諸榮辱心无憂喜不輕未學敬學如
佛墮煩惱者令發正念於遠離樂不以為貴
不著己樂慶於彼樂在諸禪定如地獄想於
生死中如園觀想見來求者為善師想捨諸
所有具一切智想見毀戒人起救護想諸波
羅蜜為父母想道品之法為眷屬想發行善
根无有齊限以諸淨國嚴飾之事成己佛土
行不限施具足相好除一切惡身口意淨生
死无數劫憶而有勇聞佛无量德志而不倦
以智慧劍破煩惱賊出陰界入荷負衆生永
使解脫以大精進摧伏魔軍常求无念實相
智慧行少欲知足而不捨世間法不壞威儀
而能隨俗起神通慧引導衆生得念揔持所
聞不忘善別諸根斷衆生疑以樂說辯演法
无礙淨十善道受天人福脩四无量開梵天道
勸請說法隨喜讚善得佛音聲身口意善

BD01251號　維摩詰所說經卷下　（22–10）

聞不忘善別諸根斷衆生疑以樂説辯演法
无礙淨十善道受天人福脩四无量開梵天道
勸請説法隨喜讚善得佛音聲身口意善
得佛威儀深脩善法所行轉勝以大乘教
成菩薩僧心无放逸不失衆善行如此法是名
菩薩不盡有為何謂菩薩不住无為謂脩學
空不以空為證脩學无相无作不以无相无作
為證脩學无起不以无起為證觀於无常
而不猒善本觀世間苦而不惡生死觀於无
我而誨人不倦觀於寂滅而不永滅觀於遠
離而身心脩善觀无所歸而歸趣善法觀
於无生而以生法荷負一切觀於无漏而不斷
諸漏觀无所行而以行法教化衆生觀於空
无而不捨大悲觀正法位而不隨小乘觀諸
法虛妄无牢无人无主无相本願未滿而不
虛福德禪定智慧脩如此法是名菩薩不住
无為又具福德故不住无為具智慧故不盡
有為大慈悲故不住无為滿本願故不盡有
為集法藥故不住无為隨授藥故不盡有為
知衆生病故不住无為滅衆生病故不盡有
為諸正士菩薩已脩此法不盡有為不住无
為是名盡无盡解脫法門汝等當學尒時彼
諸菩薩聞説是法皆大歡喜以衆妙華若干
種色若干種香遍散三千大千世界供養於
佛及此經法并諸菩薩已稽首佛足嘆未曾
有言釋迦牟尼佛乃能於此善行方便言已

BD01251號　維摩詰所說經卷下　（22–11）

諸菩薩聞説是法皆大歡喜以衆妙華若干
種色若干種香遍散三千大千世界供養於
佛及此經法并諸菩薩已稽首佛足嘆未曾
有言釋迦牟尼佛乃能於此善行方便言已
忽然不現還到彼國
見阿閦佛品第十二
尒時世尊問維摩詰汝欲見如來為以何等觀
如來乎維摩詰言如自觀身實相觀佛亦
然我觀如來前際不來後際不去今則不住
不觀色不觀色如不觀色性不觀受想行識
不觀識如不觀識性非四大起同於虛空六
入无積眼耳鼻舌身心已過不在三界三垢
已離順三脫門三明與无明等不一相不異
相不自相不他相非无相非取相不此岸不
彼岸不中流而化衆生觀於寂滅亦不永滅
不此不彼不以此不以彼不可以智知不可以
識識无晦无明无名无相无強无弱非淨非
穢不在方不離方非有為非无為无示无説
不施不慳不戒不犯不忍不恚不進不怠
不定不亂不智不愚不誠不欺不來不去不出
不入一切言語道斷非福田非不福田非應供
養非不應供養非取非捨非相非无相同
真際等法性不可稱不可量過諸稱量非
大非小非見非聞非覺非知離衆結縛等諸
智同衆生於諸法无分別一切无失无濁无惱
无作无起无生无滅无畏无憂无喜无猒无著

BD01251號　維摩詰所說經卷下　（22–12）

養非不應供養非取非捨非相非无相同
真際等法性不可稱不可量過諸稱量非
大非小非見非聞非覺非知離衆結縛等諸
智同衆生於諸法无分別一切无失无濁无惱
无作无起无生无滅无畏无憂无喜无猒无著
无已有无當有无今有不可以一切言說分
別顯示世尊如來身為若此作如是觀以
斯觀者名為正觀若他觀者名為邪觀
尒時舍利弗問維摩詰汝於何沒而來生此
維摩詰言汝所得法有沒生乎舍利弗言无
沒生也若諸法无沒生相云何問言汝於何
沒而來生此於意云何譬如幻師幻作男女
寧沒生耶舍利弗言无沒生也汝豈不聞佛
說諸法如幻相乎答曰如是若一切法如幻
相者云何問言汝於何沒而來生此舍利弗
沒者為虛誑法壞敗之相生者為虛誑法相
續之相菩薩雖沒不盡善本雖生不長諸惡
是時佛告舍利弗有國名妙喜佛號无動是
維摩詰於彼國沒而來生此舍利弗言未曾
有也世尊是人乃能捨清淨土而來樂此多
怒害處維摩詰語舍利弗於意云何日光出
時與冥合乎答曰不也日光出時則无衆冥維
摩詰言夫日何故行閻浮提答曰欲以明照為
之除冥維摩詰言菩薩如是雖生不淨佛
土為化衆生不與愚闇而共合也但滅衆生
煩惱闇耳是時大衆渴仰欲見妙喜世界不
動如來及其菩薩聲聞之衆佛知一切衆會

摩詰言夫日何故行閻浮提答曰欲以明照為
之除冥維摩詰言菩薩如是雖生不淨佛
土為化衆生不與愚闇而共合也但滅衆生
煩惱闇耳是時大衆渴仰欲見妙喜世界不
動如來及其菩薩聲聞之衆佛知一切衆會
所念告維摩詰言善男子為此衆會現妙
喜國不動如來及諸菩薩聲聞之衆衆皆欲
見於是維摩詰心念吾當不起于座接妙喜
國鐵圍山川溪谷江河大海泉源須彌諸山
及日月星宿天龍鬼神梵天宮等并諸菩薩
聲聞之衆城邑聚落男女大小乃至无動如
來及菩提樹諸妙蓮華能於十方作佛事者
三道寶階從閻浮提至忉利天以此寶階諸
天來下悉為礼敬无動如來聽受經法閻浮
提人亦登其階上昇忉利見彼諸天妙喜世
界成就如是无量功德上至阿迦膩吒天下
至水際以右手斷取如陶家輪入此世界猶
持華鬘示一切衆作是念已入於三昧現神
通力以其右手斷取妙喜世界置於此土彼
得神通菩薩及聲聞衆并餘天人俱發聲言
唯然世尊誰取我去願見救護无動佛言非
我所為是維摩詰神力所作其餘未得神通
者不覺不知已之所往妙喜世界雖入此土而
不增減於是世界亦不迫隘如本无異尒時
釋迦牟尼佛告諸大衆汝等且觀妙喜世界
无動如來其國嚴飾菩薩行淨弟子清白
皆曰唯然已見佛言若菩薩欲得如是清淨

者不覺不知己之所往妙喜世界雖入此土而
不增減於是世界亦不迫隘如本无異尒時
釋迦牟尼佛告諸大衆汝等且觀妙喜世界
无動如來其國嚴餝菩薩行淨弟子清白
皆曰唯然已見佛言若菩薩欲得如是清淨
佛土當學无動如來所行之道現此妙喜國
時娑婆世界十四那由他人發阿耨多羅三
藐三菩提心皆願生於妙喜佛土釋迦牟尼
佛即記之曰當生彼國時妙喜世界於此國
土所應饒益其事訖已還復本處舉衆皆
見佛告舍利弗汝見此妙喜世界及无動佛不
唯然已見世尊願使一切衆生得清淨土如
无動佛獲神通力如維摩詰世尊我等快得
善利得見是人親近供養其諸衆生若今現
在若佛滅後聞此經者亦得善利況復聞已
信解受持讀誦解說如法脩行若有手得是
經典者便為已得法寶之藏若有讀誦解說
其義如說脩行則為諸佛之所護念其有供
養如是人者當知則為供養於佛其有書持
此經卷者當知其室則有如來若聞是經能
隨喜者斯人則為取一切智若能信解此經
乃至一四句偈為他說者當知此人即是受阿
耨多羅三藐三菩提記
法供養品第十三
尒時釋提桓因於大衆中白佛言世尊我雖
從佛及文殊師利聞百千經未曾聞此不可

BD01251號　維摩詰所說經卷下　（22–15）

耨多羅三藐三菩提記
法供養品第十三
尒時釋提桓因於大衆中白佛言世尊我雖
從佛及文殊師利聞百千經未曾聞此不可
思議自在神通決定實相經典如我解佛所說
義趣若有衆生聞是經法信解受持讀誦
之者必得是法不疑何況如說脩行斯人則為
閉衆惡趣開諸善門常為諸佛之所護念
降伏外學摧滅魔怨脩治菩提安處道場
履踐如來所行之跡世尊若有受持讀誦如
說脩行者我當與諸眷屬供養給事所在聚
落城邑山林曠野有是經處我亦與諸眷屬
聽受法故共到其所其未信者當令生信其已
信者當為作護佛言善哉善哉天帝如汝所
說吾助尒喜此經廣說過去未來現在諸
佛不可思議阿耨多羅三藐三菩提是故天帝
若善男子善女人受持讀誦供養是經者則
為供養去來今佛天帝正使三千大千世界
如來滿中譬如甘蔗竹葦稻麻叢林若有善
男子善女人或一劫或減一劫恭敬尊重讚嘆
供養奉諸所安至諸佛滅後以一一全身舍
利起七寶塔縱廣一四天下高至梵天表剎
莊嚴以一切華香瓔珞幢幡妓樂微妙第一若
一劫若減一劫而供養之於天帝意云何其
人殖福寧為多不釋提桓因言多矣世尊
彼之福德若以百千億劫說不能盡佛告
天帝當知是善男子善女人聞是不可思議

BD01251號　維摩詰所說經卷下　（22–16）

莊嚴以一切華香瓔珞幢幡妓樂微妙第一若
一劫若減一劫而供養之於天帝意云何其
人殖福寧為多不釋提桓因言多矣世尊
彼之福德若以百千億劫說不能盡佛告
天帝當知是善男子善女人聞是不可思議
解脫經典信解受持讀誦脩行福多於彼所
以者何諸佛菩提皆從是生菩提之相不可
限量以是因緣福不可量佛告天帝過去无
量阿僧祇劫時世有佛号曰藥王如來應供
正遍知明行足善逝世間解无上士調御丈夫
天人師佛世尊世界曰大莊嚴劫曰莊嚴佛
壽二十小劫其聲聞僧三十六億那由他菩
薩僧有十二億天帝是時有轉輪聖王名曰
寶蓋七寶具足王四天下王有千子端正勇
健能伏怨敵尒時寶蓋與其眷屬供養藥
王如來施諸所安至滿五劫過五劫已告其千
子汝等亦當如我以深心供養於佛於是千
子受父王命供養藥王如來復滿五劫一
切施安其王一子名曰月蓋獨坐思惟寧有
供養殊過此者以佛神力空中有天曰善男
子法之供養勝諸供養即問何謂法之供養
天曰汝可往問藥王如來當廣為汝說法之
供養即時月蓋王子行詣藥王如來稽首佛
足却住一面白佛言世尊諸供養中法供養
勝云何為法供養佛言善男子法供養者謂
諸佛所說深經一切世間難信難受微妙難

天曰汝可往問藥王如來當廣為汝說法之
供養即時月蓋王子行詣藥王如來稽首佛
足却住一面白佛言世尊諸供養中法供養
勝云何為法供養佛言善男子法供養者謂
諸佛所說深經一切世間難信難受微妙難
見清淨无染非但分別思惟之所能得菩薩
法藏所攝陁羅尼印印之至不退轉成就六
度善分別義順菩提法衆經之上入大慈悲
離衆魔事及諸耶見順因緣法无我无衆生
无壽命空无相无作无起能令衆生坐於道
場而轉法輪諸天龍神乹闥婆等所共嘆譽
能令衆生入佛法藏攝諸賢聖一切智慧說
衆菩薩所行之道依於諸法實相之義明宣
无常苦空无我寂滅能救一切毀禁衆生諸魔
外道及貪著者能使怖畏諸佛賢聖所共稱
嘆背生死苦示涅槃樂十方三世諸佛所說若
聞如是等經信解受持讀誦以方便力為
諸衆生分別解說顯示分明守護法故是名
法之供養又於諸法如說脩行隨順十二因
緣離諸耶見得无生忍決定无我无有衆生
而於因緣果報无違无諍離諸我所依於義
不依語依於智不依識依了義經不依不了
義經依於法不依人隨順法相无所入无所歸
无明畢竟滅故諸行亦畢竟滅乃至生畢竟
滅故老死亦畢竟滅作如是觀十二因緣无有
盡相不復起見是名最上法之供養佛
告天帝王子月蓋從藥王佛聞如是法得柔

无明畢竟滅故諸行亦畢竟滅乃至生畢竟
滅故老死亦畢竟滅作如是觀十二因緣无有
盡想不復起見是名最上法之供養佛
告天帝王子月蓋從藥王佛聞如是法得柔
順忍即解寶衣嚴身之具以供養佛白佛言
世尊如來滅後我當行法供養守護正法願以
威神加哀建立令我得降魔怨脩菩薩行
佛知其深心所念而記之曰汝於末後護持法
城天帝時王子月蓋見法清淨聞佛授記以
信出家脩集善法精進不久得五神通菩
薩道得陁羅尼无斷辯才於佛滅後以其所
得神通總持辯才之力滿十小劫藥王如來
所轉法輪隨而分布月蓋比丘以護持法勤行
精進即於此身化百万億人於阿耨多羅三
藐三菩提立不退轉十四那由他人深發聲聞
辟支佛心无量衆生得生天上天帝時王寶
蓋豈異人乎今現得佛号寶焰如來其王
千子即賢劫中千佛是也從迦羅鳩村馱為
始得佛最後如來号曰樓至月蓋比丘則我
身是也如是天帝當知此要以法供養於諸
供養為上為最第一无比是故天帝當以法
之供養供養於佛

囑累品第十四

於是佛告弥勒菩薩言弥勒我今以是无量
億阿僧祇劫所集阿耨多羅三藐三菩提付
囑於汝如是輩經於佛滅後末世之中汝等
當以神力廣宣流布於閻浮提无令斷絶所

囑累品第十四

於是佛告弥勒菩薩言弥勒我今以是无量
億阿僧祇劫所集阿耨多羅三藐三菩提付
囑於汝如是輩經於佛滅後末世之中汝等
當以神力廣宣流布於閻浮提无令斷絶所
以者何未來世中當有善男子善女人及天
龍鬼神乾闥婆羅刹等發阿耨多羅三藐三
菩提心樂于大法若使不聞如是等經則
失善利如此輩人聞是等經必多信樂發希
有心當以頂受隨諸衆生所應得利而為廣
說弥勒當知菩薩有二相何謂為二一者好於
雜句文飾之事二者不畏深義如實能入若
好雜句文飾事者當知是為新學菩薩若
於如是无染无著甚深經典无有恐畏能入
其中聞已心淨受持讀誦如說脩行當知是
為久脩道行弥勒復有二法名新學者不能
決定於甚深法何等為二一者所未聞深經聞
之驚怖生疑不能隨順毀謗不信而作是言
我初不聞從何所來二者若有護持解說如
是深經者不肯親近供養恭敬或時於中說
其過惡有此二法當知是新學菩薩為自毀
傷不能於深法中調伏其心弥勒復有二法
菩薩雖信解深法猶自毀傷而不能得无
生法忍何等為二一者輕慢新學菩薩而不教
誨二者雖解深法而取相分別是為二法弥勒
菩薩聞說是已白佛言世尊未曾有也如佛
所說我當遠離如斯之惡奉持如來无數阿

菩[illegible]
生法忍何等為二一者軽慢新學菩薩而不教
誨二者雖解深法而取相分別是為二法弥勒
菩薩聞說是已白佛言世尊未曾有也如佛
所說我當遠離如斯之惡奉持如来无數阿
僧祇劫所集阿耨多羅三藐三菩提法若
未来世善男子善女人求大乘者當令手得
如是等經與其念力使受持讀誦為他廣說
世尊若後末世有能受持讀誦為他說者當
知是弥勒神力之所建立佛言善哉善哉弥
勒如汝所說佛助尒喜於是一切菩薩合掌
白佛我等亦於如来滅後十方國土廣宣流
布阿耨多羅三藐三菩提復當開導諸說法
者令得是經尒時四天王白佛言世尊在在
處處城邑聚落山林曠野有是經卷讀誦
解說者我當率諸官屬為聽法故往詣其所
擁護其人面百由旬令无伺求得其便者是時
佛告阿難受持是經廣宣流布阿難言唯我
已受持要者世尊當何名斯經佛言阿難是
經名為維摩詰所說亦名不可思議解脫法
門如是受持佛說是經已長者維摩詰文殊
師利舍利弗阿難等及諸天人阿脩羅一切
大衆聞佛所說皆大歡喜

維摩經卷下

BD01251 號　維摩詰所說經卷下　（22–21）

師利舍利弗阿難等及諸天人阿脩羅一切
大衆聞佛所說皆大歡喜

維摩經卷下

BD01251 號　維摩詰所說經卷下　（22–22）

垢故法無壽命離生死故法無有人前後
斷故法常寂然滅諸相故法離於相無所
故法無名字言語斷故法無有說離覺觀
法無形相如虛空故法無戲論畢竟空故
無我所離我所故法無分別離諸識故
有比無相待故法不屬因不在緣故
性入諸法故法隨於如無所隨故法
諸邊不動故法無動搖不依六塵故
來常不住故法順空隨無相應無作
醜法無增損法無生滅法無所歸法過
鼻舌身心法無高下法常住不動法離
唯大目連法相如是豈可說乎夫說法
說無示其聽法者無聞無得譬如幻士為幻
人說法當建是意而為說法當了衆生根有
利鈍善於知見無所罣㝵以大悲心讚于大
乘念報佛恩不斷三寶然後說法維摩詰說
是法時八百居士發阿耨多羅三藐三菩提
心我無此辯是故不任詣彼問疾
佛告大迦葉汝行詣維摩詰問疾迦葉白佛
言世尊我不堪任詣彼問疾所以者何憶念
我昔於貧里而行乞食時維摩詰來謂我言
唯大迦葉有慈悲心而不能普捨豪富從貧乞
迦葉住平等法應次行乞食為不食故應行

BD01252號　維摩詰所說經卷上　（17–1）

心我無此辯是故不任詣彼問疾
佛告大迦葉汝行詣維摩詰問疾迦葉白佛
言世尊我不堪任詣彼問疾所以者何憶念
我昔於貧里而行乞食時維摩詰來謂我言
唯大迦葉有慈悲心而不能普捨豪富從貧乞
迦葉住平等法應次行乞食為不食故應行
乞食為壞和合相故應取揣食為不受故應
受彼食以空聚想入於聚落所見色與盲等
所聞聲與響等所嗅香與風等所食味不分
別受諸觸如智證知諸法如幻相無自性無
他性本自不然今則無滅迦葉若能不捨八
邪入八解脫以邪相入正法以一食施一切
供養諸佛及衆賢聖然後可食如是食者非
有煩惱非離煩惱非人定意非起定意非住
世間非住涅槃其有施者無大福無小福不
為益不為損是為正入佛道不依聲聞迦葉
若如是食為不空食人之施也時我世尊聞
說是語得未曾有即於一切菩薩深起敬心
復作是念斯有家名辯才智慧乃能如是其
誰不發阿耨多羅三藐三菩提心我從是來
不復勸人以聲聞辟支佛行是故不任詣彼
問疾佛告須菩提汝行詣維摩詰問疾須菩
提白佛言世尊我不堪任詣彼問疾所以者
何憶念我昔入其舍從乞食時維摩詰取我
鉢盛滿飯謂我言唯須菩提若能於食等者
諸法亦等諸法等者於食亦等如是行乞乃
可取食若須菩提不斷婬怒癡亦不與俱不

BD01252號　維摩詰所說經卷上　（17–2）

何憶念我昔入其舍從乞食時維摩詰取我
鉢盛滿飯謂我言唯須菩提若能於食等者
諸法亦等諸法等者於食亦等如是行乞乃
可取食若須菩提不斷婬怒癡亦不與俱不
壞於身而隨一相不滅癡愛起於明脫以五
逆相而得解脫亦不解不縛不見四諦非不
見諦非得果非凡夫非離凡夫法非聖人非
不聖人雖成就一切法而離諸法相乃可食
若須菩提不見佛不聞法彼外道六師富樓
那迦葉末迦梨拘賒梨子删闍夜毗羅胝子
阿耆多翅舍欽婆羅迦羅鳩馱迦栴延尼揵
陁若提子等是汝之師因其出家彼師所墮
汝亦隨墮乃可取食若須菩提入諸邪見不到
彼岸住於八難不得無難同於煩惱離清淨
法汝得無諍三昧一切衆生亦得是定其施
汝者不名福田供養汝者墮三惡道爲與衆
魔共一手作諸勞侶汝與衆魔及諸塵勞等
無有異於一切衆生而有怨心謗諸佛毀於
法不入衆數終不得滅度汝若如是乃可取
食時我世尊聞此茫然不識是何言不知以何
荅便置鉢欲出其舍維摩詰言唯須菩提取
鉢勿懼於意云何如來所作化人若以是事
詰寧有懼不我言不也維摩詰言一切諸法
如幻化相汝今不應有所懼也所以者何一
切言說不離是相至於智者不著文字故無
所懼何以故文字性離無有文字是則解脫

BD01252號　維摩詰所說經卷上　（17–3）

詰寧有懼不我言不也維摩詰言一切諸法
如幻化相汝今不應有所懼也所以者何一
切言說不離是相至於智者不著文字故無
所懼何以故文字性離無有文字是則解脫
解脫者則諸法也維摩詰說是法時二百天
子得法眼淨故我不任詣彼問疾
佛告富樓那彌多羅尼子汝行詣維摩詰問
疾富樓那白佛言世尊我不堪任詣彼問疾
所以者何憶念我昔於大林中在一樹下爲
諸新學比丘說法時維摩詰來謂我言唯當
樓那先當入定觀此人心然後說法無以穢
食置於寶器當知是比丘心之所念無以流
璃同彼水精汝不能知衆生根原無得發起
以小乘法彼自無瘡勿傷之也欲行大道莫
示小徑無以大海内於牛跡無以日光等彼
熒火富樓那此比丘久發大乘心中忘此意
汝何以小乘法而教道之我觀小乘智慧微
淺猶如盲人不能分別一切衆生根之利鈍
時維摩詰即入三昧令此比丘自識宿命曾
於五百佛所殖衆德本迴向阿耨多羅三藐
三菩提即時豁然還得本心於是諸比丘稽
首礼維摩詰足時維摩詰因爲說法於阿耨
多羅三藐三菩提不復退轉我念聲聞不觀
人根不應說法是故不任詣彼問疾
佛告摩訶迦旃延汝行詣維摩詰問疾迦旃
延白佛言世尊我不堪任詣彼問疾所以者

BD01252號　維摩詰所說經卷上　（17–4）

多羅三藐三菩提不復退轉我念聲聞不觀
人根不應說法是故不任詣彼問疾
佛告摩訶迦旃延汝行詣維摩詰問疾迦旃
延白佛言世尊我不堪任詣彼問疾所以者
何憶念昔者佛為諸比丘略說法要我即於
後敷演其義謂無常義苦義空義無我義
寂滅義時維摩詰來謂我言唯迦旃延無以
生滅心行說實相法迦旃延諸法畢竟不生
不滅是無常義五受陰通達空無所起是苦
義諸法究竟無所有是空義於我無我而不
二是無我義法本不然今則無滅是寂滅義
說是法時彼諸比丘心得解脫故我不任詣
彼問疾
佛告阿那律汝行詣維摩詰問疾阿那律白
佛言世尊我不堪任詣彼問疾所以者何憶
念我昔於一處經行時有梵王名曰嚴淨與
万梵俱放淨光明來詣我所稽首作礼問我
言幾何阿那律天眼所見我即荅言仁者吾
見此釋迦牟尼佛三千大千世界如觀掌中
阿摩勒菓時維摩詰來謂我言唯阿那律天
眼為作相耶無作相耶假使作相則與外道
五通等若無作相即是無為不應有見世尊
我時默然彼諸梵等聞其言得未曾有即為
作礼而問曰世孰有真天眼者維摩詰言有
佛世尊得真天眼常在三昧悉見諸佛國不
以二相於是嚴淨梵王及其眷屬五百梵天
皆發阿耨多羅三藐三菩提心礼維摩詰足

BD01252號　維摩詰所說經卷上　（17-5）

我時默然彼諸梵等聞其言得未曾有即為
作礼而問曰世孰有真天眼者維摩詰言有
佛世尊得真天眼常在三昧悉見諸佛國不
以二相於是嚴淨梵王及其眷屬五百梵天
皆發阿耨多羅三藐三菩提心礼維摩詰足
已忽然不現故我不任詣彼問疾
佛告優波離汝行詣維摩詰問疾優婆離白
佛言世尊我不堪任詣彼問疾所以者何憶
念昔者有二比丘犯律行以為恥不敢問佛
來問我言唯優波離我等犯律誠以為恥不
敢問佛願解疑悔得免斯咎我即為其如法
解說時維摩詰來謂我言唯優波離无重增
此二比丘罪當直除滅勿擾其心所以者何
彼罪性不在內不在外不在中間如佛所說
心垢故眾生垢心淨故眾生淨心亦不在內不
在外不在中間如其心然罪垢亦然諸法亦
然不出於如如優波離以心相得解脫時寧
有垢不我言不也維摩詰言一切眾生心相無
垢亦復如是唯優波離妄想是垢無妄想是
淨顛倒是垢無顛倒是淨取我是垢不取我
是淨優波離一切法生滅不住如幻如電
諸法不相待乃至一念不住諸法皆妄見如
夢如炎如水中月如鏡中像以妄相生其知此
者是名奉律其知此者是名善解於是二比
丘言上智哉是優波離所不及持律之上而不
能說我荅言自捨如來未有聲聞及菩薩能

BD01252號　維摩詰所說經卷上　（17-6）

諸法不相待乃至一念不住諸法皆妄見如
夢如炎如水中月如鏡中像以妄相生其知此
者是名奉律其知此者是名善解於是二比
丘言上智哉是優波離所不及持律之上而不
能說我荅言自捨如來未有聲聞及菩薩能
制其樂說之辯其智慧明達為若此也時二
比丘疑悔即除發阿耨多羅三藐三菩提心
作是願言令一切眾生皆得是辯故我不任
詣彼問疾
佛告羅睺羅汝行詣維摩詰問疾羅睺羅白
佛言世尊我不堪任詣彼問疾所以者何憶
念昔時毗耶離諸長者子來詣我所稽首作
礼問我言唯羅睺羅汝佛之子捨轉輪王位
出家為道其出家者何等利我即如法為說
出家功德之利時維摩詰來謂我言唯羅睺
羅不應說出家功德之利所以者何無利無
功德是為出家有為法者可說有利有功德
夫出家者為無為法無為法中無利無功德
羅睺羅出家者無彼無此亦無中間離六十
二見處於涅槃智者所受聖所行處降伏眾
魔度五道淨五眼得五力立五根不惱於彼
離眾雜惡摧諸外道超越假名出淤泥無繫
著無我所無所受無擾亂內懷喜護彼意
隨禪定離眾過若能如是是真出家於是維
摩詰語諸長者子汝等於正法中宜共出家
所以者何佛世難值諸長者子言居士我聞

BD01252 號　維摩詰所說經卷上　（17-7）

著無我所無所受無擾亂內懷喜護彼意
隨禪定離眾過若能如是是真出家於是維
摩詰語諸長者子汝等於正法中宜共出家
所以者何佛世難值諸長者子言居士我聞
佛言父母不聽不得出家維摩詰言然汝等
便發阿耨多羅三藐三菩提心是即出家是
即具足尒時世二長者子皆發阿耨多羅三
藐三菩提心故我不任詣彼問疾
佛告阿難汝行詣維摩詰問疾阿難白佛言
世尊我不堪任詣彼問疾所以者何憶念昔
時世尊身小有疾當用牛乳我即持鉢詣大
婆羅門家門下立時維摩詰來謂我言唯阿
難何為晨朝持鉢住此我言居士世尊身小有
疾當用牛乳故來至此維摩詰言止止阿難
莫作是語如來身者金剛之體諸惡已斷眾
善普會當有何疾當有何惱默往阿難勿謗
如來莫使異人聞此麁言無令大威德諸天
及他方淨土諸來菩薩得聞斯語阿難轉輪
聖王以少福故尚得無病豈況如來無量福
會普勝者哉行矣阿難勿使我等受斯恥
也外道梵志若聞此語當作是念何名為師
自疾不能救而能救諸疾人可密速去勿使
人聞當知阿難諸如來身即是法身非思欲
身佛為世尊過於三界佛身無漏諸漏已盡
佛身無為不墮諸數如此之身當有何病時

BD01252 號　維摩詰所說經卷上　（17-8）

世外道梵志若聞此語當作是念何名為師
自疾不能救而能救諸疾人可密速去勿使
人聞當知阿難諸如來身即是法身非思欲
身佛為世尊過於三界佛身無漏諸漏已盡
佛身無為不墮諸數如此之身當有何病時
我世尊實懷慚愧得無近佛而謬聽耶即聞
空中聲曰阿難如居士言但為佛出五濁惡
世現行斯法度脫衆生行矣阿難取乳勿慚
世尊維摩詰智慧辯才為若此也是故不任
詣彼問疾如是五百大弟子各各向佛說其
本緣稱述維摩詰所言皆曰不任詣彼問疾
菩薩品第四
於是佛告彌勒菩薩汝行詣維摩詰問疾彌
勒白佛言世尊我不堪任詣彼問疾所以者
何憶念我昔為兜率天王及其眷屬說不退
轉地之行時維摩詰來謂我言彌勒世尊授
仁者記一生當得阿耨多羅三藐三菩提為
用何生得受記乎過去耶未來耶現在耶若
過去生過去生已滅若未來生未來生未至
若現在生現在生無住如佛所說比丘汝今
即時亦生亦老亦滅若以無生得受記者無
生即是正位於正位中亦無受記亦無得阿
耨多羅三藐三菩提云何彌勒受一生記乎
為從如生得受記耶為從如滅得受記耶若
以如生得受記者如無有生若以如滅得受
記者如無有滅一切衆生皆如也一切法亦

BD01252號　維摩詰所說經卷上　（17–9）

耨多羅三藐三菩提云何彌勒受一生記乎
為從如生得受記耶為從如滅得受記耶若
以如生得受記者如無有生若以如滅得受
記者如無有滅一切衆生皆如也一切法亦
如也衆賢聖亦如也至於彌勒亦如也若彌
勒得受記者一切衆生亦應受記所以者何
夫如者不二不異若彌勒得阿耨多羅三藐
三菩提者一切衆生皆亦應得所以者何一
切衆生即菩提相若彌勒滅度者一切衆生
亦當滅度所以者何諸佛知一切衆生畢竟
寂滅即涅槃相不復更滅是故彌勒無以此
法誘諸天子實無發阿耨多羅三藐三菩提
心者亦無退者彌勒當令此諸天子捨於分
別菩提之見所以者何菩提者不可以身得
不可以心得寂滅是菩提滅諸相故不觀是
菩提離諸緣故不行是菩提無憶念故斷是
菩提捨諸見故離是菩提離諸妄想故障是
菩提障諸願故不入是菩提無貪著故順是
菩提順於如故住是菩提住法性故至是菩
提至實際故不二是菩提離意法故等是菩
提等虛空故無為是菩提無生住滅故知是
菩提了衆生心行故不會是菩提諸入不會
故不合是菩提離煩惱習故無處是菩提無
形色故假名是菩提名字空故如化是菩提
無取捨故無亂是菩提常自靜故善寂是菩
提性清淨故無取是菩提離攀緣故無異

BD01252號　維摩詰所說經卷上　（17–10）

提等虛空故無為是菩提无生住滅故知是
菩提了衆生心行故不會是菩提諸入不會
故不合是菩提離煩惱習故無處是菩提無
形色故假名是菩提名字空故如化是菩提
無取捨故無亂是菩提常自靜故善寂是菩
提性清淨故無取是菩提離攀緣故無異
是菩提諸法等故無比是菩提不可喻故微
妙是菩提諸法難知故世尊維摩詰說是法
時二百天子得無生法忍故我不任詣彼問
疾佛告光嚴童子汝行詣維摩詰問疾光嚴
白佛言世尊我不堪任詣彼問疾所以者何
憶念我昔出毗耶離大城時維摩詰方入城
我即為作礼而問言居士從何所來荅我言
吾從道場來我問道場者何所是荅曰直心
是道場無虛假故發行是道場能辦事故深
心是道場增益功德故菩提心是道場無錯
謬故布施是道場不望報故持戒是道場得
願具故忍辱是道場於諸衆生心無㝵故精
進是道場不懈怠故禪定是道場心調柔故
智慧是道場見諸法故慈是道場等衆生故
悲是道場忍疲苦故喜是道場悅樂法故捨
是道場憎愛斷故神通是道場成就六通故
解脫是道場能背捨故方便是道場教化
衆生故四攝法是道場攝衆生故多聞是道
場如聞行故伏心是道場正觀諸法故三十
七品是道場捨

BD01252號　維摩詰所說經卷上　（17–11）

願具故忍辱是道場於諸衆生心無㝵故精
進是道場不懈怠故禪定是道場心調柔故
智慧是道場見諸法故慈是道場等衆生故
悲是道場忍疲苦故喜是道場悅樂法故捨
是道場憎愛斷故神通是道場成就六通故
解脫是道場能背捨故方便是道場教化
衆生故四攝法是道場攝衆生故多聞是道
場如聞行故伏心是道場正觀諸法故三十
七品是道場捨有為法故諦是道場不誑世
間故緣起是道場無明乃至老死皆無盡故
諸煩惱是場知如實故衆生是道場知無我
故一切法是道場知諸法空故降魔是道場
不傾動故三界是道場無所趣故師子吼是
道場無所畏故力無畏不共法是道場無諸
過故三明是道場無餘㝵故一念知一切法是
道場成就一切智故如是善男子菩薩若應
諸波羅蜜教化衆生諸有所作舉足下足當
知皆從道場來住於佛法矣說是法時五百
天人皆發阿耨多羅三藐三菩提心故我不
任詣彼問疾
佛告持世菩薩汝行詣維摩詰問疾持世白
佛言世尊我不堪任詣彼問疾所以者何憶
念我昔住於靜室時魔波旬從万二千天女
狀如帝釋鼓樂絃歌来詣我所與其眷屬稽
首我足合掌恭敬於一面立我意謂是帝釋
而語之言善来憍尸迦雖福應有不當自恣

BD01252號　維摩詰所說經卷上　（17–12）

佛言世尊我不堪任詣彼問疾所以者何憶
念我昔住於静室時魔波旬從万二千天女
狀如帝釋鼓樂弦歌来詣我所與其眷屬稽
首我足合掌恭敬於一面立我意謂是帝釋
而語之言善来憍尸迦雖福應有不當自恣
當觀五欲無常以求善本於身命財而脩堅
法即語我言正士受是万二千天女可備掃
灑我言憍尸迦無以此非法之物要我沙
門釋子此非我宜所言未訖維摩詰来謂
我言非帝釋也是為魔来嬈固汝耳即語魔言
是諸女等可以與我如我應受魔即驚懼念
維摩詰将無惱我欲隱形去而不能隱盡其
神力亦不得去即聞空中聲曰波旬以女與
之乃可得去魔以畏故俛仰而與尒時維摩
詰語諸女言魔以汝等與我今汝等皆當發
阿耨多羅三藐三菩提心即随所應而為說
法令發道意復言汝等已發道意有法樂
可以自娛不應復樂五欲樂也天女即問何
謂法樂荅言樂常信佛樂欲聽法樂供養衆
樂離五欲樂觀五陰如怨賊樂觀四大如毒虵
樂觀内入如空聚樂随護道意樂饒益衆生
樂供養師樂廣行施樂堅持戒樂忍辱柔和
樂懃集善根樂禪定不亂樂離垢明慧樂廣
菩提心樂降伏衆魔樂斷諸煩惱樂淨佛國
土樂成就相好故脩諸功德樂莊嚴道場樂
聞深法不畏樂三脫門不樂非時樂近同學

BD01252 號　維摩詰所說經卷上　（17–13）

樂懃集善根樂禪定不亂樂離垢明慧樂廣
菩提心樂降伏衆魔樂斷諸煩惱樂淨佛國
土樂成就相好故脩諸功德樂莊嚴道場樂
聞深法不畏樂三脫門不樂非時樂近同學
樂於非同學中心無恚导樂将護悪知識樂
近善知識樂心喜清淨樂脩无量道品之法
是為菩薩法樂於是波旬告諸女言我欲與
汝俱還天宮諸女言以我等與此居士有法
樂我等甚樂不復樂於五欲樂也魔言居士
可捨此女一切所有施於彼者是為菩薩維
摩詰言我以捨矣汝便将去令一切衆生得
法願具足於是諸女問維摩詰我等云何止
於魔宮維摩詰言諸姊有法門名無盡燈汝
等當學無盡燈者譬如一燈燃百千燈冥者
皆明明終不盡如是諸姊夫一菩薩開道百
千衆生令發阿耨多羅三藐三菩提心於其
道意亦不滅盡随所說法而自增益一切善
法是名無盡燈也汝等雖住魔宮以是無盡
燈令無數天子天女發阿耨多羅三藐三菩
提心者為報佛恩亦大饒益一切衆生尒時
天女頭面礼維摩詰足随魔還宮忽然不現
世尊維摩詰有如是自在神力智慧辯才故
我不任詣彼問疾
佛告長者子善得汝行詣維摩詰問疾善得
白佛言世尊我不堪任詣彼問疾所以者何
憶念我昔自於父舍設大施會供養一切沙

BD01252 號　維摩詰所說經卷上　（17–14）

佛告長者子善得汝行詣維摩詰問疾善得
白佛言世尊我不堪任詣彼問疾所以者何
憶念我昔自於父舍設大施會供養一切沙
門婆羅門及諸外道貧窮下賤孤獨乞人期
滿七日時維摩詰来入會中謂我言長者子
夫大施會不當如汝所設當為法施之會何
用是財施會為我言居士何謂法施之會法
施會者無前無後一時供養一切衆生是名
法施之會何謂也謂以菩提起於慈心以救
衆生起大悲心以持正法起於喜心以攝智
慧行於捨心以攝慳貪起檀波羅蜜以化犯
戒起尸波羅蜜以無我法起羼提波羅蜜以
離身心相起毗梨耶波羅蜜以菩提相起禪
波羅蜜以一切智起般若波羅蜜教化衆生
而起於空不捨有為法而起無相示現受生
而起無作護持正法起方便力以度衆生起
四攝法以敬事一切起除慢法於身命財起
三堅法於六念中起思念法於六和敬起質
直心正行善法起於淨命心淨歡喜起近賢
聖不憎惡人起調伏心以出家法起於深心以
如説行起於多聞以無諍法起空閑處趣向
佛慧起於宴坐解衆生縛起脩行地以具
相好及淨佛土起福德業知一切衆生心念
如應説法起於智業知一切法不取不捨入
一相門起於慧業斷一切煩惱一切鄣㝵一
切不善法起一切善業以得一切智慧一切

[illegible]能[illegible]縛起脩行地以具
相好及淨佛土起福德業知一切衆生心念
如應説法起於智業知一切法不取不捨入
一相門起於慧業斷一切煩惱一切鄣㝵一
切不善法起一切善業以得一切智慧一切
善法起於一切助佛道法如是善男子是為
法施之會若菩薩住是法施會者為大施主
亦為一切世間福田世尊維摩詰説是法時
婆羅門衆中二百人皆發阿耨多羅三藐三
菩提心我時心得清淨歎未曾有稽首礼維
摩詰足即解瓔珞直百千以上之不肯取我
言居士願必納受隨意所與維摩詰乃受
瓔珞分作二分持一分施此會中一冣下乞
人持一分奉彼難勝如来一切衆會皆見光
明國土難勝如来又見珠瓔在彼佛上變成
四柱寶臺四面嚴飾不相鄣蔽時維摩詰
現神變已作是言若施主等心施一冣下乞
人猶如如来福田之相無所分別等于大悲
不求果報是則名曰具足法施城中一冣下乞
人見是神力聞其所説發阿耨多羅三藐三
菩提心故我不任詣彼
各向佛説其本緣稱
任詣彼問疾

維摩詰經卷第一

BD01252號　維摩詰所說經卷上　（17–17）

有卅三蘭想疑雙關各執一關第三無罪闕第四二俱有衣叉
四吉羅衣手有無九十偷蘭闕第五蘭已下正明戒本　若比丘婬欲意与
女人身相觸若捉手若捉髮若觸一一身分者僧伽婆尸沙　此滿足戒本
五句科簡初略弁後廣釋略中一犯人二內有染心三所觸境四身相觸五
若觸一一下結犯　今廣釋言若比丘者義如上弁言婬欲意者受染污心
所言女人者如上婬戒中說爲欲通取覺与不覺等四種境故不以有智
未命今釋女直言如上所言身者從髮至足見言若髮撫相相觸蘭以無
覺故所言相觸者若捉手至身分已來九種摩業初句下二釋言舉
者若捉摩重摩或牽或推逆摩順摩或摩下或或捉或捺若餘觸
方便也所言若捉摩者摩身前後牽者牽前推者推却逆摩者從下
至上順摩者從上至下舉者上下者若五捉全坐捉者若捉前捉後捉
乳捉髀捺前捺後若捺乳捺髀是皆摩業所言僧伽婆尸沙者具是第五
結犯句於中有五種罪相初若相觸二俱無衣情濃故著便僧殘女觸
比丘動身同犯若不動身但結第二若相觸身有衣情淡著便偷
蘭第三若相觸俱有衣情罪輕微著便犯俱無衣中若心境相應犯殘
若心不當境疑故輕如於覺境有此階降睡死女壞合三境類亦可知
放律云比丘往彼無衣覺女睡眠新死少分壞者但使往彼著不問受
樂不受皆犯殘罪若女來觸比丘不必須婬心而比丘要須動身受樂
者犯僧殘若不動身而受樂者吉若先有染心雖不動身而受樂者有
觸意故犯蘭動則犯殘若与二形身相觸偷蘭十誦伽論云意在女者殘
在男者蘭善見云若以髮髮相觸心相觸悉皆偷蘭以無覺能覺故
根不壞相觸者皆蘭若觸畜生女者一切吉羅僧祇意謂男子黃門
而是女人觸者僧殘謂前有方便心後稱本境祇五一時觸多女人一殘一
觸多殘比丘知法多詐捉女共卧竟夜不移者一殘若以欲心觸男子身或
衣鉢坐具皆吉問婬戒同犯此階不同者何　答良以患共於內觸境
思辯正道暢適耽著清淨不聞彼此摩觸非無內染情境在懷殊人

BD01253號　四分戒本疏卷二　（43–1）

在男者蘭善見云若以髮髮相連亦相連者皆偷蘭以無覺觸覺故
根不壞相連者皆蘭若連畜生女者一切吉羅僧祇意謂男子黃門
而是女人連者僧殘謂前有方便心後觸本境祇云一時連多女人一殘亡
連多殘比丘知法多詐被女共臥竟夜不移者一殘若以欲心連男子身或
衣鉢坐具皆吉羅同犯此階不同者何蓋良以業思共於內連境
思辯正道暢適觸著清淨不簡彼此摩觸非無內染情境在懷殊之
高飛別男女情即懷染故有階降不犯律云若有所取與相連或戲笑
若相解時相連一切不犯非不犯餘罪僧祇若共女人捉物呪願捉器
行食捉繩頭兔捉杖竹木背非威儀有欲心者犯吉羅欲心動物及以
器繩或濱水著女皆偷蘭若母等近親久別相見抱捉比丘者不當忘念住不
犯十誦若母女姊妹為病患及水火刀兵諸惡獸難救者無犯但無
染心若為水所沒湖比丘手捉雖雜煙一起但捉一處莫放到岸不應放舍
得殘若女人溺水注比丘手水流不斷於女生煙心偷蘭僧祇若識門道邊
逢女人問者要待希已便過若女人有所須令淨人與無者持著机上語言
取之若擔重不舉請比丘者傍無淨人比丘為舉著高處令自擔之若
乞食時有端正女人持食來比丘若起煙心者放鉢著地令餘人舉擬之准
此若就女人取針線瓶盆等物恐心觸身者當語置地然後比丘自取餘並列知十
誦四分開處猶多若舉僧祇水溺難緣至死不開須矣急緩之意高摘集
增莫不由此　與女人麁惡語戒第三　自下三戒制意同前犯煙欲之事其勢
鄙穢故名麁惡今說其狀表章在口故曰麁惡語通緣如上別緣七一人女二人
女想三有染心四麁惡語五麁惡語想六言章了七前人知解闕緣准前戒
說此中但明比丘染心向女麁語若前女人向比丘麁語若染心領解亦應犯
殘語同前連文略不并五分具有此彼互向麁惡語同犯是下正明戒本此戒
以因迦留陀夷聞佛已制前二便於女說麁惡語比丘舉過佛因制戒若比
丘煙欲意與女人麁惡煙欲語隨麁惡煙欲語僧伽婆尸沙　此滿足戒本文有
五句初列後釋言五句者一犯人二內有染心三人女四境界四對說麁惡語五
隨已下結犯此釋言若比丘者義如上言女人者有知命根不斷言麁惡者
非梵行也所言煙欲語者稱說二道好惡也初列麁語有八若求若教
若問若答若解若說若教若罵言求者我二道作如是事若復作餘語言教
也亦者若天若梵若水神摩睺羅伽若[illegible]

隨已下結犯。此釋言若沙門若義必上言女人共有知命根不斷。言麁惡者，
非梵行也。所言婬欲語者，稱說二道好惡也。初列麁語有八：若求、若教、
若問、若答、若解、若說、若教、若罵。言求者，與我二道作如是事，若復作餘語言教
他求者，若天、若梵、若水神、摩醯首羅祐助我，共汝作如是如是事。所言問
者，汝大小便道何似？汝云何與夫主共事？云何與外人共通？言答者，汝大小
便道如是。所言說者，如是如是。所言教者，我教汝如是治二道，汝可令夫
主外人敬愛。所言罵者，若言汝破壞、瘡爛、燒雄、墮落、與驢作如是。
若復作餘語罵言，若復作餘語，若除二道已外說餘處枝節及
得表麁惡語語言，故曰若復作餘語，知頰額等類。第五隨已下結犯
者，是僧殘罪。於中輕重有四：一就本境麁惡語，隨語多少，一一僧殘罪；二
若前人不了了者，一一麁惡語偷蘭，隨語多少，說不了了，一一偷蘭；三除二道
說餘處枝節，亦偷蘭；四與非人女、黃門、二形麁語，知者偷蘭，不知者吉羅；
男子吉羅。若與指印、遣書、作相，令彼女知者，如前；不知亦不犯。十律云：
為女說不淨惡露觀，大姊當知，此身九瘡、九孔、九漏、九流。九孔者，二眼、二耳、
二鼻、口、大小便道。當說此不淨時，彼女人謂說麁惡語；若說毗尼時，言次
及此，彼謂麁惡語；若從受經，若二人同受，若彼問，若同誦，若戲笑語，
若獨語，若疾疾語，若夢中語，欲說此錯說彼，但無欲心，一切無犯。
向女人歎身索供養戒第四　言多巧飾，美己之善，粉飾其情，說婬欲
事以求自適，故言歎身索供養戒。別緣有七：一人女，二人女想，三有染心，
四歎身說麁惡語，五麁惡語相，六言辭了了，七女人知解。此戒緣係准釋
戒。說已下正明戒本。此戒因迦留陀夷，聞佛已制前三戒，遂向女人歎身索
供養。比丘舉過，佛乃制戒。　若比丘婬欲意，於女人前自歎身言：大姊，我
修梵行、持戒、精進、修善法，可持是婬欲供養我，此是供養第一最，僧
伽婆尸沙。　今弁是戒本文有五句，初列後釋。言列者，一犯人，二染心，三境
界人女，四自歎索供養，五結犯。言釋者，前三句可知。第四自歎索供養句
中有二：一自歎身，有五句；二可持已下索供養。言歎五句者，一自歎身，二言修
梵行，三持戒，四精進，五修善法。釋此五句以為四段：一釋歎身有二，一色身
豐美，二歎種姓。律云：歎身端正好顏色，我是剎帝利、長者、居士、婆
羅門大姓種。二解梵行，以精進解梵行，故曰勤修離穢濁。三解持戒

中有二自歎身有五句二可持已下索供養食言歎五句者一自歎身二言脩
梵行三持戒四精進五脩善法釋此五句以爲四段一釋歎身有二一身
豐美二歎種族律云歎身端正好顏色我是刹帝利長者居士婆
羅門大姓種二解梵行以精進解梵行故日勤脩離穢濁三解持戒
治犯戒方便之心名不缺治根本犯戒之罪名不穿離後眷屬自不染
一戒具三諦戒同名故律云持戒精進者不缺不穿漏無染汙四釋善治
謂十二頭陀及諸善業同故律之脩善法者樂閑淨處時到乞食著
糞掃衣不作餘食法一坐食一摶食冢間坐露地坐常坐隨坐持三衣
唄匿多聞能說法持毗尼坐禪是也二可持已下解索供養食是第二義第
五結犯者是僧伽婆尸沙此是結罪句輕重有三一若作如上自譽已供養
供養我來即犯殘罪雖歎如上事不說婬欲者犯蘭若在人女前一自歎
譽身一僧伽婆尸沙隨自歎身了了者一一僧殘言不了偷蘭若手印若書信若
遣使若現知相令彼知者殘不知者蘭除二道襍餘處供養者蘭非人女
蘭不了吉畜生吉境相如上不犯中律云若比丘語女人言此處妙尊最上
此比丘精進持戒脩善法汝等應以身口意業供養於彼若女意謂右
我歎身若說毗尼言次及此彼謂歎身若錯說者並不犯
媒嫁戒第五　一制意婚嫁之禮和合生死正遠出離出家所爲特乖法式又紛
務妨脩相招譏醜不免世呵是以聖制　二釋名爲彼男女往返計謀之成婚
禮故曰媒嫁戒　三具緣如上列緣有六一人男女簡非畜而於人中貴賤親疎
並是犯限伽論云相勝媒嫁犯蘭二人男女想三爲媒嫁事四媒嫁相五顯
事了六受語等還報　四闕緣比說可知已下正明戒本此戒因迦羅比丘起過
佛便制戒　若比丘往來彼此媒嫁持男意語女持女意語男若爲成婦事
若爲私通事乃至須臾頃僧伽婆尸沙　此滿足戒本文有五句初列後釋
言初列者一犯人二往來者三彼此所嫁境界四正作媒嫁事五結罪所言釋
者初句可知言往來者可得和合是言彼此者謂所媒嫁境界男女等爲
彼此共業數列名女有廿種母護父護父母護兄護姊護兄姊護自護法護宗族親
親護自樂婢與衣婢與財婢同作業婢水所漂婢不輸稅婢放去婢客作
婢他護婢自娶方得婢是也　此釋名義母護者母所報父護者父所護父母
護兄護姊護之如是自護者身得自在法護者脩梵行姓護者不

[illegible]
親護自樂婢與夜婢與肚婢同作業婢水所標婢不輸稅婢放去婢客作
婢他護婢自邊方得婢是也 此釋名義 母護者母所報 父護者父所護 父母
護兄護姊護亦如是 自護者身得自在 法護者脩梵行 姓護者不
與卑下姓 宗親護者爲宗親所保 自樂爲婢者樂爲作婢 與衣者與
衣爲價 與肚者乃至與一錢爲價 同業者同共作業 水所漂者水中救得 不輸
稅者若不取輸稅 放去婢者若買得若家生 客作者雇錢使 他護者度他
華歸爲要 自邊方得者抄劫得後俗是爲廿種 男亦如是 第四句正作媒嫁
事者文有二 初媒業亦成婦等是所傳之意 二乃至須臾 須臾者謂暫時交
會亦得僧殘 廿念爲瞬 須爲一彈指 須爲一羅預 廿羅預爲一須臾 昔極長
十六須臾盡十二須臾 言僧殘者是結犯句 可輕重有三 初使義具三犯殘 二自受語往
彼不報具二闕一犯蘭 二受語不往彼具一蘭闕二犯吉 故律云若初受語吉羅 往說
不報偷蘭 若還報者僧殘 若使書指印現相媒 多少說而了了 隨其往反一一
僧殘 若不了者偷蘭 五分受男語吉 語彼不許還報蘭 許還報殘 不同四分
但具三時殘 一受語 二往彼陳 三還報 除二道已媒餘身分者蘭 若談道自
二羯磨者人媒嫁 一切僧殘 令知事白僧媒嫁淨人共合婚具向僧同和 一切僧殘
若用僧物俱犯重 十誦伽論云 若指腹所爲媒及自媒者偷蘭 若不能男女道
合一道女石女等一切偷蘭 若媒人男畜生等並吉羅 僧祇爲他求符馬種和合
故偷蘭 餘畜吉羅 不犯中 律云 若男女先已通後離別 還和合者開不犯 又言
不得爲白衣作使 不得持他書而不看 若爲報恐生疑惑惡及作法使事 一切
看書持往不犯 無主自爲過量僧不處分造房戒六 一開制意 初弁制
意 後明制意 言制意者 然上行之事 報力資緣堪耐惱緣 不廢正脩 是
以大聖制依冢間樹下 有緣脩道 不畜房舍 亦中行之輩 資報力劣 不堪寒苦
制同上士 交妨正脩 乃是彼人壞道緣 故開畜小房 比丘同開 廣作營構 紛務
妨脩 長己貪結 壞知足行 違法造房 情過不輕 隨開還制 二釋名 專任
自由 不白指示名僧不處分 不依限稱爲過量 故曰僧不處分過量造房
戒 三具緣 通緣如上 別緣有六 一無主 二爲己 三自乞求 四過量 不處分 五過量
不處分 六房舍成 並犯 四闕緣 若闕初緣犯後戒 或三或二或一罪 若作房
全可無罪 若闕第二爲他作非法房 或二蘭二吉 或三二一 或可無罪 若闕第三
緣不自乞求 即無過量 容有餘三 乃無一罪 若闕第四作不過量處分 則全無

[illegible]
戒　三具緣通緣如上別緣有六一無主二爲己三自乞求四過量不處分五過量
不處分想六房舍成並犯　四明緣若闕初緣犯後戒或三或二或一罪若作房
全可無罪若闕第二爲他作非法房或二蘭二吉或三三一或可無罪若闕第三
緣不自乞求即無過量容有餘三乃無罪若闕第四作不過量處分則全無
罪容得四蘭謂實不過量作過量想偷蘭疑亦偷蘭實處分作淨不處
分想蘭疑亦偷蘭上若闕第五分得四蘭實過量作不過量想蘭疑亦ㄙ
偷蘭不處分想蘭疑亦偷蘭若闕第六緣末後二團泥未竟已還盡輕
蘭一團泥在重蘭已下正明戒本此戒因曠野比丘作大房乞求煩多煩亂居士
故制此戒　若比丘自求作屋無主自爲己當應量作是中量者長佛十二搩手
內廣七搩手當將餘比丘指授處所彼比丘當指授處所無難處無妨處若
比丘有難處有妨處自求作屋無主自爲己不將餘比丘指授處所若過量作
者僧伽婆尸沙　此滿足戒本文有三句初列後釋言列者一犯人二自求已下正教
比丘房量大小指授方軌三若比丘下若違教作者結犯言釋者初句義如上
弁第二句文有七一自乞求有檀施主得過量罪若其自物則無過量二作屋
除作餘物無過量不處分五分房者於中可得行立坐臥行四威儀三無主者
以其有主無過量四自爲己若爲他作於己無潤不犯殘罪五弁房之人量
佛搩手者諸文不定一搩手祇二尺四廣七搩手者一丈四尺此據房內祇亦六從
廣量屋內六當將弁教房主比丘乞處分方法文如律中弁問作大小房須
乞處分見論云長六搩手廣四搩手作如是房不須處分律亦成文小容身屋
不犯非謂開無過量後房本無過量何以開中除小容身若過六搩手四搩手
是不開過量戒須處分七彼比丘下教僧處分處分法如律廣說　第三結
罪句中有四種罪一殘二吉有九字設可知此下雜明如上諸文四分律文若作
此房先知無難妨已然後來僧中脫革屣偏露右辟禮上座足右膝著地
合掌乞處分法爾時僧中觀此比丘若可信者即聽使作若不可信衆僧往看
若僧不去應遣僧中可信看若有妨難不應處分難處謂虎狼師子諸惡
獸若下至蟻子言妨者乃至不容草車迴轉處見云是人田薗或死屍冢眺處
尸陀林處王誌護處四周不通十二梯橖間有樓一肘若十誦是舍四邊一尋
地內有塔地有官地居士外道比丘尼地若大石流水大樹深坑等處是妨處明
了論或樹空山巖石塗等得行住坐臥作房舍所攝解云和盡處等欲

若僧不去應遣僧中可信者看若有妨難不應處分難處謂虎狼師子諸惡
獸若下至蟻子言妨者乃至不容草車迴轉處見云是人田薗或惡家聚
尸陀林處王諸護處四周不通十二梯梯間有礙一尋若十誦是舍四邊一尋
地內有塔地有官地居士外道比丘尼地若大石流水大樹深坑等處是妨處明
了論或樹空山巖石澗等得行住坐卧外作房舍所橘解云知食處等欲
非此住若須隔折若不依量用財則多若有妨難自損損他故律云若於
妨難之地輒造房舍得二吉羅過量不乞得二殘罪再過即犯不得俱也
爲他作房但得蘭罪律不犯中減量無妨難爲僧當講堂爲僧多人
住屋草菴小容身屋者有主僧不處分造房戒七以有主故不異之量
與前有異餘咸大同别緣有六一有主二爲己作三長六磔手廣四磔手
五四不處分五不處分損六房成已下正明戒本 此戒因闡陀比丘造屋
斫路中神樹俗人呵嘖比丘舉過仏便制戒 若比丘欲作大房有主爲己作
當將餘比丘往指授處所彼比丘應指授處所無難處無妨處若比丘有
難處有妨處作大房有主爲已作不將餘比丘往指授處所者僧伽婆尸沙
此滿足戒本句亦有三一犯人二作房軌則三違教結罪犯人者如上作房並
立法文亦有七一欲作大房大者多用財作房者屋也言有主者及上並皆
是也爲己作指授已來僧中乞法義如上彼應指授處所者僧應觀察若
有信有智惠即信彼而與白二若不信者衆僧往看若僧不去應遣僧中
可信者看若有妨難不應處分無者應與作法僧祇律云若僧中無
能羯磨者一切僧就彼作處一人唱言一切僧爲其比丘指授房三說亦得
無難無妨處者義如上說第三句結罪文如前戒可知唯少過量爲異
無根謗戒第八 一制戒意然出家同住利應和合共相將護許不相損
争今乃懷嗔横構重事謗人自壞心行增長生死以壞正法又復傷於
良善歡喜衆外損他一生之瘢瘠正業斯因事深故須聖制 二釋名內無
三實曰無根重事加謗名之爲謗故曰無根謗戒 三具緣通緣如上别
緣有八一是大比丘及尼除下二衆二天比丘及尼想三內有嗔心四無三根五重
事加謗六下至對一比丘七言辭了了八前人知解 四闕緣若闕初緣以餘
五衆及闕境想即有十蘭闕第二疑想若五闕嗔心全無謗罪若有三根
但非法舉若謗事加他或有提吉闕餘緣等輕蘭重闕之下正明戒本
此戒因慈地比丘得惡房舍又得惡食便令妹尼重事加謗仏因制戒

事加謗六下至對一比丘亡言諍了ゝ以前人知解　四闡陀若闡陀以餘
五衆根闡境變即有十蘭闡第二疑想若五闡嗔心令無謗罪若有三根
但非法舉若謗事加他或有揆吉闡餘緣等輕蘭重闡ゝ下正明戒本
此戒因慈地比丘得惡房舍又得惡食便令妹尼重事加謗於因制戒
若比丘嗔恚所覆故非波羅夷比丘以無根波羅夷法謗欲壞彼清淨行
若於異時若問若不問知此事無根說我嗔恚故作是語若比丘作是
語者僧伽婆尸沙　此滿足戒本文有七句初列後釋言列者一犯人二嗔心
三所謗境界四無三根五以波羅夷下重事加謗六謗時七若比丘下結犯
言釋者初句若比丘義如上卉第二句嗔恚所覆故律云有十惡法因緣故
嗔隨十事中以二事而生嗔ゝ十惡法者祇三世九惱通非情處起嗔是名
十惡法因緣廣說可知第三句非波羅夷比丘律云清淨無犯名非波
羅夷比丘第四句以無根波羅夷法謗者欲解無根先解有根言根者
生後之名根義不同名標三別謂見根聞根疑根顛赤青等稱
ゝ為見納聲噲聲名之為聞見聞之後猶預不決心無定執号之
為疑此之三種咸生舉語故言名根故四分律云見根者見犯梵行
見偷五錢見斷人命若他見從彼聞是謂見根聞梵犯行聞偷五錢
聞斷人命聞自言得上人法若彼說從彼聞是謂聞根疑根二種從見
生疑若見与婦女入林出林無衣裸形不淨汙身捉力血汙惡人為伴
是也從聞生者若在闇地聞動床聲聞轉側聲聞若共語聲若聞我
犯非犯行聲乃至若聞我得上人法聲除此三根已更以餘法謗者
是無根也　第五句波羅夷法謗者重事加誣言犯之法此法要說初
篇即是庶鐄言欲壞彼清淨行此是顯已謗意律云謂言衆僧
擯此人我得安樂住　第六句若於異時至作是說已來是自言非
即謗時故曰異時雪彼清淨顯已謗情故曰我嗔恚故作是說律云
若問若不問者佛勑比丘問能謗者此事實不若以無根謗他獲大重罪
自陳謗意言此婆清淨人無知是事由前欲得惡房惡食懷嗔恨故便
謗彼耳　第七句若比丘作是語者僧伽婆尸沙　此為結罪犯輕重有三一謗
比丘二謗尼三謗下衆就比丘文中三初句若以無根四重法謗比丘但使前無三
根莫問有實不實自作遣使了ゝ皆成謗罪若不了得偷蘭第二以非比丘

謗彼耶 第七句若比丘作是語者僧伽婆尸沙 此為結罪輕重有三一謗
比丘二謗尼三謗下衆 就比丘文中三种句若以無根四重法謗比丘但使内無三
根莫問有實不實自作遣使了了皆戒謗罪若不了得偷蘭 第二以非比丘
法十三難事内無根謗實比丘了了得殘不了偷蘭若實十三難人雖無三根實
依說著作比丘想故但得蘭罪不同四重謗人解是汙戒比丘故也若於十三
中比丘犯五逆邊罪謗亦僧殘以教從理同今擯故若十律云出血破僧此
二謗人得蘭餘者吉羅以名輕故即是律以理從教 第二若以餘篇謗
殘提兩罪第一謗尼者亦同比丘十律謗尼但得吉羅五分僧謗比丘殘
謗尼衆吉尼謗尼殘謗比丘提 第三謗下衆者皆得吉羅不犯 十律云
見聞疑三根說實之有五種一真實二想實三事實如[illegible]王衆道斂王四三根
不了實五四戒不了實若反此五謗他犯殘十誦四重了說戒謗四分多同
假根謗戒第九 此戒要假異事上有見根取彼事見以謗此人見雖相當
事不相當名為假根如見言聞等即是無根前戒中攝制意犯緣悉同
前戒唯以假根為異文除聖制故曰我等前聞以無根法謗欲明今是有
根故作是語 若比丘以嗔恚故於異分事中取片非波羅夷比丘以無根
波羅夷法謗欲壞彼清淨行彼於異時若問若不問知是以分事中
取片是比丘自言我嗔恚故作是語作是語者僧伽婆尸沙 此滿足戒
本文有七句一犯人二嗔心三假四分上根四謗境界清淨五以無根重謗
六自言七結罪 廣解中初二兩句可知第三句言於異分事中取片者所
言異分者律說五種異分一異趣異分如羊事為人 二異四罪異分如不
犯波羅夷言犯波羅夷以異分無根法謗僧殘若比丘不犯夷謂犯殘以
異分無根夷謗殘不犯夷彼見犯提乃至吉以異分事無根夷法謗殘
若犯殘彼言犯夷以異分無根夷法謗僧殘若犯殘彼謂犯提乃至吉以
異分事無根夷法謗殘乃至吉 第三異人異分不清淨人清淨人相似名
同姓同想同以此人事謗彼以異分無根夷法謗 第四異時異分若見犯
家時犯四重便言我言比丘犯初篇以異分無根四事法謗 第五異聲異
分若聞自稱犯四事自取[illegible]聲以異分無根四事 第四句言非波羅夷
比丘者見彼清淨 第五句無根夷法謗者不見聞疑彼犯四重誣他犯重言
欲壞彼清淨行者彰其謗意謂言衆僧擯儐此人我得安樂 第六

家時犯四重便言我言比丘犯初篇以異分無根四事法謗　第五異聲異
分若聞自稱犯四事自取響聲以異分無根四事　第四句言非彼罪我
比丘者見彼清淨　第五句無根我法謗者不見聞疑彼犯四重謗他犯重言
欲壞彼清淨行者彰其謗意謂言衆僧擯順此人我得安樂　第六
句若於異時至作是語來或問或不問捨問自言由前謗
惡房惡食懷嗔恨故便謗彼耳　第七句若比丘下結犯相輕重如前戒
破僧違諫戒第十　一制意　衆和法同義無乖諍理應詳遵猶如水乳
今乃傍倚聖教說相似語惑亂群情壞僧斷法墮論無事為惡流
甚是故聖制　二釋名　邪法改真分衆異執稱為破僧固執不捨名曰
違諫戒　三具緣　通緣如上別緣有五　一立邪三寶謂是諫所為事故　二行
化於時若不行化即無設諫為諫等罪故　三如法設諫如法簡非法
設諫簡不設簡故　四固執已心不肯從勸已若從諫不成重故　五三羯磨
竟若未竟但結輕罪故須言竟　四闕緣　若闕初緣亦是闕於第二不
行邪化即破僧心息便闕下四單有立邪三寶方便小吉若闕第三若不設
諫即無違諫容違屏諫犯於小罪復得前二緣破方便罪若僧諫不成
者亦無違諫正有破僧方便究竟之罪若作如法之心根得蘭罪闕第
四緣若未白前捨無違諫罪有違屏諫若白竟捨一蘭乃至第二未
竟捨四蘭闕第五緣類前可知足下正明戒本此戒因提婆達多破僧故制此戒
若比丘欲壞和合僧方便受壞和合僧法堅持不捨彼比丘應諫是比丘大德莫
壞和合僧莫方便壞和合僧莫受壞僧法堅持不捨大德應与僧和合与
僧和合歡喜不諍同一師學如水乳合於佛法中有增益安樂住是比丘如
是諫時堅持不捨彼比丘應三諫捨此事故乃至三諫捨者善不捨者僧
伽婆尸沙　此滿足戒本文有五句初略明後廣并言略者一明諫所為事二彼
比丘下諫善比丘屏處諫勸之令捨五不捨者下結成違諫初句文二若比丘
者出犯人即是所諫之者二欲壞已下正明破僧諫所為事欲壞者隨前始
心方便已下隨前五邪三寶者是五邪法堅持不捨者隨前行化謂以五
法行化於時誘諸新學屏諫文二初舉上可諫中初三句勸捨故曰
彼比丘應諫乃至莫方便等二大德應与已下舉上可中二四勸同水乳等
然諸大德行雖有別所稟師同學法無二理應和合而無異相猶如水

者出於人即是所謂之者二谷城已下正明破僧謗所爲之事欲壞者何前始
心方便已下隨前五邪三寶者是五邪法堅持不捨者隨前行化謂以五
法行化於時誘諸新學屏諫文二初舉上呵諫中初三句勸捨故曰
彼比丘應諫乃至莫方便等二大德應與已下舉上呵中二四勸同水乳等
然諸大德行雖有別所稟師同學法無二理應和合而無異相猶如水
乳和合相得故曰同一師學如水乳合亦可水與乳合乳與乳合故曰如水
乳合第三句是比丘者謂諸善比丘如是諫時者謂隨前諸善比丘屏
諫之時堅持不捨者謂調達比丘執心拒諫第四句三諫捨者善問曰
從順正不破僧一無遠諫僧殘二無破僧蘭罪離斯二過故曰捨者善
問其實白四師言應三諫乃至三諫捨者善 答謂取白及二羯磨故曰
三諫除第四諫所以爾者一犯不犯分前三未犯殘說第二竟犯殘二輕重
別前三犯蘭第三得殘故言三諫捨者善以未犯殘故受其道理應是
白四又見律文言犯三法應捨者謂過三法不捨者入重位故第五句罪白
下文解戒本五句之文 所言差比丘者義於上釋言欲壞者以十八法欲壞和
合者一羯磨同說戒所言僧者四比丘若五若十乃至無數言方便欲壞和
合僧法堅持不捨者謂住十八法而破僧也今并十八法一法非法律非律
犯不犯若輕若重有殘無殘麁惡非麁惡常所行非常所行制非制
說非說法非法者八正尊直能軌生正解是泥洹之近因名法調達說
爲非法五邪不能軌生真解是非法說以爲法律非法律者乎說亦爾
犯不犯者夫言發心佛制様頭而今調達謂發心有命若不様勞
說爲不犯如心念作惡理雖有違凡夫未制名爲不犯調達說犯輕者
遮過調達見壞樹葉隨長壽龍中便言我一切草木其罪最重初篇
業重一刹永障以見須提初作不得重罪即言一切盜爆等皆是輕有殘
者犯下四篇非是永障是其殘說爲無殘無殘者謂犯初篇永言道
芽自日無殘說爲有殘毋去麁惡者初二篇方便若口無慚愧心犯獨
重偷蘭名爲麁惡說爲非麁惡提葉已下及餘蘭等皆非麁惡說
爲麁惡常所行者以正五法乎說制者謂五篇禁戒金口吐宣名之爲制
說爲非制非制者即五法非仏金口名爲非制說以爲制說言四禁是
重餘篇是輕此是正教名之爲說以爲非說輕重倒說此非仏教
名爲非說而說以爲說第二屏諫初比丘屏諫勸不破僧此勸和合

若自己無殘[illegible]若口無慚愧心犯得
重偷蘭名為無惡說為非無惡提舍已下及餘蘭等皆非無惡說
為無惡常所行者八正五法乎說制者謂五篇禁戒金口吐宣名之為制
說為非制非制者即五法非佛金口名為非制說以為制說言四禁是
重餘篇是輕此是正教名之為說以為非說輕重別說此非佛教
名為非說而說以為說第二屏諫初比丘屏諫勸不破僧此勸和合
益故律云應語彼言可捨此事若用語者善若不用語者復令餘
比丘乃至王大臣用語者應未諫是名屏諫　第三句若不用語者此
非屏諫　問屏諫竟得何罪若此但吉羅以無衆法故有所諫人破事
未成遠諫未滿要待事成覓吉成提第四句衆諫如前文第五若不
捨者下吉羅於中輕重有二一自作遠諫輕重二教人輕重自遠諫中
復二初未作諫前但有違方便吉羅第二作諫時三羯磨竟犯若白二
羯磨竟捨犯三蘭白一竟捨二蘭白竟捨一蘭問第三竟時得殘者
為攬因成果不　答女五分藉前方便業惡勢分相資令後心之業次
第增著得僧殘時猶有蘭吉別須懺悔以其業思輕重不同感果
有異故不相成四分律明但使作惡步步有罪如生福文發步步有福文
多論如欲盜殺步步偷蘭令所言二羯磨竟三偷蘭明同中有罪非然
得果之時攬因成果故律云白前其吉羅作白竟直結偷蘭不言別
有吉羅可懺乃至三羯磨竟成殘時不言別有三蘭須懺故知同雖
時捨通開五種謂不犯吉羅蘭殘等三罪文若破惡友知識及二人
有罪以因成果第二教人文三一比丘教二尼教三下衆教不犯中律云初語
三人欲作非法羯磨或為僧塔和尚闍梨知識親友等作損減作無住
處若破是人者不犯　助破遠諫戒第十一　制意同衆作法諫調達時
四伴黨嚮初成破僧僧尋設諫柢而不受故曰破遠諫戒別緣有六
一調達作破僧事二如法設諫三違僧設諫助成破僧四僧衆如法諫此
影助五柢而不從六羯磨竟即犯闕緣比說可知已下正明戒本此戒因
提婆達故教五法衆僧諫時伴儻比丘助破諫僧仍因制戒
若比丘有餘伴儻若一若二乃至無數彼比丘語是比丘言大德莫諫此
比丘此比丘是法語比丘律語比丘此比丘所說我等喜樂此比丘所說我等忍
可彼比丘言大德莫作是說言此比丘是法語比丘律語比丘此比丘所說我等

衆助五根而不發六親有善所犯廣緣如說可知已下正明戒本此戒因
提婆達故敎五法衆僧諫時伴儻比丘助破諫僧佛因制戒
若比丘有餘伴儻若一若二乃至無數彼比丘語是比丘言大德莫諫此
比丘此比丘是法語比丘律語比丘此比丘所說我等喜樂此比丘所說我等忍
可彼比丘言大德莫作是說言此比丘是法語比丘律語比丘此比丘所說我等
喜樂此比丘所說我等忍可然此比丘非法語比丘非律語比丘大德莫破壞和合
僧汝等當樂欲和合僧大德應與僧和合與僧和合歡喜不諍同一師學
如水乳合於佛法中有增益安樂住是比丘如是諫時堅持不捨彼比丘應
三諫捨是事故乃至三諫捨者善不捨者僧伽婆尸沙　此滿足戒本
五句成就一諫所爲事二彼比丘下屛諫方法三是比丘下　拒諫四僧衆
諫五不捨者結罪初諫所爲事文三一總明其人助破僧者二伴儻之
數三正明助破文兩一勸僧莫諫謂達二此比丘下釋勸僧意所以我今
勸僧莫諫者以人如法是故初二句人如此提婆達多言有軌故稱法語復
能滅惡生善故曰律語次二句法是故然今我等慶遇所聞故皆喜
樂稱合道理安心從有是故忍可二正屛諫文四一領彥諫辭塞其影
助二然此已下人法俱非顯彰助非理三大德莫破已下是非相對勸其
捨樂正是諫辭所謂諫捨助順勸崇水乳四大德知有益釋其勸
意第三句是比丘者謂誡善比丘如是諫時者諫除前誡善比丘屛
諫之時堅持不捨者謂助比丘執心拒勸第四句三諫者捨善聞即從
順已不助破僧一無遠諫僧殘僧蘭離斯二過故曰捨者善第五句結罪
可知此下広釋初句三又若比丘時破僧人二伴儻之數四人若過有二順從
二旅今順從允共共謀名爲伴儻要四已上始成邪僧若佐成群侶
名助伴儻此二伴儻皆須設諫餘義如上所明此韻可知
謗僧遠諫戒十二　一制意衆僧自理諫破是非理令固執拒勸三諫
不捨故結罪二釋名倚傍六人同作四人不治跡涉愛增故名曰謗固執
不捨名曰不諫故曰也三具緣通緣如上別緣有七一作惡家惡行二心無
改悔三作法治擯四非理謗僧五如法設諫六拒而不從七三羯磨竟便
犯四闕緣若闕初緣全無輕重若闕第二直有惡家等罪闕三闕
四同於闕二闕五謂作七非容得七位蘭然當位中闕緣或一二三蘭誠
東闕口去諫家住此闕六七同五已下正明戒本此戒因阿濕婆等於羈

不捨名曰爲諫故曰也三具緣通緣如上別緣有七一作惡家惡行二心無
改悔三作法治儐四非理謗僧五如法設諫六拒而不從七三羯磨竟便
犯四關緣若關初緣全無輕重若關第二直有惡家等罪關三闕
四同於關二關五謂作七非容得七位蘭故當住中關緣或一二三蘭諸
諫關如法諫緣唯此關六七同五已下三明戒本此戒因阿濕婆等於羇
連聚落起過故制斯戒　若比丘依聚落若城邑住汙他家行惡行汙他
家亦見亦聞行惡行亦見亦聞諸比丘當語是比丘言大德汙他家行惡
行汙他家亦見亦聞行惡行亦見亦聞大德汝惡他家行惡行今可遠此
聚落去不須住此是比丘語彼比丘作是語大德諸比丘有愛有恚有怖
有癡有如是同罪比丘有驅者有不驅者諸比丘報言大德莫作是語
有愛有恚有怖有癡有如是同罪比丘有驅者有不驅者而諸比丘不愛
不恚不怖不癡大德汙他家行惡行汙他家亦見亦聞行惡行亦見亦
聞是比丘如是諫時堅持不捨彼比丘應再三諫捨此事故乃至三諫
捨者善不捨者僧伽婆尸沙　此講是戒文有五句一非理謗僧諫所爲事
二從諸比丘下自理屏諫三是比丘下拒屏諫四彼比丘下僧諫五若不捨下結
違諫罪初文有四一犯人二依聚落下三明起過自他俱壞三諸比丘下侏過
驅儐四是比丘下非理謗僧謗僧辭者謂不治違路者名有愛擯於老
者名有怖謂僧嗔我二人名有嗔此三皆非解心所為不達治罰之方
名有癡如是同罪下顯己謗意二屏諫文三一諫莫謗僧故曰莫作是語
等二而諸比丘下得僧自雪己心故曰而諸比丘不愛等路壞已無罪可治名
不愛是人不見復不得治名不怖彼等之進不識悔退不逃走身過俱現
理合治罰名不恚善達治儐故名不癡三大德是下推過屬彼故曰大德
汙他家等三是比丘者爲諸善比丘如是諫時者謂隨前諸善比丘屏諫
之時堅持不捨者謂能謗比丘執心拒勸四三諫捨者善聞則從順己不
謗僧離斯重過故曰捨者善五治罪自下廣釋文義言若比丘者義如上
釋言聚落者村有四種如上若城邑者屬王處也言汙他家者有男有女名
之曰家汙家有四一總舉四數二列釋三總結言總舉者汙家有四一依家
汙家一家得物又與一家所得物處聞之不喜所與物處思當報恩即作
是言有與我者我當報之若不與我之何故與之二者依利養汙家如法得

謗僧離斯重過故曰捨者善五俗罪自下彦釋文義言若比丘者義如上
釋言聚落者村有四種如上若城邑者僞王處也言行他家者有男有女名
之曰家行家有四一總舉四數二列釋三總結言總舉者行家有四一依家
汙家一家得物又與一家所得物處聞之不喜所與物處思當報恩即作
是言有與我者我當報之若不與我之何故與之二者依利養汙家大法得
利及鉢中餘或與一居士得者生念當報其恩若不與我之何故與之三者依
親友行家若比丘依王大臣或為一居士或不為一居士便生念言其為我若我
當供養不為我者我不供養四若依僧伽藍行家若比丘取僧花菓與一
居士不與一居士彼有德者思當供養若不與者我不供養以此四事故行家
名行他家言行惡行者彼比丘作如是等非法行也自種花樹自溉灌自
種花鬘以線貫繫自持與人若復教人作如上事村有婦女同床坐起同器
飲食言語戲笑或自歌舞倡伎或他作己唱和或作俳說或彈鼓簧吹貝作
衆鳥鳴或走或陽跛行或嘯或自作拆身或受雇戲笑是之名行惡行
言惡首行惡行多見多聞者律云時有比丘彼村止宿著衣持鉢入村乞
食法服齊整行步庠序低目而行隨不顧視亦不言笑不相問訊樓善言
問訊我等不應與其飲食不如阿濕婆等與人周接善問訊我等不應與
其飲食不如阿濕婆等與人周接及上所應與供養時彼乞食困乃得之
往至佛所具白佛言佛命比丘往村驗出此前是依聚落起過自他俱損
已下明隨過驗僧文從諸比丘當語至不須住此已來是驗僧文並非理
謗僧諍從是比丘語彼有驗不驗者其謗僧意倚謗六人同作衹之
三聞達多摩醯沙達多走至王道聚落迦留陁夷闡陁達路儀悔此四
不治跡隨愛僧故起謗謂不治違路者名有愛懼於去者名有怖謂
僧嗔我二人名有畏此三皆非斷心所為不達治罰之方名有癡顛之謗
意故曰有驗者有不驗者自下明屏諫文所言大德莫作是語大諫莫
謗僧故曰莫作是語乃至有驗者有不驗者已下明僧自雪己心故曰諸比丘
不愛不恚不怖不癡乎路儀已無罪可治名曰不愛恚之人不現須不得治名
不怖汝等二人進不識悔退不述其身過俱理合治罰名不恚善達治擯
故名不癡已下推過屬彼故曰大德汙他家行乃至亦見亦聞是已下明諍
人拒諫不從故文云是比丘如是諫時堅持不捨下明僧諫文云彼比丘應三
諫捨此事故乃至三諫捨者善應初諫言欲作白僧法當捨若捨住

不愛不恚不怖不癡羊路捨已无罪可治名曰不愛恚人不現復不得治名
不怖汝等二人進不懺悔退不述其身過俱理合治呼名不恚善達治擯
故名不癡已下推過屬彼故曰大德汙他家行乃至亦見亦聞也已下明謗
人拒諫不從故文云是比丘如是諫時堅持不捨下明僧諫文云彼比丘應三
諫捨此事故乃至三諫捨者善應初諫言欲作白僧汝當捨若捨唯
得吉若不捨作白已即得偷蘭復應諫言大德作白已餘有二羯磨在
可捨此事莫為僧呵便犯重罪乃至初羯磨第二第三已來應是
諫故文言捨者善隨捨罪輕故曰善已下明拒勸不捨而治殘罪故文
云若不捨者僧伽婆尸沙已下明不犯律云若得衣食與父母病人與小兒
與任人與窂獄繫人與寺客作不名惡家若種樹華菓乃至教人貫
花為三寶故不名汙家惡行若渡河溝渠塹跳躑者犯若同伴在後還
顧不見而嘯喚者不犯若為父母若為病人若為信心檀越乃至三寶
事持書往反皆不犯　惡性拒僧違諫戒十三　一制意人非性知義無
獨善要賴善友互相匠導方能離過脩善有出道之益而今闡陀
迷心造非不自見過他如法諫理宜從順方復傍倚勝人並舊其已
望人師敬反欲違衆非分自處情過深厚是故聖制二解名可知三列
緣有六一身自不能離惡時欲作罪二諸善比丘以法勸諫三不受勸導
恃己陵物望人師敬四如法設諫五拒而不捨六三羯磨竟四闕緣已類
可知此戒同闡陀比丘惡性拒諫故起過便制戒　若比丘惡性不受人
語於戒法中諸比丘如法諫已自身作不受諫語便言大德莫向我說
若好若惡我亦不向諸大德說若好若惡諸大德且止莫諫我彼比丘
諫是比丘言大德莫自身不受諫語大德自身當受諫語大德如法諫
諸比丘諸比丘亦如法諫大德如是佛弟子衆得增益展轉相諫展轉相教
展轉懺悔是比丘如是諫時堅持不捨彼比丘應三諫捨此事故乃至三諫
捨者善不捨者僧伽婆尸沙　此滿足戒本文有五句一初至莫諫我來明
諫所為事二彼比丘下比丘屛諫勸相受語三是比丘下拒諫四彼比丘下
僧諫五不捨下結違諫罪初諫所為事文三一出能拒人惡性不受語
二於戒律中下諸善比丘如法呵責諫三自身已下受訓導望人師敬文四
一不受勸導二言諸大德下汝莫語我三我亦不語汝四諸大德下出
不受道理謂恃己陵物又引契經自觀身行等故言且止也屛諫文

諫所為事二彼比丘下比丘屏諫勸相受語三是比丘下
僧諫五不捨下結遠諫罪初諫所為事文三一此能拒人惡性不受語
二於戒律中下諸善比丘如法呵責諫三自身已下受訓導望入師敬文四
一不受勸導二言諸大德下汝莫語我三我亦不語汝四諸大德下止
不受道理謂恃己陵物又剋契狸但自觀身行等故言且止也屏諫文
二一先諫前人互相受語二如是已下顯諫利益相受語故道相日進故
稱增將為前惡諫令不作故稱相諫未脩諸善方便令生已生諸善
脩習增長故日相教已報惡業方便除遣故日懺悔各欲此互為咸稱
展轉諫言大德前已作二持所說者良由善知識等互相近導如何
大德不相受語向經中仏說但自觀身行諦觀善不善云何此中展轉
相教等多云仏隨制教言乖反合不相違背若見前人心有愛增發言
有損故云但自觀身若見前人內有慈心發言有益故言展轉相教又
見前人少同無智出言無補故言但自觀身行若多聞有智言成有益
故云展轉相教下三句可知已下當釋文句言若比丘者義如上言惡性不
受人語者不忍不受人教悔所言於戒法中者於戒律如法棲有七犯聚次
羅夷乃至惡說諸比丘如法諫者如法如律如仏所教言自身不受諫且
止莫諫我已來是諫所為事下四句准前可知不犯中律云初諫便捨若
非法呵責諫非法非律非仏所教者若為無智人呵諫時語彼言汝和尚
阿闍梨所行亦如是汝可更學問誦經若其事實尔若錯說者一切不犯
諸大德我已說十三僧伽婆尸沙法九初犯四乃至三諫 此結前十三戒就中
有二初九後四諫不諫別故云九初作犯四乃至三諫今釋諫不諫意
若語屏諫一切皆須故文展轉相諫不受諫中心虛結櫨心實弟五乃至
此中遠諫之事是須設諫故言莫為僧所呵更犯重罪故知語諫通
於一句言僧諫者具四義者有不具者無言四義者一往惡二是顯露
三謂此僧四者倚傍上之三義可知言倚傍者前之九戒餘並是非更無
兩濫倚傍聖教是非既分過顯亦識何須設諫閑常其人乞四戒等皆有
倚傍言說相似濫理行之教是非交雜真偽難分須僧設諫閑知是非
曉悟其懷冀彼改迷棄惡就善捨邪從正故須設諫如初二諫戒倚傍
如來四依之教唱說相似執乞食等名同故日倚傍行家讚僧者執六人

BD01253號　四分戒本疏卷二

而濫倚傍聖教是非既分過顯亦識何須設諫開示其人也四戒等皆有
倚傍言說相似濫理行之教是非交雜真偽難分須僧設諫開示是非
曉悟其懷冀彼改迷齊惡就善捨邪從正故須設諫如初二諫戒倚傍
如來四依之教唱說相似執乞食等名同故曰倚傍行家誘僧者執亦人
同作而償不償濫第四戒倚傍種種輕陵諸比丘倚傍之義此廣廣應說
為如斯義須僧設諫僻者無諫今問有無不問九殘所以不諫蓋問生罪
之緣所以僧殘罪者下四因諫而生前九作便即結此謂一切事中具以四義者
須諫違而結殘位同故是以共篇若比丘犯一一法知而覆藏應強與波利婆
沙行波利婆沙竟增上與六夜摩那埵行摩那埵已應與出罪法應廿僧
中出是比丘罪若少一人不滿廿眾出是比丘罪是比丘罪不得除諸比丘亦可呵
此是時此明據僧殘法略有其三初始覆藏情過謂波利婆沙此方云別
住毋云若犯此罪隨覆藏日行別住法別在房不得與僧同處共宿雖入
僧中不該論並不得答故言別住設心不㪅行彌逾今行故文言若比丘犯
一一法知而覆藏應強與波利婆沙第二明治罪法故文云行波利婆沙竟
增上與六夜摩那埵者此云悅眾由行別住如法令僧歡喜故言悅眾亦云
意喜前雖自意歡喜並生慚愧並使眾僧歡喜由前喜故與其少白
因少日故始得喜名眾僧歎言此人因此改悔更不起此戒清淨人第三與
出罪法故文言行摩那埵已餘有出罪法猶有殘可改心懷悔大眾隨
喜即為出罪令彼清淨既出罪重文分為二一者如法此罪是重要假
廿僧眾方得拔濟彼人故文言若少一人不滿此出是比丘罪不得除眾
既不滿出罪不成勞而無功二不如法故文云諸比丘並可呵為出罪闕緣
法事不成故得結罪所言如此時者應順佛教名此是時
今問諸大德是中清淨不 三說 諸大德是中清淨默然故是事如是持
謂於此篇得清淨不由眾默然知清淨故若實有罪三問不答共一法故
但得一罪若實無罪為默然故眾法成就 諸大德是二不定法半月
半月說戒經中來 此初標說儀式欲令攝耳聽故若也通論有妨非義
故有攝為戒今此二法有種無揩准字曰不定言四法者一犯不定謂或犯
殘或犯提或並犯三或復犯二多少善殊故並二不定犯既不定可信攝
事而舉故亦不定三自言不定舉既多少自言引罪寧容一准或可
自言不犯四治法不定若自言或俍實治之若自犯殘則主治之等

　

半月說戒從此來　此初標說儀式欲令攝耳聽故著也通論有妨非義
故著攝為戒令此二法有種无指准字曰不定言四法者一犯不定謂或犯
殘或犯提或並犯三或復犯二多少善殊故舉二不定犯既不定可信攝
事而舉故亦不定三自言不定舉既多少自言引罪寧容一准或可
自言不犯四治法不定若自言戒緣備治之若自犯殘剔任治之等
及至若不自言引罪處所治故曰治罪不定此不定犯謂於屏露兩
處起故言二不定法又十律言云何名不定可信女人不知犯不犯不知犯
何處起不知犯名字但言我見女人是處来去坐立見比丘来去坐立
不見作婬奪人命觸女殺草過中食飲酒但是前事不決定故不定問
可信舉罪通許二三五七何故著在殘下提上者答一釋上收於戒下攝滅
儀故也又釋為欲除防不犯戒殘故屏露獨坐能犯重殘以緣即是
為（議）二戒故置於此非是欲攝提等下亦攝故問此言無者何名為有伴
故設令無伴希而不數又可女人勇弱言不實心寧可白丈夫對事故无
者尔屏處不定戒　一制意多論一為息誹謗故二為除鬪諍故三為
增上信法故出家之人理宜遠絕塵俗為天所宗以道化物而與女人屏說
非法上違聖旨下失宗敬之心四為斷鄙道惡法次第故二釋名可信至
僧未定各別僧亦未得定結其罪故曰不定三具緣別緣有五一屏處
二人女三无第三人四於四威儀説非法語不見實事五可信告僧事未決審
具此五人不定治檢四闕緣比說可知　若比丘共女獨在屏處覆鄣處
可作婬處坐說非法語有住信優婆私於三法中以一一法說若波羅夷
若僧伽婆尸沙若波逸提是坐比丘自言我犯是罪於三法中應一一法治若
波羅夷若僧伽婆尸沙若波逸提以住信優婆私所說應如法治是比丘
是名不定法　此戒文有四句一至非法語犯不定二有住信下舉不定三是
坐比丘下自言不定四以信下治罪不定次下廣釋文句初文六句一一牒釋
若比丘者義如上言女人者人女有智未命終也祇云若母女姊妹親里老少
在家出家者是所言獨者一比丘一女人言屏處者屏有二種一者見屏若
塵若霧若黑若闇中不相見也二聞屏者乃至常語不聞聲處言覆處
者上有物作蓋也遮鄣令人不見言鄣處者若樹若墻若籬若衣及餘
物鄣也言可作婬處者得容行婬處也說非法語者說婬欲法上六句明犯
[illegible]

在家出家者是所言獨者一比丘一女人言屏處者屏有二種一者見屏若
瘴若霧若黑若闇中不相見也二聞屏者乃至常語不聞聲處言覆處
者上有物作蓋也遮鄣令人不見言鄣處者若樹若墻若離若衣及餘
物鄣也言可作婬處者得容行婬處也說非法語者說婬欲法上六句明犯
罪不定從住信優婆私已下解第二舉罪不定犯既不定可信隨罪而舉
舉亦不定故言若波羅若殘若提此中且就麤相以三罪為言理通五犯言
信者謂得四不壞信終不為身而作妄語等十惡之罪是坐比丘已下解第
三自言不定犯既不定自言亦無猶准隨引輕重如比丘所說治故文云我
犯是罪已下解第四治罪不定治罪有二一者舉已引罪二者舉已不引
罪者如比丘所說治不引罪者如可信語治之此即引罪二者舉已不引罪
者如比丘所說治不引罪者如可信語治之此即引罪也當如比丘所說治之自
犯言我宜緩擯若言犯殘別住治之若言犯提令對前悔隨引而治若
不引罪文云如住信優婆私所說應如法治故律云說自言作者應如比丘所
說治不自言作者應如住信語治之令此不自言作故如優婆私所說治也不
同十誦比丘言我有是罪而不住隨比丘語治若言往不犯是罪亦如比丘治
若言不往無罪隨可信治五分若於三事一一法中諸上座不為語不以婬不
若言不上座下坐應切問汝實語莫妄語如優婆夷說不若言如優婆夷
說然後乃可隨說治若言不如比丘治所以不依可信語者善見論云見聞或不
審故所言是名不定法者治也此雖是戒而無有罪但於屏處與女說非法
語招世譏謗可信自說故曰此可信舉戒 露處不定戒儀 制意釋名具
闕緣四義同前但屏露為異餘義皆同已下明戒本 若比丘共女人在露現
處不可作婬處坐作麤惡語有住信優婆私於二法中以一一法說若僧伽婆
尸沙若波逸提是坐比丘自言我犯是事於二法中應一一治若僧伽婆尸沙
若波逸提如住信優婆私所說應如法治是比丘是名不定法 此戒句同前
亦四一至麤惡語犯不定二有住信下舉不定三是比丘下自言不定四如住信
下治罪不定但罪二三同餘義皆等前戒故不重釋已下唯解文句初文
亦六一一牒釋若比丘者同前女人者亦尔露現處者謂無墻壁障也不可
作婬處者不容婬行處也作麤惡語者說婬欲不淨以讚嘆二道好惡
此上六句皆是犯不定已下諸句文義同上 諸大德我已說二不定法今問諸

亦四一至麁惡語犯不定二有住信下輩不定三是比丘下自言不定四非住信
下治罪不定但罪二三同餘義皆等前戒故不重釋之下尼弁文句初文
亦六一之揀釋若比丘者同前女人者亦尒露現處者謂無墻壁障也不可
作婬處者不容婬行處也作麁惡語者說婬欲不淨及讚嘆二道好惡
此上六句皆是犯不定之下誡句文義同上　諸大德我已說二不定法今問諸
大德是中清淨不三說　諸大德是中清淨默然故是事如是持　此文雅前解
諸大德是卅尼薩耆波逸提法半月半月說戒經中來　今明第二篇卅九十
雖同一篇然捨不捨異故戒本中分為二　問所以先明卅後說九十者良以卅
於此財物取清失方處生罪累若欲洗心懺悔要須對僧捨物及相捨
償貪心事既捨罪方除滅作法不易欲使僧尼先識於難次及於易
故列在初九十事中雖有因財生罪皆不須捨但斷犯心即得懺悔作法易
故留在後言尼薩耆者此方名捨捨有三種一捨財二捨畜心三捨於
言波逸提者此名墮墮在燒煮覆障故曰捨墮今就卅總別兩釋先總後別
就總略釋辨八門一對下九十捨不捨異凡卅捨咸具三義一者罪已已財　二者
財體見在受用有罪三者捨已歸主受用無愆具此三義制令入捨卅中
五戒亦同財事不入捨者三義中闕不得入捨畜食生罪有十四戒未食無罪
可捨食方生罪復無可捨闕第二義故九十如讚展別之勸非殘受長藥
酒壬木等是二食中過三外財淨施此二闕於初義雖屬他物故不入捨三十
或闕於第三故不入捨如脫腳覆著元其捨法白色三衣猶白不得著　如
牀須截牙角打破貯㲲棖腳故不捨　第二自作教他若論自作唯犯卅七
除二浣与繅絲者二浣無犯以約不制故今言一人盡犯卅者通自作使人故尒
第三身口分別此卅中擅用二句身餘通身口　第四性遮分別迴僧僧物性惡
蠶綿餘悉是遮　第五重不重犯者有畏戒謂擅用二浣此物現在容可更
求故得重犯如使尼二浣染等兩衣數用擅受數過其過不異前浣衣
擇毛等浣上犯染染打打亦尒故言使浣染打三尼薩耆自餘諸戒咸不得重
第六捨懺方法綿褥獨捨餘悉對人對中道俗二寶對俗餘戒對道道
中通向僧餘道多少　第七持犯有八戒通持犯五過離衣六年等自餘諸戒
唯心持作犯　第八任運有十四戒五過藥此四戒日滿任運即犯受寶奪衣二
浣之繅絲此戒但使事成三性之中任運並犯餘並任運無　之下別釋　畜長衣
過限戒　一制意多論一因開畜長貪於俗利壞道功德之之財二沙門積聚

BD01253號　四分戒本疏卷二

（43–21）

中通句僧餘道多少第七持犯有八戒通持犯五過離戒六事等自餘諸戒
唯心持作犯第八任運有十四戒五過案藥此四戒日滿任運即犯受寶牽棄衣二
浣染織此戒但使事成三性之中任運過失犯餘無任運之下別釋　畜長衣
過限戒　一制意多論一同開畜長貪於俗利壞道功德之財二比丘積聚
與俗無別失信敬之心三違仏四依之教即非節儉知足之行故使不於淨法制
與捨墮　二釋名聽用屬己名畜限分之餘稱長越於聽限故曰過十日犯
所通聚故曰畜長衣過十日戒　三具緣通緣如上別緣有六一已長衣謂三衣
之外財其三衣三世諸仏應法之服體無長過故尔雖是己長若是此
財久復無罪是故第二知屬己物之雖屬己若不應量畜過無罪是故
第三應量之財之雖應量説淨無罪故須第四不説淨若有一月及起四
想被奪曲難因緣亦是不犯故須第五無因緣多論初日得衣即被三殯
來乃至命盡不犯雖無因緣畜未過限亦不得罪故須第六十日明相出犯
四制緣比説可知下己明戒初略制二詳制前開後遮制言略制者不聽畜
長六群多積長衣此因起佛便仏制戒言詳制者因阿難得一長衣欲奉
迦葉仏隨開限十日言遮制者　若比丘衣已竟迦絺那衣已出畜長衣不淨
施得畜若過十日尼薩耆波逸提　此滿足戒本文有五句一犯人二犯時三
所畜財體四開限五結犯此五句文初略弁後廣釋言略弁者若比丘是
犯人衣已竟迦絺那衣已出是犯時三畜長衣是所畜財體四得畜十日
即是開限五若過已下逮教得罪是結犯句次下廣釋言若比丘者義如
上弁衣已竟者見云三衣具足竟明其未具無長故又言謂迦提月竟
未竟不犯所言迦絺那衣已出者捨也捨方犯故律云謂出功德衣外時也
第三句畜長衣謂所畜長衣及財三衣之外皆名為長於中有二一弁
衣體二明尺量分齊言衣體者律云有十種衣皆從麻絲毛綿為衣體
言長衣量者律云長如來八指廣四指是名長祇律長二肘廣一肘見論長
二搩手廣一搩手四分律尺六八寸是名長第四句言不淨施得畜十日者是開限
律云仏因阿難畜十日第五結罪句若是尼薩耆波逸提犯有二種一者過犯
二者染犯故律云一日得衣畜如是二日乃至十日或日日得或中間有得不得至十
日明相出已於十日內隨所得衣一切犯長初日衣是過犯過十日故下九日衣隨得
者是染犯未過十日由初日衣犯長故染下九日由所得衣者亦合犯長此尼薩耆

律云佛告阿難當十日第五結罪句者是尼薩耆波逸提犯有二種一者過犯
二者染犯故律云一月得衣當知是二日乃至十日或日日得或中間有得不得至十
日明相出已於十日內隨所得衣一切犯長初日衣是過犯過十日故下九日衣隨得
者是染犯未過十日由初日衣犯長故染下九日內所得衣者亦合犯長此尼薩耆
法有其四一須捨財二須懺悔罪三須還財四不還結罪於律者說不犯中若
淨施若與人若失若壞若非衣若作親厚意忌不說淨若四猫生不說淨若
受寄衣人命終若遠出休道等不說淨皆不犯　離衣宿戒二　制意三衣
者乃是三世諸佛應法之服資身長道寔為要用理宜隨身如鳥二翼　而先
暫離今留衣在此身居異處寒暑卒起急須難得又闕守護容或失
脫癈資身用事惱不輕是故聖制二釋名人衣異處名離逕夜日宿久
即事境促則起惱限期一日過則便犯故日離衣宿戒　三具緣通濡如別
緣六一是三衣二加受持法三人衣異界四不捨念五無因緣　六明相出即犯
四闕緣比說可知已下正明戒文文有三初因六群留衣異處自往人間因此起
過佛為略制不聽離衣次因有病比丘衣重不能持行佛聽作法開離無過
後乃廣釋若比丘衣已竟迦絺那衣已出三衣中離一一衣異處宿除僧羯
磨尼薩耆波逸提　此滿足戒本文句有六一若比丘者人分齊二衣已竟等犯
時分齊三三衣中者所離衣分齊四離一衣下人衣互夜分齊五除十開法分
齊六尼薩耆下結罪分齊次下廣釋文句　言若比丘者義如上釋第二句言
衣已竟等者除不犯時節時節復五謂一夜六夜一月九月此五重中六夜
離明餘之四重合開此戒但一夜者唯制非開一月等三事開通制第三句
言三衣中者明所離衣初弁當衣意二釋三衣不如義多論云現未曾有佛故聽當
三衣智云論佛聖弟子住於中道故當三衣多論云一衣不能除寒三衣能除
鄣寒一衣不能除慚愧一衣不中入聚落三衣是故堪入聚落一衣不能生善
三衣能發前人歡喜之心一衣威儀不具三衣能令威儀清淨以此義故聽當
三衣明三衣如不如一者體如二者作如三者量如四者色如要四法方可成受有離
宿過言體如者麻毛絲綿是正衣體並不堪言作如者於中有四一須從割截
二須條數如法三重數多少四剌作如法具足四種名作如言量如者長廣衣
三肘若增減不成受持言色如者謂青黑木蘭餘色之衣不堪受持除麁
掃衣第四句言離一一衣異處宿者明互離失義初明離衣之法人衣異界

三肘若增減不成受持言色者謂青黑木蘭餘色之衣不堪受持除畫
掃衣第四句言離一一衣異處宿未明互離失義初明離衣之法人衣異界
日離從夜日宿此中離者謂離受持衣若離餘衣但得小罪問三衣六物同是
資身何以離三衣失而犯提離餘衣等輕答三衣正制受通三品今若離者
違制罪重受餘衣物等制非正爲資身道不足今若離者對用有違唯得吉羅
而不失受此明失衣分齊二謂衣之界有其二種一者自然二作法界 自然之界
多少不定諸部通說總有十五一者僧伽藍界有四種二者村界亦有四
種謂周帀垣墻柵籬籬墻不周四面有屋等三樹界若樹葉相連蔭与人等足
蔭覆跏趺坐十誦取日正中時陰影覆處水不及處是衣界四場界律云
治五穀處也謂村外空淨處五車界六船界並俱在陸地律云若車十誦小車
者前車向中車杖所及處中車向前後車杖所及處後車向中車杖所及處
若不及者是名異界七舍界謂村外祇云若園閣欄楯道外廿五肘名衣界
八堂界律云敞露九庫界積藏諸物十倉界儲積穀米處十一阿蘭若
界律云蘭若者無界謂迥在空野無別諸界緣以樹量大小八樹中間一樹
間七弓弓長四肘通計五十八步兼其勢分七十有餘十二道行界十誦但五弓師
持衣道中行後卅九步內不失多論從前行得卅九步內護衣界十三洲界若
見云十四肘內不失衣十四水界見云若處坐禪天欲曉患腰脫衣置岸入池洗
欲明相出犯捨祇云水中道行界者廿肘若船界者入水則異毋云若衣岸上
一脚入水一脚在岸不名異界十五井界僧祇道行露地井蘭傍宿置衣在
廿五肘內名護衣界所言作法界者依僧戒結律云不失衣者藍有一界失衣
者藍有若干界四分他部相戒有四種即淨隔情界之異上之三異通界並
有若論異界彼此不通故文云失衣者僧伽藍裏有若干界說上三就在
伽藍院內故衣則有多界不失衣者僧伽藍裏有一界謂無上三異世言淨異
者律云藍內有男人來往衣須隨身若男人在中人依彼此即名異界所言隔
異者律云水隔道斷与衣不會者是祇云衣在房內人在於外不捉戶紐論之無稱
擔名之為異言情異者多論王來界內大小行處近王左右並非衣界及無作行
作樂人皆名情異祇云兄弟分齊之處亦名情異所言界異者如上所明若有若
干界即須身衣同處若不爾即名失衣乃至蘭若界亦復如是准四分律加於
勢分諸部並無言勢分者藍界之外人擲石所及衣處是名界分乃至
[illegible]

BD01253號　四分戒本疏卷二　（43–24）

揵名之爲界言情界者多論王來界內大小行處近王左右並非衣界及作行
作樂人皆名情界 祇云兄弟分齊之處亦名情界 所言界界者此上以明 若有若
于界即須身衣同處若不爾即名失衣乃至蘭若界亦復如是依四分律 如犯
勢分諸部並無言勢分者藍分若蘭若外人擲石所及衣處是名界分乃至
舍衛界分亦如是善見論云中人擲石不健不羸人盡力擲至落處以量有十三步
此但通自然不通作法若須入界方乃會衣第五句開離分齊言除僧羯磨者
律云時有比丘病患因緣三衣極重意欲遊行佛聽開之羯磨離衣九月多論
四義故說開離衣一有緣衆生應受化故二有遊行令之病損故三求行道所資故
四事除老除之已除者令發善故開中有成不成一要須衣重病令方成餘三句互有
但無並作法不成多論假使衣人五不如法前人妄語得罪作法得成以羯磨
防離衣宿不防病等故五分律云前安居人九月後安居人八月四分律云曲僧伽
梨衣五三律但曲僧伽餘二衣許十夕之一文三衣之中但有離義但離一衣不
得離二第六句言尼薩耆者亦迷提者明結罪之處於中有四一捨所犯之衣二懺所犯之
罪三却還本衣四不還結罪義如律序說 不犯者於中有五一作羯磨 嘖受不
失不犯二會故不犯三捨故不犯四之想等失受故不犯五若除諸難故不失而
不犯並須明相未出之前有此四故方可不犯水陸諸難不失受者心知衣處恒作
領受之意爲是不失故律云不犯者僧作羯磨明相未出若會衣若作失
想若水陸道斷有此諸難悉皆不犯 月望衣戒三 一制意衣爲資身隨時
受用雖先有衣故爛弊壞但任受持不堪著用今得少財爲作三衣以擬故
者而少不足爲待滿故聖開一月過畜長貪遠教妨道故所以制 二釋名可
知三別緣有六一若是新衣現堪受用餘財不開故衣方開故第一緣故壞之衣
之須故壞得財若足亦受不開故第二緣得少財不足若不擬作三衣但犯初戒不
開一月明須第三爲作三衣替故者四不說淨作三衣五無因緣六過限便犯
開緣此說此戒曰但三衣比丘開月爲限若畜長衣者得即說淨不須此戒
若比丘衣已竟迦絺那衣已出若比丘得非時衣欲須便受之疾之成衣若足
者善若不足者得畜一月爲滿足故若過畜者尼薩耆波逸提 此滿足戒
文有六句一犯人二除開緣出犯長時節三若比丘下所得衣頭四受已疾之下是財
不開五若不足者已不如其不足開齊一月六若過已下隨遠結犯已下別解言若
比丘者義如上釋衣已竟迦絺那衣已出者明出犯長時若自恣後一月若五月

文有六句一犯人二除開緣出犯長時衣三若比丘下所得衣頭四受已疾疾下是則
不開五若不足者已不如其不足開齊一月六若過足下隨遠結犯足下別解言若
比丘者義如上弁衣已竟迦絺那衣已出者明出犯長時若自恣後一月若者
中是不犯時節所言得非時衣者明所得衣頭言非時者謂一月五月限時第
四句所言受已疾疾成者明犯限若十日中同衣足者割截說淨受持若不者至
十日隨衣多少並犯捨墮第五句言若不足者得畜一月為滿足故明第二犯限
若同衣不足至十日同衣足者即十日應作衣浣染作淨已受持若恐不竟應
行急竟受持後更細判即免長過於遠者至十二日隨衣多少並犯乃至廿九日
亦如是若至卅日足與不足同衣不同衣即日應割截緣持恐不成者餘人用
助免有犯過此戒開限有三初十日以同常開緣全是未犯次十日已後至廿九日
已來隨何日得足者即應當日作說淨三至卅日若足不足若同不同一向不開
第六句言若過畜者尼薩耆波逸提是隨遠結犯犯中有四一捨所犯之衣二
懺所犯之罪三却還本衣四不還結罪不犯中義如長衣開 取非親尼衣戒第四
制意有三種過一者凡為下敬上仰奉情懇所有財物思放捨施許無遠憾大
僧非親多不籌量得便受之令他財物竭盡二又女男形別理無交涉縱財物
既交恩情偏親因交起染容擾梵行忽危事深可懼之跡世譏致招誹
謗清白難分莫能自拔以利誅過是故聖制二釋名可知三別緣有五一是
比丘尼除下二眾依祇下二眾衣不犯多論下與尼同犯二非親里除去親里不犯
三是應量五衣多論依者是應量衣除不應量衣吉四盡心送與謂七得貿易
不五領受屬已即犯四闕緣比說已下三明戒本此戒因乞食比丘從蓮花色尼受
貴價僧伽梨衣故佛便制戒 若比丘從非親里比丘尼取衣除貿易尼薩耆
波逸提此滿足戒本有五句一犯人二非親里尼三取衣四除貿易五結犯已下名弁
若比丘者義如上釋非親里者非父母親及七世又上是親論云所言親者父母七世
骨血之親了論明四種親一父親二父母親三母父親四母母親此四親尼邊取衣非
犯所言取衣者衣有十種如上所明多論多比丘取一尼衣多人犯一比丘一尼邊
取一衣計尼多少犯故律中佛責尼言婦人著上好衣猶上不能發前人敬心何
況弊故隨聽畜五衣故知衣不為有貿身令以施人即得充衣之罪破戒行
種事不應結故不聽取若五衣外隨意施者得受若僧得尼施時應捨
問前人知放五衣不具即不得受五衣具者得受无罪十律若先請若別

BD01253號　四分戒本疏卷二　（43–26）

目一衣言尼等人故於中作書尼言姊人善上好衣猶上不能發前人敬心何
況幹故隨聽畜五衣故知衣不為貨貝今以施人即得无衣之罪破戒行
種事不應結故不聽求若五衣外隨意施者得受若僧得居施時應捨
以前人知彼五衣不具即不得受五衣具者得受无罪律若先請若別
房中住故與若房誦法故與不犯五分若无心求自布施知彼有長乃者不犯
問尼取僧衣但得吉羅者何答大僧上尊與尼義希尼受不數故但犯吉
問若爾大僧與希能與應輕所以提罪答僧與尼衣譏過中制生患義深
故得提罪所言除貿易者律云二部僧得衣共分錯得餘衣佛開互貿言
貿易者以己貿衣非衣貿衣乃至一丸藥貿衣者是所言尼薩耆波逸提
者是第五結罪句於中有四一若須捨衣二應懺悔三受者卻還四不與得罪
不犯者從親里取若貿易得若為僧為佛圖取者不犯 使尼浣故衣戒五
制意上尊使下事 而數下情發上羞衒是難多不籌量有無容致惱廢
業損處不輕喜生深患跡涉世譏致招誹謗清白雖分莫知自拔以利諸過
是故聖制 問浣染打等所以合制者何答一使尼處同二俱由故衣三容一衣提由數
犯結汙須浣失色即染申舒故打二釋名可知三具緣通緣於上別緣有六
一是比丘尼二非親里三是故衣四使浣染打多論若使書信吉羅祇有四句自
與使受等二五二俱浣等並犯五無因緣故律中開若病浣染打若借他衣浣
染打不犯除此等緣故亦浣染打竟即犯除此等緣說已下已明戒本此戒因起
留陀夷使偷蘭難陀尼浣安陀會衣故佛制此戒 若比丘令非親里比丘尼浣
故衣若染若打尼薩耆波逸提 此滿足戒本文有五句一人二非親里尼三所
浣故衣四使浣染打五結罪言比丘者如上非親里者亦如上言故衣者下至一經
身著衣者十種衣若新衣浣者得吉言若染若打者是所作業言尼薩
耆波逸提者是犯罪若使浣染打尼具作得三提作二得二提作一得一提善
見云令出家婦浣染亦犯五分令非親尼浣而親尼浣必是互作五句皆隨三若
浣染尼師壇亦犯隨十誦若犯捨墮衣與浣犯小罪若浣意比丘復言未淨
還使尼浣比丘尼薩耆吉羅得二罪若使尼浣染打尼不浣不染不打得三
吉羅互作不作准此可知 問使下二眾何以得吉答非是弟子使希故輕有非
具戒不發正儞故輕若依多論下眾二同尼犯提 問新衣何以輕答新衣浣希
有无緣患故得小罪 不犯者律云若病若為佛法僧使浣染等无罪 緣
親里居士乞衣戒六 自出家人宜應知足今三衣具不畜長道緣无方當乞求

吉羅。五作不作准此可知。問：使下二眾何以得吉？答：非是弟子使希故輕。有非
具戒不發正情故輕。若依多論，下眾二同尼犯提。問：新衣何以輕？答：新衣浣染
有无緣患故得小罪。不犯者，律云：若病、若為佛法僧使浣染等无罪。從緣
親里居士乞衣戒六　凡出家之人宜應知足，今三衣具亦備長，道緣无方，齊乞求
僧貪愛物，招世譏過，損壞不輕，是故聖制。制緣有六：一三衣具足，二无因
緣，三非親里居士，四為己乞，五應量衣，五被與，六領受入手犯。便關緣可知。已下正
明戒本。此戒因跋難陀從居士殊索衣，故諸人譏嫌，仏便制戒　若比丘從非親里
居士若居士婦乞衣，除餘時，尼薩耆波逸提。餘時者，若奪衣、失衣、燒衣、漂衣，
是謂餘時。此滿足戒文三：略制，二辯制，隨開三。為制就為制句有其五：一犯人，二
非親居士，三乞衣，四除開緣，五結犯。餘時者已下誦前四句，下弁五句文。若比丘者，
義如上弁。非親里者，非七世親里。言乞衣，衣有十種，十誦僧祇乞得四肘已上犯。若自
乞、使人乞，作實相、若方便說法得者，皆犯。若乞小物，施主與衣財者得無
犯。若有方便心但索小者，或容得大犯捨。言除餘時者，開緣律云：若被賊奪
衣，裸形，當以軟草樹葉覆形，應往寺邊，若有長衣，若知友邊取。若無者，
僧中問取可分衣。若無者，問取僧衣、臥具。若不與者，自開牽看。若蔣等數，拆被
摘解取氈作衣，出外乞衣。若得已，應還浣染縫治安著本處。若不還本處，
如法治言。尼薩耆波逸提者，是遣制罪，於中又四，如上所明。言餘時者，是失
脫等四緣不犯。中律云：若奪、失三衣，從非親里乞。五分開衣壞時得乞，通前五
緣。又云：或為他乞，他為己乞，或不求而得，若從親里乞，若從出家人乞，一切不犯。
過知足受衣戒七　一制意：出家之人遇四因緣，失脫三衣，篤信聞之，竭以施理
應隨施而受，彰己內有廉節之心，外不悋物。今三衣已足，過分更受，內長貪結，
外乖施心，殊所不應，是故聖制。制緣有六：一比丘失奪三衣，二非親里居士，三
為失故施，若不為失隨時受取無罪，四知為失故施，五過知足取應量衣，六
領受入手即犯。關緣可知。已下正明戒本。此戒因失衣比丘檀越送衣，比丘不受，而
六群故取，仏便制戒　若比丘失衣、奪衣、燒衣、漂衣，若非親里居士居士婦自恣
請多與衣，是比丘當知足受衣。若過者，尼薩耆波逸提。此滿足戒本文有六句：
一犯人，二遇四因緣，此為施衣緣，三非親里居士施衣人，四恣自請下為失衣故施，
五是比丘下教知足受，六為過下過受結犯。前三句文可知。第四所言恣自多與
者，若檀越多與衣，比丘失一衣，於中有應取、有不應取。若失一衣不應取，若失二

六群故再仏便制戒　若比丘失衣奪衣燒衣漂衣若非親里居士居士婦自恣
請多與衣是比丘當知足受衣若過者尼薩耆波逸提　此滿足戒中之有六句
一犯人二遇四因緣此為施衣緣三非親里居士施衣人四恣自請下為失衣故施
五是比丘下教知足受六為過下過受結犯前三句文可知第四所言恣自多與
者若檀越多與衣比丘失一衣於中有應取有不應取若失一衣不應取若失二
衣餘直衣重數若二若三若四應補作餘二衣若都失乘上下衣餘一衣別家
取若檀越多與薄細若不牢應取作二三四重安緣肩上應安鉤鈕餘有殘
物語檀越言此餘殘衣作何衣等若彼言我不以失衣故與我曹自與大德衣
若欲受者便應。所言當知足受衣者知有二一在家之知足二出家知足之言在家
知足者隨自衣所與衣受者謂謗自衣為失故施乎內不足若非足受者失三
隨他自衣无施之心即是知足順在家人故曰在家人知足言出家人知足者
三衣為本失三令還受三即是知足出此知足順出家之軌皆出家人知足此謂失三受三順
三知足之故言若過尼薩耆波逸提者此第六句過受結罪律云失一受二失二受三
失三受四等並是足而更受遂二知足之故名為過知足受者即犯捨墮此衣應
捨與僧若一人若多人不得別眾捨若捨不成捨亦應懺罪然後彼應還衣
若不還衣得罪不犯中律云若知足取若減知足取若衣餘細薄不牢
重作故取不犯　勸讚一居士增衣價戒八　一制意篤信居士標心捨價限已
定理宜隨施而受不勸道法今反嫌少過分更索長己貪求壞彼信敬是故
聖制別緣有六一非親居士虛心辦衣價二請期限定三知施心有限四嫌少勸
增五彼為增價增縷六領受便犯具下已明戒本此戒同校難陀起過仏制此戒
若比丘居士居士婦為比丘辦衣價買如是衣價與某甲比丘是比丘先不受自恣請到
居士家作如是言善哉居士為我買如是衣與我為好故若得衣者尼薩耆波
逸提　此滿足戒文有四句一犯人二施衣限定三是比丘下嫌少勸增四若得衣下得
而結罪上二句可知第三言為比丘至與我好故是明嫌少勸增義衣價者若錢
若瓔珞等是居士問比丘須何等衣仏聽索不着今乃居士為辦俏衣若
勸買細即犯故十誦云勸增色亦犯此戒為施心有限嫌少更求乃至增一錢十六
分之一分若增縷亦犯多論勸增色量價三捨墮言若得衣尼薩耆波逸提者是第
四結罪句捨懺還不還義如上并不犯中律云先受自恣而往求知足於求中減
少作若從親里求若從出家人求或為他求若不求自得不犯　勸二居士增衣價
戒九　制意犯緣如前无異唯以二居士合作為別同勸增一色即已可文已

（43–29）

BD01253號　四分戒本疏卷二

從上二分若增縷亦犯多論勸增色量價三捨隨言若得衣尼薩耆波逸提是第
四結罪句捨懺罪還不還義 此上并不犯中律云先受自恣而往求知足於求減
少作若從親里求若從出家人求或為他求若不求自得不犯 勸二居士增衣價
戒九 制意犯緣如前元異唯以二居士合作為別問勸增一綖即犯何故七
衣得一綵方便若七本無心及至七時往彼籌量摠義是處故一綵方犯 辨
正明戒本 若比丘二居士居士婦與比丘辦衣價持如是衣價買如是衣與某甲
比丘是比丘先不受居士自恣請到二居士家作如是語善哉居士為我辦如是
衣價與我共作一衣為好故若得衣者尼薩耆波逸提 此戒句立有四一犯人
二施衣限定三是比丘下嫌少勸增四若得衣下得而結罪釋句之義如前
或五分乃至勸夫婦合作一衣亦犯祇中知足者與細言我是蘭若頭陀住人
索麁者皆犯已口自述德故以所知元勸二居士者何為勸二容損勸三攝故
故無問若不勸二居士弃而造納皆上無損義若此七衣戒攝令此勸增者
要就本餘上轉方犯此戒故所已元斛通並如前戒 過限切索衣價戒第十
一制意然寶物世情所重長貪妨道生患處深非是比丘之所宜蓄令施
主施以奉施以為衣價懼犯當實元宜自受故付俗人令貿淨物尋索恣
切情無容稽失相權促遍惱前人故作限制三索六嘿然令索惱境結罪
別緣有五一是施主送寶二為貿衣受用三付彼淨人轉貿衣物四過分索
索五得衣便犯已下正明戒本此戒因拔難陀制 若比丘若王若大臣若婆羅門
若居士居士婦遣使為比丘送衣價持如是衣價與某甲比丘彼使人至比丘所語
比丘言大德今為汝故送是衣價受取是比丘語彼使如是言我不應受此衣價
我若須衣合時清淨當受彼使語比丘言大德有執事人不須衣比丘應語
言有若僧伽藍人若優婆塞此是比丘執事人常為諸比丘執事時彼使往
執事人所與衣價已還到比丘所如是言大德所示某甲執事人我已與衣價
大德知時往彼當得衣須衣比丘當往執事人所若二反三反為作憶念應言
我須衣若二反三反為作憶念得衣者善若不得衣四反五反六反在前嘿然住
若四反五反六反在前嘿然住得衣者善若不得衣過是求得衣者尼薩耆波逸
提若不得衣從所得衣價處若自往若遣使往應言汝先遣使持衣價與某甲
比丘是比丘竟不得衣汝還取莫使失此是時 此滿足戒文有其二初過索結犯

大德知脐往彼讀僧衣價衣比丘當往執事人所若二反三反為作憶念應言
我須衣若二反三反為作憶念得衣者善若不得衣四反五反六反在前嘿然住
若四反五反六反在前嘿然住得衣者善若不得衣過是求得衣者尼薩耆波逸
提若不得衣從所得衣價處若自往若遣使往應言汝先遣使持衣價與某甲
比丘是比丘竟不得衣汝還取莫使失此是時　此滿足戒文有其二初過索結犯
二若不得衣已下明不得進不前文有六一犯人二若王已下正明施主遣使奉寶為
作衣價三是比丘應語已下悲犯畜寶自不敢受四彼使語比丘下正明使後送
寶付俗令貿淨物五須衣比丘下正開三語六嘿索衣方法六若不得衣下
過索余齊得衣結罪　然此六文位束為三一犯人二所犯事三得衣結罪犯人
文可知所犯之事文有其四聖者立法謂送寶不受付淨主已索之法式訖
第四付淨主文復有其四一問淨主二須衣比丘若報淨人處三付送四報比丘
第五索法見論從語往索齊六不犯過六方犯從嘿十二來犯十二反犯語嘿相
參九反來犯十反方犯如是類知五語二嘿七反來犯四語四嘿八反來犯三語六嘿
九反來犯二語八嘿十反來犯一語十嘿十一反來犯全嘿十二來犯十三故犯第六不得中
文三一躬往遣使到施主所二陳已不堪三還不施主已下處行前文若比丘者
義如上釋若王者得自在無所屬若大臣者在王左右若婆羅門者有生婆
羅門也若居士者除王大臣婆羅門諸在家者是居士婦者在家婦也遣使送
衣至付比丘已來是送寶之儀從是比丘語使至當受已來不受之法從使語
比丘有執事人不是問淨主之法須衣比丘至執事人已來是報淨主之處
彼使至與衣價已來是付寶法還到至當得衣已來是報比丘法已下明索衣
方便文略易顯　不犯者若遣使告知若彼言我今不須即相布施是比丘以
時軌語方便索衣若為作波利迦羅故與以時索若方便索得者一切不犯
雜野蠶綿作臥具戒十一　所以制者良以貴物難得損生招譏長貪妨道過
中之文是以聖制別緣有五一是憍奢耶二自乞求三作臥具四為己五作暗乞犯
多論憍奢耶者綿名已下正明戒本此戒因六群往蠶家索綿居士譏嫌
比丘舉過於佛制戒　若比丘雜野蠶綿作新臥具者尼薩耆波逸提　此滿足
戒文有三句一犯人二所犯事三所為罪言二若比丘者義如上釋言雜野蠶綿
者西方無家蠶用野蠶作綿戒其三衣外國作衣亦有二種一細擗而聽不作擗法二
綿作縷織成衣善見云乃至一毛便犯憍奢耶者絲中微者蠶口初出名也
五分云蠶家施綿受已施僧不得自入故知所制意重野蠶上犯何況家蠶

比丘舉過佛便制戒　若比丘雜野蠶綿作新卧具者尼薩耆波逸提　此滿足
戒文有三句一犯人二所犯事三所犯罪言若比丘者義如上釋言雜野蠶綿
者西方无蚕家用野蠶綿作卧具三衣外國作衣凡有二種一細擣和毛作擀法二
綿作縷織成衣善見云乃至一毛便犯憍奢耶者絲中細者蠶口初出名也
五分云蠶家施綿受已施僧不得自入故知所制意重野蠶上犯何況家蠶
雜綿上犯何況純作言尼薩耆波逸提者是犯名多論若蠶家乞綿自
作綿無罪為貴故有乞者吉作不應量衣及敷具自作教他成者犯墮
不成吉羅犯薩耆衣應捨若斧若斤挫斬和泥以塗壁等用不得更著
若受用著著得罪不犯中律云若得已成若乞成賜衣若壞者一切不犯
黑羊毛作卧具戒十二　所以不聽者此毛貴物充宜下用虛損施物作無用之
費妨營道復招譏醜是故須制通緣如上別緣有四一純黑羊毛貴好
出邊國貴而難二作卧具三為己四作成便犯已下正明戒本此戒因六群比丘
見譏梨車子作黑毛氈被遊夜譏嫌比丘集僧過佛便制戒　若比丘以新純
黑羺羊毛作新卧具者尼薩耆波逸提　此滿足戒文有三句一犯人二毛作卧具
三結犯若比丘者義如上釋言純黑毛者若生黑或染黑言尼薩耆波逸提者
是犯名犯相如前戒　不犯者律云若得已成若割截壞若細薄疊作兩重
若小坐具若作褥若作褐作袜作鍋勢巾式作裹革屣巾並非披服之物
故開无犯　白毛卧具戒十三　制意同前十律此非純白善是毛參作不犯三毛之
中增黑毛一兩犯墮貴故增白一兩犯吉朕故增尨不犯減一兩亦犯別緣有
五一三毛相參作二擬作三衣卧具三為己四增好減惡下至一兩五作成便犯
已下正明戒本此戒因六群比丘作純白卧具居士譏嫌佛制參作故立此戒
若比丘作新卧具應用純黑羊毛二分白四分尨若比丘不用二分黑三分白四分尨
作新卧具者尼薩耆波逸提　此滿足戒本文有三句一犯人二教比丘三毛
作法三若比丘下不參結罪言若比丘者義如上釋言作新卧具者三衣白黑
二毛各有兩種一生白二染白言尨毛者是頭上毛耳毛脚上毛若餘處雜毛並
日尨毛言應分作者若欲作卅鉢羅卧具廿鉢羅黑十鉢羅白十鉢羅尨
乃至廿鉢羅卧具准上可知若增若減犯罪輕重如上釋言若比丘不如作者
謂捨墮罪就捨墮文有四種如前所明不犯者應量作若得已成若割截
壞作冒作鞵作鍋勢巾式作裹革屣巾一切不犯　減六年卧具戒十四

二毛合有兩種一生白二染白言氈毛者是頭上頸上毛若餘處毛並
日尨毛言應分作者若欲作卅鉢羅臥具廿鉢羅黑十鉢羅白十鉢羅尨
乃至廿鉢羅臥具准上可知若增若減犯罪輕重如上釋言若比丘不以作共
得捨墮罪就捨墮文有四種如前所明不犯者應量作若得已成若割截
壞作冒作靽作鍋熱巾或作裹革屣巾一切不犯　減六年臥具戒十四
二制意者先有故臥具未滿六年是得資身長道便羅不捨故者更復造
新長貪妨道招世譏過是故聖制　別緣有六一有故臥具二減六年三不捨故
者与人三僧不聽許四更作新者五造已六作成便犯已下正明戒本此戒亦同六群比丘常
營新臥具故仍制戒　就中有三略制二隨開三重制今明初制戒本若比丘作
新臥具持至六年若減六年不捨故而更作新者除僧羯磨尼薩耆波逸提
此滿足之戒文有三句一犯人二制限六年三若限已下造新結犯初句可知言除僧羯磨
者明開意律云有比丘得乾痟病所臥具甚重不堪持行故聽從僧乞法作新者
僧當白二聽作餘新僧祇云若無老病同緣六年不滿不得更作新臥具若
身不羸瘦顏色不惡白二聽作羯磨衆亡不成言尼薩耆波逸提者是減限
作故犯罪捨懺如上不犯者律云僧白聽及滿六年若減六年捨更作新若得已
成者若無若他与作一切不犯　不揲尼師壇戒十五　已有故坐具障身便羅今
嫌故造新虛損信施長貪妨道是以制揲屬令息貪長道物有受用益
令更造新不以故揲遠犯聖教故制得　別緣有五一有故尼師壇二更作新者三
舊已四不以故揲五作成便犯　問尼師壇不揲而復過量得一罪二罪答一解二罪捨
時先截去量外然後懺悔者亦不揲者揲已懺悔何須入捨答不揲尼師壇
雖有過今雖更揲猶有本過故須入捨量過者量外有過若截去已過而無過
何須入捨又復還主無受用義故要須截若故物作但有過量無不揲之愆已下
正明戒本此因六群遠制故結戒　若比丘作新坐具當取故者縱廣一揲手揲新者
上為壞色故若作新坐具不取故者縱廣一揲手揲新者上用壞色者尼薩耆波逸提
此滿足之戒本文有三句一犯人二制其揲法三若比丘已下不揲結罪言若比丘者義如上辨
言新坐具故者揲一揲手是制揲法律云造新坐具時若故者未壞未有穿孔
當取浣染治之牽挽令舒截取方一揲手揲著新者若揲是邊若中央以壞色
故僧祇律云若自無故者不得從多聞犯戒者無聞者往壞房不治者惡名人斷
見人遠離二師若不善語問人不別義鬼事人邊取者則反上多論若無故者一
揲手極多應用善見云故者下至輕一坐不須揲言若作新坐具至波逸提已下
名不揲故結犯就犯句有四義一須捨物二須懺罪三應是物四不与得罪不
犯者律云若揲若自無得處不揲若他為作若得已成若純故者作不犯
攝手毛過三句戒十六　然出家之人躬擔手毛順路而行附同凡鄙動越威儀

故僧祇律云若自无故者不得使少门犯戒若无闻若往壊者不信者惡名人斷
見人遠離二師若不善語问人不别痴事人令道取者則文上多論若無故者一
擽手極亦應用善見云故者下至輕一些不須擽言若作新坐具至彼送已下
者不擽故結犯就犯句有四義一須捨物二須懺罪三應畏物四不与得罪不
犯者律云若擽若自无得處不擽若他者作若得已成若純故者作不犯
擔羊毛過三由旬戒十六　然出家之人躬擔羊毛順路而行跡同凡俗動越威儀
招譏損道故制不聽所以須開三由旬者有待之利无以存濟復開三過擔
結罪別隨有四一肯羊毛除賊故律云頭項是毛不犯祇云駝猪等毛越二運
已物三知祇云三人共有名持齊九由旬重擔者俱犯四過三由旬即犯已下五明戒
本此戒因跋難陀起過便制此戒　若比丘道路行得羊毛若無人持得自持乃至
三由旬若无人持自持過三由旬尼薩耆波逸提　滿足戒本文有三句一犯人二
開三句由三持過結犯　初句可知第二句持三由旬者若道行若處住得羊毛
須者應取无人持自得持至三由旬若有人者語我有此物當助我持若欲
持後於此中间比丘不得助持若持犯吉以非全自持過三故令尼四衆持過去
吉羅除羊毛持餘衣若麻等犯吉若擔餘物杖頭上吉言過限持尼薩耆波
逸提者是結犯句　犯相如上不犯者律云若持至三由旬若減三由旬有人語持若貞
助使尼四衆齊三由旬若擔毛毳繩若擔頭上毛作冒諸巾者並不犯　使尼浣擇羊
毛戒十七　制意犯緣同犯衣戒但此新故俱犯以損功廢業此制故余已下五明戒
本此戒因六群比丘使尼等擇浣羊毛故起過以便戒　若比丘使非親里比丘尼浣
浣擇羊毛者尼薩耆波逸提　此滿足戒本句三有五一犯人二非親尼三所浣毛
四使浣擇五結罪　初二兩句可知言浣浣擇羊毛者擇者下至以水一漬浣者下至一
入染汁擇者下至擇一行餘義皆如浣故衣戒同所以不弁　畜寶戒第十八
一制意寶聆利重長貪妨道喜生淨覺招世譏嫌是故聖制不聽更畜並
由貧惡故開付俗貨淨物更之故多論与比丘結戒者有三益故一為止誹謗二
為械斷諍三為成聖種知足行故二釋名聆用為名之為畜情所珍貴稱
之曰寶具三緣通緣如上別緣有四一是錢寶二知是錢寶三自己四受取便
犯四闕緣若制初緣犯吉為寶者金銀錢是餘偽寶畜犯小罪若闕第二緣
犯吉為想疑故若闕第三四无罪已下已明戒本此戒因拔難陀比丘起過居士共嫌
以便制戒　若比丘自手捉錢若金銀若教人捉若置地受者尼薩耆波逸提
此滿足戒文有三句一犯人二所捉之寶三自他二業捉而犯比丘者以上言手捉錢者多
論明五種受俱犯一以手捉取二以衣從他取三器從他取四若着是中五若言与是
淨人並成捉寶罪言錢者上有文像言金銀者生色似色两種皆名金銀多
論若捉金薄像皆名捉罪所言教人捉者置地受尼薩耆波逸提者是結罪句
[illegible]

佛便制戒　若比丘自手捉錢若金銀若教人捉若置地受者尼薩耆波逸提
此滿足戒文有三句一犯人二所捉之寶三自他二業捉而犯比丘者上言手捉錢者多
論明五種受填犯一以手捉取二以衣從他取三器從他取四若著是中五若言与是
淨人並戌捉寶罪言錢者上有文像言金銀者生色似色兩種皆名金銀多
論若捉金薄像皆名捉罪所言教人捉者置地受尼薩耆波逸提者是結罪皆
故律云若教人捉同自捉犯是以律佛告大臣日月有四患不令明照一者脩羅二
者煙雲三者塵四者霧沙門亦有四種過中不令威儀清淨一者不捨飲酒二者
不捨婬欲三者不捨手持金銀四者不捨邪命自活故經說言酒為放逸本婬是
生死原金銀生患重邪命壞善根以此義故佛自說言若見沙門以我為師而捉
金銀我說此人非是沙門智度論云出家菩薩守護戒故不畜錢物以戒功德勝
於布施涅槃經云菩薩持譏戒与性戒無差別言尼薩耆者是其捨法若
比丘欲捨錢寶向信樂優婆塞語此是我所不應汝當知之若欲取還与比丘
者當為彼人物故受令淨人掌若得淨衣鉢應易受持若彼取不還者令餘
比丘語遣還餘比丘不語者當自往語佛為淨故遣与汝若令与僧塔乃至本主
為不欲使失彼信施故不犯者如向所說　貿寶戒第十九　制意者以其寶物
更互相貿為求息利長貪妨道招世譏過故須聖制别緣有五一是寶物二
互相貿易三交價四為已五領受即犯　又下已明戒平此戒同捉難陀比丘往市以
錢居士譏嫌佛制戒　若比丘種種買賣者尼薩耆波逸提　此滿足戒文有三
句一犯人二互相貿易三結犯初句可知言種種買賣者解第二句律云若以成
金未成金已成未成金此三種相貿易銀亦三種錢唯一種此七種交易錢者
八種金銀銅鐵白鑞鉛錫木錢胡膠八種錢皆名為錢言尼薩耆者亦是犯
句犯相如前捉寶戒同不犯者律云若以錢貿瓔珞具以錢易錢為三寶不犯
販賣戒第廿　制意者凡出家之人理息馳務靜坐脩道何得趍自販博馳
騁市肆動越威儀招世譏醜財物既交或容犯重喪危險行非高蔽以斯
譏過聖制不許多論四義故佛制此戒一為佛法增上故二為已開淨故三為成聖種
故四為長信敬不誹謗故别緣有六一衣寶二衆外道三檽二共相貿易三交價
四為已五自貿易六領受即犯　下已明戒平此戒同跋難陀以生薑易食故起過又
共外道博衣悔而不得還乃譏嫌佛便制戒　若比丘種種販賣者尼薩耆波逸提
此滿足戒文有三句一犯人二明販賣三結犯初句可知言種種販賣者律云五種相易
以時藥易非時以時易七日以時易盡形以時易衣乃至以衣易衣皆是相互各
五句所言販賣者謂價直一錢數數上下増賣者價直一錢言直三錢重増賣者價
直一錢言直五錢買亦有三種一買二増買三重増買言尼薩耆波逸提者是
所犯之罪律云衣藥文貝諍價高下數數上下皆犯多論此販賣随一切随中衆
重罪作僧見可以故衆見亦者一生販賣一切具者不可消道後成戒五主

BD01253號　四分戒本疏卷二

（43–35）

此□□文有三合一我人二□賣買三□我□□可□言我□賣買者律云五種於指[illegible]
以時藥易非時以時易七日以時易盡形以時易衣乃至以衣易衣皆是相易
五分所言販賣者謂價直一錢數數上下增賣者價直一錢言直三錢重增賣者價
直一錢言直五錢買亦有三種一買二增買三重增買言尼薩耆波逸提者是
所犯之罪律云衣藥文貨諍價高下數數上下皆犯多論此販賣一切隨中衆
重寧作屠兒何以故屠兒正害一生販賣一切俱害不問道俗賢愚持戒毀戒無往
不欺常懷惡心設若居穀恒悕天下荒饑霜雹災疫若居鹽積貯恒願四
邊反亂王路隔塞多有此過故此販賣物作塔像不得向禮又云恒作如意禮之
設与僧作食及四方僧房一切不得作中持戒比丘不應受用得罪以過多故若食
販賣食咽咽隨作衣著著隨作小具隨轉轉隨故言此隨重於餘隨僧祇著自
問價若使人問價作不淨語諍價高下皆得物墮一若物直五十而索百錢比丘以
五十知之必是求者不名高下價若前人欲買此物比丘不得於市當語言汝已未若
報云我休者比丘方云我以是價知是物好不比丘自貿於市者越若自華物價前人
信之責取故犯墮罪多論比販賣戒中物或方便有罪果頭無罪必為利養
穀後得好心即施僧作福或果頭有罪必為福衆求不貴後見利便貴以利
自入即是方便無罪或俱有罪俱無罪類知不犯者律云聽五衆出家人共
交易應自審定不應共相高下必市道法不得与餘人貿易令淨人貿若
悔聽還若油蘇相易者無犯開供養燈明故　　畜長鉢過限戒第廿一
制意者然鉢為應供之器資身要用今過時畜長貪妨道招譏醜累損壞不
輕是以聖制然此物爰無恒容有失奪資身要用事可廢施時不受後即難
求故開十日說淨而畜遠過聖教過即結犯　釋名者五分有比丘得二鉢以佛不聽
長故施他已鉢破佛問幾後破答十日因開十日四分因請遂亦開十日故目畜鉢過限戒
別緣有五一先有受持鉢二更得鉢三如法鉢非法不犯謂其三必四不淨施五過十日
便犯闕緣此說可知已下正明戒本此戒因六群比丘多求好鉢居士譏嫌比丘舉過
佛便制戒　若比丘畜長鉢不淨施齊十日過者尼薩耆波逸提　此満足戒文
有四句一犯人二所畜長鉢三開十日畜四為結犯初句可知言長鉢者律云鉢有六
種鐵鉢黑鉢亦蘇摩羅國鉢烏伽羅國鉢優伽賒國鉢大要有二一者鐵
鉢二者泥鉢此二種鉢要具三如方堪受持一者體如法唯泥鉢二者量大者三升
小者升半三是色若是色見論鐵鉢五熏瓦鉢二熏上方是色如其此三不可說淨
言不淨施者是犯緣犯有二種一者過犯二者染犯相對八門如長衣戒不異所言
齊十日者是開限故律云阿難得鉢欲奉迦葉以常用故十日當還限犯捨墮
以事白佛開至十日所言過者尼薩耆波逸提此是違限結犯相門開通如長衣
乞鉢戒第廿二　制意者乞鉢賊五綴不滿堪資身用今乃處處隨非貳乞
長貪妨道惱亂施主於理不可故須聖禁　別緣有六一先有受持鉢一
[illegible]

言不淨施者是犯餘犯有二種一者過犯二者餘犯相對六若長衣亦不異所言
齊者是佛限故律云所難得鉢欲奉世尊常用故十日當還犯捨隨
事白佛聽至十日所言過者尼薩耆波逸提此是遠限結犯相門聞通於義
乞鉢戒第廿二　制意者若鉢賊五綴不漏堪資身用今乃貪乞隨非親乞
長貪妨道惱亂施主於理不可故須聖禁　別緣有六一先有受持鉢二
減五綴不漏三隨非親里乞四為己五乞如法鉢六領受便犯　已下正明戒本此戒
因俠難陀鉢破遂於多居士乞多鉢便被譏嫌以過白佛因制戒　若比丘畜鉢
減五綴不漏更求新鉢為好故尼薩耆波逸提　彼比丘應往僧中捨展轉取最
下鉢與之令持乃至破應持此是時　此滿足戒本通有兩段先明乞鉢判犯次明持
還方軌初段戒本文三一犯人二舊鉢未漏三更求結罪初文可知第二文言鉢減
五綴不漏者律云相去兩指間一綴也尼薩耆波逸提者是第三結罪句從彼
比丘下是此是時明捨還方軌則於中文二初應往僧中者明捨鉢二展轉取
共為可想論還鉢文言此是時者謂是用舊持新時乃至破持狀下還中
咬廣如律明一捨鉢方法二懺悔之儀三還鉢果還得吉罪初鉢者有四一持
鉢往僧二下境三威儀四作捨詞句第二懺悔罪如上所辨第三還鉢文亦有四
一貴者棄留宜還下鉢二僧應作白與下鉢令持三囑彼比丘令持新用意四
令守護恐壞故用新故律云僧以下鉢白二與彼應守護不得著凡石落處
倚杖刀下著懸物下道中石上果樹下及不平地不得一手捉兩鉢除指隔中央
一手捉兩鉢不得開户除用心乃至不應故壞故失非鉢用此之四文並是取彼好
鉢僧中次行取最下惡鉢與彼令持恐貪過故第四還鉢文有二有不應轉還
無緣經宿羯磨直還　試律若鉢貴者應取十鉢直九鉢在入淨厨一鉢直還
主若乞得二鉢直者一鉢入僧一鉢還主以是隨得多少限一直還主餘直入僧厨果
還得罪者律云僧中捨鉢竟不還者犯吉教莫還亦吉　不犯中律云若五綴漏
求新若從親乞若從出家人乞若為他乞為己不求而得若施次得若自有價
買畜者一切不犯　乞縷使非親織戒廿三　制意者然三衣具足得資身令
乃自乞縷綖以勢貴強逼織師織作三衣長貪多欲損惱織師及招譏謗
是以聖制　別緣有四一自乞縷綖二是非親里俗人織師三持勢逼織不與價直
四成便犯　已下正明戒本此戒因俠難陀過故佛制戒　若比丘自乞縷綖使非親
織作衣者尼薩耆波逸提　此滿足戒文有四句一犯人二自乞縷綖若居士縷犯
後戒故須自乞設若不乞自縷應輕三持勢逼織以理求得無罪與價直不犯
四結犯已下應解上三句可知言使非親織師織作衣者多論織非親有三句此
戒正解正損織師犯須非親乞縷言織師親非親合有三句織師親里有二句
例事第三俱親無罪此以俱有八句正損織師犯捨兼損縷主鞏一犯通收重輕
故但言犯尼薩耆波逸提者是第四結罪尒齊捨懺方軌如律廣明不犯中

織作衣者尼薩耆波逸提　此滿足戒文有四句一犯人二自乞縷綫若居士縷犯
後戒狀須自乞　設若不乞自縷應輕三持勢逼織以理求得无罪与價亦不犯
四結犯已下唐解上三句可知言使非親織師織作衣者多論織非親有三句此
戒正辯正囑織師犯須非親乞縷者織師親非親合有三句織師親里有二句
闕事第三俱親无罪是以但有八句正囑織師犯損兼囑縷主輩一犯一通收重輕
故但言犯尼薩耆波逸提者是第四結罪分齊捨懺方軌如律廣明不犯中
律云二俱親里若自織作鉢囊革屣囊針氈禪帶腰帶帽襪攝熱巾
裹革屣中者一切不犯　勸讚織師增織衣戒廿四　制意者篤信居士虛心辦
縷為比丘故織作三衣宜應隨施而受彰己内有廉節之心外不損施主令乃
勸讚織師自与價直囑他縷主自壞心行廢我无益故聖制別緣有六一
居士自心辦縷還織師織二情期有限三知有限四与價勸織五被囑增縷
六領受便犯　已下正明戒本此戒因跋難陀往居士家擇取縷与織師又許与
價居士譏嫌比丘舉過佛便制戒　若比丘居士居士婦使織師為比丘織作衣
比丘先不受自恣請便往織師所語言此衣為我作与織極好織令廣大堅緻
我當少多与汝價是比丘与價乃至一食直若得衣者尼薩耆波逸提　此戒有
三科略二開三滿足句四一犯人二縷主遣織三衣三被比丘下乃至食直勸織師
自雇價直四若得下結犯上二句可知言比丘先不受自恣請者是開文律云
比丘不聽往作衣家去後有居士請比丘与衣比丘疑不敢往佛因聽隨意往取
少欲知足索不如者餘句文顯可知　問此与前戒織師何別答有四不同一前損
織師不損縷主以乞得故此損縷主不損織師二前戒由損織師不与價犯此
損縷主与價故犯三前非親犯親則不犯此親非親犯四前是己縷織成說犯
此是他縷領受方犯律云不犯者先受請往求知足減少求若從親里索從出家
人索或為他索他為己索或不索而得者一切不犯　奪比丘衣戒廿五　制意者先
与他衣規欲共行彼若不去理應和穆而索本自无過嗔心強奪共相逼惱
特非所宜故須聖制別緣有五一大比丘與沙彌不犯非行難故二先与衣規欲
共行三不定与前人不定取多生惱故四句中二句初受与俱決定二決定与而受者
不定奪者取犯重若与受俱不定者吉四嗔心往奪五得物屬己便犯已下正明戒本此
戒因跋難陀起過佛制是戒　若比丘先与比丘衣後嗔恚若自奪若教人奪還
我衣來不与汝彼應還衣若取衣者尼薩耆波逸提　此滿足戒文有三句一犯人
二先与衣三後嗔心奪而結罪初句可知第二句本規同行故与衣後欲不肯同
便就取故曰先与比丘衣第三句奪者律云若嗔心自奪若教人奪二藏者犯
謂對面見在奪若奪不藏者吉羅事未分制未成犯藏而方犯若著樹上
枷上床上及餘著處離處犯者隨謂不現前奪離處則犯无人共諍故若
不離處犯吉故戒本云若取衣者尼薩耆波逸提捨懺方軌如律所明不

[illegible]
便對取故曰先与比丘衣第二句奪者律云若瞋心自奪若教人奪二藏者犯
謂對面見在奪若奪不藏者吉羅事未分劑未成犯藏向方犯若著樹上
枷上未上及餘著處離處犯者隨謂不現前奪若離處則犯元人共諍故吉
不離處犯吉故戒本云若取衣者尼薩耆波逸提捨懺方軌如律所明不
犯者律云不瞋言我悔不与還我衣來彼知心悔可即還衣若餘人言此比
欲悔還他衣若借他衣著无道理還奪不犯若恐失恐壞若彼人破戒破見
破威儀若被舉滅擯應擯若為此事命梵難一切奪取不藏舉者皆不犯
畜藥過七日戒廿六　一制意者凡夫之輩四大為體夏末秋初節氣交競
四大轉改諸病即生既有疾惱妨廢脩道大聖慈念方便開聽畜服藥
以療病苦趣令安身進脩道業大聖慈念因聖開聽廣時與藥長貪
壞行遠教招譏過是不輕故制提罪　二釋名者時用[illegible]已名之為畜療
患稱藥故於期限名過七日故曰畜藥過七日戒　三具緣通緣如上別緣
有四一是七日藥二加手口二受三不說淨四畜過七日便犯　四閑緣類知之　下二明
戒本　此同畢陵伽婆蹉過故仏制戒　若比丘有病殘藥油生蘇蜜石蜜
齊七日得服若過七日服者尼薩耆波逸提　此滿足戒文有五句一者犯人二
有病者畜藥之緣三殘藥之下所畜藥體四開齊七日五過限結罪　下釋
中初句可知第二句言有病者律云秋月風病動形體枯燥又生惡瘡等
是畜藥之緣第三言殘藥蘇油生蘇蜜石蜜者是所畜藥體第四言
齊七日得服者是其開限　八門句義如長衣戒說第五言若過七日服者尼
薩耆波逸提是過限結罪　律云一日得藥乃至七日得藥至第八日初日藥
過染下六日隨藥多少相与俱犯故言盡尼薩耆　問　下六日藥被染犯時失受
以不解有二種今且一釋　說淨為防於大理初日藥不說淨犯下之六日亦染
說淨同是長位故為初染口受之法為防宿觸不防於長既所防不同日限
未滿故初藥不能染下並今之失受是以律云至第七日藥与說比丘若當
失受即有宿觸等生何故聽食故知不失若尔餘五日應還主食所以還
令淨是然燈者實不失受但經時畜有彼情過藥資義扶罪不聽服
以息情過非藥不淨不同於衣資身義寬得歸本主還作衣用餘句
類知律云此藥應捨与僧已白懺除罪竟還彼藥第七日藥捨与比丘彼應
服過七日藥蘇油塗戶石蜜与守園人藏七日者白二還之比丘當取塗腳然燈
不犯者如上　過前求雨衣過前用戒廿七　此兩戒合制依多論五過前求過
過前用二俱尼薩耆所以不聽過前求用者此雨衣資身要用是以開聽
時中乞用今時既未至預乞先用長已貪緒遠聖教是以聖制　過前求別緣
有五一是雨衣二過前求三為己四[illegible]与領受便犯　過前用戒別緣具四一是已雨
衣二非時中得三時前受持四過前用犯此二戒同是雨衣義容相由生罪是

BD01253號　四分戒本疏卷二

（43–39）

服過七日[illegible]

不犯者如上　過前求雨衣過前用戒廿七　此雨戒合制依多論五過前求過
過前用二俱尼薩耆所以不聽者過前求用者此比丘以雨衣資身妨用是以開聽
時中无用今時既未至頓先預用長已貪結遠聖教是以聖制　過前求別緣
有五一是雨衣二過前求三尼已四彼為領受便犯過前用戒別緣具四一是正前
衣二非時中得三時前受持四過前用犯此二戒同是雨衣義容相由生罪是
以合制呆下正明戒本此同六群比丘常求雨衣以便制戒　若比丘春殘一月在當求
雨浴衣半月應用浴若比丘過一月前求雨浴衣過半月前用浴者尼薩耆波逸提
此滿足戒文有三句一犯人二求用時節三過前求用遠教結罪疏解中初句可知
第二句言春殘月在求雨浴衣者春是四月法謂從十二月十六日後至四月十五日已還
名春又至八月半名夏又至十二月半名冬今言春殘一月在者謂三月十六日應求
雨衣雨衣者比丘用雨中浴言半月應浴者律云四月一日應用浴第三句言若過一
月前求過半月前用尼薩耆波逸提是遠教結罪文言過一月前求者有三月
十五日前求也言過半月前用者謂三月盡日言尼薩耆者是捨也言波逸提是罪
下雜明文義多論雨衣二益若天熱時背得覆身洗浴閏三月前
三月十六日不應求後三月十六日求不犯有閏者无罪若閏四月前十六日安居者即
日受雨衣用乃至七月十五日百廿日用以夏多雨濕熱故求有所收故不得貪閏前
求用无貪損故聽貪閏前用問何功德衣得合閏不若功德衣利多有長貪過
故但有雨衣利少用開合閏祇中從四月十六日至八月眾中捨言大德僧聽今日
眾僧捨雨衣必具三說餘用不犯五分若過限不作餘衣受持淨施不施人者
吉故律云若捨作餘用若著雨浴若浣若舉者並皆不犯　過前受急施衣
過後畜戒廿八　此戒共尼一戒若過前受戒過後畜俱犯捨隨用由急施
衣生是以須合若非急施安居未竟所以遮聽受得吉羅五分戒文所說制意
後因梨師大臣請僧安居急命征討捨物施僧如安居法謂比丘等以安居未
竟不能輒受以為利益施主及閏比丘時前十日内受不犯吉羅因聖開故知
是急施過前而受遠返雨教貪長處深故得捨隨過前受別緣具五一
是急施二知是急施三過十日前四无因緣五領受便犯　過後畜不五緣戒
一是急施二知三十日内受四不作淨五過過限已下正戒本此同六群比丘常七衣受衣
又阪離施異處安居異處受衣又大臣為安居施衣因開而制戒　若比丘十日未
竟夏三月諸比丘得急施衣比丘知是急施衣當受乃至依時應畜若過畜
者尼薩耆波逸提　此滿足戒文有五句一犯二受衣時限故曰未竟夏三月小氣
不聽故此第二諸比丘下是急聽受四突衣已下開時畜无罪五若過下結過後
畜提下廣釋中初句可知第二言十日未竟夏三月者律云謂七月六日已後
十五日已前是受衣時限第三言諸比丘得急施衣當受者是急聽受故持[illegible]

竟一夏三月諸比丘得急施衣比丘知是急施衣當受受已乃至衣時應畜若過畜
尼薩耆波逸提　此謂是戒文有五句一犯二受衣時限故曰未竟夏三月如急
不聽故此第二諸比丘下是急聽受四受衣已下開時畜無罪五若過下結過後
畜提下廣釋中初句可知第二言十日未竟夏三月者律云謂七月六日已後
十五日已前是受衣時限第三言諸比丘得急施衣當受者是急聽受故律云
若受須得不受便失故名急也衣者十種第四言受竟乃至依時應畜者是
開時畜無罪故律云衣時者自恣竟不受迦絺那衣一月受衣五月若自
恣十日在得急施衣受已至一月五月畜乃至明日自恣應受一月五月外更得衣
日第五言若過時畜尼薩耆波逸提者是結過後畜提故律云得急施衣若
過前過後並犯捨墮是下雜明問訊不長衣十日不說越十日明相出便犯此急
施衣七月六日受者十日無罪入十六日明相應犯何故乃書一月應畜不犯答
長衣不與時分相接者但有前開無其後開是以便犯此急施衣十日受者
是其前開入十六日後是後開相接越此分齊是以無罪不犯老律云不過前不
後畜若為賊奪衣失衣燒衣漂衣過前受不犯若作失等四想有險難道
路不通乃至河水大張若彼受比丘或死或出行等難故過後畜一切不犯有難

蘭若離衣六宿戒廿九　此戒同異如前已弁但前戒眾落清式一宿即犯此
蘭若險怖過六夜犯前是常流人有德衣開此是有難又兼勝行不受得衣但有
迦提以非作故此二開限別儀有七一受持三衣二冬分非時故律云夏三月竟
迦提月滿三有極怖處四置衣在聚落五不捨會六無因緣七第七日明相出便
犯已下已明戒本此因六群比丘寄衣遊行因從舉過佛便制戒　若比丘夏三月
竟後迦提一月滿在阿蘭若有疑恐懼處比丘在如是處住三衣中欲留一一衣
置舍內諸比丘有因緣離衣宿乃至六夜若過者尼薩耆波逸提　此謂是戒本
文有五句一犯人二明非時分既去時分不犯三在蘭若已下有極怖處四如是處
下開置舍內六夜一會五若過下結罪廣釋中初句言若比丘者義如上弁第
二言夏三月竟後迦提一月滿者明非時分故律云為八月半後也第三言若阿
蘭若有疑恐懼處者是極畏處也故律云有疑者疑賊盜恐怖處者中有恐
怖賊盜也第四言比丘在如是處住三衣中欲留一一衣置舍內至六夜已來是明開
離衣限故律云若有因緣離衣宿寄六夜得至第七夜明相未出前應會衣
又多論云有病得僧羯磨無過問外難何故開六夜內緣直作羯磨不合
日限者何為外難進否不可得知故須定六內病差否義在易知故以病差為
期不須定限若尒十日藥之應差否易知而定言七者藥之功能七日一廢是七
日內來有療患之用依藥勢力故定七日如祇律說又云寄衣著可畏俗人家
五分上二衣中隨所重者聽寄一衣不得寄下衣以隨身故禮拜入寺乞食不得單
著但得寄一衣　善見若防堅密不須寄衣無者得寄六夜一看見衣已還蘭

BD01253號　四分戒本疏卷二

（43–41）

日限者何若外難進不可淸[illegible]

期不須守限若尓者昔藥二應差者易知而守言七日藥云何能七日一發七

日内來有瘭患云何依藥勢力故守七日如祇律說又言寄寺可疑俗人家

五六上二衣中隨所重者聽寄一衣不得寄下衣以隨身故禮拜入寺乞食不得單

着但得寄一衣　善見若防密不須寄衣无者得寄六夜一宿見衣已還蘭

若所弟五言若過者尼薩耆波逸提是過限結罪文兩通如前離衣戒說不

犯中律云但寄六夜至第七夜明相未出前若到衣所若捨衣若奪等四想若

道路險難不通不捨不至衣所一切不犯　迴僧物入已戒卅　制意者出家理

遵少欲知足爲彼雖聞他居士許欲施僧方便勸化迴來入已此長貪結外惱施主

又復損僧殊所不應是故聖制　別緣有四一是許僧物二作許想三迴已四領受

便犯已下正明戒本　此戒因跋難陀起過同似前制戒

薩耆波逸提　此滿足戒本文有四句一犯人二若知三許僧物四迴何彼使犯爲解

中初句可知第二言知者律云若不知是許僧迴未非犯第三言是僧物者律云

有三種僧物一已許僧爲僧故作二未許僧爲僧故作如俗家爲僧作床褥

器具供僧之物三已与僧者已許僧已捨与僧此三句之物迴有輕重初物犯捨

迴第二物吉迴第三物犯重第四言求入已尼薩耆波逸提者是犯罪可捨懺之

法如前所明下雜明僧祇若人持物來問僧何處布施答言隨汝所敬處与言

何處果報多答言施僧若言何者持戒清淨答言无僧犯戒不清淨若我已

施僧令施尊者得受无罪若言此物置何處使我常見受用答某甲比丘

坐禪誦經持戒若施彼者長見受用四分律中明四對六句謂迴不入已故犯捨

罪一塔僧相對二四方現前相對三僧尼兩衆相對四彼簡上三句類迴此与彼

故言許異處与異故律云若物許僧轉与塔許四方僧迴与現在僧許比丘

僧迴与尼僧許異處迴与異處乃至許異處迴与此處一切吉羅並謂未決定

若決別施隨前犯僧祇迴此彼畜生物故心悔但罷物之中四五十三律捨竟白

用不須還僧以不定屬僧故祇律立數具迴僧對僧捨入僧已隨僧作何等用多

見兩論捨竟還僧不還犯重　了論迴僧所應得施入已應捨還大衆故十誦

多論云若增越施此自恣僧物迴与彼自恣僧者物應還此並作吉悔若不還此

僧計錢成重乃至此彼一人物迴亦成重雖此定屬僧迴与他人成重不犯中律云

若不知若已許作不許想若許悪勸与好若許少勸与多若許人勸与多人若僕

若戲若錯說若並皆不犯　諸大德我已說卅尼薩耆波逸提法今問諸大德

是中清淨不三說　諸大德是中清淨默然故是事如是持　此戒結前卅捨隨竟

通問諸戒中清淨法猶嘿然知清淨故言是事如是持

四分戒疏卷第二

若覆若發露亦不得　諸大德我已說卅尼薩耆波逸提法今問諸大德

是中清淨不三說　諸大德是中清淨默然故是事如是持　此戒結前卅捨墮竟

通問諸戒中清淨法猶默然知清淨故言是事如是持

四分戒疏卷第二

BD01254號　無量壽宗要經　（4–1）

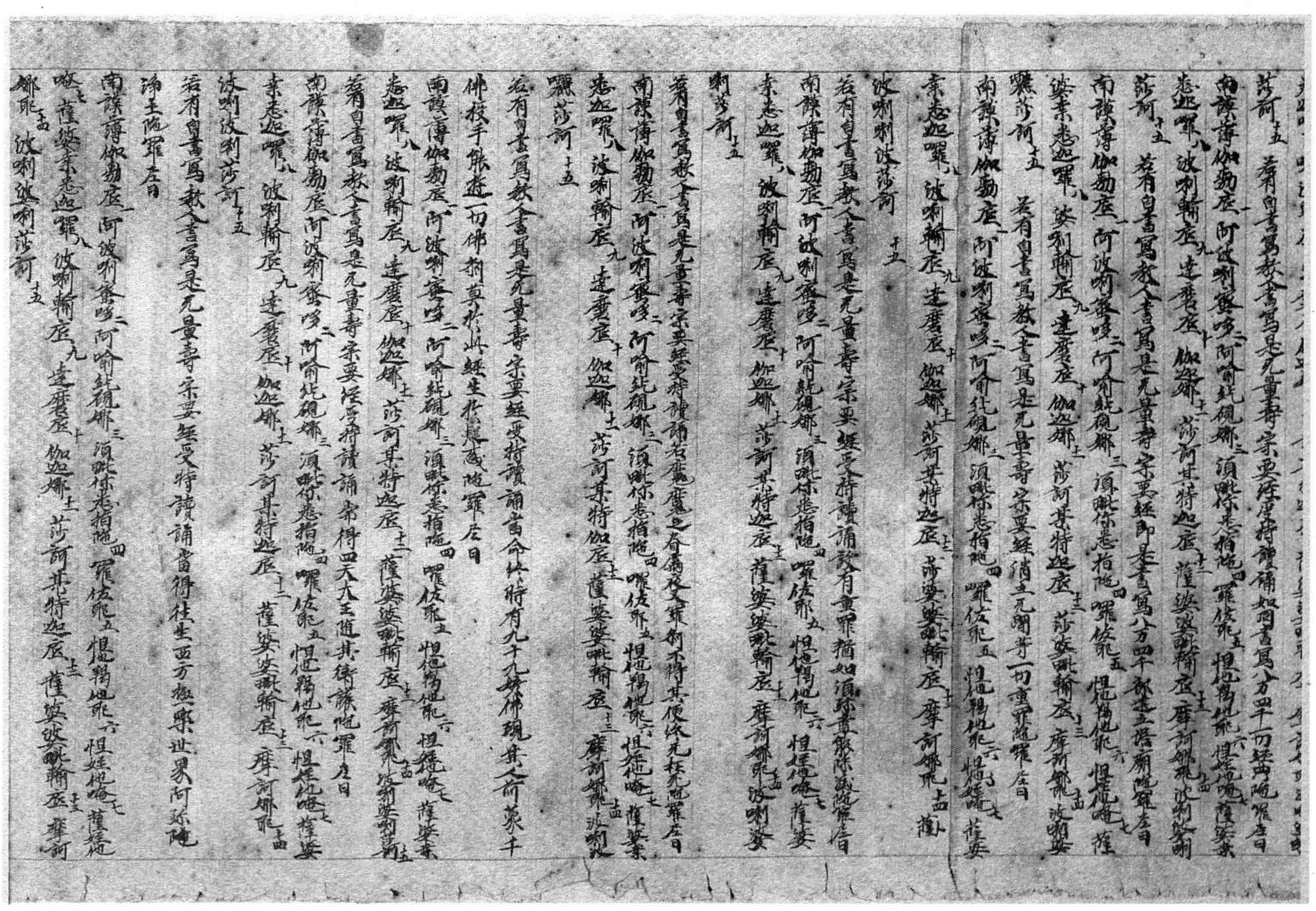

BD01254號　無量壽宗要經　（4–2）

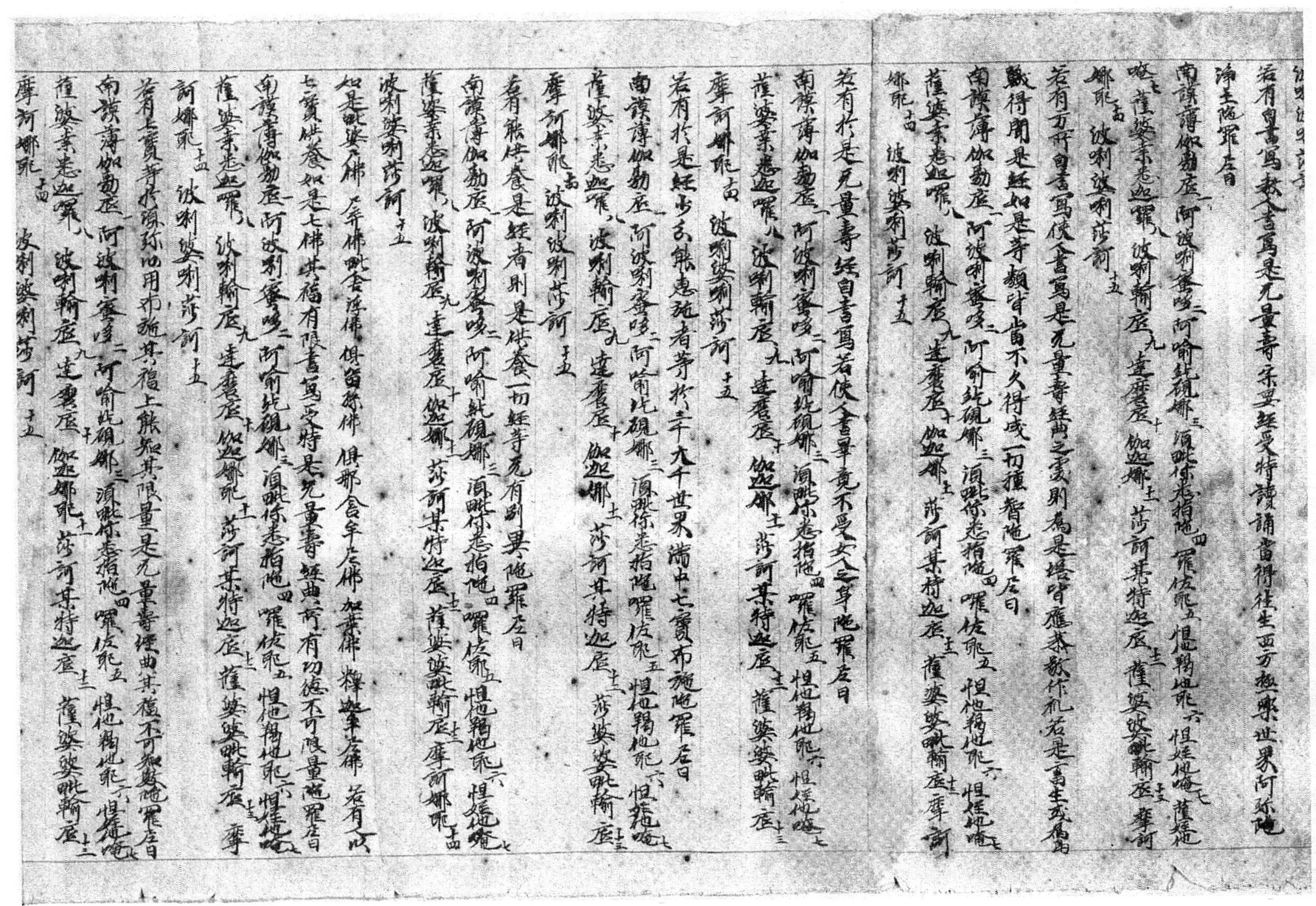

BD01254號　無量壽宗要經　（4–3）

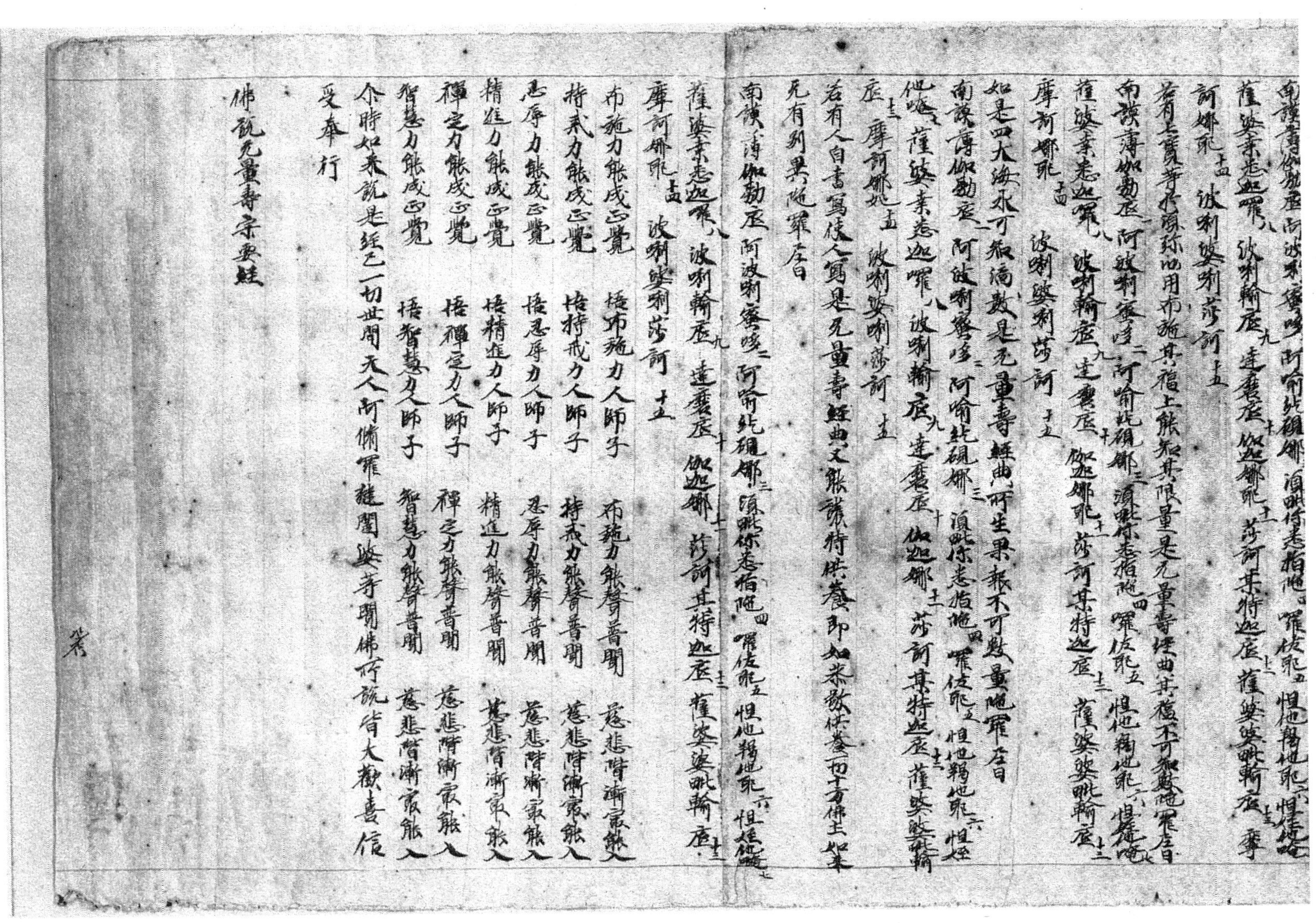

BD01254號　無量壽宗要經　（4–4）

著 錄 凡 例

本目錄採用條目式著錄法。諸條目意義如下：

1.1 著錄編號。用漢語拼音首字“BD”表示，意為“北京圖書館藏敦煌遺書”，簡稱“北敦號”。文獻寫在背面者，標註為“背”。一件遺書上抄有多個文獻者，用數字1、2、3等標示小號。一號中包括幾件遺書，且遺書形態各自獨立者，用字母A、B、C等區別。

1.2 著錄分類號。本條記目錄暫不分類，該項空缺。

1.3 著錄文獻的名稱、卷本、卷次。

1.4 著錄千字文編號。

1.5 著錄縮微膠卷號。

2.1 著錄遺書的總體數據。包括長度、寬度、紙數、正面抄寫總行數與每行字數、背面抄寫總行數與每行字數。如該遺書首尾有殘破，則對殘破部分單獨度量，用加號加在總長度上。凡屬這種情況，長度用括弧標註。

2.2 著錄每紙數據。包括每紙長度及抄寫行數或界欄數。

2.3 著錄遺書的外觀。包括：（1）裝幀形式。（2）首尾存況。（3）護首、軸、軸頭、天竿、縹帶，經名是書寫還是貼簽，有無經名號，扉頁、扉畫。（4）卷面殘破情況及其位置。（5）尾部情況。（6）有無附加物（蟲繭、油污、線繩及其他）。（7）有無裱補及其年代。（8）界欄。（9）修整。（10）其他需要交待的問題。

2.4 著錄一件遺書抄寫多個文獻的情況。

3.1 著錄文獻首部文字與對照本核對的結果。

3.2 著錄文獻尾部文字與對照本核對的結果。

3.3 著錄錄文。

3.4 著錄對文獻的說明。

4.1 著錄文獻首題。

4.2 著錄文獻尾題。

5 著錄本文獻與對照本的不同之處。

6.1 著錄本遺書首部可與另一遺書綴接的編號。

6.2 著錄本遺書尾部可與另一遺書綴接的編號。

7.1 著錄題記、題名、勘記等。

7.2 著錄印章。

7.3 著錄雜寫。

7.4 著錄護首及扉頁的內容。

8 著錄年代。

9.1 著錄字體。如有武周新字、合體字、避諱字等，予以說明。

9.2 著錄卷面二次加工的情況。包括句讀、點標、科分、間隔號、行間加行、行間加字、硃筆、墨塗、倒乙、刪除、兑廢等。

10 著錄敦煌遺書發現後，近現代人所加內容，裝裱、題記、印章等。

11 備註。著錄揭裱互見、圖版本出處及其他需要說明的問題。

上述諸條，有則著錄，無則空缺。

為避文繁，上述著錄中出現的各種參考、對照文獻，暫且不列版本說明。全目結束時，將統一編制本條記目錄出現的各種參考書目。

本條記目錄為農曆年份標註其公曆紀年時，未經行歲頭年末之換算，請讀者使用時注意自行換算。

條 記 目 錄

BD01201—BD01254

1.1 BD01201 號
1.3 觀世音經
1.4 列 001
1.5 111:6210
2.1 235.5×24.4 厘米；7 紙；119 行，行 17 字。
2.2 01：17.5，護首；　02：43.7，27；　03：46.3，28；
04：46.7，28；　05：46.4，28；　06：24.2，08；
07：10.7，拖尾。
2.3 卷軸裝。首尾均全。卷面殘破，第 5 紙殘破嚴重。背有古代裱補。有護首及拖尾。有燕尾。有烏絲欄。已修整。
3.1 首全→大正 262，9/56C2。
3.2 尾全→9/58B7。
4.1 妙法蓮華經觀世音菩薩普□（門）品第二十五（首）。
4.2 觀世音經一卷（尾）。
7.3 卷背雜寫 3 處，字跡不清。
8 8～9 世紀。吐蕃統治時期寫本。
9.1 楷書。
11 從該件上揭下古代裱補紙 3 塊，今編爲 BD16170 號、BD16171 號、BD16172 號。
圖版：《敦煌寶藏》，97/359A。

1.1 BD01202 號
1.3 陀羅尼集經（異名）
1.4 列 002
1.5 242:7456
2.1 384.5×25.7 厘米；8 紙；220 行，行 17 字。
2.2 01：48.2，26；　02：48.0，28；　03：48.0，28；
04：48.3，28；　05：48.1，28；　06：47.9，28；
07：47.9，28；　08：48.1，26。
2.3 卷軸裝。首尾均全。卷首有殘洞，有等距離油污。有烏絲欄。
3.4 說明：
本號與唐阿地瞿多譯《陀羅尼集經》同名，但所鈔諸陀羅尼出於《七佛八菩薩所說大陀羅尼神咒經》及《陀羅尼雜集》，與《陀羅尼集經》並非同一部經典。
今將本文獻內容與《七佛八菩薩所說大陀羅尼神咒經》及《陀羅尼雜集》對照如下，行文偶有差異。
001～160 行，七佛八菩薩所說大陀羅尼神咒經卷一：
有首題“七佛所說大陀羅尼神咒”。
大正 1332，21/536B10～0538B07。
161～170 行，《陀羅尼雜集》卷五：
有首題“佛說婦人產難陀羅尼”。
大正 1336，21/606A27～B8。
171～177 行，《陀羅尼雜集》卷五：
有首題“觀世音說治五舌塞喉陀羅尼”。
大正 1336，21/608C9～15。
178～182 行，《陀羅尼雜集》卷五：
有首題：“尼乾天所說產生難陀羅尼咒”。
大正 1336，21/610A6～10。
183～196 行：《陀羅尼雜集》卷五：
有首題：“佛說咒穀子种之令無災蝗陀羅尼”。
大正 1336，21/610A11～25。
197～204 行，《陀羅尼雜集》卷七：
有首題：“惡瘡鬼咒”。
大正 1336，21/620A3～10。
205～209 行，《陀羅尼雜集》卷七：
有首題：“咒疥蟲”。
大正 1336，21/622A21～25。
210～215 行，《陀羅尼雜集》卷七：
有首題：“咒鼠鬼”。
大正 1336，21/622B2～7。
216～220 行，《陀羅尼雜集》卷七：
有首題：“咒鼠”。
大正 1336，21/623A11～14。
4.1 陀羅尼集經（首）。
8 7～8 世紀。唐寫本。

9.1　楷書。
11　圖版:《敦煌寶藏》, 106/319B ~ 324A。

1.1　BD01203 號
1.3　大般若波羅蜜多經（兑廢稿）卷三一六
1.4　列 003
1.5　084:2857
2.1　(3.4 + 36.5) × 26.3 厘米; 1 紙; 21 行, 行 17 字。
2.3　卷軸裝。首尾均殘。卷中多處撕裂破碎。背有古代裱補。尾有餘空。有烏絲欄。
3.1　首行上殘→大正 220, 6/610C14。
3.2　尾殘→6/611A4。
7.3　背面有《大般若波羅蜜多經》經文、經名雜寫及“道安”、“道經”、“倉曹”、“無進盈唱望望心不安馬驚跳”等雜寫, 共計 13 行。
8　7 ~ 8 世紀。唐寫本。
9.1　楷書。
9.2　上邊有“兑”字。
11　圖版:《敦煌寶藏》, 75/251。

1.1　BD01204 號
1.3　金光明最勝王經卷三
1.4　列 004
1.5　083:1623
2.1　(22.7 + 153.7 + 9.6) × 26 厘米; 5 紙; 105 行, 行 17 字。
2.2　01: 22.7 + 21.5, 25;　02: 44.0, 25;　03: 43.7, 25;
04: 44.5, 25;　05: 09.6, 05。
2.3　卷軸裝。首尾均殘。通卷殘碎嚴重, 有水漬。有烏絲欄。已修整。
3.1　首 13 行下殘→大正 665, 16/414C2 ~ 16。
3.2　尾 5 行下殘→16/415C22 ~ 26。
8　7 ~ 8 世紀。唐寫本。
9.1　楷書。
9.2　有校改。
11　圖版:《敦煌寶藏》, 69/11B ~ 13B。

1.1　BD01205 號
1.3　大通方廣懺悔滅罪莊嚴成佛經卷上
1.4　列 005
1.5　277:8213
2.1　(17 + 868.7) × 27 厘米; 20 紙; 491 行, 行 17 字。
2.2　01: 17 + 38, 26;　02: 45.0, 27;　03: 45.0, 27;
04: 45.0, 28;　05: 45.0, 27;　06: 44.2, 25;
07: 45.0, 25;　08: 45.0, 25;　09: 45.0, 25;
10: 45.0, 25;　11: 45.0, 25;　12: 45.0, 24;
13: 45.0, 24;　14: 45.0, 25;　15: 45.0, 25;
16: 45.0, 25;　17: 45.0, 24;　18: 45.0, 24;
19: 45.0, 24;　20: 21.5, 11。
2.3　卷軸裝。首殘尾全。有原軸, 兩端塗棕色漆。紙薄而軟。首紙殘, 通卷有水漬。有劃界欄針孔。背有古代裱補。有烏絲欄。
3.1　首 4 行上殘→大正 2871, 85/1340C10 ~ 13;
3.2　尾全→85/1345B1
4.2　大通方廣經卷上（尾）。
8　5 ~ 6 世紀。南北朝寫本。
9.1　隸書。
11　圖版:《敦煌寶藏》, 109/257A ~ 267B。

1.1　BD01206 號
1.3　維摩詰所說經卷中
1.4　列 006
1.5　070:1163
2.1　(3 + 400) × 26 厘米; 9 紙; 221 行, 行 17 字。
2.2　01: 3 + 39, 24;　02: 48.0, 28;　03: 48.0, 28;
04: 48.0, 28;　05: 48.0, 28;　06: 48.0, 28;
07: 48.0, 28;　08: 48.0, 28;　09: 25.0, 01。
2.3　卷軸裝。首殘尾全。卷前部有殘洞、殘缺及殘裂。接縫處有開裂。卷尾上下邊殘缺。有烏絲欄。
3.1　首行上殘→大正 475, 14/548C13。
3.2　尾全→14/551C27。
4.2　維摩詰經卷中（尾）。
8　8 世紀。唐寫本。
9.1　楷書。
9.2　有刮改。
11　圖版:《敦煌寶藏》, 65/522B ~ 528A。

1.1　BD01207 號
1.3　觀世音經
1.4　列 007
1.5　111:6270
2.1　(30.5 + 88.9) × 26.5 厘米; 4 紙; 60 行, 行 17 字。
2.2　01: 30.5 + 7.2, 20;　02: 37.3, 19;　03: 38.4, 19;
04: 06.0, 02。
2.3　卷軸裝。首殘尾全。卷首下部殘缺嚴重, 卷面有等距離殘洞與水漬。背有古代裱補。折疊欄。
3.1　首殘→大正 262, 9/57B8。
3.2　尾全→9/58B7。
4.2　觀音經（尾）。
8　9 ~ 10 世紀。歸義軍時期寫本。
9.1　楷書。
11　圖版:《敦煌寶藏》, 97/506A ~ 507B。

1.1　BD01208 號 1
1.3　妙法蓮華經（兑廢稿）卷七

1.4　列 008
1.5　105:5938
2.1　（5 +146.5）×25 厘米；5 紙；88 行，行 17 字。
2.2　01：5 +38.5，26；　02：17.0，10；　03：31.0，17；　04：46.0，28；　05：14.0，07。
2.3　卷軸裝。首殘尾脱。本件爲多個廢卷綴接而成。卷面有 2 排等距離殘洞，有水漬。第 4 紙上部焦脆殘爛。卷尾有等距離蟲蛀洞。有烏絲欄。
2.4　本遺書包括 3 個文獻：（一）《妙法蓮華經》（兑廢稿）卷七，26 行，今編為 BD01208 號 1。（二）《妙法蓮華經》（兑廢稿）卷一，27 行，今編為 BD01208 號 2。（三）《妙法蓮華經》（兑廢稿）卷一，35 行，今編為 BD01208 號 3。
3.1　首 3 行上殘→大正 262，9/55A16 ~18。
3.2　尾殘→9/55B13。
4.1　□…□第二十四，七（首）。
7.3　首行下有雜寫“了”字。
8　9 ~10 世紀。歸義軍時期寫本。
9.1　楷書。
11　圖版：《敦煌寶藏》，96/67B ~69B。

1.1　BD01208 號 2
1.3　妙法蓮華經（兑廢稿）卷一
1.4　列 008
1.5　105:5938
2.4　本遺書由 3 個文獻組成，本號為第 2 個，27 行。餘參見 BD01208 號 1 之第 2 項、第 11 項。
3.1　首全→大正 262，9/1C14。
3.2　尾殘→9/2A18。
4.1　妙法蓮華經序品第一（首）。
7.1　首題下有硃筆“要兩本”和墨書“了”字。
8　7 ~8 世紀。唐寫本。
9.1　楷書。

1.1　BD01208 號 3
1.3　妙法蓮華經（兑廢稿）卷一
1.4　列 008
1.5　105:5938
2.4　本遺書由 3 個文獻組成，本號為第 3 個，35 行。餘參見 BD01208 號 1 之第 2 項、第 11 項。
3.1　首殘→大正 262，9/9C11。
3.2　尾全→9/10B21。
4.2　妙法蓮華經卷第一（尾）。
8　7 ~8 世紀。唐寫本。
9.1　楷書。

1.1　BD01209 號
1.3　大般涅槃經（北本　異卷）卷七
1.4　列 009
1.5　115:6334
2.1　42 ×25.7 厘米；1 紙；18 行，行 17 字。
2.3　卷軸裝。首殘尾全。卷首有殘裂，有等距離殘洞，有蟲繭、油污。有烏絲欄。
3.1　首殘→大正 374，12/410C18。
3.2　尾全→12/411A6。
4.2　大般涅槃經卷第七（尾）。
5　與《大正藏》本對照，分卷不同。經文相當於《大正藏》本卷八如來性品第四之五的一部分。
8　7 ~8 世紀。唐寫本。
9.1　楷書。
11　圖版：《敦煌寶藏》，98/239B。

1.1　BD01210 號
1.3　妙法蓮華經卷四
1.4　列 010
1.5　105:5377
2.1　（2 +52.6 +8）×25.2 厘米；3 紙；39 行，行 17 字。
2.2　01：02.0，01；　02：44.6，28；　03：8 +8，10。
2.3　卷軸裝。首尾均殘。麻紙。卷面殘破，有殘洞，有油污，後部紙張變硬。有烏絲欄。
3.1　首行上殘→大正 262，9/32C14。
3.2　尾 5 行上下殘→9/33A20 ~25。
8　7 ~8 世紀。唐寫本。
9.1　楷書。
11　圖版：《敦煌寶藏》，91/245A ~246A。

1.1　BD01211 號
1.3　妙法蓮華經馬鳴菩薩品第三〇
1.4　列 011
1.5　109:6188
2.1　（1.5 +205）×27 厘米；5 紙；134 行，行 27 ~28 字。
2.2　01：1.5 +11，8；　02：49.5，33；　03：49.5，32；　04：49.0，33；　05：46.0，28。
2.3　卷軸裝。首殘尾全。卷面有殘破、撕裂，有水漬。尾有蟲繭。
3.1　首行殘→大正 2899，85/1429A21 ~22。
3.2　尾全→85/1431B24。
4.2　妙法蓮華經卷第八（尾）。
8　9 ~10 世紀。歸義軍時期寫本。
9.1　楷書。
9.2　有行間校加字。
11　圖版：《敦煌寶藏》，97/211A ~213B。

1.1　BD01212 號
1.3　金剛般若波羅蜜經

1.4　列 012
1.5　094:3825
2.1　(279.7+3)×25 厘米；7 紙；170 行，行 17 字。
2.2　01：46.5，28；　02：46.0，28；　03：46.0，28；
04：46.0，28；　05：46.0，28；　06：46.2，28；
07：03.0，02。
2.3　卷軸裝。首脫尾殘。麻紙。卷首有殘裂，卷面多水漬。有烏絲欄。
3.1　首殘→大正 235，8/749B20。
3.2　尾 2 行上殘→8/751B18～20。
8　7～8 世紀。唐寫本。
9.1　楷書。
11　圖版：《敦煌寶藏》，80/482B～486B。

1.1　BD01213 號
1.3　法華玄贊鈔（擬）
1.4　列 013
1.5　024:0237
2.1　567.2×28.5 厘米；14 紙；365 行，行字不等。
2.2　01：37.0，25；　02：41.0，26；　03：40.7，26；
04：40.5，27；　05：41.0，27；　06：41.0，28；
07：40.5，26；　08：41.0，27；　09：40.5，26；
10：41.0，26；　11：41.0，27；　12：41.0，25；
13：41.0，25；　14：40.0，24。
2.3　卷軸裝。首斷尾全。紙薄。卷面偶有殘洞、破損，接縫處有開裂。已修整。
3.4　說明：
本號《敦煌劫餘錄》定名為《賢護經疏》，周叔迦先生考訂改爲《法華玄贊鈔》。參見王重民為《敦煌遺書總目索引》所寫後記，見該書第 549 頁。
7.1　尾有“北川（紙?）”、“第一抄尾”1 行。尾紙背有校補正面經疏 2 行。
8　7～8 世紀。唐寫本。
9.1　章草。有合體字“菩薩”、“涅槃”。
9.2　有硃筆校改、科分。有行間校加字、標註字。有硃、墨筆行間加行、塗抹。
11　圖版：《敦煌寶藏》，57/378B～386B。

1.1　BD01214 號
1.3　妙法蓮華經卷四
1.4　列 014
1.5　105:5417
2.1　(6.7+38)×25.2 厘米；1 紙；28 行，行 17 字。
2.3　卷軸裝。首尾均脫。麻紙。卷首上下殘缺，卷面有殘破，有水漬。有烏絲欄。
3.1　首 4 行上殘→大正 262，9/35C15～18。
3.2　尾行殘→9/36A14。
8　7～8 世紀。唐寫本。
9.1　楷書。
11　圖版：《敦煌寶藏》，91/434B～435A。

1.1　BD01215 號
1.3　大般涅槃經（北本）卷三
1.4　列 015
1.5　115:6298
2.1　929.8×25.5 厘米；20 紙；516 行，行 17 字。
2.2　01：22.0，12；　02：49.0，28；　03：49.0，28；
04：49.2，28；　05：49.0，28；　06：49.0，28；
07：49.0，28；　08：49.1，28；　09：49.0，28；
10：49.0，28；　11：49.5，27；　12：49.5，27；
13：49.5，27；　14：49.5，27；　15：49.5，27；
16：49.5，27；　17：49.5，27；　18：49.5，27；
19：49.0，27；　20：21.5，09。
2.3　卷軸裝。首殘尾全。麻紙。卷中下邊有殘破，下邊有等距離水漬。背有古代裱補。有烏絲欄。
3.1　首殘→大正 374，12/379A25。
3.2　尾全→12/385B6。
4.2　大般涅槃經卷第三（尾）。
7.1　卷首背有“第二”2 字，恐為勘記“第三”之誤。
8　7～8 世紀。唐寫本。
9.1　楷書。
9.2　有刮改。
11　圖版：《敦煌寶藏》，97/648A～660B。

1.1　BD01216 號 1
1.3　金剛般若波羅蜜經
1.4　列 016
1.5　094:3894
2.1　(20.6+553.2)×23.5 厘米；16 紙；425 行，行 17 字。
2.2　01：20.6，16；　02：36.7，28；　03：36.9，28；
04：36.8，28；　05：36.9，28；　06：37.0，28；
07：36.9，28；　08：37.0，28；　09：36.8，28；
10：37.0，26；　11：37.0，27；　12：37.0，28；
13：37.0，28；　14：36.8，28；　15：36.8，28；
16：36.6，20。
2.3　卷軸裝。首殘尾全。第 2 紙下有殘缺，卷面多白色污物及灰塵污染，有水漬和黴斑。有烏絲欄。
2.4　本遺書包括 2 個文獻：（一）《金剛般若波羅蜜經》，266 行，今編為 BD01216 號 1。（二）《長者女菴提遮師子吼了義經》，159 行，今編為 BD01216 號 2。
3.1　首 16 行下殘→大正 235，8/749B3～20。
3.2　尾全→8/752C2。
4.2　金剛波若經一卷（尾）。
8　8～9 世紀。吐蕃統治時期寫本。

9.1 楷書。
9.2 有行間校加字，有刮改。
11 圖版：《敦煌寶藏》，81/96A～103A。

1.1 BD01216 號 2
1.3 長者女菴提遮師子吼了義經
1.4 列 016
1.5 094:3894
2.4 本遺書由 2 個文獻組成，本號爲第 2 個，159 行。餘參見 BD01216 號 1 之第 2 項、第 11 項。
3.1 首全→大正 580，14/962C18。
3.2 尾全→14/964C28。
4.1 佛說長者女菴提遮師吼了義經（首）。
4.2 佛說菴提遮女經（尾）。
8 8～9 世紀。吐蕃統治時期寫本。
9.1 楷書。
9.2 有行間校加字，有刮改。

1.1 BD01217 號
1.3 妙法蓮華經卷五
1.4 列 017
1.5 105:5468
2.1 （15.2＋479.3）×27.2 厘米；12 紙；337 行，行 27～31 字。
2.2 01：15.2＋4.5，13； 02：38.1，26； 03：48.0，34；
04：47.5，36； 05：49.8，37； 06：49.8，36；
07：49.5，32； 08：37.2，23； 09：50.4，33；
10：46.0，31； 11：48.0，32； 12：10.5，04。
2.3 卷軸裝。首殘尾全。尾有原軸，兩端塗深紅色漆，軸頭點黑漆。第 2、3 紙間經文割去，後綴接上。接縫處有開裂，卷面有油污，多水漬。有烏絲欄。
3.1 首 10 行上下殘→大正 262，9/37B15～C8。
3.2 尾全→9/46B14。
4.2 妙法蓮華經卷第五（尾）。
8 9～10 世紀。歸義軍時期寫本。
9.1 楷書。
9.2 有刮改。
11 圖版：《敦煌寶藏》，92/265B～272B。

1.1 BD01218 號
1.3 太上洞玄靈寶天尊名卷上
1.4 列 018
1.5 366:8447
2.1 94.8×25 厘米；2 紙；正面 56 行，行 17 字。背面 73 行，行字不等。
2.2 01：47.3，28； 02：47.5，28。
2.3 卷軸裝。首全尾脱。麻紙。首紙有殘洞、撕裂，通卷上下邊殘缺。下邊有蟲繭。有烏絲欄。
2.4 本遺書包括 2 個文獻：（一）《太上洞玄靈寶天尊名》卷上，56 行，抄寫在正面，今編為 BD01218 號。（二）《大乘百法明門論開宗義記釋》（擬），73 行，抄寫在背面，今編為 BD01218 號背。
3.4 説明：

道教經典，仿照佛教《佛名經》等經懺文獻所作。次行有副標題："元始天尊千五百名號及諸懺悔文"。內容為原經之序文。參見王卡《敦煌道教文獻研究》，第 127 頁。

4.1 太上洞玄靈寶天尊名卷上（首）。
8 7～8 世紀。唐寫本。
9.1 楷書。
9.2 有行間批註。
11 圖版：《敦煌寶藏》，110/342A～344B。

1.1 BD01218 號背
1.3 大乘百法明門論開宗義記釋（擬）
1.4 列 018
1.5 366:8447
2.4 本遺書由 2 個文獻組成，本號爲第 2 個，73 行，抄寫在背面。餘參見 BD01218 號第 2 項、第 11 項。
3.4 説明：

本號逐一疏釋《大乘百法明門論開宗義記》中較爲重要的字詞，所疏釋文字，可參見《大正藏》2810，85/1046b27～1048a01。

8 8～9 世紀。吐蕃統治時期寫本。
9.1 楷書。有合體字"涅槃"、"菩薩"。
9.2 有行間加行，行間校加字。有倒乙、重文符號。有塗抹。

1.1 BD01219 號
1.3 道教布施發願講經文（擬）
1.4 列 019
1.5 372:8458
2.1 （5＋649.3＋2）×27.2 厘米；18 紙；499 行，行 22～25 字。
2.2 01：02.2，01； 02：2.8＋34.6，28； 03：38.2，27；
04：38.2，28； 05：38.5，29； 06：38.6，29；
07：38.7，29； 08：38.6，28； 09：38.7，28；
10：39.0，27； 11：38.8，27； 12：38.4，28；
13：38.4，28； 14：38.6，31； 15：38.4，32；
16：38.8，31； 17：38.5，34； 18：36.3＋2，34。
2.3 卷軸裝。首尾均殘。薄紙。卷面多殘洞，上下邊處多有破損。已修整。
3.4 説明：

前二十餘行內容為道教懺悔發願文。第 23 行稱："敬白四衆等：貧道向者為施主男女讀經，懺悔行道，□□□□，德壽圓滿，唯未受戒"云云。以下開始詳細講述道教經文戒律，每段講

完後，又另以“重白大衆，貧道……”；“敬白道場大衆，貧道……”開頭，再次開講。語言極為通俗瑣碎，大致為勸勉道衆禮拜天尊、奉道受戒、寫經造像、發願施捨等等。所講經文有《本際經》、《定志經》等道教經書，亦常引佛教經變故事為喻，或用“優婆夷”等術語。可見此係模仿佛教的道場講經文。《敦煌寶藏》題作“消災滅罪寶懺”，有誤。

參見王卡：《敦煌道教文獻研究》，第234頁。

8　7～8世紀。唐寫本。

9.1　行書。

9.2　有行間校加字，有校改。有重文、倒乙符號。

11　圖版：《敦煌寶藏》，110/376B～384B。

1.1　BD01220號

1.3　金剛般若波羅蜜經

1.4　列020

1.5　094:4061

2.1　（9.5+344.1）×25.5厘米；7紙；187行，行17字。

2.2　01：9.5+29.5，21；　02：52.6，28；　03：52.5，28；
04：52.5，28；　05：52.5，28；　06：52.5，28；
07：52.0，26。

2.3　卷軸裝。首殘尾全。麻紙，未入潢。卷面有殘裂，接縫處有開裂。卷中脫落1塊殘片，文可綴接。有烏絲欄。

3.1　首5行下殘→大正235，8/750B1～6。

3.2　尾全→8/752C3。

4.2　金剛般若波羅蜜經（尾）。

8　7～8世紀。唐寫本。

9.1　楷書。

11　圖版：《敦煌寶藏》，81/652A～656B。

1.1　BD01221號

1.3　維摩詰所說經卷中

1.4　列021

1.5　070:1070

2.1　841.5×25厘米；17紙；473行，行17字。

2.2　01：49.5，28；　02：49.5，28；　03：49.5，28；
04：49.5，28；　05：49.5，28；　06：49.5，28；
07：49.5，28；　08：49.5，28；　09：49.5，28；
10：49.5，28；　11：49.5，28；　12：49.5，28；
13：49.5，28；　14：49.5，28；　15：49.5，28；
16：49.5，28；　17：49.5，25。

2.3　卷軸裝。首脫尾全。通卷上部有水漬，前3紙上下多處殘破。

3.1　首殘→大正475，14/545B29。

3.2　尾全→14/551C27。

4.2　維摩經卷中（尾）。

8　9～10世紀。歸義軍時期寫本。

9.1　楷書。

9.2　有刮改。有倒乙。

11　圖版：《敦煌寶藏》，65/23B～35A。

1.1　BD01222號

1.3　大佛頂如來密因修證了義諸菩薩萬行首楞嚴經卷五

1.4　列022

1.5　237:7403

2.1　568.9×25.4厘米；14紙；335行，行17字。

2.2　01：39.4，23；　02：40.6，25；　03：40.6，25；
04：40.7，25；　05：40.7，25；　06：40.8，25；
07：40.8，25；　08：40.8，25；　09：40.9，25；
10：40.9，25；　11：40.9，25；　12：40.9，25；
13：40.9，25；　14：40.0，12。

2.3　卷軸裝。首尾均全。卷前端有破損。有烏絲欄。有燕尾。

3.1　首全→大正945，19/124B9。

3.2　尾全→19/128B7。

4.1　大佛頂如來蜜因修證了義諸菩薩萬行首楞嚴經第五，/一名中印度那闌陀大道/場經，於灌頂部錄出別行/（首）。

4.2　大佛頂萬行首楞嚴經卷第五（尾）。

8　8世紀。唐寫本。

9.1　楷書。

9.2　有行間校加字。有刮改。

11　圖版：《敦煌寶藏》，106/82A～89B。

1.1　BD01223號

1.3　大般若波羅蜜多經卷二六四

1.4　列023

1.5　084:2709

2.1　（4.2+588.7）×25.8厘米；14紙；361行，行17字。

2.2　01：4.2+22.8，17；　02：45.5，28；　03：45.0，28；
04：46.0，28；　05：45.4，28；　06：45.4，28；
07：45.3，28；　08：45.2，28；　09：45.2，28；
10：45.4，28；　11：45.3，27；　12：45.2，28；
13：45.0，28；　14：22.0，09。

2.3　卷軸裝。首殘尾全。卷面有油污，上下邊有殘破，接縫處有開裂，卷尾殘破。背有古代裱補。有烏絲欄。

3.1　首3行上下殘→大正220，6/335C28～336A1。

3.2　尾全→6/340A11。

4.2　大般若波羅蜜多經卷第二百六十四（尾）。

8　8～9世紀。吐蕃統治時期寫本。

9.1　楷書。

9.2　有行間校加字。有刮改。

11　圖版：《敦煌寶藏》，74/482A～489B。

1.1　BD01224號

1.3　羯磨

1.4　列024

1.5　198:7150
2.1　(4+571.5+5)×25.6厘米；15紙；333行，行21字。
2.2　01：4+10，9；　02：41.5，24；　03：42.0，24；
04：42.0，24；　05：42.0，24；　06：42.0，24；
07：42.0，24；　08：42.0，24；　09：42.0，24；
10：42.0，24；　11：42.0，24；　12：42.0，24；
13：42.0，24；　14：42.0，24；　15：16+5，12。
2.3　卷軸裝。首尾均殘。卷面有殘裂、殘洞，尾端殘破。背有古代裱補，有劃界欄針孔。有烏絲欄。
3.1　首3行上中殘→大正1433，22/1054B19~20。
3.2　尾3行中下殘→22/1060B4。
7.1　卷背有八處題名。有的字跡潦草，待辨認；可辨者為“玄證”。其中兩處騎縫。
8　5~6世紀。南北朝寫本。
9.1　楷書。
9.2　有硃筆科分、校改、圈刪。
11　圖版：《敦煌寶藏》，104/319A~326B。

1.1　BD01225號
1.3　金剛般若波羅蜜經（三十二分本）
1.4　列025
1.5　094:4085
2.1　(2+284.2)×25.1厘米；6紙；157行，行17字。
2.2　01：2+29，17；　02：51.2，28；　03：51.0，28；
04：51.0，28；　05：51.0，28；　06：51.0，28。
2.3　卷軸裝。首殘尾脫。麻紙。首紙多處破裂碎損，接縫處有開裂。有烏絲欄。已修整。
3.1　首殘→大正235，8/750B16。
3.2　尾殘→8/752B7。
8　9~10世紀。歸義軍時期寫本。
9.1　楷書。
11　圖版：《敦煌寶藏》，82/72B~76A。

1.1　BD01226號
1.3　十王經
1.4　列026
1.5　288:8258
2.1　(14.5+174.6)×21.5厘米；7紙；93行，行16字。
2.2　01：14.5，09；　02：26.0，15；　03：25.6，14；
04：26.5，14；　05：26.5，14；　06：26.5，13；
07：29.0，14。
2.3　卷軸裝。首殘尾全。卷面有殘裂、殘洞，卷中部上邊下邊殘破，有油污。已修整。
3.1　首9行上下殘→《敦煌本佛說十王經校錄研究》，第106頁第3~9行。
3.2　尾全→《敦煌本佛說十王經校錄研究》，第110頁第19行。
3.4　說明：
本文獻乃中國人所撰佛教經典，未為歷代大藏經所收。
4.2　閻羅受記經（尾）。
7.1　尾題後有題記：“戊辰年八月一日，八十五老人手寫流傳。依教不修，/生入地獄。”
8　9~10世紀。歸義軍時期寫本。
9.1　楷書。
11　圖版：《敦煌寶藏》，109/432B~435A。

1.1　BD01227號
1.3　大智度論卷三六
1.4　列027
1.5　218:7283
2.1　(8.5+872)×26.2厘米；21紙；502行，行17字。
2.2　01：01.5，01；　02：7+38，26；　03：45.0，26；
04：45.0，26；　05：45.0，26；　06：45.0，26；
07：45.0，25；　08：45.0，27；　09：45.0，27；
10：45.0，27；　11：45.0，27；　12：45.0，26；
13：45.0，26；　14：45.0，26；　15：45.0，26；
16：45.0，26；　17：45.0，26；　18：45.0，26；
19：45.0，26；　20：45.0，26；　21：24.0，04。
2.3　卷軸裝。首殘尾全。卷首下部殘缺，卷中有殘破，有水漬。尾有原軸，兩端塗黑漆，頂端點硃漆。有劃界欄針孔。有烏絲欄。
3.1　首5行下殘→大正1509，25/323B2~6。
3.2　尾全→25/329B28。
4.2　大智度論第卌六（尾）。
8　6世紀。南北朝寫本。
9.1　楷書。
9.2　有刮改。
11　圖版：《敦煌寶藏》，105/308A~319B。

1.1　BD01228號
1.3　大方等大集經（異卷）卷一八
1.4　列028
1.5　018:0220
2.1　(2+964)×25.3厘米；19紙；517行，行17字。
2.2　01：2+28，16；　02：52.0，28；　03：52.0，28；
04：52.0，28；　05：52.0，28；　06：52.0，28；
07：52.0，28；　08：52.0，28；　09：52.0，28；
10：52.0，28；　11：52.0，28；　12：52.0，28；
13：52.0，28；　14：52.0，28；　15：52.0，28；
16：52.0，28；　17：52.0，28；　18：52.0，28；
19：52.0，25。
2.3　卷軸裝。首殘尾全。卷首有殘洞，上邊下邊有殘損，卷面有殘裂。有烏絲欄。已修整。
3.1　首行下殘→大正397，13/137B29~C1。
3.2　尾全→13/143C12。

4.2　大方等大集經卷第十八（尾）。
5　與《大正藏》本對照，分卷不同。相當於《大正藏》卷二十。
8　6～7世紀。隋寫本。
9.1　楷書。
11　圖版：《敦煌寶藏》，57/247B～261B。

1.1　BD01229號
1.3　金剛般若波羅蜜經
1.4　列029
1.5　094:3684
2.1　522.6×25.7厘米；11紙；285行，行17字。
2.2　01：50.6，28；　02：50.7，28；　03：50.6，28；
04：50.5，28；　05：50.5，28；　06：50.7，28；
07：50.5，28；　08：50.5，28；　09：50.5，28；
10：50.5，28；　11：17.0，05。
2.3　卷軸裝。首脫尾全。麻紙。接縫處有開裂，卷面有水漬，有黴斑，尾部有殘損。有烏絲欄。
3.1　首殘→大正235，8/749A19。
3.2　尾全→8/752C3。
4.2　金剛般若波羅蜜經（尾）。
8　9～10世紀。歸義軍時期寫本。
9.1　楷書。
11　圖版：《敦煌寶藏》，79/515A～521B。

1.1　BD01230號
1.3　大般若波羅蜜多經卷二八四
1.4　列030
1.5　084:2772
2.1　109×25.8厘米；3紙；54行，行17字。
2.2　01：16.0，護首；　02：44.5，26；　03：48.5，28。
2.3　卷軸裝。首全尾殘。有護首，橫向破裂，下邊殘缺，有經名；存土黃色縹帶，長50厘米。扉頁有烏絲欄。通卷下邊殘破。有烏絲欄。已修整。
3.1　首全→大正220，6/442B6。
3.2　尾殘→6/443A4。
4.1　大般若波羅蜜多經卷第二百八十四，/初分難信解品第卅四之一百三，三藏法師玄奘奉詔譯/（首）。
7.4　護首有經名"大般若波羅蜜多經卷第二百八十四"。
8　8～9世紀。吐蕃統治時期寫本。
9.1　楷書。
11　圖版：《敦煌寶藏》，75/57A～58A。

1.1　BD01231號
1.3　維摩詰所說經卷上
1.4　列031
1.5　070:0908
2.1　246.5×26.5厘米；6紙；139行，行17字。
2.2　01：32.5，18；　02：49.5，28；　03：49.5，28；
04：49.5，28；　05：49.5，28；　06：16.0，09。
2.3　卷軸裝。首殘尾斷。上下邊有殘裂，通卷上邊有水漬。有烏絲欄。
3.1　首殘→大正475，14/537B16。
3.2　尾殘→14/539A14。
8　8世紀。唐寫本。
9.1　楷書。
9.2　有行間校加字。
11　圖版：《敦煌寶藏》，63/668B～671B。

1.1　BD01232號
1.3　百法明門論疏（擬）
1.4　列032
1.5　209:7247
2.1　881.5×29.5厘米；23紙；630行，行30字左右。
2.2　01：44.0，25；　02：44.0，26；　03：41.5，25；
04：41.5，36；　05：43.0，40；　06：43.0，42；
07：43.0，40；　08：42.5，42；　09：12.5，14；
10：43.0，30；　11：31.5，22；　12：33.5，24；
13：43.0，29；　14：43.0，27；　15：21.0，14；
16：42.0，30；　17：40.0，29；　18：20.0，13；
19：41.5，31；　20，42.0，30；　21：42.0，29；
22：42.0，16；　23：42.0，16。
2.3　卷軸裝。首脫尾全。卷中間有殘洞，卷尾上下邊殘損。第21、22紙間有空行。有烏絲欄。
3.4　說明：
本文獻首脫尾缺。《敦煌劫餘錄》定名為"百法明門論疏"。從內容看，應為某《百法明門論》章疏之復疏。詳情待考。
7.3　第1～2紙背有"馬曜奴不點□至片□"、"馬鳴菩薩"、"馬"、"馬菩薩因"、"因緣之理"1行。13紙背硃筆寫"西方有事心木，心中極硬"以及"宗者見也"2行。
8　9～10世紀。歸義軍時期寫本。
9.1　行楷。有合體字"涅槃"二種，一作"卌"，一作"夫"。
9.2　有硃筆校改和行間加行、行间校加字。有點標、科分及斷句。有刪除、倒乙、重文等符號。
11　圖版：《敦煌寶藏》，105/88A～99A。

1.1　BD01233號
1.3　金光明最勝王經卷七
1.4　列033
1.5　083:1830
2.1　（268.9＋1.2）×25.5厘米；7紙；156行，行17字。
2.2　01：4.8，護首；　02：47.5，27；　03：47.3，28；
04：47.3，28；　05：47.6，28；　06：47.6，28；
07：26.8＋1.2，17。

2.3　卷軸裝。首全尾斷。有護首，已殘破。卷尾多水漬，上下邊殘破嚴重。有烏絲欄。
3.1　首全→大正 665，16/432C13。
3.2　尾殘→16/434C6。
4.1　金光明最勝王經卷第七，/無染著陀羅尼品第十三，三藏法師義淨奉制譯/（首）。
8　8～9 世紀。吐蕃統治時期寫本。
9.1　楷書。
11　圖版：《敦煌寶藏》，70/264A～267B。

1.1　BD01234 號
1.3　無量壽宗要經
1.4　列 034
1.5　275:7717
2.1　（3＋178）×31.5 厘米；4 紙；117 行，行 30 餘字。
2.2　01：3＋38.5，27；　02：46.5，30；　03：46.5，31；
04：46.5，29。
2.3　卷軸裝。首殘尾全。首紙有殘裂。有烏絲欄。
3.1　首 2 行上殘→大正 936，19/82A5～7。
3.2　尾全→19/84C29。
4.2　佛說無量壽宗要經（尾）。
7.1　尾有題名“虛談”。
8　8～9 世紀。吐蕃統治時期寫本。
9.1　楷書。
11　圖版：《敦煌寶藏》，107/411B～413B。

1.1　BD01235 號
1.3　諸星母陀羅尼經
1.4　列 035
1.5　253:7555
2.1　（12.6＋55.4）×25.1 厘米；2 紙；31 行，行 17 字。
2.2　01：12.6＋13.2，15；　02：42.2，16。
2.3　卷軸裝。首殘尾全。卷前部殘缺嚴重，卷中有殘洞，脆損嚴重。有燕尾。有烏絲欄。
3.1　首 7 行中下殘→大正 1302，21/420C13～18。
3.2　尾全→21/412A1。
4.2　諸星母陀羅尼經一卷（尾）。
5　有音義。
8　9 世紀。吐蕃統治時期寫本。
9.1　楷書。
11　圖版：《敦煌寶藏》，106/652B～653A。

1.1　BD01236 號
1.3　妙法蓮華經卷七
1.4　列 036
1.5　105:5881
2.1　（14＋746.8）×25 厘米；16 紙；431 行，行 17 字。
2.2　01：14＋36，28；　02：49.7，28；　03：49.0，28；
04：49.0，28；　05：49.0，28；　06：49.0，28；
07：49.0，28；　08：49.0，28；　09：49.0，28；
10：49.0，28；　11：49.0，28；　12：49.4，28；
13：49.5，28；　14：49.5，28；　15：49.5，28；
16：22.2，11。
2.3　卷軸裝。首殘尾全。麻紙。卷中有火灼殘洞，卷上邊有殘裂，接縫處有開裂。背有古代裱補，裱補紙上有蟲蛀小洞。有烏絲欄。
3.1　首 8 行下殘→大正 262，9/56B17～25。
3.2　尾全→9/62B1。
4.2　妙法蓮華經卷第七（尾）。
7.1　卷背紙張邊緣有古代西域文字 11 處。
8　7～8 世紀。唐寫本。
9.1　楷書。
11　圖版：《敦煌寶藏》，95/580B～590B。

1.1　BD01237 號
1.3　四分比丘尼戒本
1.4　列 037
1.5　157:6911
2.1　296.5×28 厘米；7 紙；正面 123 行，行 25 字。背面 9 行，行字不等。
2.2　01：42.0，22；　02：42.0，20；　03：42.5，19；
04：42.5，19；　05：43.0，19；　06：43.0，19；
07：41.5，05。
2.3　卷軸裝。首脫尾全。紙未入潢。卷首有殘裂，通卷下部有水漬。有燕尾。背有古代裱補。
2.4　本遺書包括 3 個文獻：（一）《四分比丘尼戒本》，123 行，抄寫在正面，今編為 BD01237 號。（二）《青苗簿》（擬），4 行，抄寫在背面古代裱補紙上，今編為 BD01237 號背 1。（三）《六十甲子配九宮表》（擬），5 行，抄寫在背面古代裱補紙上，今編為 BD01237 號背 2。
3.1　首殘→大正 1431，22/1038B29。
3.2　尾全→22/1041A18。
4.2　比丘尼四分戒（尾）。
8　9～10 世紀。歸義軍時期寫本。
9.1　楷書。
9.2　有行間加行，有校加字。
11　圖版：《敦煌寶藏》，102/512A～515B。

1.1　BD01237 號背 1
1.3　青苗簿（擬）
1.4　列 037
1.5　157:6911
2.4　本遺書由 3 個文獻組成，本號爲第 2 個，4 行，抄寫在背面古代裱補紙上。餘參見 BD01237 號之第 2 項、第 11 項。

3.3 錄文：

廿畝麥 十四畝粟 十四畝麻 三畝菜 一畝宅/

□王仁洪見受田 卅三畝/

十畝麥 十畝粟 十二畝麻 一畝宅/

□…□受田廿七畝/。

（錄文完）

8 7~8世紀。唐寫本。

9.1 楷書

1.1 BD01237號背2

1.3 六十甲子配九宮表（擬）

1.4 列037

1.5 157:6911

2.4 本遺書由3個文獻組成，本號爲第3個，5行，抄寫在背面古代裱補紙上。文字向内，勉強可以辨讀。餘參見BD01237號之第2項、第11項。

3.3 錄文：

□□□□□□□□□ 丙子丁丑戌（戊?）寅在四（六?）宮 己卯庚辰辛巳在七宮/

壬午癸未甲申在八宮 乙酉丙戌丁亥在九宮 戊子己丑庚寅在一宮/

辛卯壬辰癸巳在二宮 甲午乙未丙申在三宮 丁酉戊戌己亥在四宮/

庚子辛丑壬寅在六宮 癸卯甲辰乙巳在七宮 丙午丁未戊申在一（八?）宮/

己酉庚戌辛亥在九宮 壬子癸丑甲寅在一宮 乙卯丙辰丁巳在二宮/

（錄文完）

8 7~8世紀。唐寫本。

9.1 楷書。

1.1 BD01238號

1.3 天地八陽神咒經

1.4 列038

1.5 256:7623

2.1 137.4×26.5厘米；3紙；84行，行17字。

2.2 01：45.8，28； 02：45.8，28； 03：45.8，28。

2.3 卷軸裝。首尾均脱。麻紙。卷面有殘洞，上邊下邊殘破，接縫處有開裂。有烏絲欄。

3.1 首殘→大正2897，85/1422C21。

3.2 尾殘→85/1424A6。

5 與《大正藏》本對照，文字略有參差。

8 7~8世紀。唐寫本。

9.1 楷書。

11 圖版：《敦煌寶藏》，107/132B~134A。

1.1 BD01239號

1.3 金剛般若波羅蜜經

1.4 列039

1.5 094:4087

2.1 337.6×25厘米；7紙；175行，行17字。

2.2 01：51.0，28； 02：51.7，28； 03：51.5，28；
04：51.5，28； 05：51.5，28； 06：30.9，17；
07：49.5，18。

2.3 卷軸裝。首脱尾全。麻紙。末紙較前各紙厚薄不同，紙色亦異。首尾紙有殘裂，卷下邊有水漬。有燕尾。有烏絲欄。

3.1 首殘→大正235，8/750B17。

3.2 尾全→8/752C3。

4.2 金剛般若波羅蜜經（尾）。

8 7~8世紀。唐寫本。

9.1 楷書。

11 圖版：《敦煌寶藏》，82/81A~85A。

1.1 BD01240號

1.3 金光明最勝王經卷四

1.4 列040

1.5 083:1663

2.1 612.7×26.4厘米；14紙；344行，行17字。

2.2 01：41.0，23； 02：44.0，25； 03：44.4，25；
04：44.5，25； 05：44.5，25； 06：44.5，25；
07：44.5，25； 08：44.5，25； 09：44.5，25；
10：44.5，25； 11：44.5，25； 12：44.5，25；
13：41.8，25； 14：41.0，21。

2.3 卷軸裝。首脱尾全。卷首下部有殘缺，尾有蟲繭。背有古代裱補。有燕尾。有烏絲欄。已修整。

3.1 首殘→大正665，16/418A20。

3.2 尾全→16/422B21。

4.2 金光明經卷第四（尾）。

5 尾有音義。

8 7~8世紀。唐寫本。

9.1 楷書。

9.2 有刮改。

11 圖版：《敦煌寶藏》，69/159B~167A。

1.1 BD01241號

1.3 金光明最勝王經卷一〇

1.4 列041

1.5 083:2001

2.1 （7.5+112.5+2.7）×26.2厘米；4紙；71行，行17字。

2.2 01：7.5+15.8，13； 02：43.3，25； 03：43.2，25；
04：10.2+2.7，8。

2.3 卷軸裝。首尾均殘。有烏絲欄。

3.1 首4行中殘→大正665，16/455B2~5。

3.2 尾2行上殘→16/456B3~6。

6.2　尾→BD01973 號。
8　7 ~ 8 世紀。唐寫本。
9.1　楷書。
11　圖版:《敦煌寶藏》, 71/306B ~ 308A。

1.1　BD01242 號
1.3　維摩詰所說經卷下
1.4　列 042
1.5　070: 1215
2.1　839.5 × 25.5 厘米; 18 紙; 453 行, 行 17 字。
2.2　01: 20.0, 護首;　02: 46.0, 26;　03: 49.5, 28;
04: 50.0, 28;　05: 50.0, 28;　06: 50.0, 28;
07: 50.0, 28;　08: 50.0, 28;　09: 50.0, 28;
10: 50.0, 28;　11: 50.0, 28;　12: 50.0, 28;
13: 50.0, 28;　14: 50.0, 28;　15: 50.0, 28;
16: 50.0, 28;　17: 50.0, 28;　18: 24.0, 07。
2.3　卷軸裝。首尾均全。有護首, 上下邊殘破。卷面有蟲繭。護首及第 1 紙係後補。背有古代裱補。有燕尾。有烏絲欄。
3.1　首全→大正 475, 14/552A3。
3.2　尾全→14/557B26。
4.1　維摩詰經香積佛品第十, 卷下 (首)。
4.2　維摩詰經卷下 (尾)。
5　與《大正藏》本對照, 本卷尾部 "皆大歡喜" 之後, 多 "作禮而去" 1 句。
7.3　背面裱補紙上有 "六十六" 3 字。
8　7 ~ 8 世紀。唐寫本。
9.1　楷書。
11　圖版:《敦煌寶藏》, 66/23A ~ 34B。

1.1　BD01243 號
1.3　金光明最勝王經卷八
1.4　列 043
1.5　083: 1862
2.1　652.8 × 26 厘米; 15 紙; 387 行, 行 17 字。
2.2　01: 43.2, 護首;　02: 43.5, 28;　03: 43.7, 28;
04: 43.6, 28;　05: 43.5, 28;　06: 43.5, 28;
07: 43.5, 28;　08: 43.7, 28;　09: 43.7, 28;
10: 43.6, 28;　11: 43.6, 28;　12: 43.7, 28;
13: 43.5, 28;　14: 43.5, 28;　15: 43.0, 23。
2.3　卷軸裝。首脫尾全。卷端經文脫缺, 又綴連一張素紙, 作爲護首。卷面有殘洞, 上下邊有殘破。卷前部多油污、水漬, 卷尾有蟲繭。有燕尾。有烏絲欄。
3.1　首殘→大正 665, 16/438A18。
3.2　尾全→16/444A9。
4.2　金光明最勝王經卷第八 (尾)。
5　尾附音義。
8　8 ~ 9 世紀。吐蕃統治時期寫本。
9.1　楷書。
11　圖版:《敦煌寶藏》, 70/389A ~ 397A。

1.1　BD01244 號
1.3　金剛般若波羅蜜經
1.4　列 044
1.5　094: 3800
2.1　(7.5 × 283.5 + 9) × 26 厘米; 7 紙; 172 行, 行 17 字。
2.2　01: 7.5 + 8.5, 9;　02: 50.0, 29;　03: 50.5, 29;
04: 50.0, 29;　05: 50.0, 29;　06: 50.0, 29;
07: 24.5 + 18。
2.3　卷軸裝。首尾均殘。卷首右下殘缺。卷面有殘裂、殘洞。卷背有污漬。有烏絲欄。已修整。
3.1　首 4 行下殘→大正 235, 8/749B12 ~ 16。
3.2　尾 4 行上殘→8/751B14 ~ 18。
8　8 ~ 9 世紀。吐蕃統治時期寫本。
9.1　楷書。
11　從該件背面揭下古代裱補紙 2 塊, 現編爲 BD16145 號。
圖版:《敦煌寶藏》, 80/400A ~ 404A。

1.1　BD01245 號
1.3　大智度論卷九一
1.4　列 045
1.5　088: 3467
2.1　(4.1 + 361.4 + 3.8) × 26.4 厘米; 8 紙; 212 行, 行 17 字。
2.2　01: 4.1 + 31.5, 20;　02: 50.6, 29;　03: 50.4, 29;
04: 50.4, 29;　05: 50.3, 29;　06: 50.3, 29;
07: 50.5, 29;　08: 27.4 + 3.8, 18。
2.3　卷軸裝。首尾均殘。首紙有殘裂, 卷面上邊下邊有殘損。背有古代裱補。有烏絲欄。
3.1　首 2 行上殘→大正 1509, 25/700A14。
3.2　尾殘→25/702B25。
8　6 世紀。南北朝寫本。
9.1　隸書。
11　圖版:《敦煌寶藏》, 78/128B ~ 133A。

1.1　BD01246 號
1.3　妙法蓮華經卷七
1.4　列 046
1.5　105: 5953
2.1　(14.5 + 370.9 + 1.5) × 26 厘米; 9 紙; 235 行, 行 17 字。
2.2　01: 14.5 + 26, 23;　02: 49.0, 28;　03: 49.5, 28;
04: 49.5, 28;　05: 48.0, 27;　06: 49.6, 28;
07: 49.8, 28;　08: 49.5, 28;　09: 01.5, 17。
2.3　卷軸裝。首尾均殘。卷面有殘洞, 通卷下邊殘破嚴重, 接縫處有開裂。有烏絲欄。已修整。
3.1　首 8 行中下殘→大正 262, 9/56C24 ~ 57A3。

3.2 尾行上殘→9/60B14。
8 9～10世紀。歸義軍時期寫本。
9.1 楷書。
11 圖版：《敦煌寶藏》，96/187A～192B。

1.1 BD01247號
1.3 觀佛三昧海經卷七
1.4 列047
1.5 028:0243
2.1 (8+526.5)×27.1厘米；13紙；305行，行17字。
2.2 01：8+22.5，17； 02：42.0，24； 03：42.0，24；
04：42.0，24； 05：42.0，24； 06：42.0，24；
07：42.0，24； 08：42.0，24； 09：42.0，24；
10：42.0，24； 11：42.0，24； 12：42.0，24；
13：42.0，24。
2.3 卷軸裝。首殘尾脫。紙綿薄。卷背有古代裱補。有烏絲欄。已修整。
3.1 首4行上殘→大正643，15/679B3～5。
3.2 尾殘→15/683A3。
8 5～6世紀。南北朝寫本。
9.1 隸書。
11 圖版：《敦煌寶藏》，57/410B～418A。

1.1 BD01248號
1.3 大般若波羅蜜多經卷七七
1.4 列048
1.5 084:2219
2.1 (30+28)×25.7厘米；2紙；26行，行17字。
2.2 01：14，護首； 02：16+28，26。
2.3 卷軸裝。首全尾脫。有護首，護首下邊殘缺。尾紙有殘裂及下邊殘缺。有烏絲欄。
3.1 首9行下殘→大正220，5/431C2～12。
3.2 尾殘→5/431C29。
4.1 大般若波羅蜜多經卷第七十七，/初分天帝品第二十二之一，三藏法師玄奘奉詔譯/（首）。
8 7～8世紀。唐寫本。
9.1 楷書。
11 圖版：《敦煌寶藏》，72/317B。

1.1 BD01249號
1.3 妙法蓮華經卷三
1.4 列049
1.5 105:5100
2.1 (3.1+614.1)×26.4厘米；16紙；375行，行17字。
2.2 01：3.1+27.6，19； 02：39.2，24； 03：39.7，24；
04：39.2，24； 05：39.2，24； 06：39.2，24；
07：39.0，24； 08：39.1，24； 09：39.1，24；
10：39.1，24； 11：39.3，24； 12：39.2，24；
13：38.9，24； 14：39.1，24； 15：39.0，24；
16：38.2，20。
2.3 卷軸裝。首殘尾全。首紙有殘損，卷面有殘裂。有烏絲欄。
3.1 首2行上殘→大正262，9/21C10～11。
3.2 尾全→9/27B9。
4.2 妙法蓮華經卷第三（尾）。
7.1 卷尾有題記："清信士佛弟子王恩自忖往昔因微，煢然萬里，陷此。/"
8 5～6世紀。南北朝寫本。
9.1 楷書。
9.2 第10紙及以後各紙有硃點。
11 圖版：《敦煌寶藏》，88/671B～680B。

1.1 BD01250號
1.3 無量壽宗要經（兌廢稿）
1.4 列050
1.5 275:7974
2.1 (16+148.5)×28.5厘米；4紙；94行，行18字。
2.2 01：16+29，26； 02：44.5，26； 03：44.5，26；
04：30.5，16。
2.3 卷軸裝。首殘尾全。第1、2紙有鼠嚙殘洞、殘缺。有烏絲欄。
3.1 首7行中上殘→大正936，19/83C19～27。
3.2 尾全→19/84C29。
4.2 佛說無量壽宗要經（尾）。
8 8～9世紀。吐蕃統治時期寫本。
9.1 楷書。第4紙上邊有"兌"字。
9.2 有刮改。有行間校加字。
11 圖版：《敦煌寶藏》，108/415B～417B。

1.1 BD01251號
1.3 維摩詰所說經卷下
1.4 列051
1.5 070:1216
2.1 830×27厘米；18紙；455行，行17字。
2.2 01：14.0，護首； 02：48.0，28； 03：48.0，27；
04：48.0，28； 05：48.0，28； 06：48.0，28；
07：48.0，28； 08：48.0，28； 09：48.0，28；
10：48.0，28； 11：48.0，28； 12：48.0，28；
13：48.0，28； 14：48.0，28； 15：48.0，28；
16：48.0，28； 17：48.0，28； 18：48.0，08。
2.3 卷軸裝。首尾均全。有護首。尾紙下邊有殘缺，有蟲繭。背有古代裱補。有烏絲欄。
3.1 首全→大正475，14/552A5。
3.2 尾全→14/557B26。
4.1 香積佛品第十（首）。

4.2　維摩經卷下（尾）。
8　8 世紀。唐寫本。
9.1　楷書。
9.2　有橙色圈刪。
11　圖版：《敦煌寶藏》，66/35A ~ 45B。

1.1　BD01252 號
1.3　維摩詰所說經卷上
1.4　列 052
1.5　070:0979
2.1　（21 + 561 + 13.5）×24.5 厘米；13 紙；339 行，行 17 字。
2.2　01：21 + 27.5，28；　02：48.5，28；　03：48.5，28；
04：48.5，28；　05：48.5，28；　06：48.5，27；
07：48.5，28；　08：48.5，28；　09：48.5，28；
10：48.5，28；　11：48.5，28；　12：48.5，28；
13：13.5，04。
2.3　卷軸裝。首尾均殘。卷首殘破，背有鳥糞；卷下邊有殘裂，第 9 紙中間斷爲 2 截；接縫處有開裂；卷面有蟲繭。背有古代裱補。有烏絲欄。
3.1　首 12 行下殘→大正 475，14/540A5 ~ 18。
3.2　尾 4 行下殘→14/544A16 ~ 19。
4.2　維摩詰經卷第一（尾）。
8　7 ~ 8 世紀。唐寫本。
9.1　楷書。
9.2　通卷有硃筆斷句、行間校加字。
11　圖版：《敦煌寶藏》，64/235B ~ 243B。

1.1　BD01253 號
1.3　四分戒本疏卷二
1.4　列 053
1.5　169:7043
2.1　（2 + 1639）×27.3 厘米；36 紙；1085 行，行 29 字。
2.2　01：2 + 22.5，16；　02：50.0，33；　03：50.0，33；
04：50.5，33；　05：50.0，33；　06：50.5，33；
07：50.5，33；　08：50.5，33；　09：50.5，33；
10：50.5，33；　11：50.5，33；　12：50.5，33；
13：50.5，33；　14：50.5，33；　15：50.0，33；
16：51.0，33；　17：50.0，33；　18：50.5，33；
19：50.5，33；　20：50.5，33；　21：50.5，33；
22：50.5，33；　23：50.5，33；　24：50.5，33；
25：50.5，33；　26：36.5，27；　27：36.5，27；
28：37.5，28；　29：36.5，28；　30：37.5，28；
31：37.0，28；　32：37.5，28；　33：37.0，28；
34：36.5，28；　35：37.5，27；　36：36.5，拖尾。
2.3　卷軸裝。首殘尾全。尾有蟲繭。有烏絲欄。
3.1　首 1 行上殘→大正 2787，85/572C9。
3.2　尾全→85/594C10。
4.2　四分戒疏卷第二（尾）。
8　8 ~ 9 世紀。吐蕃統治時期寫本。
9.1　楷書。
9.2　有刮改。有行間校加字。有倒乙。
11　圖版：《敦煌寶藏》，103/639B ~ 659A。

1.1　BD01254 號
1.3　無量壽宗要經
1.4　列 054
1.5　275:7975
2.1　150 ×31 厘米；4 紙；96 行，行 30 餘字。
2.2　01：42.0，28；　02：42.0，28；　03：42.0，28；
04：24.0，12。
2.3　卷軸裝。首脫尾全。第 1、2 紙下邊有殘損，卷面多斑點。有烏絲欄。
3.1　首殘→大正 936，19/82C11。
3.2　尾全→19/84C29。
4.2　佛說無量壽宗要經（尾）。
7.1　尾有題名“氾廣”。
8　8 ~ 9 世紀。吐蕃統治時期寫本。
9.1　行楷。
11　圖版：《敦煌寶藏》，108/418A ~ 419B。

新舊編號對照表

一、千字文號與北敦號、縮微膠卷號對照表

千字文號	北敦號	縮微膠卷號
列 001	BD01201 號	111：6210
列 002	BD01202 號	242：7456
列 003	BD01203 號	084：2857
列 004	BD01204 號	083：1623
列 005	BD01205 號	277：8213
列 006	BD01206 號	070：1163
列 007	BD01207 號	111：6270
列 008	BD01208 號 1	105：5938
列 008	BD01208 號 2	105：5938
列 008	BD01208 號 3	105：5938
列 009	BD01209 號	115：6334
列 010	BD01210 號	105：5377
列 011	BD01211 號	109：6188
列 012	BD01212 號	094：3825
列 013	BD01213 號	024：0237
列 014	BD01214 號	105：5417
列 015	BD01215 號	115：6298
列 016	BD01216 號 1	094：3894
列 016	BD01216 號 2	094：3894
列 017	BD01217 號	105：5468
列 018	BD01218 號	366：8447
列 018	BD01218 號背	366：8447
列 019	BD01219 號	372：8458
列 020	BD01220 號	094：4061
列 021	BD01221 號	070：1070
列 022	BD01222 號	237：7403
列 023	BD01223 號	084：2709
列 024	BD01224 號	198：7150
列 025	BD01225 號	094：4085
列 026	BD01226 號	288：8258
列 027	BD01227 號	218：7283
列 028	BD01228 號	018：0220
列 029	BD01229 號	094：3684
列 030	BD01230 號	084：2772
列 031	BD01231 號	070：0908
列 032	BD01232 號	209：7247
列 033	BD01233 號	083：1830
列 034	BD01234 號	275：7717
列 035	BD01235 號	253：7555
列 036	BD01236 號	105：5881
列 037	BD01237 號	157：6911
列 037	BD01237 號背 1	157：6911
列 037	BD01237 號背 2	157：6911
列 038	BD01238 號	256：7623
列 039	BD01239 號	094：4087
列 040	BD01240 號	083：1663
列 041	BD01241 號	083：2001
列 042	BD01242 號	070：1215
列 043	BD01243 號	083：1862
列 044	BD01244 號	094：3800
列 045	BD01245 號	088：3467
列 046	BD01246 號	105：5953
列 047	BD01247 號	028：0243
列 048	BD01248 號	084：2219
列 049	BD01249 號	105：5100
列 050	BD01250 號	275：7974
列 051	BD01251 號	070：1216
列 052	BD01252 號	070：0979
列 053	BD01253 號	169：7043
列 054	BD01254 號	275：7975

二、縮微膠卷號與北敦號、千字文號對照表

縮微膠卷號	北敦號	千字文號	縮微膠卷號	北敦號	千字文號
018：0220	BD01228 號	列 028	105：5468	BD01217 號	列 017
024：0237	BD01213 號	列 013	105：5881	BD01236 號	列 036
028：0243	BD01247 號	列 047	105：5938	BD01208 號 1	列 008
070：0908	BD01231 號	列 031	105：5938	BD01208 號 2	列 008
070：0979	BD01252 號	列 052	105：5938	BD01208 號 3	列 008
070：1070	BD01221 號	列 021	105：5953	BD01246 號	列 046
070：1163	BD01206 號	列 006	109：6188	BD01211 號	列 011
070：1215	BD01242 號	列 042	111：6210	BD01201 號	列 001
070：1216	BD01251 號	列 051	111：6270	BD01207 號	列 007
083：1623	BD01204 號	列 004	115：6298	BD01215 號	列 015
083：1663	BD01240 號	列 040	115：6334	BD01209 號	列 009
083：1830	BD01233 號	列 033	157：6911	BD01237 號	列 037
083：1862	BD01243 號	列 043	157：6911	BD01237 號背 1	列 037
083：2001	BD01241 號	列 041	157：6911	BD01237 號背 2	列 037
084：2219	BD01248 號	列 048	169：7043	BD01253 號	列 053
084：2709	BD01223 號	列 023	198：7150	BD01224 號	列 024
084：2772	BD01230 號	列 030	209：7247	BD01232 號	列 032
084：2857	BD01203 號	列 003	218：7283	BD01227 號	列 027
088：3467	BD01245 號	列 045	237：7403	BD01222 號	列 022
094：3684	BD01229 號	列 029	242：7456	BD01202 號	列 002
094：3800	BD01244 號	列 044	253：7555	BD01235 號	列 035
094：3825	BD01212 號	列 012	256：7623	BD01238 號	列 038
094：3894	BD01216 號 1	列 016	275：7717	BD01234 號	列 034
094：3894	BD01216 號 2	列 016	275：7974	BD01250 號	列 050
094：4061	BD01220 號	列 020	275：7975	BD01254 號	列 054
094：4085	BD01225 號	列 025	277：8213	BD01205 號	列 005
094：4087	BD01239 號	列 039	288：8258	BD01226 號	列 026
105：5100	BD01249 號	列 049	366：8447	BD01218 號	列 018
105：5377	BD01210 號	列 010	366：8447	BD01218 號背	列 018
105：5417	BD01214 號	列 014	372：8458	BD01219 號	列 019